JN182606

## 標準作業療法学

専門分野

# 作業療法学概論

第4版

■編集
能登真一　新潟医療福祉大学リハビリテーション学部作業療法学科・教授

■執筆(執筆順)
能登真一　新潟医療福祉大学リハビリテーション学部作業療法学科・教授
谷口敬道　国際医療福祉大学成田保健医療学部作業療法学科・教授
仙石泰仁　札幌医科大学保健医療学部作業療法学科・教授
長尾　徹　神戸大学大学院保健学研究科リハビリテーション科学領域・准教授
丹羽正利　杏林大学保健学部作業療法学科・教授
小林法一　東京都立大学健康福祉学部作業療法学科・教授
酒井弘美　東京工科大学医療保健学部リハビリテーション学科作業療法学専攻・教授
五百川和明　福島県立医科大学保健科学部作業療法学科・教授
友利幸之介　東京工科大学医療保健学部リハビリテーション学科作業療法学専攻・准教授
大庭潤平　神戸学院大学総合リハビリテーション学部作業療法学科・教授
石橋英恵　国際医療福祉大学福岡保健医療学部作業療法学科・講師
斎藤和夫　東京家政大学健康科学部リハビリテーション学科作業療法学専攻・准教授
新宮尚人　聖隷クリストファー大学リハビリテーション学部作業療法学科・教授
加藤寿宏　関西医科大学リハビリテーション学部作業療法学科・教授
村田和香　群馬パース大学リハビリテーション学部作業療法学科・教授
會田玉美　目白大学保健医療学部作業療法学科・教授
小林隆司　岡山医療専門職大学健康科学部作業療法学科・教授

医学書院

**標準作業療法学　専門分野**
**作業療法学概論**

発　　行　2004年 7月 1日　第1版第1刷
　　　　　2010年 2月 1日　第1版第6刷
　　　　　2011年 2月15日　第2版第1刷
　　　　　2015年12月15日　第2版第7刷
　　　　　2016年12月 1日　第3版第1刷
　　　　　2021年 1月 1日　第3版第5刷
　　　　　2021年12月 1日　第4版第1刷©
　　　　　2024年12月 1日　第4版第4刷

シリーズ監修　矢谷（やたに）　令子（れいこ）
編　　集　能登（のと）　真一（しんいち）
発 行 者　株式会社　医学書院
　　　　　代表取締役　金原　俊
　　　　　〒113-8719　東京都文京区本郷1-28-23
　　　　　電話　03-3817-5600（社内案内）
組　　版　ウルス
印刷・製本　大日本法令印刷



ISBN978-4-260-04785-2

# 刊行のことば

21世紀に持ち越された高等教育の課題を表す重要キーワードとして，“教育改革”という4文字がある．このことは初等・中等教育においても同様と考えられるが，きわめて重要な取り組みとして受け止められている．また，大学入学定員と志願者数が同じになるという“全入時代”を数年後に控えた日本の教育界において，“変わる教育”，“変わる教員”が求められる現在，“変わる学生”が求められるのもまた必然の理となる．教育の改革も変革もまだまだこれからであり，むしろそれは常に“今日”の課題であることはいうまでもない．ただし，改革や変革を安易に日常化してしまうのではなく，それら1つひとつを真摯に受け止め，その結果を厳しく評価することで，教員も学生も一体となって教育の成果を体得することこそ重要になる．

このような状況下にあって，このたび「標準作業療法学 専門分野」全12巻が刊行の運びとなった．これは「標準理学療法学・作業療法学 専門基礎分野」全12巻，および「標準理学療法学 専門分野」全10巻の両シリーズに並び企画されたものである．

本シリーズの構成は，巻頭見開きの「標準作業療法学シリーズの特長と構成」の項に示したように，「作業療法教育課程の基本構成領域」（指定規則，平成11年度改定）に基づき，『作業療法学概論』以下，各巻の教科タイトルを選定している．加えて，各領域の実際の臨床現場を多様な事例を通して学習する巻として『臨床実習とケーススタディ』を設け，作業療法教育に関連して必要かつ参考になる資料および全巻にわたる重要キーワードの解説をまとめた巻として『作業療法関連資料・用語解説』を設けた[注1]．

また，シリーズ全12巻の刊行にあたり心がけたいくつかの編集方針がある．まず注意したことは，当然のことながら“教科書”という性格を重要視し，その性格をふまえたうえで企画を具体化させたことである．さらに，前述した教育改革の“改革”を“学生主体の教育”としてとらえ，これを全巻に流れる基本姿勢とした．教員は学生に対し，いわゆる“生徒”から“学生”になってほしいという期待を込めて，学習のしかたに主体性を求める．しかし，それは観念の世界ではなく，具体的な学習への誘導，刺激があって，学生は主体的に学習に取り組めるのである．いわば，教科書はそのような教育環境づくりの一翼を担うべきものであると考えた．願わくば，本シリーズを通して，学生が学習に際して楽しさや喜びを感じられるようになれば幸いである．

編集方針の具体化として試みたことは，学習内容の到達目標を明確化し，そのチェックシステムを構築した点である．各巻の各章ごとに，教育目標として「一般教育目標」(General Instructional Objective; GIO)をおき，「一般教育目標」を具体化した項目として「行動目標」(Specific Behavioral Objectives; SBO)をおいた．さらに，自己学習のための項目として「修得チェックリスト」を配した．ちなみにSBOは，「～できる」のように明確に何ができるようになるかを示す動詞によって表現される．この方式は1960年代に米国において用いられ始めたものであるが，現在わが国においても教育目標達成のより有効な手段として広く用いられている．GIOは，いわゆる“授業概要”として示される授業科目の目的に相当し，SBOは“授業内容”または“授業計画”として示される授業の具体的内容・構成に通ずるものと解することができる．また，SBOの語尾に用いられる動詞は，知識・技術・態度として修得する意図を明確にしている．今回導入した「修得チェックリスト」を含んだこれらの項目は，すべて学習者を主体として表現されており，自らの行動によって確認する方式になっている．

チェックリストの記入作業になると，学生は「疲れる」と嘆くものだが，この作業によって学習内容や修得すべき事項がより明確になり，納得し，さらには学習成果に満足するという経験を味わうことができる．このように，単に読み物で終わるのではなく，自分で考え実践につながる教科書となることを目指した．

次に心がけたことは，学生の目線に立った内容表現に配慮したという点である．高校卒業直後の学生も本シリーズを手にすることを十分ふまえ，シリーズ全般にわたり，わかりやすい文章で解説することを重視した．

その他，序章には見開きで「学習マップ」を設け[注2]，全体の構成・内容を一覧で紹介した．また，章ごとに「本章のキーワード」を設け，その章に出てくる重要な用語を解説した．さらに終章として，その巻の内容についての今後の展望や関連領域の学習方法について編者の考えを記載した．巻末には「さらに深く学ぶために」を配し，本文で言及しきれなかった関連する学習項目や参考文献などを紹介した．これらのシリーズの構成要素をすべてまとめた結果として，国家試験対策にも役立つ内容となっている．

本シリーズは以上の点をふまえて構成されているが，まだまだ万全の内容と言い切ることができない．読者，利用者の皆様のご指摘をいただきながら版を重ね，より役立つ教科書としての発展につなげていきたい．シリーズ監修者と8名の編集者，および執筆いただいた90名余の著者から，ご利用いただく学生諸氏，関係諸氏の皆様に，本シリーズのいっそうの育成にご協力くださいますよう心よりお願い申し上げ，刊行のあいさつとしたい．

2004年5月

シリーズ監修者<br>編集者　一同

〔注1〕本シリーズの改訂にあたり，全体の構成を見直した結果，『作業療法関連資料・用語解説』についてはラインアップから外し，作業療法士が対象とする主要な対応課題である高次脳機能障害の教科書として，『高次脳機能作業療法学』の巻を新たに設けることとした．（2009年8月）

〔注2〕改訂第3版からは，“「標準作業療法学シリーズ」の特長と構成”に集約している．（2015年12月）

# 第4版　序

本書は作業療法をおおまかに理解してもらうことを目的にまとめられた教科書である．とはいえ，その内容は国家試験受験のためにも，さらには作業療法士となって臨床現場で働くためにも必要かつ十分に役立つものとなっている．そのため，それらのすべてを修得するには多くの困難が待ち受けていることと思われる．本書を手にしている皆さんにはその困難に果敢に立ち向かってほしいと期待しているが，それでも挫折しそうなときは，そのプレッシャーから離れても構わない．ただし，そのプレッシャーが薄れたときのために本書は手元に置いていつでもページをめくれるようにしておいてほしい．作業療法士を目指す皆さんの傍らでそっと後押しをし続けたい，というのがこの教科書を執筆した者たちの願いであり，役割だと考えている．

さて，本書は2004年に発刊された初版から3度目の改訂を行った第4版である．年数にして約18年が経ち，初版の執筆に携わった先輩たち，つまりわが国の作業療法の発展に大きく貢献した人たちであるが，彼らの多くは臨床や教育現場から退いた．日本で初めての作業療法士が誕生して55年余りとなり，臨床や教育の現場でも世代交代がおこったということになる．そのため本書を編集するにあたっては，そのような先輩たちに敬意を表しながら，日本における作業療法の文化ともいうべき，受け継がれてきた理念や精神をまっすぐに引き継ぐことを心がけた．しかしその一方で，作業療法に関連した種々の概念や学習環境も大きく変化してきたため，今の時代に合わせた変化も取り入れた．端的にいえば，「温故知新＝古きをたずねて新しきを知る」という新鮮な気持ちで編集に挑んだことになる．

本書は大きく前半と後半に分けて編集されている．前半は，作業療法の理解と作業療法士になるための基本的な知識の修得が目標となっている．第Ⅰ章では，作業療法の概略を理解するために，作業療法で用いられる「作業」の意味や作業療法の歴史や原理を学ぶ．ここでは作業療法がどのように誕生し，今日まで発展してきたのかという，いわば作業療法の物語を紐解いていくことになる．続く第Ⅱ章では，「作業」をどのように評価や治療に用いていくのかという，作業療法の醍醐味ともいえる作業の分析のしかたや治療への応用のしかたを理解する．第Ⅲ章では，作業療法士になるために必要な倫理的な構え，養成制度，生涯教育，研究，そして職能団体といったさまざまな関連事項にふれながら，医療関連職としての意識を高めていくことになる．本書の後半は作業療法のより実践的な内容を修得することが目標となる．第Ⅳ章では，作業療法の評価から治療に至る実践的な流れを修得する．続く第Ⅴ章では，その実践的な流れを身体・精神・発達・高齢期という4つの分野ごとにそれぞれの目的や事例を通して確認していく．そして最後の第 VI 章では，作業療法の基盤となる医療や介護など社会保障制度について学び，臨床現場で必要とされる管理運営業務を把握することで，臨床現場を意識した専門職としての自覚を研ぎ澄ましていくことになる．

このように本書は，作業療法の初学者である皆さんが，作業療法の「作業」とは何かということから学習し始め，臨床現場における管理業務の理解までを一括して収めてあるわけであるが，この内容すべてを 1 年生のうちに修得すべきであるというわけではない．リハビリテーション医学をはじめとした臨床医学の学習もこの先に控えている以上，それらを修得したあとでようやく理解できるといった内容も多く含まれている．この観点に立てば，臨床実習に出るころ，あるいは卒業するまでに概略を理解すればよい，という程度の心づもりでいていただければ幸いである．

最後に本書を手にしている皆さんに，作業療法士になることを急がないでほしいということをお伝えしたい．私の経験に照らしても，自分自身の成長なくして，作業療法士としての成功は難しいと感じるからある．もちろん，このことは留年や休学をして卒業を遅らせるべきだと言っているのではない．学生時代にいろいろな出会いや経験を通して多様な価値観にふれ，自分自身を成長させていってほしいということを強調したいのである．

日本は少子高齢化がよりいっそう進み，人口減少社会に突入している．少子化は勤労世代の縮小に直結し，人口減少は国内経済の縮小をもたらす．そのため，税や保険料など働く世代の負担は今後ますます大きくなっていくであろう．一方で，このような時代に，あえて作業療法士を目指す皆さんには社会から寄せられる期待も大きい．それは病気や障害をかかえた対象者を治療したり援助したりして医療や介護の臨床現場で貢献することはもちろん，誰もが健康で安心して生活できる地域社会を築いていってほしいという期待にほかならない．その意味では，人々の生活や環境の専門家である作業療法士はそれだけやりがいのある職業になりうるのである．私が作業療法士になったのは 30 歳のときであるが，皆さんの多くは高校を卒業して間もない，物心がついてたかだか 10 年足らずという年月で作業療法士という職業にたどり着いた．そのような決断に対し，素直に敬意を表するとともに，本書が次世代を担う皆さんの支えになれるよう心から祈っている．

2021 年 8 月

能登真一

# 初版の序

序章にも書いたが，“概論” はガイドブックである．ガイドブックは作業療法の道を進もうとする学生にとって道案内であると同時に，心と体の準備状態をつくり，先人の足跡をたどりつつ自己の思いを重ねられる “動機づけ” の役割も担う．そのうえで必要とされる知識と技術の大枠を提示することでもある．可能なかぎり学生の目線で編集しようと努力したが，結果的に専門用語も多く出さざるをえなかった．専門用語は専門科目の授業が進むなかで繰り返し学ぶうちに理解できるようになるので，めげずに突き進んでほしい．

“作業療法” という学問は，まだ誕生から 1 世紀も経っていない．“人間” に関する学問が，宗教から解放され，哲学から分離し，それぞれの道を進むようになったのは，近世になって因果関係の証明という科学的方法論が確立してからである．作業療法の歩みが，この因果関係の証明の是非をめぐって苦渋の選択を常に迫られつつ，それでも “人間” の生活にとって必要な学問であることを証明し続けてこられたのは，とりもなおさず “人間” が作業をすることによって人間となる “作業的存在 occupational being” であることの発見にほかならない．作業療法草創期の S. トレイシーや E.C. スレイグル，精神科医 W.R.J. ダントン，作業療法の理論的基礎を築いたフィドラーとライリー，そのあとを継いだ数々の理論家・実践家の労苦を偲びつつ，本書を編集した．

本書は大きく 5 章から成る．第 1 章「専門職に求められる資質と適性」では，作業療法士への漠然とした憧れと期待をもって入学した皆さんに，専門職となるための覚悟を促し，専門職として必要とされる人間性や知識・技術の全容を示した．どの職業にもおのずと要求される資質と適性がある．自己を深く見つめ直し，作業療法士という職業への適性を考えてほしい．第 2 章「作業療法とは」では，作業療法誕生の歴史からその定義，守備範囲(誰に，何を，いつ，どこで行うか)について述べた．関連領域の専門職とチームを組んで仕事をするなかで，作業療法士が何を専門とするのかを明示することは，チームメンバーにとっても，また何より対象者にとって必要なことである．第 3 章「作業療法の過程」では，具体的な作業療法の過程(プロセスとも流れともいう)について述べた．作業療法の対象領域は広く，身体と精神機能の障害への対応，発達期と高齢期という年齢別の障害への対応，さらに生活者として地域で生きていくうえでの問題解決が要求される．これらに共通する問題解決法が述べられている．第 4 章「作業療法の実際」は第 3 章で述べたプロセスを代表的疾患の症例を通して述べたので，よりいっそう理解が深まるはずである．第 5 章「作業療法部門の管理・運営」は，臨床実習前後に学ぶことでさらに深く理解できるであろう．作業療法の発展に応じて，管理・運営能力はますます問われることになる．道に迷ったときは本書に立ち戻って考えていただきたい．

2005 年 3 月

岩崎テル子

# 「標準作業療法学シリーズ」の特長と構成

## シリーズコンセプト

毎年数多く出版される作業療法関連の書籍のなかでも，教科書のもつ意義や役割には重要な使命や責任が伴います．

本シリーズでは，①シリーズ全 12 巻の構成内容は「作業療法教育課程の基本構成領域(下欄参照)」を網羅していること，②教科書としてふさわしく，わかりやすい記述がなされていること，③興味・関心を触発する内容で，自己学習の示唆に富む工夫が施されていること，④学習の到達目標を明確に示すとともに，学生自身が自己学習できるよう，“修得チェックリスト”を設けること，といった点に重点をおきました．

## シリーズ学習目標

本シリーズによる学習を通して，作業療法の実践に必要な知識，技術，態度を修得することを目標とします．また最終的に，作業療法を必要とする人々に，よりよい心身機能の回復，生活行為達成への支援，人生の意味を高める援助のできる作業療法士となることを目指します．

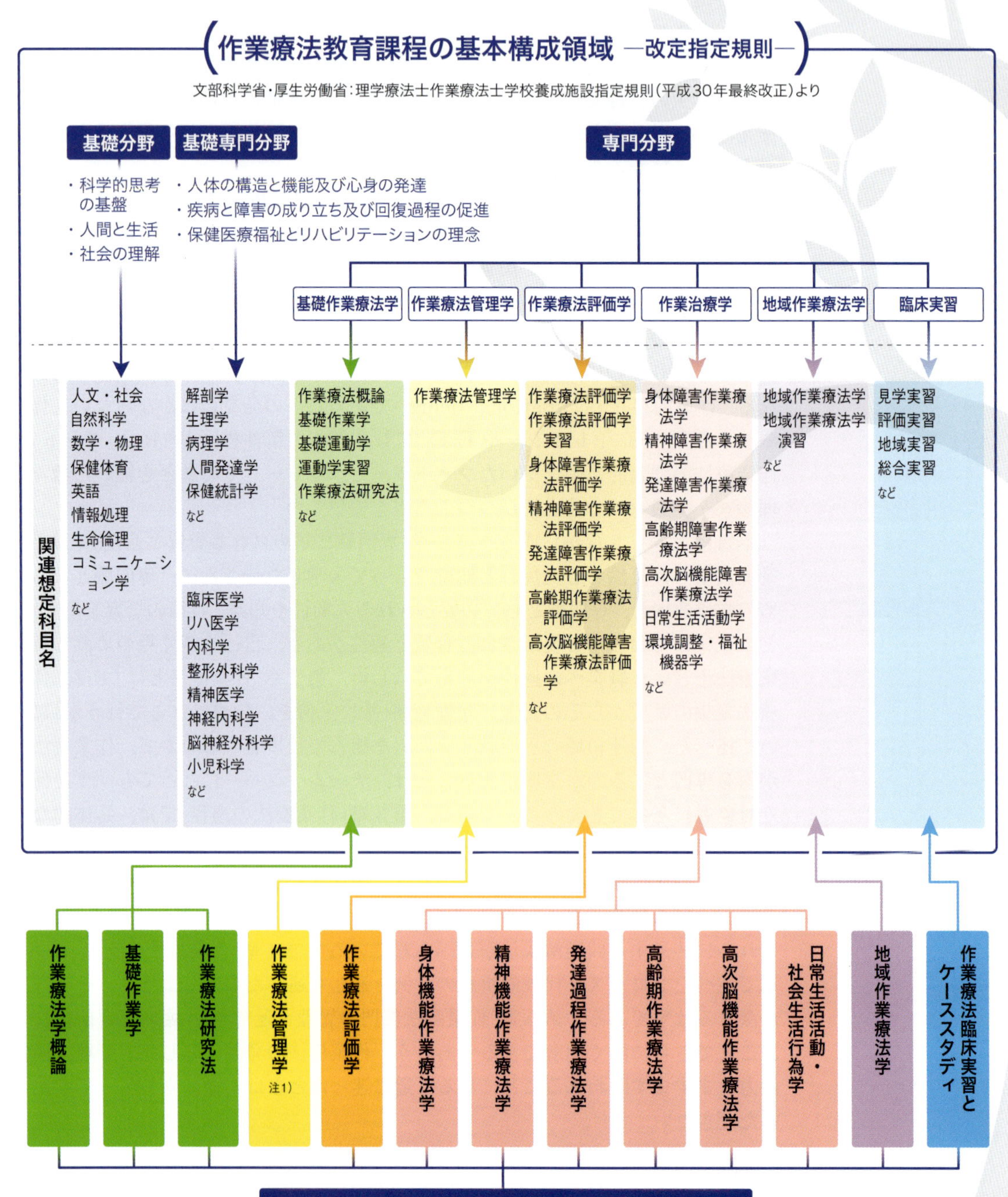


注1) 標準理学療法学・作業療法学・言語聴覚障害学 別巻シリーズとして『リハビリテーション管理学』が発行されている．

## 作業療法臨床実習とケーススタディ

臨床実習は作業療法の全教育課程の 3～4 割を占めるとされる専門分野の領域にあたります．これまで学んできた全教科のいわば総合編にあたり，多様な臨床の現場の実態を事例ごとに紹介し，実践教育として学習を深めます．

## 地域作業療法学

現在，作業療法が対象とする領域は，医療機関から地域へと広がっています．本巻では介護保険をはじめとする諸制度とのかかわりや地域作業療法の評価・プログラムの立案・実践過程について学習します．また，他職種との連携やさまざまな施設での実践事例を紹介します．

## 日常生活活動・社会生活行為学

個人の日常生活から心身の統合や社会生活の満足度を高める作業療法について，日常生活活動(ADL)の行為ごとに，作業療法士が行うべき評価，プログラム立案，訓練に至るまで事例を交えて学びます．

## 高次脳機能作業療法学

人の行動に深くかかわる中枢機能としての高次脳機能について，障害の基礎的な理解および評価・治療などの実践について学びます．また，関連する法律や制度などの社会的支援体制についても紹介しています．

## 身体機能作業療法学

身体障害に関して『基礎作業学』や『作業療法評価学』で学んだ関連事項をもとに，作業療法の特性を生かした治療・指導・援助の方法を学習します．脳卒中をはじめ，整形外科疾患，難病，内部障害など幅広い疾患に対する作業療法の実際を網羅しています．

## 精神機能作業療法学

精神障害に対する作業療法を，『基礎作業学』や『作業療法評価学』で学んだ関連事項をもとに学習します．主要な疾患の実践事例をもとに，必要とされる作業療法士の思考過程と技術の展開方法を学びます．

## 発達過程作業療法学

乳幼児から青年までを対象とした作業療法を，『基礎作業学』や『作業療法評価学』で学んだ関連事項をもとに学習します．発達途上にある対象児個人の将来の可能性を広げるために，家庭生活や教育環境などで活かせる，より適切な援助法を学びます．

## 高齢期作業療法学

高齢期を迎えた対象者の心身機能の変化や，それによる生活上の動作・行動・行為への援助法について学びます．障害をもつ対象者に関してはもちろん，健康である高齢者へのかかわりも含めて作業療法がどうあるべきか学習します．本書の内容は『地域作業療法学』とも深い関係があります．

## 作業療法評価学

作業療法の全領域で使用されている評価と評価法に関する知識および技法を，理論・演習を通して学習します．またそれらが各領域での実践において，どのような意味をもつものであるかについても学びます．これらの評価法の学習を通して，対象者個人と人物・物的・文化的環境とのかかわりまで幅広く見て，プラス面・マイナス面を同時に評価し，治療に結びつけられるような視点を養います．

## 基礎作業学

作業療法の最大の特徴である“作業・活動”に焦点を当てて，作業療法としての運用のしかたを学習します．また，『作業療法学概論』で述べた“作業・活動”がどのように選択され，治療に使われるのか，その理論と実際を深く学びます．

## 作業療法研究法

作業療法という専門職の研究・発展に必要な研究基礎知識や，実際に研究の演習法についても学習します．作業療法の効果を明示し社会的評価へとつなげる研究は，今後ますます重要になります．すでに発表された研究論文の読み方などについても学びます．

## 作業療法学概論

作業療法学全体を見渡すための巻です．身体機能・精神機能・発達過程・高齢期の各専門領域について導入的に説明します．また，作業療法士に求められる資質や適性，記録や報告など，作業療法を行うにあたり最低限必要とされる知識を万遍なく学びます．

## 本シリーズの共通要素について

### ■「標準作業療法学シリーズ」の特長と構成　※前頁に掲載

本シリーズの全体像，ならびにシリーズ各巻と作業療法教育課程の基本構成領域との関係性を図示しています．また，本シリーズ全体における各巻の位置づけや役割が把握しやすくなっています．

### GIO 一般教育目標 一般教育目標(General Instructional Objective; GIO)

各章の冒頭に設け，それぞれの章において修得すべき知識・技術・態度の一般的な目標(学習終了時に期待される成果を示すもの)について把握します．通常講義などで使用されている“講義概要”や“一般目標”に相当します．

### SBO 行動目標 行動目標(Specific Behavioral Objectives; SBO)

一般教育目標(GIO)を遂行するために立てられた具体的な目標です(GIO を達成するためのいくつかの下位目標)．知識面，技術面，態度や情意面に分けられ，それぞれの達成目標が明確に表現されていますので，自分の学習目標がはっきりします．通常授業などで使用されている“学習目標”や“到達目標”に相当します．

### ☑ 修得チェックリスト

行動目標(SBO)を受けた形で，さらに学習のポイントを具体化したものです．修得度をチェック項目ごとに確認していく自己学習のためのリストです．

### 本章のキーワード

学習する際に役立つキーワードを紹介し，簡潔に解説を施しています．さらに深い知識が身につき，理解力がアップします．本文中の該当語にはをつけています．

### ■さらに深く学ぶために

巻末に設けたまとめです．本文では言及しきれなかった，その巻に関連する学習項目や参考文献などを紹介し，今後の学習の道筋が広がる内容となっています．

## 本シリーズの呼称・表記について

### ■サービスの受け手の表現について

作業療法領域ではサービスの受け手を主に以下の 5 通りで表現しています．

- 「**対象者・対象児**」は，サービスの受け手を限定せずに指すときに使われます．またサービスの受益者と提供者が対等な関係であることを示しており，日本作業療法士協会が採用しています〔作業療法臨床実習の手引き(2022)〕．英語そのままに**クライエント**(client)の語も多く用いられます．
- 「患者」はもっぱら医療の対象者を指します．
- 「**当事者**」は精神障害分野において一般の人々が抱くマイナスイメージを避ける意味を込めて使われます．
- 「**利用者**」は疾患や障害に関係なく，在宅サービス(通所や訪問)を受ける人々を指して用いられます．
- 「障害者」は，本シリーズでは文脈上必要な場合を除き，極力用いない方針をとっています．ただし，「上肢機能障害」など障害そのものを表す場合は「障害」としています．

### ■「介入」という用語について

「介入」は，問題・事件・紛争などに，本来の当事者でない者が強引にかかわることという意味の用語です．本シリーズでは，作業療法が対象者とともに問題を解決するという立場から，「介入」は極力用いず，「**治療，指導，援助**」を行うという表現にしています．

# 目次

## I 作業療法の紹介

## IV 作業療法の実践過程



### 1 作業療法の仕組み　能登真一　145



### 2 評価と問題点の抽出　能登真一　151



### 3 治療プログラムの立案・フォローアップ　能登真一　158



### 4 臨床的思考過程と作業療法士の自己活用　能登真一　162



## V 作業療法の実際



### 1 身体機能分野における作業療法の実際　斎藤和夫　169

# 作業療法の紹介

1. 作業療法を正しく実践できるようになるために，「作業」の意味や作業療法の歴史や原理を理解し，主体的に学習していく態度を身につける.

**1-1）** 作業療法の定義を述べることができる.
- □ ①作業療法の定義のいくつかを述べることができる.
- □ ②リハビリテーションの意味と理念について考えることができる.

**1-2）** 作業療法における「作業」の意味を説明することができる.
- □ ③作業療法における「作業」の範囲や分類についてクラスメイトと話し合うことができる.
- □ ④自分自身にとって意味や価値のある活動をいくつか列挙できる.

**1-3）** 作業療法の歴史や原理について，具体的に述べることができる.
- □ ⑤作業療法の誕生から発展に至るまでの歴史を具体的にたどることができる.
- □ ⑥作業療法の先駆者たちの主張から，作業療法の原理となっている考えをクラスメイトと共有することができる.

**1-4）** 作業療法を理解するために必要な予備知識を身につけることができる.
- □ ⑦作業療法の対象者である人間の尊厳について考えることができる.
- □ ⑧人間や障害を理解するための ICF の概念と構造をグループで具体的に話し合うことができる.
- □ ⑨対象者との信頼関係（ラポール）とコミュニケーションの重要性に気づくことができる.

**1-5）** 作業療法の領域と実践現場について，具体的にイメージすることができる.
- □ ⑩医療の実践現場の特徴を病床の機能に沿って列挙できる.
- □ ⑪介護や福祉，療育や教育などの実践現場のいくつかを列挙できる.

# 1 「作業」の意味

皆さんが足を踏み入れた作業療法の世界はとても奥が深い学問領域である．それはとても魅力的である一方，抽象的でとらえにくいと感じるところが多少あるかもしれない．本書を執筆しているわれわれでさえもわかりやすく説明することには苦労するので，本書を初めて手にした学生の皆さんはすぐに理解できなくても問題ない．日々の生活の，そして人生の時間をかけた経験を通して最終的に理解してもらえればよいと思っている．大事なことは，その作業療法のとらえにくさをあいまいなまま心の奥に押し込まずに，時々そのあいまいさを思い出しながら，いつか理解できるようになろうという前向きな姿勢を持ち続けることである．

さて，作業療法が抽象的でとらえにくいと書いたことにはいくつかの理由がある．まず作業療法の対象はとても広い．作業療法はあらゆる年齢，さまざまな疾患，障害を対象にするため，治療の手段や目標も多様となる．やや大げさにいえば，100 人の対象者がいれば 100 通りの治療手段や目標が必要になるので，そもそも単純化して説明することが難しい．また，作業療法は対象者の生活場面を治療の対象にするため，それがあまりにも日常的かつ一般的すぎて医療技術としての専門性を見出しにくいことも関係している．さらに，これが最も重要かもしれないが，作業療法は人間そのものを対象としているということだ．作業療法は病気や怪我，障害そのものだけを対象にするのではなく，対象者である人間を治療していくという側面を有している．病気やウイルスには一定の法則やメカニズムがあるが，人間には性格や環境，信条，価値観など多様な側面があり，それをすぐに理解することは難しい．このような人間の多面性が作業療法を理解しにくい原因になっているかもしれない．

これらを解決するためには，作業療法やその基盤である医学，その他の心理学など，関連した学問を真剣に学ぶほかに近道はない．本章では，作業療法の定義やリハビリテーションの理念を確認しつつ，作業療法という用語に当てられた「作業」の概念とそれを治療に用いる意味について学んでいく．

## A 作業療法の定義

物事の定義を冒頭で確認する意義は，これから何かを学んだりそれを活用したりしようとする人たちがその理解を進めるにあたって，共通した認識をもつことにある．ここで作業療法の定義を確認する意義は「作業療法学概論」を学ぼうとする皆さんが，同じスタートラインに立って，これから学ぼうとしている作業療法のエッセンスを学習の目標として確認し合うことである．

作業療法の 3 つの定義を**表 1** に紹介する．1 つ目は 1965 年に制定された「理学療法士及び作業療法士法」[1] という法律に規定されているものであり，わが国で最も古い定義である．2 つ目は日本作業療法士協会[2] が 2018 年に改訂した最も新しいものである．そして 3 つ目は 2017 年に世界作業療法士連盟(WFOT)[3] が定めた世界共通の定義である．

▶表1　作業療法の定義

| 理学療法士及び作業療法士法による定義 |
|---|
| 身体又は精神に障害のある者に対し，主としてその応用的動作能力又は社会的適応能力の回復を図るため，手芸，工作その他の作業を行なわせることをいう |
| **日本作業療法士協会による定義** |
| 人々の健康と幸福を促進するために，医療，保健，福祉，教育，職業などの領域で行われる，作業に焦点を当てた治療，指導，援助である．作業とは，対象となる人々にとって目的や価値を持つ生活行為を指す |
| **世界作業療法士連盟による定義** |
| 作業療法は，作業を通して健康と幸福な生活の促進にかかわる対象者中心の医療専門職である．作業療法の主な目標は，人々が日々の生活の活動に参加できるようにすることである |

### (1)　理学療法士及び作業療法士法による定義

「理学療法士及び作業療法士法」によると，作業療法は「身体又は精神に障害のある者に対し，主としてその応用的動作能力又は社会的適応能力の回復を図るため，手芸，工作その他の作業を行なわせること」とされている(➡ 20～21 ページも参照)．この定義には，対象者と目的，さらに手段が書かれている．つまり，作業療法の対象者は「身体又は精神に障害のある者」であり，その主な目的は「応用的動作能力又は社会的適応能力の回復を図るため」であり，そのために「手芸，工作その他の作業を行なわせる」とある．まず，対象者については，身体と精神の両方を明記していることが特徴である．これについて，なんらかの障害があることが対象であると書かれているが，現在はそのような状態にならないように予防することも作業療法の対象になりつつある．また，目的として記載されている応用的動作能力については，その前段階としての基礎的動作能力を回復させることは理学療法の役割とされているが，作業療法でそれを行ってはいけないということではない．一方，理学療法士や作業療法士という名称に関しては互いが独立して用いるものであり，これらのことを“名称独占であるが，業務独占ではない”と表現する．さらに，作業療法の手段として述べられている「手芸，工作その他の作業を行なわせる」ことについては，厚生労働省が 2010(平成 22)年に作業療法の範囲として以下のような発信をしている．

> 理学療法士及び作業療法士法第2条第2項の「作業療法」については，同項の「手芸，工作」という文言から，「医療現場において手工芸を行わせること」といった認識が広がっている．
>
> 以下に掲げる業務については，理学療法士及び作業療法士法第2条第2項の「作業療法」に含まれる(後略)．
>
> - 移動，食事，排泄，入浴等の日常生活活動に関する ADL 訓練
> - 家事，外出等の IADL 訓練
> - 作業耐久性の向上，作業手順の習得，就労環境への適応等の職業関連活動の訓練
> - 福祉用具の使用等に関する訓練
> - 退院後の住環境への適応訓練
> - 発達障害や高次脳機能障害等に対するリハビリテーション

つまり，理学療法士及び作業療法士法の制定当時は，手芸，工作といった手工芸を作業療法の治療手段として用いることが多かったが，その後，対象疾患の広がりや診療報酬制度の変更を受けて，ADL(activities of daily living；日常生活活動)や IADL(instrumental activities of daily living；手段的日常生活活動)，福祉用具などへ業務の幅が広がったことを意味している．

### (2)　日本作業療法士協会による定義

**表1**に示してあるものは 2018 年に改訂されたものである．理学療法士及び作業療法士法による定義と比べて，対象者を「人々」としている点と，手段を「作業に焦点を当てた治療，指導，援助である」としている点で異なっている．

### (3)　世界作業療法士連盟による定義

この定義では，作業療法が「作業を通して健康と幸福な生活の促進にかかわる対象者中心の医療専門職である」こと，その主な目標は，「人々が日々の生活の活動に参加できるようにすることである」としている．

以上のとおり各定義を比較すると，時代別にその対象と手段に対する表現が少しずつ変化してき

ていることがわかる．現代の作業療法の対象は病気や怪我により障害をかかえている人々にとどまらず，それを予防しようとしている人々も対象としていること，さらに手段については，単なる作業が手工芸ではなく，人々にとって意味のある幅広い生活行為全般を指すことを明記していることにも気づくであろう．

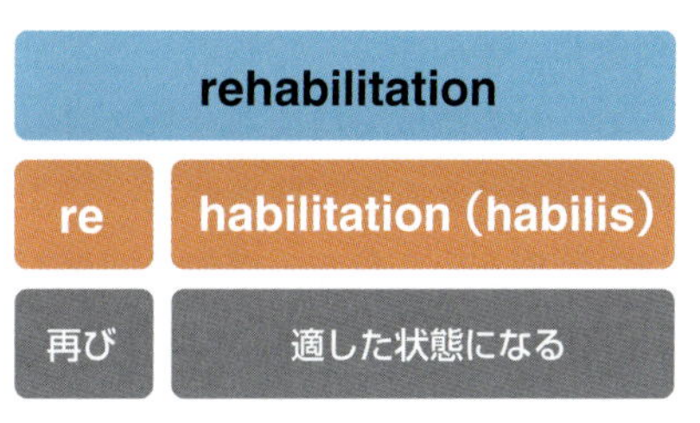


▶図 1　リハビリテーションの語源

# B 医療とリハビリテーションの理念

作業療法士は，理学療法士や言語聴覚士などと並ぶ医療関係職である．そのため，作業療法士が提供する治療は医療となる．また，作業療法や理学療法はリハビリテーションに分類される技術である．そのため，これら療法には共通した理念とそれに基づいた熱い思いが受け継がれている．作業療法の定義を分解していく前に，医療やリハビリテーションの意味と目標，そして理念について考えてみよう．

## 1 医療とは

医療とは人間の健康や病気に関して実践されるさまざまな行為や活動のことである．そしてそれは医学という学問に基づいている．医学の全体像をとらえるのは難しいが，成書によると心身の病気を治し，健康を増進させる学問[4]，あるいは，人間の「慰めと癒し」の技術，学問[5]とされている．さらに医学は基礎医学や臨床医学，予防医学などに分類され，リハビリテーションは臨床医学に含まれる．

医学の歴史は古く紀元前に遡る．古代でも病気は恐れられていて，エジプトやギリシャなどには人々の願う先として医神と呼ばれる人たちが存在していた．そして医学という用語を初めて記したのは，ヒポクラテスであり，医学に携わる者の基本姿勢を宣誓した(**ヒポクラテスの誓い**)．そこには，能力と判断の限り患者に資すると思う治療法を選択することや他人の生活についての秘密を守ることなど，現代の医療倫理の基本原則がすでに記されていた．現代において医学は自然科学に分類されているが，それは多くの科学を基盤にしながら，人の生命を助けたり健康を回復させたりするという明確な目的をもった学問である．そしてその使命と責任を果たすためには絶えざる自己研鑽(けんさん)が必要とされている．

## 2 リハビリテーションとは

リハビリテーションという用語は**図 1** に記すように，「re-habilitation」と分けられ，さらに語源をたどるとラテン語の re(再び)+habilis(適した)+ation(結果・状態)となり，「再び適した状態になること」を意味する．現在では，病気や怪我などから社会復帰することとして理解されているが，この用語が使われ始めた中世のヨーロッパでは，教会から破門された宗徒の復権や犯罪者の刑務所からの社会復帰などにこの用語が使われていた[6]．

リハビリテーションが医学に関連した技術の 1 つとして認識され始めたのは，1918 年に終結し

**Keyword**

**ヒポクラテスの誓い**　ヒポクラテスは紀元前 5 世紀にエーゲ海のコス島に生まれたギリシャの医師であり，「医学の祖」として知られている．「すべての神に誓う」と始まるこの誓いは，医師あるいは医療従事者の職業倫理(➡ 127 ページ)について書かれた宣誓文として世界中の医学教育に用いられている．

た第一次世界大戦後のことである．欧米では戦傷者に対して，その機能を回復させ社会復帰につなげるためのプログラムが実践された．そこでの目標は怪我の治療という単なる機能の回復だけではなく，日常生活の能力を向上させ，再び職業に就くことができるようにすることであった．この流れは第二次世界大戦後にますます広がりをみせたのち，一般の障害者，そして発達障害をもつ子どもにまで広がっていき，今日のリハビリテーションの基礎が形づくられていった．なお，リハビリテーションのもともとの用語の成り立ちの観点から，生まれながらにして障害をもった子どもに対する治療は「再び」という意味の「リ(re)」を抜いて，「ハビリテーション(habilitation)」と呼ぶべきという意見があったが，大人であれ子どもであれ，それぞれに適した社会への安定した帰属を目指すという目標は共通であるという思いによって分け隔てなく用いられるようになっていった[7]．

## 3 リハビリテーションの理念

一方，障害者と社会との関係のなかで障害や障害者に対する意識改革を促す動きもおこっていった．1950 年代から広まった障害者や高齢者が等しく暮らすための**ノーマライゼーション**という思想や，1970 年代におこった障害者の自立生活を目指す運動(independent living；**IL 運動**)である．このような一連の意識改革もリハビリテーションの発展に寄与していった．

そしてリハビリテーションはリハビリテーション医学として，その技術を飛躍的に向上させていくのだが，その理念は病気や怪我，障害の如何にかかわらず，そして年齢を問わず，対象者が自ら人間としての価値を積極的に肯定したり，望んだり，目指す状態になれたりするよう支援していこうとする考えである．そして受け入れる側の社会もそれを尊重していくという個人と社会をつなぐ役割までをも含んだものである．

近年は，パラリンピックなどを通した障害者スポーツの普及により，それまで障害者に対してもたれていた偏見や同情の意識が変化しつつある．さらには，さまざまな障害だけではなく性的マイノリティに代表されるような他人の指向や価値観をも尊重して受け入れる社会に変わりつつあることから，リハビリテーションの理念が十分に浸透した社会になってきたといえる．

日本におけるリハビリテーション医学の第一人者である砂原[6]は，「リハビリテーションとは障害のために失われた人権を回復することであり，人間が『生きがい』を得て，ほんとうの人間となるプロセスである」と述べている．そして，米国人のラスク(Rusk)の「リハビリテーションとは人生に年月を継ぎ足すだけではなく，(延長された)年月に生命をつぎこむことである」という言葉を引用しながら，「生きがい」を感じることができない人に寄り添うこともリハビリテーションの理念に沿うとその必要性を唱えている．作業療法もリハビリテーションの技術の 1 つである以上，これらの言葉をしっかりと胸に刻んでおきたい．

**Keyword**

**ノーマライゼーション**　障害をもった人もそうでない人と同様な生活が送れるような社会を実現させようとする思想．1950 年代，デンマークのバンク・ミケルセンによって提唱された．障害をノーマルに戻すというよりも，障害をもったままでもノーマルに生活できる環境を整えることに主眼がおかれていた．

**IL 運動**　1970 年代，米国の重度の障害をもつ大学生ロバーツが中心となって，障害者が自立して生きるための権利を主張することに始まった社会運動．この運動は米国全土にとどまらず，日本を含めた世界中に広まったが，障害を治そうとする医学モデルから障害をもったままでも自立した生活ができるようになることを目指す生活モデルへの転換を促した．

# C 作業療法における「作業」

本項の冒頭で紹介した作業療法の定義をもう一度確認してみよう．そこには，作業療法の治療に「作業」が用いられると明記されている．そしてその「作業」とは，「対象となる人々にとって目的や価値を持つ生活行為」であるとうたわれている．それではその「作業」とは具体的に何を指すのであろうか．本節では作業療法における「作業」の意味や範囲を整理したうえで，具体的な活動を理解していくことにする．

## 1 「作業」の意味

「作業」という言葉を辞書で引くと，「肉体や頭脳を働かせて仕事をすること．また，その仕事」(広辞苑)，「仕事．また，仕事をすること．特に，一定の目的と計画のもとに，身体または知能を使ってする仕事」(大辞泉)と説明されている．さらに，「作業」という言葉の日常的な用い方を思い浮かべてみると，「手作業」，「農作業」，「作業服」，「作業場」，「流れ作業」，「作業曲線」などが浮かんでくる．一方，「作業」の内容について連想してみると，「軽作業」はあるが「重作業」はないし，「農作業」はあるが「漁作業」はないように，そこに含まれる範囲には一定の広さや負荷の程度に特徴があることにも気づく．

このようにさまざまな意味に用いられる「作業」という言葉だが，作業療法では「目的や価値を持つ生活行為」と説明されている．キーワードは目的と価値である．人間にとって目的や価値のある「作業」とは何かという疑問について，人間の特性を整理しながら解き明かしていこう．

### a 人間の特性

人間は生物学的にはヒト属の**ホモ・サピエンス**という種に該当する．ヒト属はサルなどと同じ霊長類であり，霊長類は哺乳類，さらには脊椎動物に分類されている．人間の特徴をヒト属以外の生物と比較してみると，人間には言語という特殊な機能が備わっている．言葉を使えるおかげでわれわれは物事を論理的に考え，記憶し，他者と情報交換を行うことができる．コミュニケーションは犬や猫，鳥やイルカも人間と一定程度取り合うことは可能であるが，それらは言語を介してではなく，単なる音や仕草を介して行われている．

言葉以外にも人間に固有の優れた機能がある．服を着たり，箸や歯ブラシ，スマートフォンなどさまざまな道具を使って生活することである．ほかに服を着たり，道具を使ったりする動物はいるだろうか．さらに人間が優れているのは，このような道具を使うだけではなく，それらを発明し進化させている点にも格段の優位性を確認できる．

### b 目的や価値のある活動

もう少し深く考えてみよう．人間が言葉や道具を使うことはわかったが，それ自体が目的なのだろうか．言葉を使うのは他者と意思疎通をはかるためであり，箸を使うのは食べるためである．また，スマートフォンを使って行うSNSや音楽を聴いたり動画を観たりすることは，その人にとってなんらかの価値があるからである．つまり，言葉を使うことや道具を使うことは，なんらかの目的や価値のある活動を実行するための手段であることがわかる．ここでようやく人間が目的や価値のある活動をしている生物であることに気づいてもらえたと思う．

もちろん人間以外の動物が行う活動，たとえば，食事をしたり，速く走ったり，高く跳んだりすることにも目的がある．クモやハチのような脊椎をもたない昆虫が短時間で巣をつくる活動にも目的があるだろう．しかし，これらはすべて生存するための本能に基づいた活動であるといえる．一方，人間の活動はこれとは異なる．1つひとつの活動に目的があり，意味があり，価値があると本人は感じている．時に本能が勝る場合もあるが，

**Keyword**

**ホモ・サピエンス**　ヒトの進化の過程は猿人(アウストラロピテクス)→原人(ホモ・エレクトス)→旧人(ホモ・ネアンデルターレンシス)→新人(ホモ・サピエンス)である．ホモとは人類のことを指し，サピエンスは賢いという意味であるから，ホモ・サピエンスは「賢い人類」あるいは「考えるヒト」という意味をもつ．

多くの場合は理性が本能を抑えて思慮深い判断をして意識的に活動する．理性の有無が他の生物との決定的な違いである．そして，このような人間が意識的に行う，目的や意味や価値をもった活動のことを「作業」という．それでは，その「作業」とはどこまでの活動を指すのであろうか．

## 2 「作業」の範囲

学生である皆さんにとってはどのような活動が目的や価値をもっているだろうか．人間の1日は起床から始まる．ベッドや布団から起き上がり，立ち上がる．そしてトイレに行ったり，顔を洗ったりする．その後は，着替えや食事など，多少の違いはあっても皆が学校へ向かう準備を整えるはずである．この朝の一連の流れのなかにある活動すべてに目的がある．そして学校に行けば，講義を聴き，メモをとり，演習を行う．お昼休みになれば，食堂に行ったり，コンビニに買い物に行ったりして昼食をとる．クラスメイトとは昨日あったことやこれからのことを話したり，悩みごとの相談をしたりする．さらに夕方になれば，クラブ活動やサークル活動，あるいはアルバイトに精を出すことになる．帰宅したあとも夕食をつくって食べ，テレビを観たり，講義の復習をしたり，レポートを書いたりする．このように，1日を通して多くの目的に応じた，あるいは価値づけをした活動を行っているのである．

わかりやすくするために，これらをもう少し整理してみよう．

学生の一般的な日常の「作業」のうち多くの人に共通するのは，トイレに行ったり，顔を洗ったり，食事をとったりすることであろう．これらは身のまわりの活動というカテゴリーに分類することができるが，リハビリテーションの専門用語としては日常生活活動（ADL）と呼ぶ．次に共通している「作業」は学校に向かったり，コンビニで買い物をしたりする活動であろう．学校に向かう方法はさまざまで，公共の交通機関を利用する人もいれ

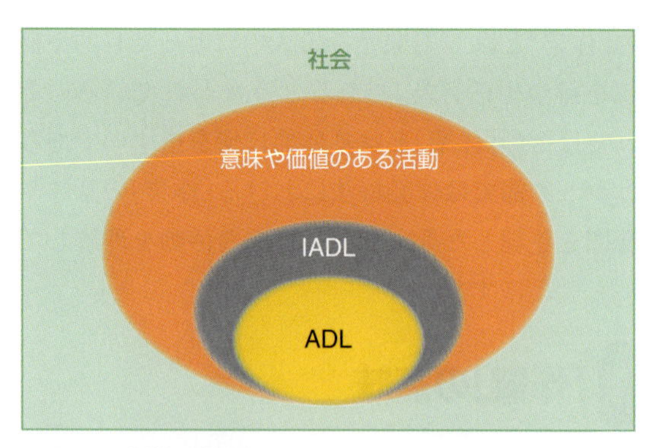


▶図2　作業の範囲

ば，徒歩や自転車で登校する人もいるであろう．またお昼ご飯もコンビニで買い物をせずに，自分でお弁当をつくって持参する人もいるであろう．いずれにしても，外出したり，買い物をしたり，あるいはお弁当をつくるといった活動はADLの次に重要となる活動であり，社会で生活していくための手段的な意味をもつ行為であるから，手段的日常生活活動（IADL）と呼ぶ．さらにそのほかの活動を整理してみると，勉強をしたり，クラブ活動やサークル活動，アルバイト，趣味というもので，これらはその人の本分，つまり学生としての役割や使命を果たす活動である．そのため，これらは1人ひとりにとって意味や価値のある活動（meaningful activity）と呼ぶことができるであろう．これらを**図2**にまとめてみる．日々の生活の中心はADLやIADLであるが，その外側には幅広い意味や価値のある活動があり，そしてそれらを通して人間は社会に参加していることになる．

## 3 「作業」の分類

さて，「作業」の範囲を学生の生活を通して確認してきたが，作業療法の対象者の年齢は生まれたばかりの赤ちゃんから100歳を超えるような高齢者までさまざまであり，職業や家庭における役割もさまざまである．そのため，「作業」の内容をもう少し一般化するために，視野を広げてすべての世代や立場の対象者に当てはまる「作業」の分類を

▶表 2　意味や価値のある活動

| マイヤー (1921) | ライリー (1974) | 米国作業療法協会 (1994) | カナダ作業療法士協会 (1997) | 米国作業療法協会 (2002) | ピアース (2003) | キールホフナー (2008) |
|---|---|---|---|---|---|---|
| ●仕事<br>●遊び<br>●休息<br>●睡眠 | ●仕事<br>●遊び<br>●レジャー<br>●セルフケア | ●ADL<br>●仕事と生産的活動<br>●遊びあるいはレジャー活動 | ●セルフケア<br>●生産的活動<br>●レジャー | ●ADL<br>●IADL<br>●教育<br>●仕事<br>●遊び<br>●レジャー<br>●社会参加 | ●生産的活動<br>●楽しみ<br>●休息 | ●仕事<br>●遊び<br>●ADL |

〔吉川ひろみ：「作業」って何だろう―作業科学入門. p12, 医歯薬出版, 2008 より改変〕

具体的に確認していこう．

「作業」の分類のしかたについては，**表 2**[8] に示すように，作業療法が発展する過程で多くの先人たちが取り組んできた経緯がある．また日本作業療法士協会でも，作業療法の定義に以下のような注釈をつけて「作業」の説明をしている[2]．

- 作業には，日常生活活動，家事，仕事，趣味，遊び，対人交流，休養など，人が営む生活行為と，それを行うのに必要な心身の活動が含まれる．
- 作業には，人々ができるようになりたいこと，できる必要があること，できることが期待されていることなど，個別的な目的や価値が含まれる．

本節ではこれらの経緯をふまえたうえで，以下の 3 つに分類しながら説明することにする．

## a ADL

身のまわりの活動は**図 3** に示すように，食事，整容，更衣，排泄，入浴の大きく 5 つの活動に分けられる．

食事は食物を器などから口に運び，咀嚼し，嚥下することをいう．調理をしたり，後片付けをしたりすることは IADL に含まれる．

整容は顔を洗う，歯を磨く，手を洗う，髪形を整える，化粧をする，髭を剃る，爪を切るなどの活動が該当する．

更衣は上衣と下衣の着替えのことであり，下着や靴下，靴の着脱までも含む．

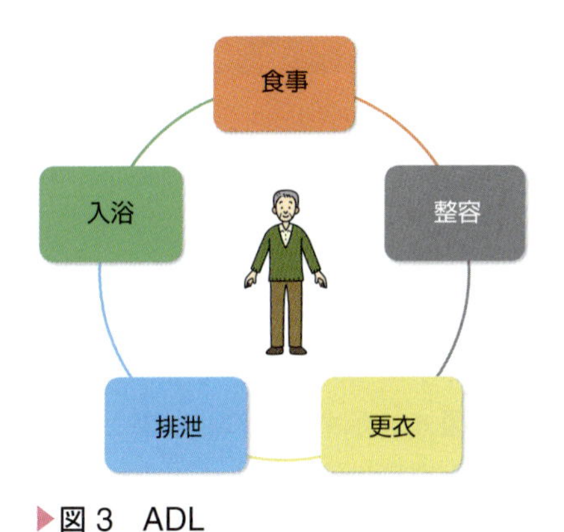


▶図 3　ADL

排泄は排尿と排便を行う活動であり，それぞれの活動をコントロールすることまでを含む．

入浴は身体や髪の毛を洗う活動であるが，シャワーを使ったり浴槽につかったりすることも含まれる．

これらの ADL に対して，作業療法では座位や立位を保つことができるか，肩の動く範囲は十分か，道具を正しく持つことができるか，といった観点で評価や治療を進めることになる．

## b IADL

ADL が日々の暮らしを送るうえで最低限に必要な身のまわりの活動であるのに対して，IADL とは日常の生活を便利にしたり，より豊かに暮らしたりするために必要な活動といえるであろう．

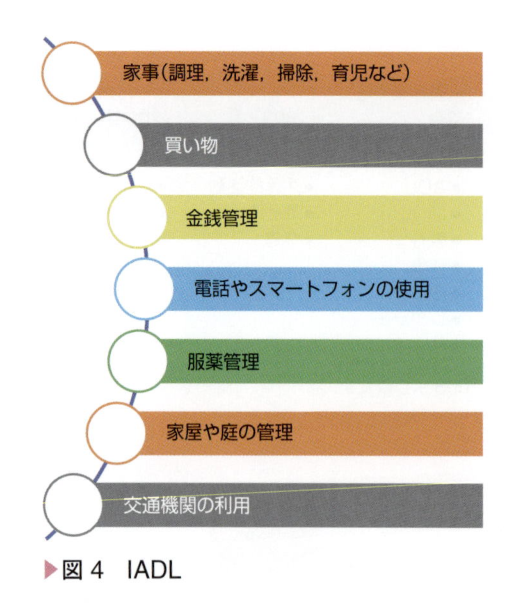


▶図 4　IADL

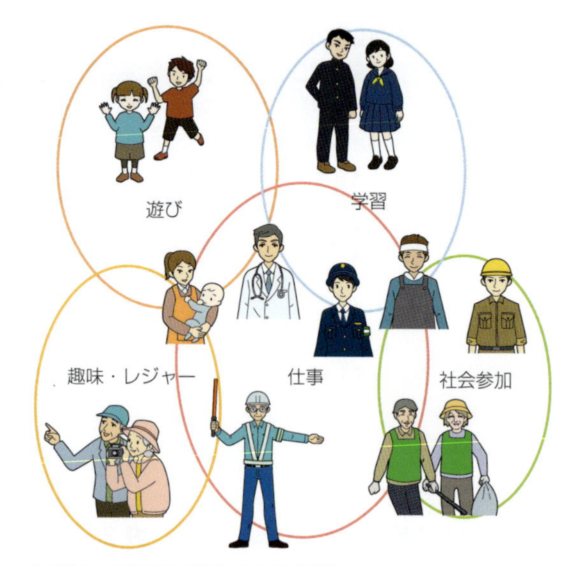


▶図 5　意味や価値のある活動

また ADL は個人が自分のために行う活動であるが，IADL は他者とかかわることがあるため，家庭や社会に参加する活動ととらえることもできる．

IADL は図 4 に示すように，家事としてまとめられる活動と家事以外のいくつかの活動に分類される．家事には調理や洗濯，掃除などが含まれ，1 人住まいの場合はもちろん，家族で暮らす場合には誰かがこれらの活動を担っている．なお，育児については，親の義務としてそれを担う必要があり，IADL に含まれる活動であろう．ただし，それを担う立場や環境の違いによって，育児を IADL ではなく無給の仕事ととらえる人もいるかもしれない．

一方，家事に直接含まない活動として，買い物や金銭管理，電話の使用，服薬管理，家屋や庭の管理，交通機関の利用などがあげられる．

これら IADL を行うためには ADL よりも一定の専門的な知識や技術が必要であり，難易度の高い活動といえる．また，多くの活動は家庭における役割を担うものであり，1 人で自立した生活を送るためには欠かせない活動となる．さらに重要なことは，これらの活動が他者や社会とつながりをもつ手段となるという点であり，作業療法では ADL と並んでその再獲得のために優先される治療対象となる．

## C 意味や価値のある活動

ADL や IADL のなかにもそれを行う人にとって意味や価値のある活動は多い．たとえば，化粧や調理も対象者によっては意味があって価値の高いものであろう．このように ADL や IADL はそれを行う人にとっての価値が異なるため，本節ではあえて ADL や IADL に含まれない活動を列挙してみたい．図 5 に意味や価値のある活動を整理した．それらを世代と関連づけながら具体的に確認していこう．

まず乳幼児を含めた子どもにとって意味や価値のある活動は遊びであろう．遊びを定義づけることは難しいが，自由で楽しいという共通点がある．1 人で遊ぶこともあれば，集団で遊ぶこともある．また，遊びは子どもだけに限らず大人になってもとりうる活動である．

小学生や中学生・高校生になると学習がメインの活動となる．学校で行う義務教育や塾などの習いごとも含まれるし，部活動を通したスポーツ，文化活動もこの学習に含まれる．この学習という活動は「生涯学習」という言葉があるように，年齢を重ねても行われるものである．

高校や大学を卒業するとほとんどの人が仕事という給与を得るための活動に就く．学生が従事するアルバイトもここに含まれる．仕事のなかには遊びや学習がそのまま継続される職業(たとえば，スポーツ選手や音楽家，芸術家，研究者など)があるが，仕事が遊びや学習と異なる点は，規律に従ったり成果を達成したりしなければならないといった，給与を得るための厳しい条件があることである．

大人になると，仕事以外の時間の過ごし方も重要である．それは趣味やレジャーと呼ばれるものである．趣味とは自ら好んで習慣的に行う活動のことで，たとえば，読書や映画鑑賞，家庭菜園，ジョギング，散歩などが含まれる．またレジャーとは余暇のことであり，余暇活動とも言い換えることができるが，日本においては旅行や観光，行楽といったイメージが強くなっている．

そして最後にもう１つ加えるべき活動に社会参加がある．これは自治会の活動やボランティア活動，宗教活動，政治活動などが該当する．

もう一度，**図5**を見てほしい．ここには５つの意味や価値のある活動のうち世代ごとに何が重要な位置を占めるかという視点で描かれている．つまり，世代によってこれらの活動の種類が変化していくことを表している．また５つの活動はそれぞれが重なり合っている．これは活動を行う人々の認識の違いによって異なったり，複数の意味をもったりするためである．

## D 「作業」を治療として用いる意味

本項の冒頭で紹介した理学療法士及び作業療法士法による定義には，作業療法の治療手段として「手芸，工作その他の作業を行なわせる」と記載されており，その後，ADL 訓練や IADL 訓練，職業関連活動の訓練などがそれに含まれると修正していることを紹介した．一方で，日本作業療法士協会による定義では，作業療法が人々の「作業」に焦点を当てた治療や援助であると述べられていることも説明した．

作業療法は「作業」に焦点を当てながら，「作業」を行うとは一体どういうことなのだろうか．

作業療法の目指すところは，病気や怪我によってそれまでの生活を送ることが難しくなった対象者に，可能なかぎりもとの生活に戻ってもらうことである．もとのような生活に戻れない場合や出生時から障害がある場合でも，対象者が希望する意味や価値のある活動を実現させ，できるだけその人らしい暮らしができるようにあらゆるサポートをしていく．具体的には，利き手である右手が使えなくなった対象者に左手で食事ができるように指導したり，車椅子で生活を送らざるをえなくなった対象者に車椅子の操作方法やトイレへの乗り移り方を指導したりする．不安や抑うつ状態にある対象者にその特性に応じた単純な活動を通して興味や自信を回復してもらったり，無為に過ごしている対象者には生活のリズムを取り戻してもらったりする．脳の障害によって座ることができない幼児には，全身の緊張をとりやすい姿勢を保護者に指導し座って遊べるようにしたり，認知症の高齢者がかつて得意であった裁縫で日中穏やかに過ごしてもらうようアプローチしたりする．

ここで例示したいくつかの治療は，対象となる活動の違いによって目的が異なる．食事やトイレへの移動は ADL であり，調理は IADL であり，それぞれ対象者が日々生活していくために必要な「作業」である．また自信の回復を促すためや生活のリズムを取り戻すために用いられる活動や，保護者に対する指導，認知症高齢者が行うそれぞれ意味や価値のある活動は，対象者がその人らしく暮らすために必要な「作業」である．つまり，作業療法士は対象者やその家族に対して，必要とされる「作業」は何かを見極めながら「作業」を直接，手段として用いて治療を行うということなのである．

## E 作業療法の対象

前節で作業療法の具体例をいくつか紹介した．本節では改めて作業療法の対象者を人間の成長に合わせて整理する(▶図6)．

**(1) 身体機能領域**

作業療法の対象として最も広い領域である，病気や怪我によって身体になんらかの障害を受けた人たちである．脳卒中や脊髄損傷では手足に麻痺が残るし，心臓病やがんでは全身の筋力や体力が低下する．徐々に全身の筋が動かなくなる神経難病や骨折，手足の切断，重度のやけどなども生活に大きな困難をきたす．このような身体機能になんらかの障害が生じた人たちを身体機能領域として１つのカテゴリーとしてとらえている．

**(2) 精神機能領域**

うつ病や統合失調症，アルコール使用障害などの精神疾患によって精神機能になんらかの支障をきたした人たちも作業療法の対象である．この精神機能領域の対象者は歩行能力や言語機能に問題がないことも多いため，作業療法に特化した領域といえるかもしれない．

**(3) 発達過程領域**

脳性麻痺や二分脊椎，自閉スペクトラム症という小児期の対象者に作業療法がかかわる領域がある．このカテゴリーの疾患は生後に発症したものではなく，成長の過程で明らかになってくる障害であるため，発達過程領域と呼んでいる．

**(4) 高齢期領域**

高齢期になると細胞や体力の衰えから身体機能や精神機能が低下する．そのため，認知症になったり，転びやすくなったりする．介護を要する状態にもなりやすく，高齢期領域として他の領域と分けてかかわる必要がある．

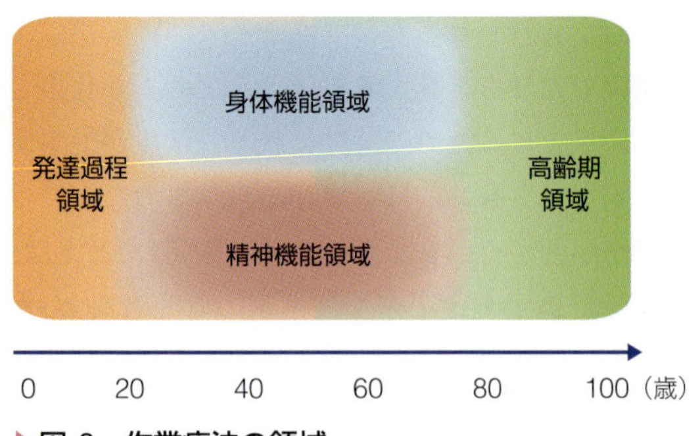


▶図6　作業療法の領域

このようにみてくると，作業療法は年齢や病気の種類を問わず(対象者を選ばない)ということが理解できたのではないだろうか．どのような病気や怪我，そしてどのような障害であろうとも，対象者が人間らしく，そしてその人らしく生活できるために，あらゆる知識と技術でそれをかなえてあげようとすること，これが作業療法である．

## F 作業療法の現場

作業療法は医療技術の１つであり，作業療法士は**医療関連職**であるから，それを実践する場所の多くは病院である．大学附属病院や総合病院をはじめ，精神科や整形外科など特定の診療科に特化した専門病院も臨床現場となる．病院では，発達過程に問題のある小児や病気や怪我をした高齢者も対象であり，年齢と領域を問わない．

一方，作業療法は医療関連職として福祉施設にも勤務している．発達過程に問題のある小児に対する作業療法は障害児入所施設などの児童福祉施設で実施されているし，高齢者の場合は老人保健施設など各種介護保険施設で実施されている．また，なんらかの病気や障害のため自宅での生活を余儀なくされている対象者を訪問して実施する作業療法もある．さらに最近は，**特別支援学校**(➡

**Keyword**

**医療関連職**　医師以外の医療専門職を指す．医療や保健に関する国家資格をもつもので，看護師，保健師，薬剤師，理学療法士，作業療法士，言語聴覚士，義肢装具士，管理栄養士，臨床工学技士，診療放射線技師，臨床検査技師，救急救命士などが含まれる．

40 ページ)や刑務所といった教育や司法の現場にもその職域が広がってきている.

### ●引用文献


1) 厚生労働省：理学療法士及び作業療法士法.
https://www.mhlw.go.jp/web/t_doc?dataId=80038000&dataType=0&pageNo=1
2) 日本作業療法士協会：作業療法の定義(2018 年 5 月 26 日　定時社員総会にて承認).
https://www.jaot.or.jp/about/definition/
3) World Federation of Occupational Therapists: Statement on occupational therapy. Definitions of occupational therapy from member organizations, 2017.
https://www.wfot.org
4) 梶田　昭：医学の歴史. p21, 講談社, 2003
5) 日野原重明：医学概論. pp2–11, 医学書院, 2003
6) 砂原茂一：リハビリテーション. 岩波書店, 1980
7) 田村春雄：作業療法の歴史. 田村春雄, 他(編)：作業療法総論. pp11–35, 医歯薬出版, 1976
8) 吉川ひろみ：「作業」って何だろう—作業科学入門. p12, 医歯薬出版, 2008

COLUMN

# 社会参加と分身ロボット

病院や自宅のベッドから離れることができない人々が社会に参加できるように援助することは，作業療法の究極の目標といっても過言ではない．

作業療法のこれまでの取り組みは，身体の麻痺の改善を促したり，それが難しい場合は対象者が自分で操作できる車椅子を作製したり，あるいは，介助者に介助方法を指導したり，インターネットを介したコミュニケーション手段の獲得を通して社会に参加してもらうことであった．これらの目標と方法は現在も変わらないが，ベッドから離れることが難しい人々にとっては簡単なことではなかった．ところが，ある研究者がそれを叶えるロボットを開発して話題となっている．

OriHime®（オリヒメ）と名づけられた分身ロボット（▶図 a）は，移動して他者や社会とつながりたいけれどもそれができない人々に代わって，音声やサインを伝える．たとえば，入院している小学生に代わって学校の授業に参加したり，自宅で寝たきりとなってしまった会社員に代わって会社の会議に参加したりする．さらには，カフェやハンバーガーショップの店員として注文のアドバイスをし，実際にコーヒーを運ぶことまでする（▶図 b）．まさに分身として，病気や障害のある人たちの代わりに社会参加するのである．

開発したのは吉藤オリィさんという方であるが，彼は作業療法士ではない．引きこもりが原因で他者とつながることが少なかったという自身の経験から，病気や障害のために社会に参加できない人の分身として活躍するロボットを開発した．彼はこう語っている．

たとえ身体を動かすことができなくなったとしても，あらゆる人が自分らしく社会に参加することができるようなテクノロジーを開発してきた．人々の孤独を解消するとともに，社会そのものの可能性を拡張していくことがミッションである．

これはわれわれが掲げる目標でもあり，目指している社会ではないだろうか．

（能登真一）

a

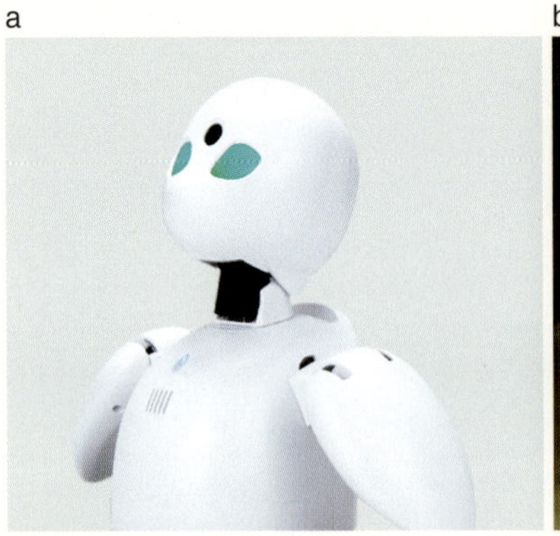

b

▶図 OriHime®（オリヒメ）
〔資料提供：オリィ研究所〕

# 2 作業療法の歴史と原理

作業療法は医療技術の1つであり，その実践にあたっては医学という科学に基づくことが求められている．その一方で，対象者に寄り添って，1人ひとりの個性に合わせた未来をともに創造するという芸術的な側面も有している．本項では，そのような科学と芸術の両面をもちながら今日まで発展してきた作業療法の歴史とその根底に脈々と流れ続けている原理について確認していこう．

## A 作業療法の歴史

作業療法が現在のような形を整えるまでには，長い年月の積み重ねと多くの先駆者たちの貢献があった．作業療法の原理や哲学を知るうえで，その成立過程を理解することはとても重要である．本節ではその歴史をいくつかの時期に分けて説明していく(▶図1)．

### 1 作業療法の起源

前項で作業療法の特徴は治療の手段に「作業」を用いることにあると説明したが，その歴史はとても古く紀元前まで遡る．

田村[1]によれば，作業療法の起源は紀元前，医神として名高いアスクレピオスがせん妄症の人々に音楽や歌曲，演劇などを用いて鎮静の効果を上げたことであるという．また，ヒポクラテスもすべての治療に身体と精神の相互関係が重要であることに注目し，レスリングや乗馬，労働などを用いて，その効果を仕事へ転換する訓練を進めていたという．さらに『医学論』をまとめたケルススも健康維持のために帆走や狩猟，ボールゲームなどを推奨していたとされ，紀元前から何か「作業」をすることが健康の維持や改善に有効であることが知られていた．

そして今日の作業療法の存在意義を確実にしたのは**ガレノス**である．彼は農園作業や木工作業，魚釣りなどを治療として処方し，「仕事をするということは自然の最も優れた医師であり，それが人間の幸福についての要件である」と述べた．このことから，現在ではこのガレノスが作業療法の元祖として知られている．

このように，作業療法はそれが定義されるずっと前の紀元前のころから，人間とその生活に根ざしてきた身近な「作業」を治療の手段として用い，そのことが人間の生活と幸福の向上に役立つと知られ活用されてきた治療方法であることに気づくであろう．

### 2 作業療法の形成期

ヨーロッパの各地に大学と病院が設置されるようになっていったのは1100年ころである．そのころの入院の対象は精神病患者や伝染病患者などで，その目的は隔離することであった．一般的な診療を目的とした病院が創設され始めたのは18

**Keyword**

**ガレノス**　129年頃にペルガモン(現在はトルコに位置するギリシャ古代都市)で生まれた医師．16歳から医学と哲学を学び，生涯を通じて膨大な量の医学書を執筆した．特に解剖学と薬学に多大な影響をもたらしたとされている．

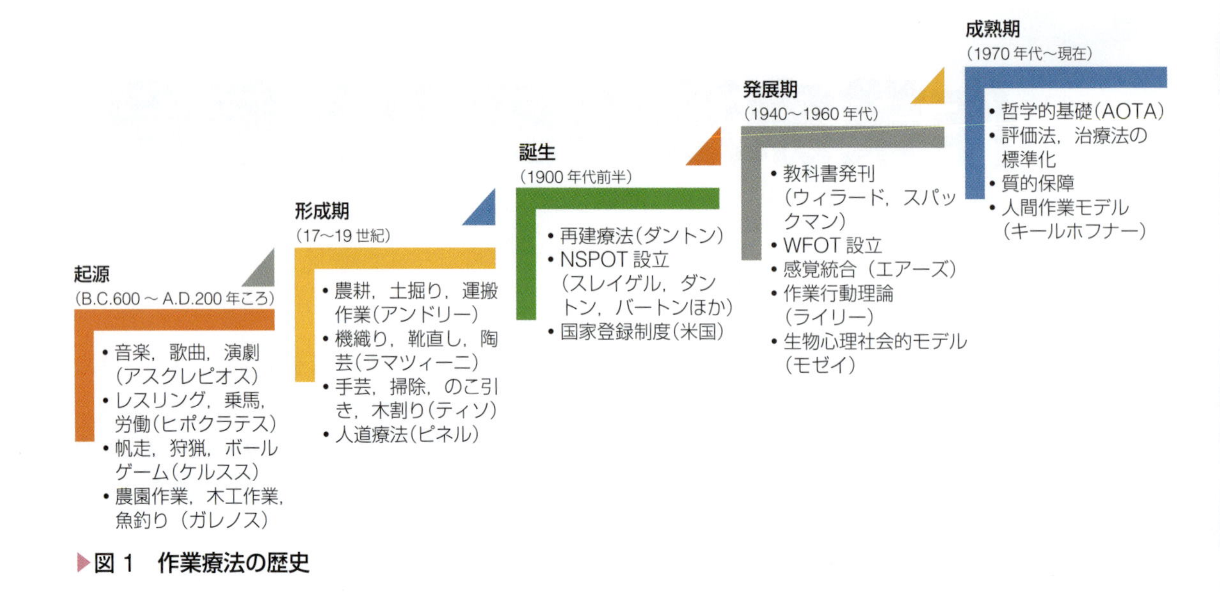


▶図 1　作業療法の歴史

世紀に入ってからであるが，「作業」を治療に用いる動きが広まったのはそれより少し前の 17 世紀初頭であった．

フランスのアンドリーは患者の原職に関連した作業種目，すなわち裕福でない家庭の人々には農耕や土掘りなどの田園作業を，労働者には重量物の運搬などを指示した．またイタリアのラマツィーニは機織りや靴直し，仕立て作業，陶芸をさせた．フランスのティソも手芸やバイオリン，掃除，のこ引き，木割り作業などを治療として推奨した．

18 世紀に入ると，フランスのピネルがそれまで鎖でつながれていた精神病患者を解放し，彼らに規則正しい「作業」をさせるという病院改革を行った(▶図 2)[2]．彼は労働や娯楽的な作業に参加することが治療効果をもつと主張し，鎖から解放された回復期の患者たちを農作業や縫製作業に従事させた．このことは治療の対象をそれまでの病気から人間そのものに移すという画期的なものであり，人道療法あるいは解放療法と呼ばれ，ヨーロッパ各地にも広がり作業療法の基盤が形成されていった[1]．そして，この人道療法は，医師のエディによって米国に伝えられたが，当時は歓迎されることなく時が過ぎていくこととなる[3]．

▶図 2　ピネルの人道療法
〔坂井建雄：図説 医学の歴史．p427, 医学書院, 2019 より〕

## 3 作業療法の誕生

作業療法が正式に誕生したのは米国であり，その時期は第一次世界大戦と重なる．

1900 年代初頭，看護学生のトレーシーは軽度の精神病患者の看護をするなかで，院内でなんらかの手作業をしている患者のほうがそうではない患者よりも回復が早いことに気づいた．ほどなく

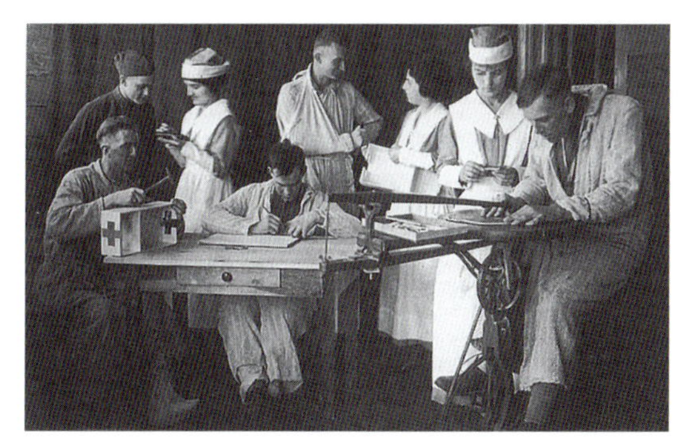

▶図 3　第一次世界大戦の負傷兵士に対する再建療法
〔O'Brien JC: Introduction to occupational therapy, 5th ed, pp2–24, Mosby, St. Louis, 2017 より〕

▶図 4　全国作業療法推進協議会（NSPOT）の創始者たち
下段左側から，ジョンソン，バートン，スレイゲル，上段左側から，ダントン，ニュートン，キドナー
〔Andersen LT, et al: Conception and formal birth: 1900s to 1917. *In* Andersen LT, et al: The history of occupational therapy: the first century. pp15–49, SLACK Incorporated, Thorofare, NJ, 2017 より〕

教員となった彼女は，患者のニードや環境に合った手作業を提供することを“療法”として看護教育に取り入れた．手作業を“療法”として広めていくためには，単に手作業に関する知識だけではなく，医学に関する知識も同時に修得する必要があるという信念が反映されたものであった．彼女が見いだした「作業」の治療的価値は「彼らの作った作品の出来栄えが問題なのではなく，…彼らが作品を作ったことが良かったということである」という彼女自身の言葉に表れている[3]．

ソーシャルワーカーのスレイゲルは，「作業療法はすべての患者の総合的治療であるべきだ」と主張し，医師のマイヤーのもとで作業療法の普及に努めた．ちょうど同じころ，医師のダントンは第一次世界大戦で負傷した兵士に対して金工細工や籐細工などを治療として処方する再建療法という概念を確立させていった（▶図 3）[4]．さらには建築士のバートンも自身が結核に罹り，2 本の足指を切断した体験を通して，「作業療法は精神科領域だけではなく，身体障害の分野にも広げるべきだ」と主張した．このようにさまざまな職種のメンバーが中心となって，1917 年に全国作業療法推進協議会（National Society for the Promotion of Occupational Therapy; NSPOT）が創立された（▶図 4）[5]．ここから作業療法士を養成するための教育がスタートしていったわけであるが，当時の教育コースは 6 週間という短いものであった[5]．

NSPOT は設立から 2 年目の 1918 年に作業療法の 15 の原則をまとめた[6]．これは今から 100 年以上前に発表されたものであるが，作業療法が「目的，興味，勇気，自信を喚起する」，「医学的助言と指導のもとで行われるべき」，「個別的なニーズに対応すべき」という点など，今なお生き続けている原則がほとんどである．なお，NSPOT は 1921 年に米国作業療法協会（American Occupational Therapy Association; AOTA）に名称を変更した．

作業療法士の養成校は 1928 年までに米国の 5 か所とカナダの 1 か所に設置されたが，この時期はまだ 1 年間のコースであった．1931 年には作業療法士の国家登録制度が確立され，翌 1932 年に 318 名の作業療法士が登録された．この国家資格化を契機にその養成の場は大学へ移り，1932 年以降は年間約 100 人の作業療法士が育っていった．その後，1938 年までに，米国内の約 13% の病院が作業療法士を雇うようになっていったが，その大多数は精神科病院であった[7]．

## 4 作業療法の発展期

第二次世界大戦が始まると，負傷した兵士の治療のため緊急に作業療法士の養成が進み，陸軍病院で従事する作業療法士は500人を超えた．戦時中は負傷した兵士の一市民としての社会復帰に主眼がおかれたため，作業療法もそれまでの心理的あるいは精神的な障害を対象にした治療から，整形外科的さらには神経学的な障害に対しても実践されるようになっていった．同時に，学問としての医学の進歩も重なり，末梢神経損傷や切断といった障害を専門とするまでに発展していった．この作業療法の身体障害領域への適用の拡大は，1947年にウィラードとスパックマンという2人の作業療法士によって刊行された教科書の登場によって確立されることとなった[7]．

第二次世界大戦により米国以外の国々でも作業療法士への需要が高まり，その資格取得のために国外から米国を目指す人も増加した．そして1952年，米国，カナダ，デンマーク，英国(イングランド，スコットランド)，南アフリカ，スウェーデン，ニュージーランド，オーストラリア，イスラエル，インドによって世界作業療法士連盟(World Federation of Occupational Therapists; WFOT)が設立され，大きな発展を遂げることになった．

**Keyword**

**感覚統合**　人間のさまざまな感覚(視覚，聴覚，触覚，嗅覚，味覚，前庭感覚，固有受容感覚)がうまく統合されないため，落ち着きがなかったり，特定の感覚に過敏あるいは鈍感であったりして発達過程に支障が出ている子どもに対して，それらの感覚を統合できるように遊びなどを通してアプローチする治療法．

**質的保障**　治療が単に実施されたというだけではなく，その治療の目的に対して，適切に提供され，それが質を伴っていたかどうか(効果があったかどうか)を検証できるようすべきという考えと実際のプロセスのこと．作業療法では適切な評価から目標を立て，治療が実施され，再評価でアウトカムを測定することを通して治療の効果を証明しなければならない．

1960年代に入ると，作業療法の効果を科学的に検証しようという動きが広まっていく．エアーズは，のちに**感覚統合**と命名される発達過程の障害に対する治療法を考案した．ライリーは遊びと仕事の連続性に着目し，役割の達成能力を上げることに重点をおくべきと主張し，作業と行動の関係性を重視した．またウェストは，望ましい健康状態を維持することの重要性を主張し，予防医学や地域社会での作業療法の活用を提案した．さらにモゼイは対象者の身体，精神，環境に関心をはらうべきと主張し，3つの因子による生物心理社会的モデルを提唱した．このように作業療法は科学としての飛躍を遂げ，医療技術としての地位を確立していくこととなった[8]．

## 5 作業療法の成熟期

1970年代には，作業療法の基本理念や理論などが議論され，哲学的な基盤が整備された[9]．それはそれまでの対象者の障害ばかりに着目するのではなく，作業を行う能力に着目した治療であるべきというものであった．人間作業モデルが発表されたのもちょうどこのころである[10]．この哲学的基盤の整備と同時に，評価法や治療方法に関する研究も推進されていった．当時，医療の**質的保障**が厳しく求められ始めたことも影響し，報酬を請求する根拠としての効果判定という業務を通して作業療法の成熟が促されていった[3]．作業療法士の教育に関しても，大学院教育の指針が示され，学術的により深化していくこととなる．臨床現場でも，地域における自立生活やそのための在宅でのアプローチ，さらには教育現場，矯正施設などへ浸透していった．

これら作業療法が成熟していった背景には，当時米国でおこったIL運動(➡6ページ)や1981年に国連が指定した**国際障害者年**によって，障害者の権利擁護と自立が促されていく時代の変化があった．そしてこの広がりとともに世界各国でも作業療法士に対する期待と需要が高まっていっ

▶図 5 国立療養所東京病院附属リハビリテーション学院の様子
a：教科書も講義もほとんどが英語であった，b：機織りの実習.
〔早川光雄：学院紹介—国立療養所東京病院付属リハビリテーション学院. 看研 7:25–28, 1966 より〕

た．日本が WFOT へ加盟したのも 1972 年のことであった．

## 6 日本における作業療法の歴史

### a 日本における作業療法の萌芽

わが国で作業療法が取り入れられたのは，米国と同様，精神科領域からであった．1901 年に留学先の欧州から戻った精神科医の呉は，都内の巣鴨病院で患者を拘束状態から解放し，作業を治療として提供した[11]．この実践は，呉の構想によって建設された都内の松沢病院において，加藤や菅らによって引き継がれた．そこでは，敷地内の耕地，牧場，庭園などの屋外でさまざまな作業を提供したとされている[12]．

身体障害領域では，1930 年代，まず結核患者に作業療法が実施された．新井は自由散歩，掃除，買い物などの義務的作業と農園や園芸，手芸といった自由作業とに分けて実施した[13]．1950 年代に入ると，野村が同じ結核患者に対して，転換療法と呼ばれる患者の自主性と人間性に配慮した軽作業，すなわち読書，英語，珠算，ペン習字，絵画，各種手芸などを治療として取り入れた．また同じころ，欧米を視察した水野が現地の作業療法を知り，身体障害者職業訓練所で実践した．そこでは田村も所長として患者 1 人ひとりのニーズに合わせた作業を提供した．田村は職業訓練と作業療法を区別したうえで，作業の評価を重要視し，作業に用いる材料や動作能力，作業分析といった観点からさまざまな分類を行った[14]．

その後も北米への視察と研修が続き，1963 年，清瀬市に日本初の理学療法士と作業療法士の養成校である国立療養所東京病院附属リハビリテーション学院(以下，清瀬リハ学院)が設立された．設立当初は外国から招いた教員が多く，講義の多くは英語で実施されていたという(▶図 5)[15]．

### b 日本の作業療法士の誕生

清瀬リハ学院が設立された 2 年後の 1965 年，身分法となる「理学療法士及び作業療法士法」(▶表 1)が制定された．そこには作業療法の定義や免許，試験，業務，秘密を守る義務などが明記された．法律制定の翌年には養成校の 1 期生たち 5 人と特例で受験を認められた 15 人が国家試験に

**Keyword**
**国際障害者年** 1981 年に国連が定めた国際年．国連はこのなかで，障害者の社会への身体的および精神的適合を援助することや適切な治療を行うこと，実際に社会に参加できるようにすることなどを明記し，各国に対し計画的に課題解決に取り組むよう求めた．

## ▶表1　理学療法士及び作業療法士法

第1章　総則
(この法律の目的)
第1条　この法律は，理学療法士及び作業療法士の資格を定めるとともに，その業務が，適正に運用されるように規律し，もって医療の普及及び向上に寄与することを目的とする.
(定義)
第2条　この法律で「理学療法」とは，身体に障害のある者に対し，主としてその基本的動作能力の回復を図るため，治療体操その他の運動を行なわせ，及び電気刺激，マッサージ，温熱その他の物理的手段を加えることをいう.
2　この法律で「作業療法」とは，身体又は精神に障害のある者に対し，主としてその応用的動作能力又は社会的適応能力の回復を図るため，手芸，工作その他の作業を行なわせることをいう.
3　この法律で「理学療法士」とは，厚生労働大臣の免許を受けて，理学療法士の名称を用いて，医師の指示の下に，理学療法を行なうことを業とする者をいう.
4　この法律で「作業療法士」とは，厚生労働大臣の免許を受けて，作業療法士の名称を用いて，医師の指示の下に，作業療法を行なうことを業とする者をいう.
第2章　免許
(免許)
第3条　理学療法士又は作業療法士になろうとする者は，理学療法士国家試験又は作業療法士国家試験に合格し，厚生労働大臣の免許(以下「免許」という.)を受けなければならない.
(欠格事由)
第4条　次の各号のいずれかに該当する者には，免許を与えないことがある.
1　罰金以上の刑に処せられた者
2　前号に該当する者を除くほか，理学療法士又は作業療法士の業務に関し犯罪又は不正の行為があった者
3　心身の障害により理学療法士又は作業療法士の業務を適正に行うことができない者として厚生労働省令で定めるもの
4　麻薬，大麻又はあへんの中毒者
(理学療法士名簿及び作業療法士名簿)
第5条　厚生労働省に理学療法士名簿及び作業療法士名簿を備え，免許に関する事項を登録する.
(登録及び免許証の交付)
第6条　免許は，理学療法士国家試験又は作業療法士国家試験に合格した者の申請により，理学療法士名簿又は作業療法士名簿に登録することによって行う.
2　厚生労働大臣は，免許を与えたときは，理学療法士免許証又は作業療法士免許証を交付する.
(意見の聴取)
第6条の2　厚生労働大臣は，免許を申請した者について，第4条第3号に掲げる者に該当すると認め，同条の規定により免許を与えないこととするときは，あらかじめ，当該申請者にその旨を通知し，その求めがあったときは，厚生労働大臣の指定する職員にその意見を聴取させなければならない.
(免許の取消し等)
第7条　理学療法士又は作業療法士が，第4条各号のいずれかに該当するに至ったときは，厚生労働大臣は，その免許を取り消し，又は期間を定めて理学療法士又は作業療法士の名称の使用の停止を命ずることができる.
2　都道府県知事は，理学療法士又は作業療法士について前項の処分が行なわれる必要があると認めるときは，その旨を厚生労働大臣に具申しなければならない.
3　第1項の規定により免許を取り消された者であっても，その者がその取消しの理由となった事項に該当しなくなったとき，その他その後の事情により再び免許を与えるのが適当であると認められるに至ったときは，再免許を与えることができる．この場合においては，第6条の規定を準用する.
4　厚生労働大臣は，第1項又は前項に規定する処分をしようとするときは，あらかじめ，医道審議会の意見を聴かなければならない.
(政令への委任)
第8条　この章に規定するもののほか，免許の申請，理学療法士名簿及び作業療法士名簿の登録，訂正及び消除並びに免許証の交付，書換え交付，再交付，返納及び提出に関し必要な事項は，政令で定める.
第3章　試験
(試験の目的)
第9条　理学療法士国家試験又は作業療法士国家試験は，理学療法士又は作業療法士として必要な知識及び技能について行なう.
(試験の実施)
第10条　理学療法士国家試験及び作業療法士国家試験は，毎年少なくとも一回，厚生労働大臣が行なう.
(理学療法士国家試験の受験資格)
第11条　理学療法士国家試験は，次の各号のいずれかに該当する者でなければ，受けることができない.
1　学校教育法(昭和22年法律第26号)第90条第1項の規定により大学に入学することができる者(この号の規定により文部科学大臣の指定した学校が大学である場合において，当該大学が同条第2項の規定により当該大学に入学させた者を含む.)で，文部科学省令・厚生労働省令で定める基準に適合するものとして，文部科学大臣が指定した学校又は都道府県知事が指定した理学療法士養成施設において，3年以上理学療法士として必要な知識及び技能を修得したもの
2　作業療法士その他政令で定める者で，文部科学省令・厚生労働省令で定める基準に適合するものとして，文部科学大臣が指定した学校又は都道府県知事が指定した理学療法士養成施設において，2年以上理学療法に関する知識及び技能を修得したもの
3　外国の理学療法に関する学校若しくは養成施設を卒業し，又は外国で理学療法士の免許に相当する免許を受けた者で，厚生労働大臣が前2号に掲げる者と同等以上の知識及び技能を有すると認定したもの
(作業療法士国家試験の受験資格)
第12条　作業療法士国家試験は，次の各号のいずれかに該当する者でなければ，受けることができない.
1　学校教育法第90条第1項の規定により大学に入学することができる者(この号の規定により文部科学大臣の指定した学校が大学である場合において，当該大学が同条第2項の規定により当該大学に入学させた者を含む.)で，文部科学省令・厚生労働省令で定める基準に適合するものとして，文部科学大臣が指定した学校又は都道府県知事が指定した作業療法士養成施設において，3年以上作業療法士として必要な知識及び技能を修得したもの
2　理学療法士その他政令で定める者で，文部科学省令・厚生労働省令で定める基準に適合するものとして，文部科学大臣が指定した学校又は都道府県知事が指定した作業療法士養成施設において，2年以上作業療法に関する知識及び技能を修得したもの

(つづく)

**表 1 理学療法士及び作業療法士法**(つづき)

3 外国の作業療法に関する学校若しくは養成施設を卒業し，又は外国で作業療法士の免許に相当する免許を受けた者で，厚生労働大臣が前 2 号に掲げる者と同等以上の知識及び技能を有すると認定したもの
(医道審議会への諮問)
第 12 条の 2 厚生労働大臣は，理学療法士国家試験又は作業療法士国家試験の科目又は実施若しくは合格者の決定の方法を定めようとするときは，あらかじめ，医道審議会の意見を聴かなければならない.
2 文部科学大臣又は厚生労働大臣は，第 11 条第 1 号若しくは第 2 号又は前条第 1 号若しくは第 2 号に規定する基準を定めようとするときは，あらかじめ，医道審議会の意見を聴かなければならない.
(不正行為の禁止)
第 13 条 理学療法士国家試験又は作業療法士国家試験に関して不正の行為があった場合には，その不正行為に関係のある者について，その受験を停止させ，又はその試験を無効とすることができる．この場合においては，なお，その者について，期間を定めて理学療法士国家試験又は作業療法士国家試験を受けることを許さないことができる.
(政令及び厚生労働省令への委任)
第 14 条 この章に規定するもののほか，第 11 条第 1 号及び第 2 号の学校又は理学療法士養成施設の指定並びに第 12 条第 1 号及び第 2 号の学校又は作業療法士養成施設の指定に関し必要な事項は政令で，理学療法士国家試験又は作業療法士国家試験の科目，受験手続，受験手数料その他試験に関し必要な事項は厚生労働省令で定める.
第 4 章 業務等
(業務)
第 15 条 理学療法士又は作業療法士は，保健師助産師看護師法(昭和 23 年法律第 203 号)第 31 条第 1 項及び第 32 条の規定にかかわらず，診療の補助として理学療法又は作業療法を行なうことを業とすることができる.
2 理学療法士が，病院若しくは診療所において，又は医師の具体的な指示を受けて，理学療法として行なうマッサージについては，あん摩マッサージ指圧師，はり師，きゅう師等に関する法律(昭和 22 年法律第 217 号)第 1 条の規定は，適用しない.
3 前 2 項の規定は，第 7 条第 1 項の規定により理学療法士又は作業療法士の名称の使用の停止を命ぜられている者については，適用しない.
(秘密を守る義務)
第 16 条 理学療法士又は作業療法士は，正当な理由がある場合を除き，その業務上知り得た人の秘密を他に漏らしてはならない．理学療法士又は作業療法士でなくなった後においても，同様とする.
(名称の使用制限)
第 17 条 理学療法士でない者は，理学療法士という名称又は機能療法士その他理学療法士にまぎらわしい名称を使用してはならない.
2 作業療法士でない者は，作業療法士という名称又は職能療法士その他作業療法士にまぎらわしい名称を使用してはならない.
(権限の委任)
第 17 条の 2 この法律に規定する厚生労働大臣の権限は，厚生労働省令で定めるところにより，地方厚生局長に委任することができる.
2 前項の規定により地方厚生局長に委任された権限は，厚生労働省令で定めるところにより，地方厚生支局長に委任することができる.
第 5 章 理学療法士作業療法士試験委員
(理学療法士作業療法士試験委員)
第 18 条 理学療法士国家試験及び作業療法士国家試験に関する事務をつかさどらせるため，厚生労働省に理学療法士作業療法士試験委員を置く.
2 理学療法士作業療法士試験委員に関し必要な事項は，政令で定める.
(試験事務担当者の不正行為の禁止)
第 19 条 理学療法士作業療法士試験委員その他理学療法士国家試験又は作業療法士国家試験に関する事務をつかさどる者は，その事務の施行に当たって厳正を保持し，不正の行為がないようにしなければならない.
第 6 章 罰則
第 20 条 前条の規定に違反して，故意若しくは重大な過失により事前に試験問題を漏らし，又は故意に不正の採点をした者は，1 年以下の懲役又は 50 万円以下の罰金に処する.
第 21 条 第 16 条の規定に違反した者は，50 万円以下の罰金に処する.
2 前項の罪は，告訴がなければ公訴を提起することができない.
第 22 条 次の各号のいずれかに該当する者は，30 万円以下の罰金に処する.
1 第 7 条第 1 項の規定により理学療法士又は作業療法士の名称の使用の停止を命ぜられた者で，当該停止を命ぜられた期間中に，理学療法士又は作業療法士の名称を使用したもの
2 第 17 条の規定に違反した者

合格し，日本で初めての作業療法士が誕生した[15].

このわが国における作業療法士誕生の陰には鈴木と矢谷という，このときすでに海外で作業療法士の資格をもっていた 2 人の存在があった．彼女らは清瀬リハ学院での教育に携わり，その後も九州などに設立された養成校でも教鞭をとった．また，1966 年には清瀬リハ学院の 1 期生 5 人が小林副学院長の支援を受けて，日本作業療法士協会を設立した(▶**図 6**)[16,17]．18 人による船出であったが，当時，清瀬リハ学院の学院長を務めていた砂原[18] が「医師の理解がまだ十分とはいえないことが療法士の最も大きい苦労の種となり，イバラの道を当分歩みつづけねばならないであろう」と述べていたことからも，荒波のなかの航海であったと想像される.

養成校は 1974 年までに 5 校となり，同年には作業療法の**診療報酬**が医療保険のなかに認められた.

▶図 6　日本作業療法士協会の創始者たち
前列右から 3 番目が鈴木明子（初代会長），前列右端が矢谷令子（第 2 代会長）
〔日本作業療法士協会：日本作業療法士協会五十年史. pp44–47, 日本作業療法士協会, 2016 より〕

## C 日本における作業療法の発展

作業療法士の養成教育は徐々に全国に広がっていくが，その舞台は専門学校であった．その後，1979 年には金沢大学に 3 年制の短期大学部が開設され，さらに 1992 年には広島大学で 4 年制教育がスタートした．この 4 年制教育への移行が契機となり，公立大学と私立大学での養成教育が本格化していった．

一方，臨床現場に関しては，1965 年には長野県の鹿教湯病院に作業療法室が開設され，脳卒中患者に対して陶芸や木工，機織り，ADL などを用いた作業療法が始められた．東京の自衛隊病院では整形外科疾患を中心とした作業療法が，国立障害者リハビリテーションセンターでは主に切断に対する作業療法が，神奈川県総合リハビリテーションセンターでは脊髄損傷に対する作業療法が，そして大阪のボバース記念病院では脳性麻痺などの障害児に対する作業療法が始められていった．また，法律が制定される前から作業療法が実践されていた松沢病院をはじめとする精神科領域にも多くの作業療法士が従事した[19]．その後，作業療法士が活躍する現場は小児療育施設，高齢者施設，地域，教育，司法の場にまで広がっていった．

**Keyword**

**診療報酬**　国が定めた診療行為に対して支払われる報酬のこと．日本は国民皆保険（➡ 231 ページ）であるため，その報酬額は全国一律であり，すべての診療行為に点数が定められている．たとえば，脳卒中の作業療法を 1 単位（20 分）実施した場合は 245 点を請求できるとされており，1 点は 10 円であるから請求金額は 2,450 円となる．

## B 作業療法の原理

前項の冒頭で作業療法は抽象的でとらえにくい側面があると述べた．これは作業療法の発展に伴って，その役割が広がり，理念も多様になってきたことが影響している．しかしながらその一方で，作業療法には時代を経ても変わらない，かつゆるぎない法則や哲学がある．それが作業療法の原理である．ここではその原理について，先駆者たちが残した言葉を通して人間の本質や人道療法の理念を確認しながら，考えてみよう．

### 1 人間の本質

作業療法の原理を理解するためには，われわれ人間がどのような性質をもった生き物なのかを理解しておく必要がある．もう一度，作業療法の対象である人間について考えてみよう．

前項，「作業」の意味と範囲（➡ 7～8 ページ）において説明したとおり，人間は目的をもって生活し，活動になんらかの価値を見いだしている生き物である．そこで，人間の生きる目的を知るうえで重要な人間の基本的欲求について考えてみよう．

われわれ人間にはさまざまな欲求がある．食べることや寝ることといった基本的なもの以外にも，誰かと話したいとか映画を観たいといったさまざまな欲求があるはずである．この人間の欲求が図 7[20] に示すような階層構造を成していると主張したのが米国の心理学者のマズローである[21]．彼は人間が普遍的で本能的な基本的欲求によって

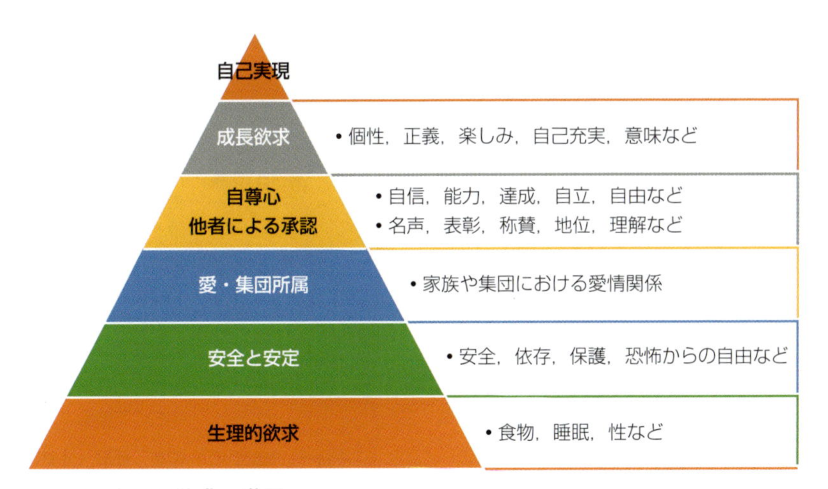


▶図 7 人間の欲求の階層
〔ゴーブル F(著)・小口忠彦(監訳)：マズローの心理学．pp59–84，産業能率大学出版部，1972 より改変〕

動機づけられていると述べた．それによると人間には食物，睡眠，性などへの生理的欲求が基礎にあり，それが十分に満たされると安全の欲求が現れる．次にこれらが満たされると，他の人々との愛情関係や集団の一員でいたいということを求める．さらに，自信や能力，達成，自立などといった自尊心と，称賛や地位といった他者から承認されたいという欲求が現れる．そしてこれら愛情の欲求と承認の欲求が適度に満たされると，自分がなれる可能性のあるものになろうとする自己実現の欲求が発生するという．マズローはこの最終段階である自己実現した人間は 60 歳以上のごく限られた人間だけであり，その成熟に向かって成長するための個性や楽しみ，自己充実などの成長欲求が年齢を重ねるにつれて出現してくるという[20]．人は皆誰しも将来に向かって自分らしく生きたいと思っているはずであり，それは自己実現に向かっている途中といえるのである．

## 2 人道療法の理念

先に述べたとおり，作業療法誕生の過程には人道療法という，それまで非人間的に扱われていた精神病患者に対してその人間性を回復させる目的で始められた治療の存在がある．これはいかなる病や症状をかかえている人であっても，その人が人間らしく生きる権利を有しており，それを尊重し，復権することが治療の出発点であるという作業療法の源流になった理念である．

精神病患者を鎖から解放したピネル[22]は，午前中に家事に従事したり，作業場へ出かけたり，農場で野菜を育てたりオリーブやぶどうの収穫をしたりするなどの楽しい作業の組み合わせによって多くの病人が理性を回復させ，また 1 日の激しい労働が安らかな眠りをもたらしたと述べている．

ライル[23]は精神科病院において，患者は入院したらすぐにでも容易に遂行できる仕事に就かせるべきであるとし，その理由として仕事それ自身が精神障害を乗り越える優れた手段であるからだと述べている．そのうえで，最初は身体のみを動かし，次いで精神を動かすと身体活動から精神活動に作業の効果が波及すると言及している．

人間にとって怠惰と無為に陥ることは回復にプラスの効果はなく，娯楽と仕事をすすめたほうが人間本来の生きる喜びや価値を感じやすいといえる．

## 3 作業療法の意義

秋元[24)]は作業療法の意義について2つの考え方に分けて整理している．1つは「作業が病気や外傷によって生じた機能障害に直接働きかけ，その修復をもたらす」というものである．例として，うつ状態の患者は心の深層に怒り，罪悪感をだき，それが重荷となっているのだから，その償いの意味をもつ床磨きなどの単調な労働が治療として適切であることを紹介している．

もう1つは，「作業療法が患者の異常性よりも正常性に焦点を絞って働きかける治療であり，個々の機能障害ではなく，生活の障害のほうを直接の対象としている」というものである．これは作業療法が病気ではなく，人を治そうとする，つまり人道的な視点をもった治療であることに立脚している．この意義はリハビリテーションが全人間的復権であると説いた上田[25)]の思想にも引き継がれており，作業療法の意義の基盤をなしているものといえるであろう．

## 4 先駆者たちの教え

作業療法の技術は時代とともに進化しているが，その原点の思想は変わらないはずである．いまだに色あせていない先駆者たちの言葉を**表2**にまとめて紹介する．

作業療法の起源とされるのは，ガレノスによる「仕事をするということは自然の最も優れた医師であり，それが人間の幸福についての要件である」という言葉であろう．古くから仕事と幸福に関連があることを指摘していた．これに関して，日本における先駆者の1人でもある矢谷[26)]は，ここで使われている「仕事」とは「何かをすること」と解釈でき，人はそこから心身の力，生命力，生きがい，喜びを得，幸福へと導かれていくと解説している．

さらにこれとよく似た意味で作業の説明をしたのが，NSPOTの創始者の1人であるダントンである．彼は最初の教育コース設立に際して，以下のような文を残している[7)]．

▶表2　先駆者たちが残した言葉

| | | |
|---|---|---|
| ガレノス | 3世紀 | 仕事をするということは自然の最も優れた医師であり，それが人間の幸福についての要件である |
| ピネル | 1810年 | 作業の必要性は懲罰や懺悔ではなく，再生のためのきわめて効果ある治療手段として課せられていることである |
| 呉 | 1916年 | 作業は精神的苦痛を緩解し，苦痛な観念を漸次に記憶外に駆逐し，その反映として肉体上に有利の影響を与えることを得る |
| ダントン | 1917年 | 作業は食物と水のごとく生活に不可欠なものである |
| マイヤー | 1921年 | 作業，仕事，活動，行動が人間に与えられた自然の賜物である |
| 加藤 | 1925年 | 作業は治療を主目的として実施されるべきものである |
| 野村 | 1970年 | 生活に生きる喜びを与え，生命の意味を味わわせるために欠くことができない |
| 菅 | 1975年 | 作業欲は食欲や性欲などと同じように，本来人間の基本的欲求の1つである |

「作業は食物と水のごとく生活に不可欠なものである．何人も心身両面の作業を有しているべきである．誰もが喜びのある作業，すなわち趣味を持つべきである．それは生活の糧を得る生業が退屈で好まざるものである場合，なお必要である．個々人が少なくとも2つの趣味，1つは戸外で，1つは室内で行えるものを持つべきである．趣味が豊かであるほど，より広い趣味と，より普遍的な知性が作り出されるものである．病におかされた心，体，そして魂は作業により癒される」

ここで語られているのは，「作業」が人間の生活にとって不可欠であり，それが病に侵された心や体を癒すという，まさに古代から受け継がれてきた思想であり，理念である．

また先に紹介したスレイゲルを育てた精神科医のマイヤー[27)]は，作業療法の哲学について「作業，仕事，活動，行動が人間に与えられた自然の賜物(gifts of nature)である」と述べている．

一方，国内でも作業療法の誕生に寄与した人物が残した言葉がある．米国で作業療法が誕生する以前に，欧州で人道療法を学んだ呉[11]は，「作業は精神的苦痛を緩解し，苦痛な観念を漸次に記憶外に駆逐し，その反映として肉体上に有利の影響を与えることを得る」と記している．また，結核患者に作業療法を用いた野村[28]は作業療法について「生活に生きる喜びを与え，生命の意味を味わわせるために欠くことができない」と述べ，精神科医であった菅[29]は作業療法の効果をもたらす点について「作業欲は食欲や性欲などと同じように，本来人間の基本的欲求の１つである．その欲求を適当に満足させると，心身の機能の調和が保たれ，健康が保持されるか，または障害の治癒機転が促進される」と述べている．

このように，作業療法の原理は，人間の本質ともいえる，主体的に「作業すること」を治療手段として用いる点にあることがわかる．そして，治療手段としての「作業」だけではなく，対象者１人ひとりの生活や人生の目的と価値に焦点を当てる必要があることにも気づくであろう．これらの原理は，作業療法士を目指す皆さんに，病気や障害によって苦しみ，厳しい環境におかれた人たちのことを理解し，共感できる人間性を涵養(かんよう)することを真に求めているのである．

●引用文献

1) 田村春雄：作業療法の歴史．田村春雄，他(編)：作業療法総論．pp11–35, 1976
2) 坂井建雄：図説 医学の歴史．p427, 医学書院, 2019
3) 矢谷令子(編)：作業療法概論．改訂第２版, pp11–17, 協同医書出版社, 1999
4) O'Brien JC: Introduction to occupational therapy, 5th ed. pp2–24, Mosby, St. Louis, 2017
5) Andersen LT, et al: Conception and formal birth: 1900s to 1917. *In* Andersen LT, et al: The history of occupational therapy: the first century. pp15–49, SLACK Incorporated, Thorofare, NJ, 2017
6) 矢谷令子：「作業療法」のより適切な理解へ向けて．人間と科学 8:1–16, 2008
7) Hopkins HL：作業療法の歴史的展望．Hopkins HL, 他(編)・鎌倉矩子, 他(訳)：作業療法 上．pp3–32, 協同医書出版社, 1989
8) Andersen LT, et al: Rapid growth and expansion: 1940s to 1960s. *In* Andersen LT, et al: The history of occupational therapy: the first century. pp125–160, SLACK Incorporated, Thorofare, NJ, 2017
9) West WL: A reaffirmed philosophy and practice of occupational therapy for the 1980s. *Am J Occup Ther* 38:15–23, 1984
10) Kielhofner G, et al: A model of human occupation, part 1. Conceptual framework and content. *Am J Occup Ther* 34:572–581, 1980
11) 呉 秀三：移導療法．秋元波留夫, 他(編著)：新 作業療法の源流．pp128–145, 三輪書店, 1991
12) 加藤普佐次郎：精神病者に対する作業治療ならびに開放治療の精神病院におけるこれが実施の意義および方法．秋元波留夫, 他(編著)：新 作業療法の源流．pp171–206, 三輪書店, 1991
13) 新井英夫：肺結核患者の作業療法．秋元波留夫, 他(編著)：新 作業療法の源流．pp207–227, 三輪書店, 1991
14) 田村春雄：肢体不自由者の職能療法．秋元波留夫, 他(編著)：新 作業療法の源流．pp334–349, 三輪書店, 1991
15) 早川光雄：学院紹介—国立療養所東京病院付属リハビリテーション学院．看研 7:25–28, 1966
16) 田村春雄, 他(編)：作業療法総論．pp27–52, 医歯薬出版, 1976
17) 日本作業療法士協会：日本作業療法士協会五十年史．pp44–47, 日本作業療法士協会, 2016
18) 砂原茂一：新しい理学療法士と作業療法士の世界．理療と作療 1:4–8, 1967
19) 矢谷令子, 他(編)：日本の作業療法発達史—萌芽期の軌跡を尋ねて．pp201–333, シービーアール, 2021
20) ゴーブル F(著)・小口忠彦(監訳)：マズローの心理学．pp59–84, 産業能率大学出版部, 1972
21) マズロー AH(著)・小口忠彦(訳)：人間性の心理学—モチベーションとパーソナリティ．改訂新版, pp55–90, 産業能率大学出版部, 1987
22) スムレーニュ R(著)・影山任佐(訳)：フィリップ・ピネルの生涯と思想．pp65–108, 中央洋書出版部, 1988
23) ライル JC：精神病者に対する精神的治療法の応用に関する狂想曲．秋元波留夫, 他(編著)：新 作業療法の源流．pp33–40, 三輪書店, 1991
24) 秋元波留夫：作業療法の理念と課題．秋元波留夫, 他(編著)：新 作業療法の源流．pp11–30, 三輪書店, 1991
25) 上田 敏：リハビリテーションの思想—人間復権の医療を求めて．第２版増補版, 医学書院, 2004
26) 矢谷令子, 他(編著)：作業療法実践の仕組み．改訂第２版, pp17–40, 協同医書出版社, 2014
27) マイヤー A：作業療法の哲学．秋元波留夫, 他(編著)：新 作業療法の源流．pp146–158, 三輪書店, 1991
28) 野村 実：診療の眼．pp178–192, 川島書店, 1970
29) 菅 修：作業療法の奏功機転．精神誌 77:770–772, 1975

COLUMN

## 恢復(かいふく)するということ――大江健三郎さんの講演から

ノーベル文学賞作家である大江健三郎さんは，2014年に横浜で開催された第16回世界作業療法学会の基調講演で，ご自身の経験をもとに以下のようなことを話された．

息子（大江光さん：作曲家）は知的障害のために長く福祉作業所に通っていた．退所して自宅で日中を一緒に過ごすようになったとき，原稿を束にしてまとめるという簡単だけれども以前はできなかった作業ができるようになっていることに気づいた．それが仕事というよりも，息子に深い喜びを与えていると思うと同時に，そのことが作業療法を進めている人たちの考え方であり態度であることを知った．

大学生のころ，ギリシャ語の講義でヒポクラテスが医学について，「患者が回復する過程で精神と身体が深くつながっている」と語ったこと，また，紀元後3世紀にガレノスが「病気の治療の過程でとにかく仕事をすることが効用になる」と語ったこと，これらはとても短い文章なのだが，読んだことがあることを思い出した．

作業療法の文化は人間と人間という関係をつくり出し，子どもたちに影響を与え，人間的な成長をもたらし，社会全体の恢復(かいふく)につながる．

フランス人思想家であるシモーヌ・ヴェイユは，『聖杯伝説』を取り上げて人間の価値について語っているが，そのなかで「聖杯を手渡すことのできる人間は“あなたはどこが苦しいの？”と問うことのできる人である」と述べている．さらに「このように言える人は注意深い，本当に苦しんでいる人を発見する目と魂をもっている，いつかは不幸な人が苦悩に陥っている人を救うことができる助けの手をしっかりと差し伸べることができる，そういう人が一番上等な人間なのだ」と．

作業療法士は苦しんでいる人をはっきり目で見て，そして自分の魂で引き受けて，そして何かできることがあればしようとする人，できることをするという技術をもっている人であり，一番大切な人間の定義に当てはまるのではないか．

この講演を聴き，作業療法士である限り，大江さんが指摘されたような苦しんでいる人を発見し，手を差し伸べることができるための目と魂をもち続けたいと思った．

（能登真一）

# 3

# 作業療法に関連する予備知識

作業療法は医療職を中核として誕生し，保健・医療・福祉分野の医学的・職業的・社会的・教育的ニーズに応えるべく日々発展している．作業療法が発展し，高度専門化，専門分化が進展しても，その対象は「人間」であり，対象者の1人ひとりは年齢，性別，社会的背景を問わず，かけがえのない唯一の存在である．本項では，病や障害とともに生きていく立場にある対象者を専門的に治療・指導・援助していくために，作業療法のすべての分野に求められる予備知識を解説する．

## A 人間とその理解

### 1 医療人として求められる哲学的な思考

生物学における基本的生命観の1つに還元主義がある．ブリタニカ国際大百科事典では，「物理・科学的に不可解にみえる生命現象も，要素現象に分析・還元していって，これらの要素の作用様式を解明することにより理解することができるとする立場」と説明している．

澤瀉は，患者の症状は教科書に書かれているような型通りに現れるものではないと述べている．極端にいえば1人ひとりが例外的な症状を示すと述べ，医療人に対して教科書的知識の所有者ではなく，自ら科学者であることの必要性を説いている[1]．また，生命を正しく理解することについて，その生命は単に生理学だけでは十分に解明できない．生命は単に生理現象として現れるだけではなく，生物現象，心理現象や社会現象としても現れる．このように生命を把握する際，生理学をはじめとしたさまざまな科学は，生命の一部であり，部分で全体をとらえることはできないと述べている[1]．

作業療法の対象は，患者であり病のある人である．リハビリテーション専門職の立場から病のある人を要素別に分析して，後述する国際生活機能分類(International Classification of Functioning, Disability and Health; ICF)の心身機能・身体構造，活動，参加，環境因子，個人因子の枠組みを利用しながら作業療法評価を実施し，対象者を分析・統合・解釈する．このとき，作業療法士が対象者の障害軽減を目的として心身の機能に着目することは当然であるが，その障害軽減のみにとらわれるのではなく，諸関係因子などにも着目することが大切になる．これは，生命現象を高度な科学技術により部分でとらえたとしてもその総和は全体にならないのと同じ考え方で，心身機能は対象者の部分的な側面にすぎないことを深く理解する必要がある．

われわれは，対象者の部分的な要素のみにとらわれるのではなく常に全体的にとらえることが求められている．作業療法は，対象者の心身機能，生活にかかわる活動や作業，社会参加，個人因子や環境因子に個々に対応しながら，サービスの統合をはかる．対象者が満足した日常生活を送ることができる状態を目指すためには，対象者の部分的側面ではなく常に全体をみる姿勢が求められる[2]．

## 2 差別，偏見，スティグマ

大正時代にドイツ留学から帰国した呉は，「精神病者私宅監置ノ実況及ビ其統計的観察」と題し，当時の精神病者私宅監置の実情を明らかにした[3]．精神疾患は不治のものではないこと，ふさわしい時期に入院し，適切な治療により治癒するものが少なくないことは，他の疾患と比べてなんら違いがないにもかかわらず，私宅の座敷牢や納屋に監禁され行動の自由を奪われている状況から，「我が邦十何万の精神病者は実にこの病を受けたるの不幸のほかに，この邦に生まれたるの不幸を重ぬるものというべし」と伝えている[3]．

過去には，旧優生保護法による強制不妊手術，らい予防法によるハンセン病患者の強制隔離政策のようにわが国の医療や社会福祉制度のなかに差別的な弱者切り捨ての社会システムがあった．これらの差別は過去に限ったことではない．基本的人権が尊重される現代社会においても，HIV 感染者や最近の新型コロナウイルス感染者に対する差別がみられるが，これは許されるべきことではない．

現代の差別・偏見について，大谷は「現代の**スティグマ**は，古代のように身体に焼きごてをあてるような残酷なことはしないが，心に癒しがたい傷を負わせることにおいて見えないところで今もなお存在している」と警鐘を鳴らしている[4]．また，医学で治りにくい疾病や障害にかかっている人に対して，「①疾病そのものの痛みの上に②他者や社会から心理的圧迫，環境的制限，経済的困窮などの人権侵害的痛みが重くのしかかっている．しかし，今日のわが国では①に対する医療技術そのものは先進国レベルにあるものの，②の人権的視点の方は欧米先進国に比べて極めて低いレベルにとどまっており，それに対する社会的自覚，社会的対応が望まれている．しかもそれらの基底には，疾病・障害を持つ人に対するスティグマ，偏見がよくよく注意しなければ気づかない形で根づいており，そのいわれなき非合理性，非人間性を改めて認識して，努力してそれを払拭することをしなければ，②の解決策である社会保障と**ノーマライゼーション**(➡ 6 ページ)の達成は不可能となる」と述べている[4]．

たとえば，現在の作業療法の実践でも，発達障害児または未診断児の就園，就学支援などの社会参加を促進する取り組みのなかで，意識的，無意識的に対象児をスティグマ化し，差別された状態に貶める場面に遭遇する．わが国では，**障害者差別解消法**〔2016(平成 28)年 4 月施行〕により「不当な差別的取扱いの禁止」，「**合理的配慮**の提供」を制度で定めているが，地域社会における定着には時間が必要である．われわれ作業療法士は，まだまだ身近なところで障害を理由とした差別・偏見がある事実を受け止める必要がある．そのうえで，人々の社会参加の課題に対して個別に援助していくなかで，「ともに生きる社会」を実現する推進役として社会から期待されていることを忘れてはいけない．

**Keyword**

**スティグマ**　日本語では恥辱，不名誉，汚名，烙印などと訳される．大谷は，罪の意識も加害者意識もないままに自分自身は善意であると思い込んでいる多くの人間が，相対的な人間関係においてスティグマを貼り，差別や人権侵害を引き起こすことを防止しなければならないと述べている[4]．

**障害者差別解消法**　国連の「障害者の権利に関する条約」の締結に向けた国内法制度の整備の一環として，すべての国民が，障害の有無によって分け隔てられることなく，相互に人格と個性を尊重し合いながら共生する社会の実現に向け，障害を理由とする差別の解消を推進することを目的として，平成 25 年 6 月制定，平成 28 年 4 月施行．

**合理的配慮**　役所や事業者は，障害のある人から，社会のなかにあるバリアを取り除くためになんらかの対応を必要としているとの意思が伝えられたときに，負担が重すぎない範囲で対応すること(事業者については，対応に努めること)が求められている．

## 3 人間の健康

人間の健康の定義は世界共通である．WHO 憲章には，“Health is a state of complete physical, mental and social well-being and not merely the absence of disease or infirmity”と定義されている．厚生労働省は，「健康とは，肉体的，精神的及び社会的に完全に良好な状態であり，単に疾病又は病弱の存在しないことではない」[5] と訳し，一般的にわかりやすい表現として日本 WHO 協会は，「健康とは，病気ではないとか，弱っていないということではなく，肉体的にも，精神的にも，そして社会的にも，すべてが満たされた状態にあることをいいます」[6] と訳している．この定義の大切な用語としてウェルビーイング(well-being)があり，上述の 2 つの訳では「良好な状態」，「満たされた状態」と表現している．

砂原は，リハビリテーションについて次のように述べている[7]．

「人間であることの権利，尊厳が何かの理由で否定され，人間社会からはじき出されたものが復権することがリハビリテーションである．障害のために，見た目も普通の人とは異なり，一般の人とは同じような働きもできないためにまるで人間ではないかのように見下げられていた障害者が，一人の人間としての権利を主張し，それを回復するのがリハビリテーションであり，社会が障害者をそのようなものとして認めることである．すなわち，障害者が何もできないことにひたすら注目し同情するという点に重点がおかれるのではなく，障害者が自ら人間としての価値を積極的に肯定し，社会もそれを尊重することである」

このようにリハビリテーションは，WHO 憲章に示された健康の定義と同じ志向性をもち，心身に障害があったとしても残存能力を活かして「良好な状態」，「満たされた状態」を維持することを目標としている．

作業療法の対象となる人の健康について考えてみる．これまで述べた「良好な状態」，「満たされた状態」は，1 人ひとりの生きる意味を考えることにもつながり，主観的な幸福感や生活満足度が重要な指標となる．つまり，健康感は主観的なものであり，「良好な状態」，「満たされた状態」は 1 人ひとり異なるため，対象者の社会参加の状態や障害の理解，自己決定や人生の目標のもち方，毎日の生活をどのように過ごしていくかが重要なのである．このような個別性を理解し，1 人ひとりの QOL を高めていく役割を作業療法は担う．

人間の健康の定義は世界共通であると述べた．WHO 憲章における健康の定義は 1946 年 7 月に作成され，1948 年に効力が発生し，わが国では 1951(昭和 26)年に条約第 1 号として公布された．近年になり，2015 年 9 月に国連は「国連持続可能な開発サミット」を開催し，17 の目標からなる「**持続可能な開発目標(SDGs)**」[8] を掲げた．すべての目標は，貧しい国も，豊かな国も，中所得国も，すべての国々に対して，豊かさを追求しながら，地球を守ることを呼びかけている．SDGs は，世界共通の社会課題に取り組み，人類のウェルビーイングを達成するための目標である．このなかの目標 3 として「あらゆる年齢のすべての人々の健康的な生活を確保し，福祉を推進する」ことが持続可能な開発に欠かせないと掲げられている．作業療法士は，これまでも独立行政法人国際協力機構(Japan International Cooperation Agency; JICA)の青年海外協力隊などを通じて開発途上地

**Keyword**

**QOL** QOL(quality of life)は，「生命の質」(がんの場合など)，「生活の質」(心臓病の場合など)，「人生の質」(リハビリテーション)などと訳される．また QOL は，客観的なものか，主観的なものかといった議論もある[9]．

**SDGs** SDGs(Sustainable Development Goals)は，2015 年 9 月の国連サミットで加盟国の全会一致で採択された「持続可能な開発のための 2030 アジェンダ」に記載された，2030 年までに持続可能でよりよい世界を目指す国際目標．17 のゴール・169 のターゲットから構成され，地球上の「誰一人取り残さない(leave no one behind)」ことを誓っている．

域の発展に寄与してきた実績がある．世界規模のSDGsを推進する取り組みについても，リハビリテーションの理念や健康の定義を理解し，1人ひとりの生活を大切にしていく視点をもつ作業療法士は，世界で活躍することが期待される存在といえる．

## B 病気と障害の理解

### 1 障害(疑似)体験――障害を自分のものとして理解する取り組み

今，作業療法を学修している皆さんは，保健・医療・福祉分野の専門家を目指している．この保健・医療・福祉分野の実務的な学問の奥底には，人間を相手にしているという理解が必要である．われわれは保健・医療・福祉分野における従事者である前に，まず人間であり，作業療法の対象である患者や障害のある人も同じく人間であるという原理を忘れてはならない．医療技術の学修と同時に，人間としての物事の根本的な意味を問う姿勢をもつことが求められる．哲学や宗教学などの人文科学，芸術や文化を通して教養を高めていくことでそうした物事の根本的な意味を問う思想性が育まれると考える．決して難しいことではない．学問的理解ということではなく，人間の喜びや悲しみ，苦しみを心の一部でいつも考えてみることが大切である．

作業療法の初年次教育のなかで障害(疑似)体験を行うことが多い．これは健常者が積極的に障害を疑似体験する試みであり，「障害とは何か」という問いかけを自ら行う機会となる．たとえば身体機能障害の(疑似)体験として，一定の時間を車椅子や松葉杖を使用して過ごし，日常的に利用する店で買い物をしたり，非利き手の片手動作の経験をしたりする．ほかにも視覚障害，言語障害，聴力障害の(疑似)体験などがある．そのような経験から障害者が日常生活でどのような困難に直面しているかに気がつき，社会的な問題としてとらえることができるようになる．それだけでなく，自ら気づいた問題に対して解決策を探り，自分にできることとできないこと，また自分にできないことは，誰が，どこでどのようにすれば解決できるのかを学ぶきっかけとなる．そして，それらの経験から自分は何を感じ何を考えたか，自分の心の反応をたどる経験をする．わずかながらでもそこに見えた世界は，健常者の自分には今まで知ることのなかった，感じることのなかった貴重な世界である．矢谷は，健常者がこれらの経験から謙虚に学ぶとき，我々は病気ではなく病人を，障害ではなく障害者をよりよく知りうることができると述べている．また，我々は素手の人間同士，同じ立場で健常者と障害者や弱者と助け合いが必要であり，両者間のギャップが埋められていくことこそリハビリテーションの理念であり，作業療法の目標であると述べている[10)]．

このように，作業療法士養成課程の初年次における障害(疑似)体験は，物事の根本的な意味を問う思想性を育て，障害を自分のものとして理解する取り組みとして位置づけられている．

### 2 ICIDHからICFへ――障害の構成要素とその相互作用

国際生活機能分類(ICF)は，2001年5月に開催されたWHO第54回総会で採択された人間の生活機能と障害の国際分類である．障害に関する分類がWHOにより初めて示されたのは，1980年の国際障害分類(International Classification of Impairments, Disabilities and Handicaps; ICIDH)である．病気と障害を，疾病・変調(disease or disorder)，機能・形態障害(impairment)，能力障害(disability)，社会的不利(handicap)に分類した概念モデルであり，**図1**に示したICIDHの概念モデルが世界で使用されるようになった．たとえば，脳の疾患により(疾病・変調)，

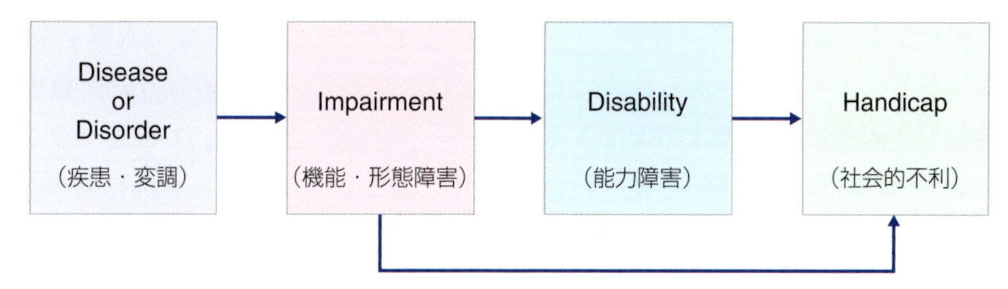


▶**図 1 国際障害分類〔WHO, 1980〕**
このモデルは障害を機能・形態障害，能力障害，社会的不利の 3 つのレベルに分けてとらえるという，「障害の階層性」を示した点や，機能・形態障害が直接，社会的不利に影響を与える面を示したことなど，画期的なものであった．

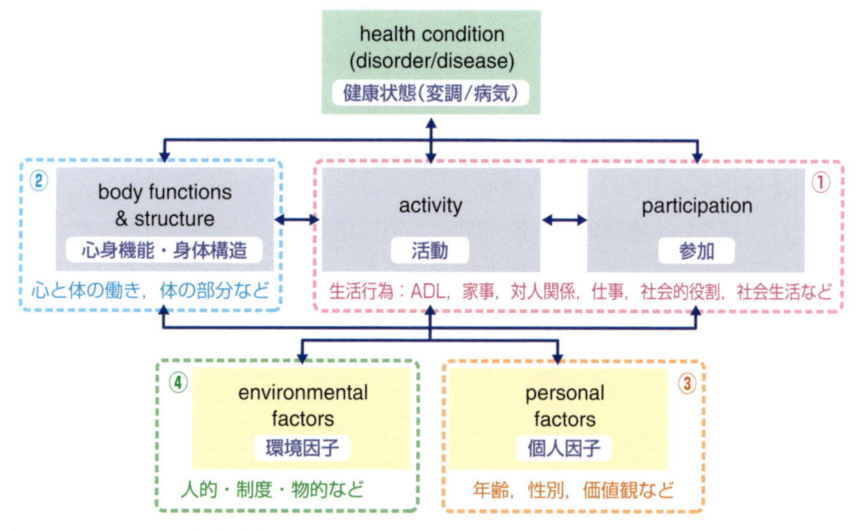


▶**図 2 国際生活機能分類〔WHO, 1999〕の概念モデルの活用**
障害のある人々のリハビリテーションの目標を達成するためには，①を把握し，②との因果関係を評価する．また，③を尊重しながら，④の環境因子の利用・調整が目標達成のポイントとなる．

手足が不自由(機能・形態障害)なことで，自立した日常生活活動(ADL)が営めない(能力障害)，その結果，仕事に就くことができない(社会的不利)といったように，病気と障害の関係を構造的に示している．しかし，この概念図は，左から右方向への一方向の矢印で示されていたために，あたかも疾病・変調や機能・形態障害へのアプローチが優先されるような誤解を生み，機能障害が能力障害と社会的不利をもたらす直接的な要因であるととらえかねないなどの，いくつかの不備が指摘された．その問題を解決するために WHO は，1993 年より改訂作業を実施し，1997 年に国際障害分類 2(ICIDH-2)，2001 年に国際障害分類改訂版を採択し，わが国では 2002 年に「国際生活機能分類—国際障害分類改訂版」(International Classification of Functioning, Disability and Health; ICF)として厚生労働省の Web サイトで公開された．**図 2** に示した ICF の概念モデル[11] の特徴は，それぞれが双方向の矢印で結ばれていることである．「構成要素間の相互作用」を重要視しており，たとえば，参加(participation)が制約されると活動(activity)が制限され，心身機能・身体構造(body functions & structure)が低下するという相互作用を検討することに有用である．ICF は，障害を生活機能のプラス面からみるような視点に転換し，環境因子，個人因子という事例性の強みを生かす概念モデルとなった[12]．

人は病気や事故などにより障害がある状態になると生きることが大変困難になるのは想像できるだろう．前述の障害(疑似)体験の節でも述べたように，健常者の立場からは障害を理解する努力はできたとしても当事者と同じ生活を経験することはできない．しかし当事者の生活のわずかな一部でも経験する努力を重ね，気持ちを寄せていくことで，当事者の1人ひとりがどのような生きることの困難さをかかえているのかを想像することができると考える．

作業療法は障害理解や，生きることの困難さを一緒に解決する手段を有している職種である．生きることの困難さを解決する方法は，心身機能・身体構造の改善だけではない．物理的・人的・制度的な環境を調整すること，さまざまな代償手段を獲得することにより活動，参加を維持・向上させることが可能となり，当事者の生きることの困難さを解決することにつながる．人が生きることの全体像をとらえる枠組みとしてICF概念モデルを用いることは，作業療法の役割を深く理解することに役立つと考える．

## 3 IL——障害者のことは障害者がよく知っている

IL(independent living；自立生活)運動(➡6ページ)は，1962年に米国でおこった．砂原は次のように述べている[13]．

「IL運動者たちの基本主張は，障害問題の主体はリハビリテーションの専門家ではなく障害者自身であり，改善しなくてはならないのは障害者の側よりも環境であり，従来のリハビリテーションの過程であると考える．リハビリテーションの場合は，環境整備に努めないわけではないが，主として障害者個人を訓練して独立生活，職業生活に導くことを目標とした．ILの場合は，個人の訓練の前に広い意味の環境(社会的，経済的，法律的，建築的等の障壁)の調整を第一目標とし，他人に助けてもらって15分で衣服を着ることができ，1日の仕事に出かけるほうが，自力で2時間もかかって衣服を着た後，1日をブラブラしているよりも望ましい，という立場に立つ．つまり日常生活活動よりも，ILを重んじるのである．非障害者は各々が好むライフ・スタイルをとることが許されているのに，障害者が障害者であるために，外から画一的なライフ・スタイルを押しつけられるのは我慢ができないという気持ちは，理解に難くない．したがって**自己決定権**(➡93ページ)，自己方向性を主張するのは当然であろう．自分で着物を着ることを訓練しようと，ひとに着せてもらおうと自由なはずだし，職業訓練を受けようと働かないと決めようと勝手だし，また障害者用の住宅に住もうと，一般の市民のためのアパートに住もうと自由であると考える．そのような恣意的な形の社会参加は従来のリハビリテーションの専門家から見れば危険で見ていられないということになるかもしれないが，仲間の障害者同士で知恵と力を貸しあうし，究極的には自分で“失敗から学ぶ”覚悟をもっているというわけであろう」

砂原のIL運動に関する記述を読み，皆さんは障害と自立についてどのように考えるだろうか．IL運動は，1960年代にリハビリテーションの先進国である米国でおきたという時代背景をふまえて，その当時に提供されていたリハビリテーションが，リハビリテーション医学を基盤とした機能回復訓練が中心であると当事者の目に映っていたとすると，重度障害者にも独立自尊の生活が許されるべきであるというIL運動の主張は理解できるのではないだろうか．

現在は，**図2**のICF概念図で示されたように，人が生きることの全体像をとらえることに主眼をおく時代である．さらに，個人因子，環境因子を重要視しながら，多職種連携を通してQOLの質の向上を実践する．われわれは，障害のある人々が生きることの困難さに共感しながら，個々の価値観を尊重したウェルビーイングを目指すことが求められている．

本項でILについて記載する理由は，当事者中心のリハビリテーションを多職種連携により行っていたとしても，当事者自身はどのように考えているのか，その気持ちについて思いをはせることにより，病気と障害の理解が深まると考えたからである．

## C 対人関係ダイナミクス

### 1 対象者と作業療法士の信頼関係（ラポール）の構築

作業療法士は，担当した対象者とのラポールの成立を重要視する．医学的な知識，技術については国家資格を有する作業療法士のほうが対象者よりもっているといえるが，対象者のほうが年長で人生経験も豊富で作業療法士のほうが若輩者のこともある．また，作業療法士のなかでも，臨床経験により技術，知識に差が生じることは否めない．

それでは，このラポールの成立については，対象者との年齢，人生経験の差，作業療法士としての臨床経験の差に影響を受けるものであろうか．皆さんが最上級学年になり，総合臨床実習の場に立つ日のことを想像してみよう．熱心に対象者の声に耳を傾け，どのような困りごとや訴えがあるのか，これからどうしていきたいのか，といった**主訴**（➡ 145 ページ）およびニードを把握しようと最善の努力をしている姿が想像できると思う．作業療法学生として熱心に耳を傾ける姿は，対象者とのラポールの構築の第一歩である．この「熱心に耳を傾ける学生の姿」は言葉を介さずとも，対象者には伝わり始める．作業療法学生は，自分の作業療法提供者としての真摯さを伝えたいという思いで寄り添い，自己紹介や作業療法内容の説明方法に失礼がないかと恐縮しながら言葉をかけ始める．このときの対象者の表情，言葉の様子から，喜怒哀楽といった情動を感じ取り，自分自身が受け入れられていくか，拒否されるかもしれないと感じ始める．

作業療法学生が忘れてはいけないのは，対象者の表情や所作ふるまい，言葉の強弱などから相手の情動を受け取ることである．これは，学生自身の主観となるが，「もしかしたら○○かもしれない」という気づきをもって接することは，対象者には自分を理解しようとしている姿として伝わる．このように対象者と作業療法士との間には，情動を伴った非言語的なやりとりがあり，最初は作業療法士側の一方向の主観かもしれないが，対象者の側に確認することを繰り返すなかで，徐々に対象者側からの表出が増え，双方向のやりとりが芽生え始める．このような関係が生じるところから，治療者関係の成立を目指したラポールの構築が始まる．このラポールの成立過程は，すべて非言語的なやりとりであるものの，対象者と作業療法士との間で取り交わされるものである．作業療法士は，このような力動感を大切にしている．

### 2 障害の受容

上田は，障害の受容の本質を価値観の転換であると述べ，障害の受容の諸段階（▶図 3）を示した．さらに，「価値観の転換とは，障害のある人々が生きる資格がない人間だと自分を責め，あるいはそうなるのではないかとの不安と恐怖を抱く状態から，他人との比較（相対）的価値観から脱却して人間の様々なありかた（存在）そのものに価値を見いだす存在（絶対）的価値観に到達することである」と述べている．また，障害の受容の諸段階は，生物学的な防衛反応（ショック期）から始まり，心理的防衛反応としての障害の否認（否認期），障害を認めざるをえない時期で外的攻撃性・内的攻撃性の高まり（混乱期），自立のニーズが優位となり自分の責任で解決しようとする（解決への努力期），これらの流れは価値観の転換への努力であり，一進一退しながら進み，受容（克服）期に達するとしている．そして，医療者の役割は希望を掲げ続け，

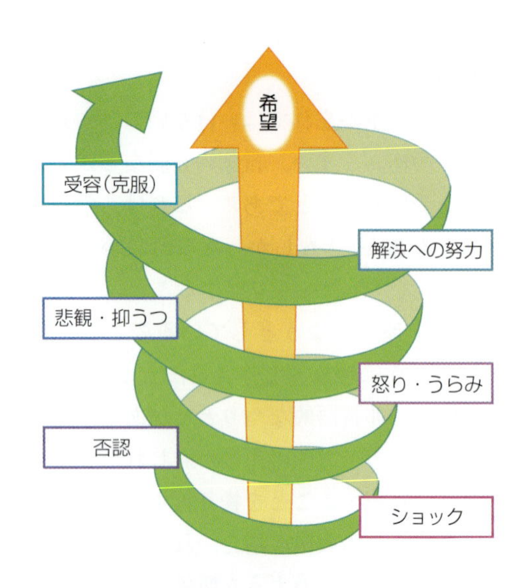


▶**図 3　障害の受容の諸段階**
上田の示した障害の受容の諸段階．希望を軸に一進一退しながら進む心理過程をスパイラルモデルで筆者が図示した．上田は，障害受容を価値観の転換への努力と述べており，われわれはその努力を支えるために，希望を掲げ続け，QOL を高めていくとともに，段階に応じた正しい心理的対応を続けることが求められる．
〔文献 9) を参考に作成〕

客観的 QOL を着実に高め，段階に応じた正しい心理的対応を続けることであると述べている[9]．

人間の問題解決の方法は 1 人ひとり異なるのは当然であり，前述のような障害の受容の諸段階がすべて当てはまるものではない．しかし，障害のある人々の生きる価値を見いだし，価値観の転換を達成することがリハビリテーションの役割であるという思いは，われわれが対象者の前に立つときに忘れてはならない[14, 15]．

## 3 治療手段としての自己活用

対象者と作業療法士との間のラポールの成立には，コミュニケーションの水準のなかで，情動的側面，力動感が重要な要素となることを述べた．また，われわれの対象である障害のある人々が，どのように自分自身の障害を受容していくか，その本質は価値観の転換[9] であることを述べた．

作業療法の特長として作業や作業活動を治療の手段として用いる場面が多いが，これは運動機能，認知機能などの機能回復に加えて，発病・受傷に伴う心理反応への対応の側面をもっている．ショック期，否認期，混乱期にある人々に向き合うとき，作業療法士である前に人間である自分自身の自我が大いに揺さぶられることになる．対象者のネガティブな感情の影響を受けてしまいそうになる．そうならないためにも，対象者に対して現実的かつ希望をもたせるような態度で対象者の示すさまざまな心理反応に対処していかなくてはならない．そのためには，生来のままの自我をコントロールするもう 1 人の自我(治療的自我)を確立する必要がある[16]．このように対象者の心理状態に合わせて，作業療法士として自分自身を治療の媒体として活用することを「治療手段としての自己活用(therapeutic use of self)」という．

この考え方を最も適切に紹介しているのは，1957 年の米国作業療法協会(American Occupational Therapy Association; AOTA)の大会において発表されたジェローム(Jerome)による講演であるといわれている[17]．彼は “The Therapeutic Use of the Self” と題された講演のなかで「精神療法や作業療法の治療の中で対象者はそれぞれ自分の健康な面を活かして少しずつ対人関係に成功していくようにするが，その対象者との対人関係の中で，もっとも役立つ治療の道具となるものは，それはセラピスト自身である」[17] と述べている．

われわれの対象は患者であり障害のある人々であり，障害の受容段階にある人々である．彼らが，作業療法に生き生きと積極的に参加するためには，どのように働きかければよいだろうか．作業療法士自身が自分の作業療法を生き生きと積極的に展開することが大切である．作業療法の治療手段である「作業」には，元来，対象者が能動的に参加できる要素が含まれており，対象者自身が積極的にその場に参加し，自律的(autonomy)に行われるように働きかけることができる．対象者の障害という面を，その人の短所や弱点と表現するならば，その短所や弱点を前面に取り上げるのではなく，できるだけ長所として健康で元気な面を活かすことである．作業療法士自身の明るさや温かさや柔軟な態度，対象者を理解しようと努める姿が対象者のニーズに適うとき「治療手段としての自己活用(therapeutic use of self)」となり，その役割を果たすことができる．

# D コミュニケーションスキル

## 1 コミュニケーションの二重構造

コミュニケーションは，一般的に言葉を介した言語的コミュニケーション(verbal communication)と，身振り手振りといった非言語的コミュニケーション(non-verbal communication)に分類される．前節までに，われわれは障害のある人々を対象としており，治療開始からラポールの成立，対象者と作業療法士との間で取り交わされる目に見えない力動感を大切にすること，障害の受容諸段階において「作業」を媒体としながら心理的対応を続けること，「治療手段としての自己活用(therapeutic use of self)」の重要性を説明した．また，矢谷[18]は作業療法の4つの特長の1つとして「作業療法は心と身体を同時に，かつ同等に重要視する」ことをあげ，身体面に偏らないように，個人のwholeの状態の獲得を目標とすると述べている．

これらのことに配慮しながら作業療法を行うためには，高いコミュニケーションスキルの獲得が求められる．作業療法学生が臨床の場に初めて立つとき，ラポールの重要性を理解しながらも，うまく話すことができない，対象者に視線を向けることができず，ただただ情報を得るためだけの面接になり，その経験から，コミュニケーションスキルを高めたいと願う．または，自分自身のコミュニケーションスキルの低さから作業療法士に向いていないのではないかと考え込むこともある．学生の皆さんも，これまでの経験から，自分はコミュニケーションが得意/苦手(下手)と思っていることであろう．しかし，作業療法に必要な対人援助のコミュニケーションスキルは，生来備わった上手・下手ではなく，獲得していくことが可能なスキルであると考える．このような作業療法に必要なコミュニケーションスキルを獲得するには，言葉や身振り手振りといった象徴的(シンボリック)なコミュニケーションに加え，共振，共鳴といった感じ合う情動水準の情動的コミュニケーション(affective communication)[19]のありようを意識的にとらえること，このようなコミュニケーションの構造を理解し臨床経験のなかで積み重ねることだと考える．これは特に難しいことではない．対象者の情動の変化に気がつくためには，自分の情動の変化に気がつくことである．対象者に声かけをしたときに，なぜ自分はそのような声かけをしたのか，たとえば，励ましの言葉，支えるための言葉を探している自分に対して，なぜそのような言葉かけをしようとしているのかを意識することである．そのとき，自ずと相手のなんらかの情動の変化に，言葉や身振り手振り，いわゆる言語的・非言語的コミュニケーションを介して気がついている．対象者の情動の変化と自分の感じた情動が同じであるかは不明な段階であるが，対象者の所作ふるまいに意味をつけて，接近を試みるのがよい．

コミュニケーションは，**図4**に示したように，言語的・非言語的コミュニケーションを用いた双方向的側面と，音叉の共振のように同時に響き合う情動のコミュニケーションの側面の二重性がある[19]．互いの間で気持ちが通じ合ったという共有体験は，言語的・非言語的コミュニケーション面だけではなく，情動的コミュニケーション面が相互に作用することにより初めて得られる体験である．作業療法学生として改めて対象者の前に立つときのことを想像してほしい．われわれは，互い

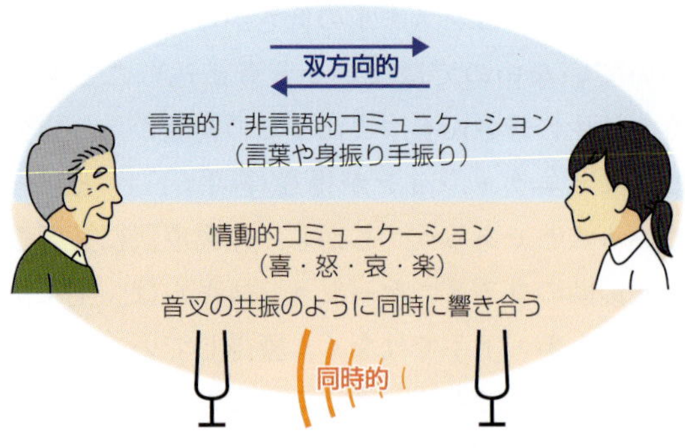


▶図 4　コミュニケーションの二重性
対象者との信頼関係の構築や治療手段としての自己活用を発揮するためには，言葉や身振りだけではなく相手の情動に気づき・共感する情動的コミュニケーションの理解が重要である．
〔文献 19) を参考に作成〕

に気持ちが通じ合いたいという体験を求めている存在である．情動の共有の経験は，満足な気持ちを得ることにより，その心地よさを再現する試みとして，他方から一方への働きかけを促すことにつながる[20]．このような作用をもつ情動的コミュニケーションは，重要なコミュニケーションスキルである．

## 2 コミュニケーションの原初のかたち

作業療法における対象者とのコミュニケーションは，単に双方向のやりとりによる情報の収集ではなく，コミュニケーションを介したラポールの成立や治療手段としての自己活用（therapeutic use of self）のために重要である．対象者の障害の状況により，言語や非言語を用いた双方向のコミュニケーションが難しい場合も多い．その場合，一般的には「コミュニケーションが困難」と評価され，象徴的コミュニケーションの獲得が目標となる．この「コミュニケーションが困難」という評価結果は，コミュニケーションが困難だから○○できない，意思の伝達が可能となるように言語的・非言語的コミュニケーション手段の獲得が必要であるといったように，一方的に対象者の表出能力を高めようとする危険性がある．

コミュニケーションには双方向性のやりとりになる前の段階があること，コミュニケーションは，単に相手（対象者）の表出のみに着目するのではなく，互いの関係性のなかで発達していくことを忘れてはならない．このことに重要な示唆を与える考え方として，関係発達臨床の立場がある．鯨岡[21]は，「関係発達」という新しい発達観について，自閉症を例にとり，子どもが時間軸にそって成長を遂げる中で変容する障碍であること，その障碍のすべてが子どもに内発するものではなく，周囲との関係の取り難さが端緒の障碍の上に累積され増幅されるという，いわゆる「関係障碍」を随伴すること，と述べている．また，この 2 つのことは，「関係の営みの中で人は発達する」という，当たり前のことに帰着すると述べている．たとえば，生まれて間もない 0 歳 0 か月から 2，3 か月の赤ちゃんの泣きについて次のように説明している．生理的に不快を示し純然たる泣きの状態のわが子の様子に，空腹感や不快感を意味づけ，「よしよし，お腹が空いていたんだね」などとあたかも子どもから発信があるかのように受け止め，子どもを抱き上げ，乳を含ませ，言葉を返す（▶図 5），この母親の行動を「受け手効果」[20]と呼んでいる．この時期の赤ちゃんは泣いているだけであり，何も意図を発信しておらず，子どもの泣きに意味をつけているのは母親のほうであり，母親から子どもへの一方向性のコミュニケーションである．コミュニケーションを双方向性のものと仮定すると，この時期の母親と子どもにコミュニケーションは成立していない．しかし，コミュニケーションが深化し双方向性を獲得するためには，母親の「受け手効果」が重要となる（▶図 6）．このようなコミュニケーションの原初のかたち（原初的コミュニケーション）の様相を鯨岡は明らかにした[22]．

以上のように，コミュニケーションが双方向性を獲得する前の段階でも「受け手効果」により人と人との関係性を築くことは可能であり，それは作

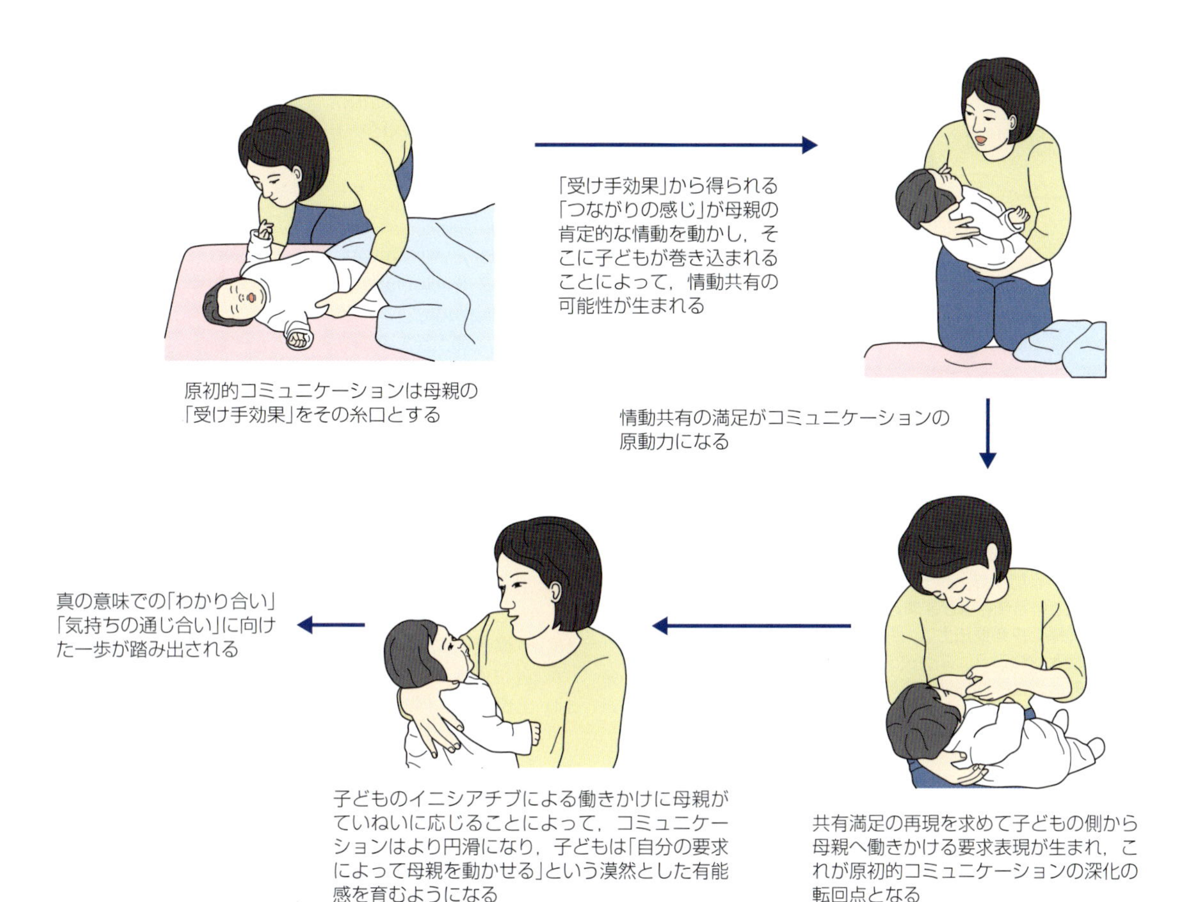


**▶図 5　原初的コミュニケーションの理解①――非対等な関係性からわかり合いへ**
子どもが未熟であったり，障碍などにより能力が抑えられていたとしても（対等ではない 2 者関係），子どもとの間になんらかのつながりをつくり出し，そこで「通じ合える」実感を得たいと願う母親のかまえがあれば，コミュニケーションに向かうさまざまな働きかけが自ずから生まれる[20]．

業療法士と対象者にも同じことがいえる．対象者から発信されるのではなく，治療者側である作業療法士が対象者の様子を観察し「受け手効果」を発揮するところから始まるといえる．

対象者と作業療法士の間のコミュニケーションは対等な状況ばかりではない．コミュニケーションを対等な 2 者間での双方向的なものとしていると，「伝わらない＝対象者側の意思の伝達困難」と決めつけてしまう危惧がある．これでは，対象者との関係性を深化させることはできない．新生児と母親との間の非対等性から始まる 2 者間の関係発達を学ぶことは，対象者との関係性を深めていく糸口になると考える．さらにわれわれは，作業療法士の言動や表情から対象者が共感性を示すことを理解し，立ちふるまう必要がある．このことにより，対象者自身も自分の立ちふるまいが受け入れられたと安心し，情動を共有，満足し始める．対象者と作業療法士の双方がこの満足感に包まれることで，その再現を求めるよう互いに表出が始まることこそ，われわれが治療者として求める真のコミュニケーションである．このように，対象者からの発信を客観的に評価する視点ばかりではなく，対象者の発信に意味をつけ作業療法士自身の情動に対象者を巻き込んでいく姿勢が，ラポールの成立や治療手段としての自己活用（therapeutic use of self）に重要である．

▶図 6　原初的コミュニケーションの理解②
——受け手効果

生後 2 か月の赤ちゃんと母親のコミュニケーション場面．吹き出しの言葉は，たとえば，赤ちゃん「おぎゃー，おぎゃー」，母「よしよし，お腹空いたのね」となる．この時期の赤ちゃんは泣いているだけで，おっぱいがほしいという要求意図はなく，母親である関与者がまず起点になっている[20] ことに着目する．同様に作業療法士は，関与者である自分を認識し，自らを起点としたコミュニケーションの発展にかかわることにより，対象者との関係性を高めていくコミュニケーションスキルの基盤ができる．

●引用文献


1) 澤瀉久敬：医学の哲学. 増補, pp12–19, 誠信書房, 1981
2) 矢谷令子, 他：作業療法の源流と教育の未来. 医学界新聞, 医学書院, 2004.
https://www.igaku-shoin.co.jp/paper/archive/old/old_article/n2004dir/n2612dir/n2612_01.htm
3) 呉　秀三, 他・金川英雄（訳・解説）：【現代語訳】精神病者私宅監置の実況. pp9–11, 医学書院, 2012
4) 大谷藤郎：現代のスティグマ—ハンセン病・精神病・エイズ・難病の艱難. pp2–16, 勁草書房, 1993
5) 厚生労働省：平成 26 年版厚生労働白書 健康長寿社会の実現に向けて—健康・予防元年（本文）. p2, 2014.
https://www.mhlw.go.jp/wp/hakusyo/kousei/14/
6) 日本 WHO 協会：健康の定義.
https://japan-who.or.jp/about/who-what/identification-health/
7) 砂原茂一：リハビリテーション. pp59–60, 岩波書店, 1980
8) 国際連合広報センター：持続可能な開発目標（SDGs）とは.
https://www.unic.or.jp/activities/economic_social_development/sustainable_development/2030agenda/
9) 上田　敏：目でみるリハビリテーション医学. 第 2 版, pp2–5, 東京大学出版会, 1994
10) 矢谷令子：障害体験. 日本作業療法士協会（編著）：作業療法概論. p263, 協同医書出版社, 1990
11) 世界保健機関（著）・障害者福祉研究会（編）：ICF 国際生活機能分類—国際障害分類改訂版. pp17–18, 中央法規出版, 2002
12) 北島政樹（総編集）：医療福祉をつなぐ関連職種連携—講義と実習にもとづく学習のすべて. pp21–26, 南江堂, 2013
13) 砂原茂一：リハビリテーション. pp202–210, 岩波書店, 1980
14) 上田　敏：「障害の受容」再論—誤解を解き，将来を考える. *Jpn J Rehabil Med* 57:890–897, 2020
15) 砂原茂一：リハビリテーション. pp131–137, 岩波書店, 1980
16) 金子　翼：援助の方法. 金子　翼, 他（編著）：作業療法各論. 第 2 版, pp27–29, 医歯薬出版, 2003
17) 矢谷令子：治療手段としての自己活用. 日本作業療法士協会（編著）：作業療法概論. pp278–279, 協同医書出版社, 1990
18) 矢谷令子：新潟医療福祉大学医療技術学部作業療法学科—紹介. 新潟医療福祉会誌 1:7–15, 2001
19) 小林隆児：自閉症の関係障害臨床—母と子のあいだを治療する. pp11–15, ミネルヴァ書房, 2000
20) 鯨岡　峻：原初的コミュニケーションとその「発達」. 教と医 47:284–292, 1999
21) 小林隆児・鯨岡　峻（編著）：自閉症の関係発達臨床. pp2–3, 日本評論社, 2005
22) 鯨岡　峻：原初的コミュニケーションの諸相. pp163–189, ミネルヴァ書房, 1997

# COLUMN 対象喪失と障害受容

人の命は永遠に続くものではなく，いつかは死という日を迎えなければならない．それが自分にとって身近な人の死であれば，深い悲しみに打ちひしがれることになる．死という別れではなくても，失恋や離婚，あるいは進学や就職に伴う親離れや子離れという機会も対象を失う体験になる．このように身近な対象を失うことは対象喪失と呼ばれるが，人はこの喪失体験からどのように立ち直るのであろうか．

最初におこるのは急激なショックによる情緒の危機である．これはパニックと無気力を伴う．これがしだいに収まってくると次にやってくるのが悲哀の心理である．ここでは失った対象に対する思慕の情，悔やみ，恨み，自責，仇討ちなどさまざまな愛と憎しみの相反する感情が入り乱れる．そしてこの一連の悲しむという悲哀の仕事によって対象喪失を徐々に受け入れられるようになっていくという．

一方，病気や怪我で健康だった身体の一部あるいはその機能を失うことはどうであろうか．対象喪失について述べた小此木[1]によれば，自己の健康を失うことも身体的自己の喪失として喪失体験を伴うという．つまり，それを受け入れるためには「悲哀の仕事」が必要となるのだと．

障害をもった人に生じるこのプロセスは障害受容と呼ばれ，リハビリテーションでは問題解決の鍵となる重要な概念の1つである．身近な人の喪失体験とは異なり，障害が自分の人間としての価値を低下させるのではなく，そういうものとして受け入れるようになることがその本質とされている．ただし，それは一朝一夕に受容できるものではなく，ショック期，否認期，混乱期，解決への努力期，受容期という悲哀の仕事と似た段階を行きつ戻りつする[2,3]．

重要なことは，悲哀の仕事も障害受容もその人に与えられた自然の心の回復プロセスであり，自動的に進行していくものだということである．そこに他人の介在は許されないように思うかもしれないが，障害受容に対しては作業療法士にその営みを助けることができるのではないかと思っている．

直接，対象者に寄り添い，その人の価値の範囲の拡大を助けたり内的な価値を見出してあげたりすることでもよいし，新たな旅の手助けをすることでもよいのかもしれない．決して，無理強いだけはしないように心がけて．

（能登真一）

●引用文献
1) 小此木啓吾：対象喪失—悲しむということ．中公文庫, 1979
2) 上田　敏：障害の受容—その本質と諸段階において．総合リハ 8:515–521, 1980
3) 上田　敏：「障害の受容」再論—誤解を解き，将来を考える．*Jpn J Rehabil Med* 57:890–897, 2020

# 4 作業療法の実践現場

作業療法士がかかわる領域を知ることは，作業療法学生が何を学ぶ必要があるのか，今後作業療法がどのように発展をしていくのかを考えるうえで重要である．1976年に発刊された初期の作業療法テキストである，リハビリテーション医学全書9巻『作業療法総論』[1]では，作業療法士の活動分野として病院，施設，学校，職業訓練所，老人ホーム，訪問作業療法士，地域内治療活動，刑務所，企業体があげられており，将来，福祉分野での人材育成が必要となってくると記載されている．さらに，1990年に日本作業療法士協会が編纂したテキストである作業療法学全書1巻『作業療法概論』[2]では，治療を直接行う場合と間接的支援を行うという視点，市場という視点から医療，保健，福祉，教育，研究と分ける視点，疾患や障害別に分類した視点の3つの視点で対象分野を考えることが紹介されている．また，市場からみた視点の1つとして就業している作業療法士の勤務施設ごとの割合についても報告されており，医療機関82.5%，福祉機関12.1%，保健機関1.3%，教育機関1.9%，その他2.2%との記載がある．同書では，高齢化がさらに進行することで高齢者に対する医療だけでなく地域サービスに関する分野や，健康な成人に対する保健，健康増進，予防などにも領域が広がることも示されている．2019年度の日本作業療法士協会会員統計資料[3]では関連する法律ごとに会員数が報告されており，医療法関連施設58.9%，身体障害者福祉法関連施設0.1%，精神保健福祉法関連施設0.1%，児童福祉法関連施設2.0%，知的障害者福祉法関連施設0.0%，老人福祉法関連施設3.7%，介護保険法関連施設9.9%，障害者総合支援法関連施設0.9%，その他として保健所等0.3%，**特別支援学校**0.2%となっている．

このような歴史的な変遷を概観すると，現状の作業療法士がかかわる領域は病院を中心とした医療領域から，高齢化や地域保健の充実に伴い福祉分野や保健分野へと広がっていることがわかる．2018年に日本作業療法士協会が発刊した『作業療法ガイドライン』[4]では，作業療法士の働く場所として，対象者とかかわる時期，領域，圏域それぞれの視点から**表1**に示すような分類をしている．

本項では，医療，介護・福祉，療育・教育，行政・司法という領域ごとに，作業療法士が対象者とかかわる時期を軸として説明をする．

**Keyword**

**特別支援学校（教育）**　特別支援教育は2007年から実施され，障害をもつ子どもの教育を特殊教育から発展させる取り組み．障害をもつ子どもの教育ニーズを個別計画に基づいて支援する体制整備と，障害のある子どもと障害のない子どもが可能なかぎりともに教育を受けられるように条件整備を行うなどの取り組みである．この取り組みはすべての学校で行われることが求められているが，障害の程度が比較的重い幼児・児童・生徒は特別支援学校での総合的で専門的な教育を受けることもできる．

## A 医療の実践現場

**医療法**においては，医療を行うための場所としての病院と診療所とされている．病院は20人以上の患者を入院させる施設を有し，医師や看護師などの医療従事者が患者数に対して基準を満た

▶表 1 作業療法士が働く場所

| 時期 | 予防期 | 急性期 | 回復期 | 生活期(維持期) | 終末期 |
|---|---|---|---|---|---|
| 領域 | 保健 | 医療 | | 医療・保健・福祉・教育・職業関連 | 医療・福祉 |
| 場所 | 在宅 | 病院 | | 病院・在宅・施設 | 病院・在宅・施設 |
| | ● 居宅<br>● 地域の集会所<br>● 地域介護保険関連施設 | ● 病室<br>● 病棟<br>● 作業療法室 | ● 病室<br>● 病棟<br>● 作業療法室<br>● デイルーム<br>● 治療・訓練の専門施設以外 | **医療**<br>居宅(訪問)診療所，病院など<br>**保健・福祉**<br>居宅，地域の介護保険関連施設，地域の集会所，生活棟，機能訓練室，デイルーム，居宅，各種入所・通園施設など<br>**教育**<br>プレイルーム，教室，運動訓練室など | ● 病室<br>● 病棟<br>● デイルーム<br>● 居宅(訪問)など |

〔日本作業療法士協会学術部(編著)：作業療法ガイドライン(2018 年度版)．日本作業療法士協会, 2019. https://www.jaot.or.jp/files/page/wp-content/uploads/2019/02/OTguideline-2018.pdf より抜粋〕

す人数が勤務していることが要件となっている．診療所は入院施設がないか 19 人以下の入院施設を有している場合をいう．さらに，病院は以下の 6 種類に分類されている．

- 一般病院
- 特定機能病院(高度医療の提供など)
- 地域医療支援病院(地域医療を担うかかりつけ医，かかりつけ歯科医の支援など)
- 臨床研究中核病院(臨床研究実施の中核的な役割を担う病院)
- 精神科病院(精神病床のみを有する病院)
- 結核病院(結核病床のみを有する病院)

入院病床は，精神疾患を有するものを入院させる精神病床，法律によって指定された感染症患者を入院させる感染症病床，結核の患者を入院させる結核病床，長期にわたる療養を担う療養病床，病院または診療所の病床のうち前述の病床以外のものである一般病床の 5 種類に分類されている．このなかで一般病床を，その機能，対象によって整理すると**図 1**[5] のようになる．

一般病床の機能としては，医療法施行規則(第 30 条の 33 の 2)において，高度急性期機能，急性期機能，回復期機能，慢性期機能として規定されている．

## 1 高度急性期

急性期の患者に対し，状態の早期安定化に向けて密度の濃い高度な医療を提供する機能であり，成人では救命救急病棟や集中治療室，脳卒中集中治療室，高度治療室などが該当する．作業療法では呼吸・循環機能の早期からの改善や，早期から心身の活動性を高めるための取り組みが行われている．

**周産期**・小児では新生児治療回復室，小児集中治療室，総合周産期集中治療室などが該当する．作業療法では新生児治療回復室などで乳児の姿勢や生活環境の調整，母子関係の支援などが行われている．

**Keyword**

**医療法** 1948 年に公布され，病院，診療所，助産所などの医療施設に関する開設基準，管理・運営方法，規模，人員などを決めた法律．国民が医療を適切に選択し安全に受けられること，良質な医療を効率的に提供する体制確保を主な目的としている．社会の変化に伴い，現在(2021 年)までに大きく 8 回の改正を行ってきている．

**周産期** 周産期とは妊娠 22 週から生後満 7 日未満までの期間を指す．この期間の母体，胎児，新生児の健康や疾患を総合的に取り扱うのが周産期医療と呼ばれる．

| 機能 | 大区分 | | | | | |
|---|---|---|---|---|---|---|
| | 主に成人 | | 周産期 | 小児 | | 緩和ケア |
| 高度急性期 | • 救命救急<br>• ICU（集中治療室）<br>• HCU（高度治療室） | 一般病棟<br>有床診療所の一般病床<br>地域包括ケア病棟 | • MFICU（母体・胎児集中治療室）<br>• NICU（新生児集中治療室）<br>• GCU（回復治療室） | PICU（小児集中治療室） | 小児入院医療管理料 1 の施設基準を満たす施設 | |
| 急性期 | | | • 産科の一般病棟<br>• 産科の有床診療所 | • 小児入院医療管理料 2・3 の施設基準を満たす施設<br>• 小児科の 7:1 基準を満たす一般病棟 | | 緩和ケア病棟（放射線治療あり） |
| 回復期 | • 回復期リハビリテーション病棟 | | | • 小児入院医療管理料 4・5 の施設基準を満たす施設<br>• 小児科の 7:1 基準以外の有床診療所 | | |
| 慢性期（生活期） | • 療養病棟<br>• 特殊疾患病棟<br>• 障害者施設<br>など | | | | | 緩和ケア病棟（放射線治療なし） |

▶**図 1 一般病床の機能，対象で区分した枠組み**

〔厚生労働省：平成 30 年度病床機能報告の見直しに向けた議論の整理（資料編）．https://www.mhlw.go.jp/file/05-Shingikai-10801000-Iseikyoku-Soumuka/0000212393.pdf より改変〕

## 2 急性期

急性期の患者に対し，状態の早期安定化に向けて医療を提供する機能であり，脳神経外科や整形外科などでの手術後の早期回復を目指したリハビリテーションが行われる時期である．近年では，肝臓がんや乳がんなどの手術後，精神科での精神症状の不安定な時期から病棟での作業療法のかかわりについても報告されてきている．高度急性期と同様に，ある程度の安静を維持することが求められるが，一方で**廃用症候群**をまねくおそれもあり，リスク管理下での早期からの活動を保証することや，認知・心理的な改善や安定をはかることが必要である．さらに，摂食・嚥下訓練，食事動作，トイレ動作などの日常生活活動（ADL）訓練もできるだけ早期から行い，回復期へつなげていく必要がある時期である．

**Keyword**

**廃用症候群** 一般的には長期間の安静状態や活動の不活発が継続することで，さまざまな心身機能の低下が生じる状態の総称．高度急性期や急性期では心身機能の状態が極端に増悪している場合には，短期間でも同様の症状が生じることもある．

## 3 回復期

急性期を経過した患者に対し，在宅復帰に向け医療やリハビリテーションを提供する機能であり，この時期は回復期リハビリテーション病棟と地域包括ケア病棟がその役割を担っている．ともに急性期からの回復後にその人なりの生活を維持・向上させることを支援するという点では同じであるが，回復期リハ病棟では対象となる疾患が決められ，入院期間の上限が 180 日（疾患によって上限日数は異なる）となっているのに対し，地域包括ケア病棟では対象疾患に制限がなく入院期間は 60 日となっている．そのため地域包括ケア病棟の機能の特徴は，在宅患者や介護施設で療養している患者の急性増悪を受け入れるサブアキュート機能，高度で濃厚な急性期治療後の患者への継続治療とリハビリテーションを担うポストアキュート機能，在宅復帰や他の施設への入所支援機能などとされ，急性期と慢性期のより有機的な連携の柱となることが期待されている．

回復期リハ病棟での作業療法は，ADL の改善を目指して，医師，看護師，理学療法士や言語聴覚士，社会福祉士などの多職種連携で集中的チームリハビリテーションが行われる．特に回復期では，リハビリテーション室だけでなく，患者の生活の場である病棟生活のなかで能力の向上をはかることが重要とされている．小児を対象とした「医療型児童発達支援」や「医療型障害児入所施設」では，特別支援学校などの教育機関を併設している場合もあり，医療と教育が連携して子どもの発達促進をはかる役割を担っている．

### 4 慢性期（維持期）

長期にわたり療養が必要な患者や重度の障害者・難病患者などを入院させる機能であり，医療療養病棟や特殊疾患病棟，障害者支援施設などがその役割を担っている．慢性期では急性期・回復期で獲得された能力や機能の維持を目的にリハビリテーションが行われ，在宅や施設での生活が継続されている時期である．医療保険制度下での作業療法は，主に医療療養病棟や外来で行われる．慢性期では時間をかけて繰り返しの練習や生活環境に合わせた ADL の獲得，環境調整などにより，社会生活を継続できる支援が行われる．また，近年ではがんや痛みを伴う疾患の身体的苦痛や心の不安に対して行われる緩和ケアにおいても，作業療法士が緩和ケアチームの一員として活動を行っている．

## B 介護や福祉の実践現場

わが国では急速な少子高齢化が進行し，国立社会保障・人口問題研究所の推計[6]によると 65 歳以上の高齢者が全人口に占める比率は，2025 年には 30%，2040 年には 35.3% になると見込まれている．このため，今後より多くの高齢者が医療や介護を必要とすることが予測される．住み慣れた地域での生活を継続する仕組みとして 2000 年から介護保険制度が施行されている．介護保険制度は，加齢による心身機能の低下や疾病によって介護が必要な状態になっても自立した日常生活を支援することを目的として，利用者が介護サービスを自分で自由に選ぶことができる．2021 年時点で厚生労働省が示している介護サービスには，居宅サービス，地域密着型サービス，居宅介護支援，介護保険施設，介護予防サービス，地域密着型介護予防サービス，介護予防支援がある．利用できるサービスを**表 2** にまとめた．このなかで作業療法は，訪問リハビリテーション，通所リハビリテーションなどの自宅や自宅から通いながら基本的な心身機能や手段的日常生活活動（IADL）の維持や改善を目指したリハビリテーションを行っている．また，さまざまな福祉施設に所属し，介護専門職などと協業して入所者への支援も行われている．

さらには**介護支援専門員（ケアマネジャー）**（➡242 ページ）の資格を取得して介護保険サービス利用に関する計画（ケアプラン）の策定や提供サービスのモニタリングなどの業務に従事している作業療法士もいる．

介護以外の福祉領域としては障害者に対する医療以外の支援現場となる．障害児・者支援については，障害者基本法による基本的な理念に則り，身体障害者福祉法，知的障害者福祉法，精神保健及び精神障害者福祉に関する法律，児童福祉法のほか障害者および障害児の福祉に関する法律などが制定されている．また，2005（平成 17）年には障

▶表 2　介護保険制度によるサービスの概要

| 対象者 / 指定・監督者 | 要介護者 | 要支援者 |
|---|---|---|
| 都道府県・政令市・中核市 | **居宅サービス**<br>●訪問介護<br>●訪問入浴介護<br>●訪問看護<br>●訪問リハビリテーション<br>●居宅療養管理指導<br>●通所介護<br>●通所リハビリテーション<br>●短期入所生活介護<br>●短期入所療養介護<br>●特定施設入居者生活介護<br>●福祉用具貸与<br>●特定福祉用具販売 | **介護予防サービス**<br>●介護予防訪問入浴介護<br>●介護予防訪問看護<br>●介護予防訪問リハビリテーション<br>●介護予防居宅療養管理指導<br>●介護予防通所リハビリテーション<br>●介護予防短期入所生活介護<br>●介護予防短期入所療養介護<br>●介護予防特定施設入居者生活介護<br>●介護予防福祉用具貸与<br>●特定介護予防福祉用具販売 |
| | **介護保険施設**<br>●介護福祉施設サービス<br>●介護保険施設サービス<br>●介護医療院サービス<br>●介護療養施設サービス | |
| 市区町村 | **地域密着型サービス**<br>●定期巡回・随時対応型訪問介護看護<br>●夜間対応型訪問介護<br>●地域密着型通所介護<br>●療養通所介護<br>●認知症対応型通所介護<br>●小規模多機能型居宅介護<br>●認知症対応型共同生活介護<br>●地域密着型特定施設入居者生活介護<br>●地域密着型介護老人福祉施設入所者生活介護<br>●看護小規模多機能型居宅介護（複合型サービス） | **地域密着型介護予防サービス**<br>●介護予防認知症対応型通所介護<br>●介護予防小規模多機能型居宅介護<br>●介護予防認知症対応型共同生活介護 |
| | **居宅介護支援**<br>●介護サービス支援内容の立案<br>●関係者との連絡調整 | **介護予防支援**<br>●保健医療サービスまたは福祉サービス支援の立案<br>●関係者との連絡調整 |

害者が自立した生活を営むことができるよう支援を促進する法律として「障害者自立支援法」が，さらに，2013(平成 25)年には障害者の日常生活および社会生活を総合的に支援するために障害者自立支援法を「障害者総合支援法(障害者の日常生活および社会生活を総合的に支援するための法律)」と名称を変更し，制定されている．障害者総合支援法では 18 歳以上が対象となり，障害の範囲に難病を加えるとともに，障害の重さでの基準ではなく支援の必要性に応じて区分している．この法律や児童福祉法に基づいた障害福祉サービスは，自立支援給付と地域生活支援事業に大別され，自立支援給付に該当するサービスを**表 3** にまとめた．

地域生活支援事業は自治体がそれぞれの地域に応じて柔軟に行う事業とされ，相談支援やコミュニケーション支援，日常生活用具給付または貸与，移動支援，成年後見制度利用支援などがある．

また，身体障害者福祉法，知的障害者福祉法，精神保健及び精神障害者福祉に関する法律，児童福祉法などに基づいた福祉施設も**表 4** に示すように多岐にわたっている．

作業療法士は生活介護事業所や自立訓練事業所などで，対象者の ADL の改善や心身機能の維持改善を目的とした取り組みも行っているが，施設基準として配置が義務づけられていないため，従事している作業療法士は限られている．また，就

▶表 3 障害福祉サービスの体系

| 体系 | サービス内容 | |
|---|---|---|
| 訪問系 | 介護給付 | 居宅介護 |
| | | 重度訪問介護 |
| | | 同行援護 |
| | | 行動援護 |
| | | 重度障害者等包括支援 |
| 日中活動系 | | 短期入所 |
| | | 児童デイサービス |
| | | 療養介護 |
| | | 生活介護 |
| 施設系 | | 施設入所支援 |
| 居住支援系 | 訓練給付 | 自立生活援助 |
| | | 共同生活援助 |
| 訓練系・就労系 | | 自立訓練(機能訓練) |
| | | 自立訓練(生活訓練) |
| | | 就労移行支援 |
| | | 就労継続支援(A 型・B 型) |
| | | 就労定着支援 |

(介護給付・訓練給付:2021 年度現在)

労支援についても退院後の就労を目標としている場合は病院で社会福祉士などの専門職とチームでかかわるが，福祉領域では実践は少ない．しかし近年では，福祉施設で就労する作業療法士や，作業療法士自身が就労継続支援 A 型や B 型の施設を経営する例もみられ，就労支援のための訓練プログラムの立案，職場適応指導なども行われ始めている．子どもを対象とした領域では，児童デイサービス事業所が増加し，保育士らとともに発達支援専門職として雇用されることや，作業療法士自身が施設を経営することも増えてきている．児童デイサービスは未就学児を対象とした児童発達支援と就学児を対象とする放課後デイサービスに分けられ，作業療法士は子どもの発達促進や保護者への育児支援，教育機関での適応支援などの業務に携わっている．

▶表 4 各法律に基づき設置される福祉施設

| 関連法 | 施設の例 |
|---|---|
| 身体障害者福祉法 | 身体障害者更生施設，身体障害者療護施設，身体障害者福祉ホーム，身体障害者授産施設，身体障害者福祉センター，補装具製作施設，盲導犬訓練施設，視聴覚障害者情報提供施設 |
| 知的障害者福祉法 | 知的障害者デイサービスセンター，知的障害者更生施設，知的障害者授産施設，知的障害者通勤寮，知的障害者福祉ホーム |
| 精神保健及び精神障害者福祉に関する法律 | 精神保健センター，精神障害者社会復帰促進センター，精神障害者グループホーム，精神障害者小規模作業所 |
| 児童福祉法 | 助産施設，乳児院，母子生活支援施設，保育所，児童厚生施設，児童養護施設，障害児入所施設，児童発達支援センター，児童心理治療施設，児童自立支援施設，児童家庭支援センター |

## C 療育や教育の実践現場

療育とは「現在のあらゆる科学と文明を駆使して，障害をもった子どもの自由度を拡大しようとするもの」[7] とされており，そのためのすべての取り組みを指す言葉とされている．そのため，これまで述べてきた医療や福祉での取り組みに加え，教育機関でのかかわりもすべて含まれていると考えられる．障害者福祉に関する前節でまとめた**表 3** のように，障害をもつ子どもたちが利用できるサービスについて詳細を示すと**表 5** のようになる．作業療法士は歴史的に医療型の児童発達支援や入所施設で，脳性麻痺を中心とした肢体不自由児，知的発達に問題をかかえる知的障害児，それらを重複する重度心身障害児などを対象として，心身機能訓練や発達促進のための遊びや学習支援，ADL の獲得を目指した取り組みを行ってきている．さらに，1990 年代以降は自閉スペクトラム症，限局性学習症，注意欠如・多動症などの発達障害が作業療法の対象となることが急速に増加してきた．子どもたちは，家庭や教育機関で過ごす時間が長いために，家庭での過ごし方や教

▶表5　障害児福祉サービス等体系と関連法

| 体系 | 関連する法律 | サービス内容 |
|---|---|---|
| 訪問系 | 障害者総合支援法 | 居宅介護 |
| | | 同行援護 |
| | | 行動援護 |
| | | 重度障害者等包括支援 |
| 日中活動系 | | 短期入所 |
| 通園系 | 児童福祉法 | 児童発達支援 |
| | | 医療型児童発達支援 |
| | | 放課後等デイサービス |
| | | 保育所等訪問支援 |
| 入所系 | | 福祉型障害児入所施設 |
| | | 医療型障害児入所施設 |
| 相談支援系 | 障害者総合支援法 | 計画相談支援 |
| | 児童福祉法 | 障害児相談支援 |

（2021年度現在）

育機関への支援が重要であり，通園系での作業療法の役割が高まってきている．

教育機関とのかかわりについて日本作業療法士協会がまとめた報告書[8]では，直接的な支援として教員免許や教員特別免許を取得した作業療法士が特別支援学校で教員とともに生活支援や心身機能の改善を目的としたかかわりを行うほか，外部専門家として地域の小・中・高等学校を巡回し相談支援を行う，教員研修に講師として参画し疾患や指導方法についての知識啓蒙を行う，医療機関の専門職として教育チームに参画し定期的な情報交換を行うなどの実践が報告されている．また少ないながらも地域の教育委員会に職員として配置されたり，行政が主催する協議会に委員として任命され教育行政のなかで支援を行うなどの取り組みも行われている．近年ではこれに加えて通園系のサービスの1つである保育所等訪問支援という制度のなかで，保育所や小・中学校に赴き，障害児本人に対する支援として集団生活適応のための訓練のほか，訪問先施設のスタッフ（教員や保育士など）に対して子どもへの支援方法などの指導を行うことも増えてきている．

## D 行政や司法の実践現場

作業療法士が働く行政機関としては，保健所や保健センター，都道府県や市区町村の保健福祉部などの医療や福祉行政にかかわる部門などがある．これらの機関では発達健診事業，家庭訪問や機能訓練事業といった直接的サービス，保健・福祉事業の企画や関係機関との連絡調整といった組織化活動，地域リハビリテーションに関する講演や資料の作成などを通じた啓発普及活動などが行われている．これまでみてきたように作業療法の実践現場は医療，介護・福祉，療育・教育と多様な分野であり，対象者も子どもから高齢者までと幅広い．そのため，小児保健，学校保健，労働者の保健衛生，高齢者の**地域包括ケアシステム**（➡99ページ）における介護予防・日常生活支援事業などさまざまなニーズが存在するため，行政領域でも作業療法士のさらなる参画が期待されている．

司法領域における作業療法士の必要性は1976年に発行された作業療法の初期のテキスト[1]のなかでも示されているが，その取り組みはそれほど注目されていなかった．しかし，精神科領域に従事する作業療法士が中心となり，精神障害者に対する社会復帰調整官としての啓発活動や保護司として触法行為を犯した障害者の社会復帰を支援する地道な活動が積み重ねられ，法務省矯正局管轄下の複数の刑務所や保護局の地方更生保護委員会の委員に作業療法士が配置される状況となってきている．作業療法の目的の1つである病院・施設から地域での生活の確立と，司法における刑務所や矯正施設から地域で支える更生保護による生活の安定化という概念は類似性も多く，今後さらに発展する可能性が内在されているといえる．

## E その他

作業療法士は対象者の暮らしを維持・改善して

いくことを支援する専門職であり，暮らしにかかわるすべての領域が活躍の場であるといえる．これまで述べてきたさまざまな現場以外にも，生活支援のための福祉機器や自助具，ロボット支援機器の開発を行う企業や研究所などで雇用される作業療法士も存在する．また，医療・福祉・保健など幅広い知識を有していることから，医療系書籍を刊行している出版社や医療機器メーカーなどでも活躍の場が広がることも期待される．

### ●引用文献


1) 鈴木明子：作業療法の活動分野はどこか. 田村春夫, 他(編)：作業療法総論. pp379–388, 医歯薬出版, 1976
2) 矢谷令子：日本における対象分野. 日本作業療法士協会(編著)：作業療法概論. pp124–126, 協同医書出版社, 1990
3) 日本作業療法士協会：2019 年度 日本作業療法士協会会員統計資料. 日作療士協会誌 (102):5–18, 2020. https://www.jaot.or.jp/files/page/jimukyoku/kaiintoukei2019.pdf
4) 日本作業療法士協会学術部(編著)：作業療法ガイドライン(2018 年度版). 日本作業療法士協会, 2019. https://www.jaot.or.jp/files/page/wp-content/uploads/2019/02/OTguideline-2018.pdf
5) 厚生労働省：平成 30 年度病床機能報告の見直しに向けた議論の整理(資料編). https://www.mhlw.go.jp/file/05-Shingikai-10801000-Iseikyoku-Soumuka/0000212393.pdf
6) 国立社会保障・人口問題研究所：日本の将来推計人口(平成 29 年推計). http://www.ipss.go.jp/pp-zenkoku/j/zenkoku2017/pp29_gaiyou.pdf
7) 高松鶴吉：療育と教育の接点を考える. リハ研 (55): 18–22, 1987
8) 日本作業療法士協会 制度対策部 障害保健福祉対策委員会(発達領域チーム)：特別支援教育における作業療法士の参画推進のための調査報告—ヒアリング調査結果. 平成 26 年 3 月. https://www.jaot.or.jp/files/page/wp-content/uploads/2014/03/h25tokubetusienkyouiku.pdf


### ●参考文献


9) 日本医療社会福祉協会(編)：相談・支援のための福祉・医療制度活用ハンドブック. 改訂版, 新日本法規出版, 2016
10) 吉川ひろみ(編)：作業療法の話をしよう—作業の力に気づくための歴史・理論・実践. 医学書院, 2019

COLUMN

# 作業療法士はコンピュータ化した社会でも生き残れるか？

今から約 10 年前の 2013 年に，オックスフォード大学のフライとオズボーンが「The future of employment（雇用の未来）」[1] という論文を発表した．副題は「How susceptible are jobs to computerisation?（仕事はコンピュータ化の影響をどれくらい受けるのか？）」である．彼らはこの論文のなかで，米国の 702 の職業を対象にコンピュータ化の可能性を推定した．

業種別では，サービス業，販売業，建築業における雇用の大部分がコンピュータ化される可能性が高いとされた一方で，教育，法律，社会奉仕，芸術，メディア，医療従事者・技術者がコンピュータ化されにくい業種として推定された．そのうえで，作業療法士は 702 の職種中の上から 7 番目にコンピュータ化されにくい職種としてランキングされた．

作業療法士などがコンピュータ化されにくいと判断された要因ついて，彼らは「手先の器用さ」，「個別の作業空間」などをあげている．さらに，コンピュータ化によってより高度なパターン認識が可能になったとしても，人間の労働はより複雑な認識や操作を要求する業務においてまだ比較優位を保っていると結論づけている．

この結論はわれわれ，特に作業療法士を目指す皆さんにとって朗報ではあるが，安心するのはまだ早い．著者らは最後にこう付け加えている．「競争に勝つ労働者になるには，創造的，社会的スキルを習得しなければならないだろう」と．つまり，この論文は，作業療法士が社会に求められる職業になるためには，資格を取得したのちも自己研鑽の継続とそのための努力を惜しんではいけないという警鐘を鳴らしていると考えられる．

（能登真一）

●引用文献

1) Frey CB, et al: The future of employment: How susceptible are jobs to computerisation? *Technological Forecasting and Social Change* 114:254–280, 2017

# 作業の分析と治療への適用

1. 作業療法を実践するために必要な作業の分析と治療への適用，さらに理論との関係を理解する.

1-1）作業分析の目的と方法を説明できる.
- □ ①作業分析の概略を説明できる.
- □ ②包括的分析と限定的分析の違いを比較しながら議論できる.

1-2）作業の治療への適用の方法を具体的に述べることができる.
- □ ③作業の具体的な適用を ICF の分類に沿って，クラスメイトと確認し合うことができる.
- □ ④作業療法の治療のさまざまな適用のしかたに気づくことができる.

1-3）作業療法の理論について考えることができる.
- □ ⑤作業療法で理論を学ぶ重要性についてグループでディスカッションできる.
- □ ⑥作業療法の理論の 1 つについてクラスメイトに具体的に説明できる.

# 1 作業の分析

## A 作業分析とは

作業分析とは，「作業と，人間の作業行為を生物的，心理的，文化的な面から分析する．あるいは，それらの関係について分析する，そして統合する」ことと金子[1]が定義した．簡潔に説明されているが，それぞれの単語には広い意味が含まれている．成書によっては，それぞれの側面(金子の定義における「生物的」，「心理的」，「文化的」な側面)の「相互関係を明らかにするプロセス」と加筆しているものもある．分析の結果だけではなく，分析のプロセスも重要であるという点を付加したものである．定義に示されているように，分析の対象は「作業」であり，その方法として，生物的・心理的・文化的な視点で分析することになる．

ここではまず，対象となる作業とは何かを明らかにしてみよう．作業療法が取り扱う「作業」とは，本シリーズ『基礎作業学』に詳しいが，本項では概観にとどめて記載する．「作業療法が取り扱う作業」とは「人々の文化における意味のある営みのこと」とされており，「人の営みすべて」と表現した先人もいた．つまり，単なる手仕事を想像する作業だけではなく，人が生活するなかで取り組む活動すべてがその分析の対象となることを意味している．

### 1 作業療法の定義から

2018 年 5 月 26 日に日本作業療法士協会が示した作業療法の定義[2](➡ 3 ページも参照)には註釈が付加されており，作業についての記載のみを引用すると，「作業には，日常生活活動，家事，仕事，趣味，遊び，対人交流，休養など，人が営む生活行為と，それを行うのに必要な心身の活動が含まれる」，「作業には，人々ができるようになりたいこと，できる必要があること，できることが期待されていることなど，個別的な目的や価値が含まれる」，「作業に焦点を当てた実践には，心身機能の回復，維持，あるいは低下を予防する手段としての作業の利用と，その作業自体を練習し，できるようにしていくという目的としての作業の利用，およびこれらを達成するための環境への働きかけが含まれる」とある．以上のように，作業療法を定義し説明する際に，作業療法が対象としている「作業」とは何かという説明が多く記載されている．いかに多くの作業が存在するかは**表 1**[3]を参照してほしい．ただし，表はあくまでも例であり，対象者によっては表に記載されていない作業も分析の対象になる．いわば人の営みとしての作業すべてが分析の対象となり，1 つひとつ個人が分析することは容易ではないであろう．しかし，すべての活動の作業分析に取り組めなかったとしても，分析の方法を理解し，経験しておくことで，治療・指導・援助に活かすことができる．

さて，作業分析は，作業を用いた作業療法の治療・指導・援助における根拠を追究し，作業療法評価や計画および治療実施場面において，現実的で科学的根拠のある実践に至らしめる役割を担っているともいわれている．作業療法の実践において「作業」とは「人の営みすべて」であると説明した．しかし，分析の対象は「作業そのもの」だけで

▶表 1　活動の分類

| 大分類 | 中分類 | | 小分類 | 具体例 |
|---|---|---|---|---|
| **日常生活活動**（個体の生存に必要な作業活動） | 生きる | 睡眠 | 睡眠 | 30 分以上連続した睡眠，仮眠，昼寝 |
| | | 食事 | 食事 | 朝食，昼食，夕食，夜食，給食 |
| | | 身のまわりの用事 | 身のまわりの用事 | 洗顔，歯磨き，髭剃り，化粧，散髪，トイレ，入浴，着替え，布団敷きなど |
| | | 療養，静養 | 療養，静養 | 病院に行く，治療を受ける，入院・療養生活を送る |
| **仕事・生産的活動**（社会的に必要な義務的作業活動） | 働く | 仕事関係 | 仕事 | なんらかの収入を得る行動（就労，アルバイト，内職，自営業やそれらの手伝いなど），仕事の準備・片付け・移動など |
| | | | 仕事のつき合い | 上司・同僚・部下との仕事のつき合い，歓送迎会 |
| | | 学業 | 授業・学内の活動 | 授業，朝礼，掃除，学校行事，クラブ活動，委員会活動，運動会，遠足 |
| | | | 学外の学習 | 自宅や学習塾での学習，宿題 |
| | | 家事 | 炊事，掃除，洗濯 | 食事の支度・後片付け，掃除，洗濯，アイロンがけ，布団干し，洗濯物の整理整頓 |
| | | | 買い物 | 食料品・衣料品・生活用品などの買い物など |
| | | | 子どもの世話 | 授乳，おむつ交換，幼児の世話，勉強をみる，送り迎え，付き添い，授業参観，遊び相手など |
| | | | 家事雑事 | 整理・片付け，銀行・役所に行く，家計簿記入，車の手入れ，家具の手入れ，日曜大工，病人や老人の介護など |
| | | 通勤 | 通勤 | 自宅と職場の往復，自宅と仕事場（田畑など）の往復 |
| | | 通学 | 通学 | 自宅と学校の往復 |
| | | 社会参加 | 社会参加 | PTA，地域の行事・会合への参加，冠婚葬祭，ボランティア活動，公共ゴミ置き場の清掃など |
| **遊び・余暇活動**（自由な時間における作業活動） | 楽しむ | 会話，交際 | 会話，交際 | 家族・友人・知人・親戚とのつき合い，デート，おしゃべり，電話，メール，会食，知人との飲酒，SNS の利用 |
| | | レジャー活動 | スポーツ | 体操，運動，各種のスポーツ，ボール遊び |
| | | | 行楽，散策 | 行楽地・繁華街へ行く，街をぶらぶら歩く，散歩，釣り，イベントへの参加 |
| | | マスメディア接触 | テレビ，ラジオ | |
| | | | 新聞 | 朝刊・夕刊・業界紙・広報誌を読む |
| | | | 雑誌，マンガ | 週刊誌・月刊誌・マンガ・カタログを読む |
| | | | 本 | |
| | | | 動画・音楽鑑賞 | CD・DVD・インターネットなどのテレビ・ラジオ以外の方法で音楽を聴く，ダウンロードした音楽ファイルを再生する，動画を視聴する |
| | | | Web 閲覧 | インターネットを通じてウェブサイトを見る |
| | | 休息 | 休息 | 休息，おやつ，お茶，特に何もしていない状態 |

〔鷲田孝保：第 1 章 作業療法における作業．鷲田孝保（編）・日本作業療法士協会（監）：基礎作業学．改訂第 2 版，pp1–17，協同医書出版社，1999 より改変〕

はなく，「作業する人」，「作業する人と作業の関係」の 3 つの観点から分析する必要がある．この 3 つの観点から分析することで初めて対象者への治療・指導・援助の方策が浮かび，実施した作業療法が効果的であったのか，対象者が望む生活に近づいたのかなどの判定も可能となる．作業療法士は臨床場面において，作業分析の手法や結果をもとに，評価する内容や治療の方法を考え，作業分析の結果を用いて作業を利用・適用している．

## 2 作業分析の類義語

「作業分析」という用語には類義語が存在する．「活動分析」，「課題分析」がその代表的なものである[4)]．

「活動分析」は作業療法で最も古くから使われてきた用語であり，治療・指導・援助を行う際に，活動がもつ治療的意味合いを考えるために分析する方法である．この分析を通して「段階づけ」や「アダプテーション（適合）」（➡ 59～61 ページ）を実施するための手がかりを得ることができる．

「課題分析」は対象者がなんらかの活動に取り組んでいる際の状況を観察して行う分析であり，作業療法の過程においては「検査・測定」，「評価」に当たる．つまり，対象者が活動に難渋しているポイントやその程度を見極めるために行うものであり，活動そのものを全体的にかつさまざまな視点から分析を行うものではない．

活動と対象者の取り組み状況を同時に観察・検査測定する方法は，分析の視点（背景となる理論）が多岐にわたるため，治療・指導・援助の目的や手段の数だけあるといわれている．具体的な種類や手法は本シリーズ『基礎作業学』を参照していただきたい．これらの類義語を背景の違いから整理すると**図 1** のようになる．包括的分析，限定的分析は C 項「作業分析の手法」（➡ 54 ページ）を参照のこと．

作業分析

| 包括的分析 | 限定的分析 |
|---|---|
| • 活動分析 | • 対象者を軸とした分析（課題分析）<br>• 目的や理論を軸とした分析 |

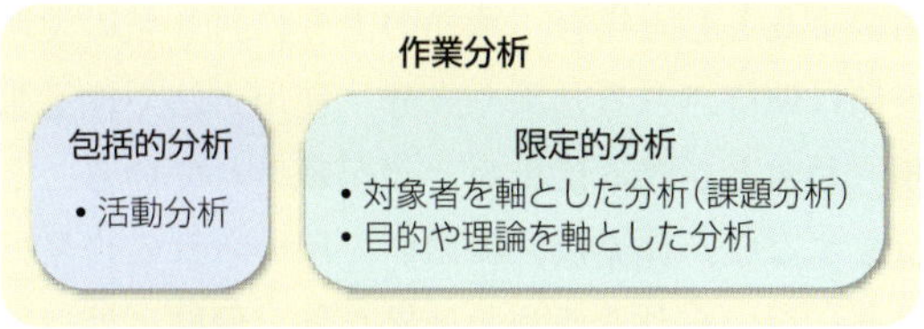

▶**図 1　作業分析と包括的分析，限定的分析の関係**

# B 作業分析の目的

作業分析の目的は「作業のもっている多面的な特徴とそれが健康にどのような影響を与えるかについて，作業と人間の作業行為を生物的，心理的，社会的，文化的関係のなかで，構成する要素に分け，またその相互関係を明らかにすること」[5)] にある．

作業療法では，障害をもった対象者が能動的に作業することで機能や能力の向上をはかる（時には低下を予防する）．その過程では作業療法士にとって，作業は治療手段である．作業を治療手段とするためには作業分析の考え方と技術を理解しておく必要がある．作業の特性を把握したうえで対象者に最も適した用い方をしなければならない．作業を評価と治療・指導・援助に用いる前に，その作業はどのような特徴をもっているか，その作業を学習するためにはどういった能力が必要か，その作業は参加にどのように影響しているか，その作業を通して何が評価できるか，その作業で何の改善が期待できるか，などの情報を準備しておかなければ，治療が試行錯誤の積み重ねとなってしまう．

別の観点から述べると，作業療法は人の生活を支援する技術である．作業療法士は人（対象者）に対して，なんらかの「技（わざ）」を用いて，心身機能の向上または維持を目指す．この「技」は言い換えると「方法」でもある．医療関係における他の専門職である医師の技には多種あるが，その 1 つである投薬を例にあげる．処方される医薬品には説明書がついており，その内容には期待される効果や成分，使用方法や注意事項，対象とされる疾患などが記載されている．実験室での研究から動物実験を経て臨床試験を行い，多額の費用と期間を費やして販売されている．

作業療法士の治療・指導・援助手段である作業についてはどうであろうか．たとえば折り紙を用いようとした場合，承知のように折り紙の説明書には期待される効果や成分，使用方法や注意事項，対象とされる疾患などが記載されていることはまずない．作業療法において用いられる作業は投薬に用いられる薬物とは異なり，**侵襲**性は高くはないが，治療・指導・援助の手段として用いられるためには，やはり期待される効果や材料・方法・注意事項・対象となる障害像などの情報を準備したうえで利用する必要がある．

残念ながら現況において，薬物の説明書にあたる作業分析の知見は多くないうえに，実験などを通して確認されたものは容易に見つからない．したがって，作業分析は「作業療法の初学者や作業を関わりの道具(手段)として用いようとする者が，治療や援助の対象に適した作業の選択，修正，段階づけに必要な作業分析の基礎，作業の基本的特性を分析する視点や感性を身につけるため」[6](下線筆者)に行うともいわれている．

**▶表2　作業分析の種類**

| 包括的分析 | | |
|---|---|---|
| 包括的分析 | ●基礎項目(必要な道具・材料，所要時間など)<br>●作業環境の特性<br>●作業工程の特性<br>●作業活動に伴う運動機能の特性<br>●感覚・知覚・認知の特性<br>●道具・材料の特性<br>●交流，コミュニケーション<br>●リスク | |
| 限定的分析 | 理論・モデルを視点に用いた分析 | ●精神分析モデル<br>●集団療法モデル<br>●認知療法モデル<br>●神経心理学モデル<br>●生体力学モデル<br>●運動コントロールモデル<br>●感覚統合モデル<br>●その他 |
| | 治療・指導・援助の目的を主眼においた分析 | ●就労援助<br>●生活技能訓練<br>●対人関係の改善<br>●利き手交換<br>●その他 |
| | その他の限定的分析 | ●工程分析<br>●環境分析<br>●動作分析<br>●運動分析<br>●心理・社会的分析<br>●その他 |

〔山根　寛：作業を分析する．山根　寛，他(著)・鎌倉矩子，他(編)：ひとと作業・作業活動．pp69–116，三輪書店，1999より改変〕

## C 作業分析の手法

わが国の作業療法創成期に取り組まれた分析内容は，作業種目，作業工程，設備・備品，道具，患者の状態，作業がもつ各要素のレベル，改善される要素(心理的，社会的，身体的，前職業的)，作業療法士の態度，集団の構成，職業適性検査との関係，注意事項，備考などの項目を分析したものであったが，のちに作業の現実性，象徴性・表現性，ものや環境や対人的な関係性，コミュニケーション過程の項目などが加わって発展してきた[7]．これらの内容について分析するためには，作業のみならず，作業と対象者の関係を観察する力も必要である．作業分析には作業そのものを分析する「包括的分析」と，作業と対象者の関係を分析したり，専門的な観点(たとえば運動学)から分析したり，理論を背景として分析したりする「限定的分析」というものがある(▶表2)[6]．

**Keyword**

**侵襲**　人体に対して，その恒常性を乱す可能性がある刺激のこと．言い換えると，心身への負担が大きな刺激と考えることができる．具体的には投薬など化学物質の投入によるもの，手術など身体組織に手を加えてその構造に変化をもたらすもの，人体には存在しなかった別の生物や細菌などに曝露されるものなどがある．心理的に負担となる刺激や環境の変化も含まれる．

### 1 包括的分析

#### a 包括的分析とは

包括的分析は，幅広く一般的な視点から分析を行うものである．作業そのものの特性，人と作業の基本的な関連の把握，作業の基本特性をつかむ視点や感性を養う[6]ために作業分析を実施する．したがって，包括的分析の結果をそのまま対象者に当てはめて治療・指導・援助をすることはまずない．主に作業療法を学ぶ学生や経験の浅い作業療法士が取り組むべき分析方法である．分析内容は明確であるが，感性を磨くためには文献検索を行うだけではなく，その道の先達からフィードバックを得ることも必要であろう．

## b 包括的分析の内容

包括的分析は「どの程度の心身機能レベルが必要とされるか」，「作業や結果（作品など）にはどのような意味が含まれるのか」，「どのような環境で行われるのか」，「誰が行うのか」，「作業がもつ文化的な意味にはどのようなものがあるのか」などを分析するものであり，「対象者個人と作業の関係」は分析しない．次の段階として，作業を治療的に活用するために対象者を含めた分析や，理論を背景にした分析（限定的分析）を行い，情報を統合する（まとめる）．

## c 包括的分析の方法

包括的分析は，まず分析の範囲（活動のどこからどこまでを対象とするのか，準備や片付けは含むのか，作品の場合は具体的にどのようなものをつくるのか）を決めてから行う．たとえば，折り紙で鶴を折る場合と千羽鶴を折る場合では，材料の分量も材料の種類（糸が追加される）も異なる．また，分析する作業の環境も規定する（作業が本来実施される場所で行われるのか，作業療法室内での模擬的な環境で行われるのか，1 人で実施するのか複数で実施するのか）．さらに重要なことは，分析の対象となる項目（視点，観点）をあらかじめ決定しておく必要がある．

分析の対象となる項目は多岐にわたり，作業そのものの基礎的な特徴，実施に必要な人の能力（運動，感覚，認知，精神機能，対人機能など），使用する道具や材料などがあげられ，具体例を**表 3**[6]に示す．包括的分析では，これらの項目に対して作業を分析する（記録する）が，初学者にとってはどのように分析すればよいのか（記録すればよいのか）迷うことも多いであろう．包括的分析のフォーマットはほかにもいくつか公表されているが，本項では初学者であっても比較的取り組みやすい清水の方法[4]を用いた分析例を紹介する．**表 4** は作業過程の特徴と材料の性質を分析

**表 3　包括的分析における分析項目と内容の例**

| 項目 | 内容 |
|---|---|
| 基礎項目 | ● 作業活動名<br>● 必要な道具，材料<br>● 完成までの所要時間，回数<br>● 対象年代，性別<br>● 費用 |
| 環境 | ● 必要な空間などの物理的環境<br>● 人的環境<br>● 社会・文化的環境 |
| 工程 | ● 作業工程数<br>● 各工程の内容 |
| 運動機能 | ● 運動の粗大度，巧緻度<br>● 運動の部位，作業時の肢位の変化と大きさ<br>● 運動の速さ<br>● 運動に伴う抵抗<br>● リズムの有無と内容<br>● 繰り返し動作の量と内容<br>● 運動の対称性<br>● 主動関節と可動範囲<br>● 主動筋群，筋作用，筋力 |
| 感覚・知覚・認知機能 | ● 主に入力される感覚，必要な感覚<br>● 必要な知覚–認知機能<br>● 注意，集中，持続がどの程度必要か<br>● 理解，判断，新たな学習がどの程度必要か<br>● 計画性がどの程度必要か |
| 道具・材料 | ● 道具に象徴されるもの<br>● 道具の扱いやすさ<br>● 材料に象徴されるもの<br>● 材料の可塑性，抵抗，統制度 |
| 作業活動・作品 | ● 表現の自由度，独創性<br>● 作業活動によって誘発されやすい感情<br>● 作業活動に伴う自己愛充足度の機会<br>● 作業活動の難易度<br>● 作業活動の結果の予測性<br>● 作業活動の結果の種類と再生産性<br>● 作業活動および作品の社会的・文化的意味 |
| 交流・コミュニケーション | ● 対人交流の特性<br>● 必要なコミュニケーションと形態 |
| リスク | ● 身体的リスクの可能性と内容<br>● 心理的リスクの可能性と内容 |

〔山根　寛：作業を分析する．山根　寛，他（著）・鎌倉矩子，他（編）：ひとと作業・作業活動．pp69–116，三輪書店，1999 より改変〕

## ▶表 4　包括的分析の一例(ちぎり絵の分析)

### 作業過程の特徴

作業(活動)名：ちぎり絵　　分析者：○○ ○○　　日付：0000, 00, 00

| | 大変 | 中等度 | やや | 中間 | やや | 中等度 | 大変 | |
|---|---|---|---|---|---|---|---|---|
| すばやい | | | | | ○ | | | ゆっくりしている |
| 時間がかからない | | | | ○ | | | | 時間がかかる |
| 脱線されやすい | | | | | | ○ | | 脱線されにくい |
| 構成的 | | | | | | ○ | | 非構成的 |
| 工程が簡単 | | ○ | | | | | | 工程が複雑 |
| 学習しやすい | | ○ | | | | | | 学習しにくい |
| 待ち時間が少ない(連続的) | ○ | | | | | | | 待ち時間多い(非連続的) |
| まわりを汚さない | | | | | ○ | | | まわりを汚す |
| 狭い場所でできる | ○ | | | | | | | 広い場所が必要 |
| 屋内作業が多い | ○ | | | | | | | 屋外作業が必要 |
| 音が静か | | ○ | | | | | | 音がうるさい |
| 臭わない | | ○ | | | | | | 臭う |
| 安全 | ○ | | | | | | | 危険 |
| 散らからない | | | | | ○ | | | 散らかる |
| | | | | | | | | |
| | | | | | | | | |

#### 作業場面状況

注：必要ならば作業者と材料，装置，道具の位置関係を図示する

机上作業，椅座位

和紙　作品　のり

机上配置例

### 材料の性質(材料名：和紙　　)

分析者：○○ ○○　　日付：0000, 00, 00

| | 大変 | 中等度 | やや | 中間 | やや | 中等度 | 大変 | |
|---|---|---|---|---|---|---|---|---|
| 軽い | ○ | | | | | | | 重い |
| 軟らかい | | ○ | | | | | | 硬い |
| 抵抗感が弱い | | ○ | | | | | | 抵抗感が強い |
| 肌触りがよい | | ○ | | | | | | 肌触りが荒い |
| 小さい | | | ○ | | | | | 大きい |
| 短い | | | | ○ | | | | 長い |
| 鋭い | | | | ○ | | | | 鈍い |
| 組み立てる必要あり | | | ○ | | | | | 組み立てる必要なし |
| 温かい | | | ○ | | | | | 冷たい |
| くっつきやすい | | | | | | ○ | | くっつきにくい |
| 壊れやすい | | | | | ○ | | | 壊れにくい |
| 変化しやすい | | | ○ | | | | | 変化しにくい |
| 扱いやすい | ○ | | | | | | | 扱いにくい |
| 形態がある | | ○ | | | | | | 形態がない |
| 薄い | | ○ | | | | | | 厚い |
| 失いやすい | | | | ○ | | | | 失いにくい |
| 臭う | | | | | | | ○ | 臭わない |
| 絡まりやすい | | | | | | | ○ | 絡まりにくい |
| | | | | | | | | |
| | | | | | | | | |
| | | | | | | | | |

するフォーマットである．どちらも包括的分析のフォーマットの一部分であるが，分析の項目が7段階で記録できるようになっており，初学者であっても容易に取り組めるようになっている．

### d 包括的分析を行う場合の注意点と効用

**表4**のフォーマットを利用して分析を進める際には，分析者の主観によって判定することが前提となっているため，たとえ迷いが生じた場合でも一次的にチェックすることが大切である．たとえば「すばやい–ゆっくりしている」は，作業過程の速度を分析するものである．「大変(すばやい)」から「大変(ゆっくりしている)」の7段階のうち該当する段階にチェックをつければよい．

ただし，次の2点をあらかじめふまえておく必要がある．1つ目は，分析者の経験によって判定が異なる点である．たとえば，紙やすりがけの動作を分析したとき，手の往復運動を観察して「すばやい(大変)」にチェックを入れたとしよう．後日，のこ引き動作を分析する機会に出会い，同じく「すばやい(大変)」にチェックを入れたとしたら疑問が生まれる．紙やすりがけの動作は確かに「すばやい」動作であるが，のこ引き動作のほうが「すばやい」のではないか，同じレベルと判断してよいのだろうか，という疑問である．この疑問を解決するために，分析者は紙やすりがけ動作の「すばやい(大変)」を「すばやい(中程度)」に修正することができるし，修正するほうが正しいと考える．主観的評価が前提であることから，これらのチェックや修正は正しいが，分析者が新たな活動の分析に取り組むたびにこの疑問が発生する．つまり，これまでに経験した作業や観察した作業の数が増えていくたびに修正が行われる可能性が発生するということである．

2つ目は，主観的評価であってもチェックすることで複数の作業の特徴を比較することができるという点である．作業に求められる「すばやさ」の観点から分析すると，「のこ引き動作」が最もすばやく，次に「紙やすりがけ動作」がすばやく，「ちぎり絵」はそれほどすばやい作業ではないという順序立てが可能になる．このように一定の基準(分析者の主観)で相対的に各種作業のレベルを判定できれば，作業を順序立てすることが可能となり，作業の適応や段階づけ，アダプテーションを行う際に必要な視点を身につけることができる．これらの方法は**相対的評価**といわれる．本来であれば，ストップウォッチで時間測定するなどの**絶対的評価**を用いることで科学的な分析情報を得ることを目指したいところだが，作業療法における視点には絶対的評価が困難なものも多く，相対的評価を用いざるをえない．したがって，分析者は自身のなかで「ぶれ」のない基準をもち，対象者を含めた他者に説明できるような努力が必要となる．

## 2 限定的分析

### a 限定的分析とは

包括的分析は幅広く一般的な観点から分析を行うものであった．一方，作業と対象者の関係を分析したり，専門的な観点(たとえば運動学)から分析したり，理論を背景として分析するものが限定的分析である．限定的分析は臨床の作業療法士によって活用されてきた．他分野への説明や作業療法における普遍性を高めるために，科学的なデータを用いての分析も進められ，実験的な方法によって結果を確認し，仮説を検証し，法則を見い

**Keyword**

**相対的評価と絶対的評価**　物事を評価する場合は2通りの評価方法がある．たとえば，リンゴの重さを評価する場合，重量計を用いて○g(グラム)として記録する．このgという数値で表す方法は地球上のどこで量っても，誰が量っても同じ結果をもたらす．このような場合を絶対的評価という．一方，リンゴは鶏卵よりも重い，リンゴはカボチャよりも軽いというように，リンゴを基準として鶏卵やカボチャを評価する場合は相対的評価という．リンゴが基準となっていることから普遍的な評価であるように思うが，鶏卵の重さは相手がリンゴであれば軽いと判定され，相手がゴマであった場合は重いという判定になり，評価結果に違いをもたらす．

だそうとした（還元主義的作業分析）（還元主義については27ページ参照）．生理学や運動学，精神分析学の立場から行われる分析は，作業の特徴を科学的に打ち出してきたが，臨床活動において重要な対象者の個別性や多義性，主観性などの情報を削除した結果を提示する必要があったために，作業療法におけるアイデンティティを喪失する方向へ進んでしまったという経緯もある[5]．しかしながら臨床の作業療法士は，還元主義的作業分析の成果を対象者の治療・指導・援助に巧みに応用してきた[5]．

作業分析において医学モデルを視点とした限定的分析に代表される還元主義的作業分析は，治療・指導・援助の出発点であり，必要であることは忘れてはならない．なぜなら，対象者がわれわれ作業療法士と出会うその出発点を思い起こすと，まずは疾病や障害などの医学的問題に端を発するからである．疾病や障害の理解なくしては対象者と活動においてその関係性を考察することは不可能であろう．

## b 限定的分析の内容

対象者の個別性，治療・指導・援助の目的や手段（理論，モデルなどを含む）に応じて，必要な項目を限定して詳細に分析するものが限定的分析である．その意味で臨床で活かすために行う作業分析であり，その種類は多岐にわたる（▶**表2**）．

学生のうちにはさまざまな作業分析を経験・実施するが，そのまま実際の対象者に当てはめて用いることはない．臨床に就くと，作業療法士は頭のなかで自分が用いる基本的な方法（理論や治療・援助モデル）と対象者に対する治療・指導・援助の目的と照らし合わせながら，臨機応変に判断している．

また，臨床では1つの理論やモデルを背景とした治療・指導・援助の方針を決定する場合もあれば，複数の理論やモデルを複合して活用する場合もある．たとえば，対象者中心の分析を行う場合にはCMOP（The Canadian Model of Occupational Performance；カナダ作業遂行モデル）の理論を背景に実施するとよい．対象者はどのような人物で，対象者にとって意味深い作業は何か，対象者の目標にかなう作業は何か，対象者はその作業をどの程度実施していてその満足度はどの程度なのかが浮き彫りになる．

対象者が取り組むべき作業が決定したら，包括的分析の知識をもとに，対象者が取り組むべき課題に「段階づけ」や「アダプテーション」（➡59〜61ページ）を行って作業の実行度を高めたり，成果をもたらして満足度を高めるような支援を行う．作業の選択や取り組みは，対象者の意見や主張を中心に計画されるが，作業療法士との協同作業となることから，作業療法士の意図を伝える必要があり，この意図には分析の知識が必要である．

限定的分析は，対象者が実際に作業を行う場面を観察しつつ行われる場合もあり，具体的な治療・指導・援助の手がかりを得ることができる．この場合の作業分析は包括的分析と同じ項目について分析を行ってもよい（対象者の取り組み状況という視点が付加されているので限定的分析といえる）．

## c 限定的分析の方法

限定的分析の方法や具体例については本シリーズ『基礎作業学』を参照していただきたい．

**Keyword**

**CMOP（カナダ作業遂行モデル）**　カナダ作業療法士協会が開発した作業療法実践における理論．クライエント中心の理論であることに特徴を有している．人の作業遂行はその根本にスピリチュアリティがあり，「人」と「作業」と「環境」がそれぞれ影響を与えながら実施されるという考え方．人の要素には身体的，情緒的，認知的な要素がある．作業の要素にはセルフケア，生産活動，レジャーという要素があり，環境には文化的，社会的，物理的，制度的な要素が示されている．

# D 評価と治療への適用

## 1 いつ，どのように，どう適用するか

作業分析をいつ行うのかは，分析の目的によって異なる．包括的分析は対象者と対峙する前に行う．限定的分析は対象者が決定したとき，もしくは対象者と出会った初期に行う．こう考えると限定的分析は対象者の数だけ実施しなければならないような印象をもつが，実際は対象者のもつ問題や課題には類似点が多く，一度実施した限定的分析は他の対象者に応用することが可能である．したがって，臨床経験が増えるにつれて限定的分析の機会は減少するが，それでも新たな目的や課題が発生した場合には，そのつど限定的分析を実施する必要がある．また，作業療法において，対象者の評価は初期評価，中間評価(必要に応じて複数回)，最終評価として実施される．つまり，1回だけ評価を行えばよいというものではなく，治療の経過に応じて限定的分析を行うことになる．分析を実施するたびに効果判定に資する情報が得られる．

これらのことをふまえると，①準備として包括的分析を多数経験しておく，②対象者の目標に合わせて限定的分析を行う，という順序が一般的であろう．包括的分析の段階では工程を区切って分析を行い，次の限定的分析では課題となる工程において詳細に分析することで，治療・指導・援助のポイントを確認し，方法の立案が可能となる．①と②を繰り返して経験することで，より円滑に作業療法を行うことができるようになる．

## 2 治療的に適用する

対象者が実施している作業を観察することで，新たな問題点に気づいたり，問題点を解決するための手がかりを得たり，対象者の能力や機能および実施環境について精査を行う必要性が明確になったりすることがある．

分析の手法を振り返りつつ，対象者の作業へのかかわり具合，達成度，満足度も問うてみる．作業療法士という他者からの視点ではなく，対象者の主観をもとに評価することは，QOLの向上を目標とした場合には必須の取り組みとなる．なぜなら，QOLは他者がその質を判定することも可能だが，元来は対象者本人が質を判定すべきものだからである．食事という活動を例にすると，手づかみでも摂食可能であれば満足するレベルから，社交界でテーブルマナーに配慮しながら，かつ，適切な会話や他者への配慮も含めた食事という複雑な活動まで，そのレベルや難易度にはバリエーションが多くある．対象者が社交界での食事という活動を必要としない，または望んでいないにもかかわらず，QOLの測定値をもとに点数が低いから高めるための支援を行うという計画は，お節介以外の何ものでもない．実施する作業は対象者がおかれた環境や生活史に大きく影響を受ける．特に文化が異なれば(極端な場合は国が異なれば)，QOLの目標(ゴール)は異なるのである．

作業療法士が，対象者の能力・技能・状態などの改善を目指して用いる代表的な方法として，作業の「段階づけ」と「アダプテーション」がある．

## 3 段階づけ

### a 段階づけとは

段階づけとは一歩ずつ段階を追って，目的を達成するために行う手続き[5]である．段階づけは，やさしいものから複雑なものへ，具体的なものから抽象的なものへ，そのレベルを向上させるという考え方である．たとえば作業療法の養成校においては，作業療法士国家試験の受験をゴールとして考えると，教養を学び，医学的専門科目を学び，作業療法の専門科目を学ぶという段階づけが年次進行によって企画されている．特に，臨床実習は段階づけがはっきりしており，見学，評価，治療・

指導・援助の体験という段階づけがなされている（臨床実習においては，対象者へのリスク管理上からも必要な段階づけである）．

作業療法においては「段階づけ」を念頭に対象者の目標が設定される．目標には長期目標と短期目標がある．短期目標はおおむね2週間程度で達成可能な目標を掲げることが多く，その短期目標を順次達成していくことで長期目標が達成されるという方法論を用いている．この短期目標の数や内容が，段階づけに該当するのである．

段階づけを行う際は，対象者にとってほどよい挑戦の機会となるように目標を設定することが望ましい．現実的ではない期間が必要であったり，あまりにも努力が要求されるようなレベルであると，対象者が成功体験を味わうことができず，モチベーションが低下し，作業への取り組みが減少し，目標への到達が困難になる．人は成功体験を味わうと自信をもち，他の課題や生活場面においても積極的に取り組むなどの好影響をもたらすことがある．一方，目標があまりにも容易であると飽きたり挑戦への意欲がわかず，作業への取り組みが同様に低下する．作業への取り組みが不成功に終わらないように，細かな段階づけを準備しておき，対象者に応じて1つ上の段階を目標として設定するか，2つや3つ上の目標を設定するなど，細かな支援や配慮が必要である．

段階づけが明確になれば，対象者の能力向上に貢献できるステップが見つかるだけでなく，能力が不足している場合には1つ下の段階であれば作業が可能となるであろうという予測もできるようになり，作業療法士としての知識の蓄積にもなる．

### b 段階づけの例

作業の時間を10分・30分・60分というように順次増加させる．このためには包括的分析によって，その作業は10分ごとに区切って取り組める作業であるかという検討が必要である．もし，30分は継続しないと一区切りつかない作業であれば，工夫することによって10分ごとに作業に区切りをつけるが，その工夫や方法論は後述するアダプテーションを参照すること．

作業における繰り返しの回数を10回・20回・30回というように順次増加させる．作業が単純な繰り返しによって構成されているもの（例：腕立て伏せ）であれば，単純に回数の増加が段階づけの指標となる．

ほかには，作業におけるスケジュールを立てる際に，作業療法士が予定を決めるという状況から，対象者自らが予定を決めるといった段階づけの例もある．学業においては学習内容を教員から提示されるという状況から，学生が自分で学習計画を立てるという段階づけに該当するであろう．

## 4 アダプテーション

### a アダプテーションとは

アダプテーションとは，その作業を完了するために，課題，方法，環境を修正することである[5]．その流れとしては，①その課題を分析する，②なぜ，その人はその課題を完成することができないのか，機能的な制限をおこしている理由をはっきりさせる，③その制限を代償する原則を考え，列挙する，④どのようにその原則を特定の対象者に適用させるかを考え，最も適切な解決方法を選択する，⑤その解決方法を実行するために必要な資源を考える（どこで手に入るか，価格はどのくらいか，自分でつくれるか），⑥信頼性，耐久性，安全性についてチェックする，⑦うまく使いこなせるように練習する，というものである（自助具などの道具をアダプテーションの手段としない場合は，⑤⑥⑦の検討が不要）．段階づけを検討する際に，課題，方法，環境を修正する必要性が発生し，アダプテーションが行われる場合もある．いずれにせよアダプテーションは，対象者自身が作業に取り組め，実施できていると感じることができるようにし，作業ができるという体験を与えるように検討する必要がある．

### b アダプテーションの例

アダプテーションを検討する場合は，作業工程や技能を単純化する，自助具を用いてみる，設備や道具を変更する，環境を変更したり整備する，他者の援助などを取り入れる，そもそも他者の存在やかかわりが必要な作業であればその他者を別の人に変更するなどの方法論を検討するとよい．

たとえば腕立て伏せでは，通常の腕立て伏せの姿勢(床面に接している体の部分が，両手掌と足尖部の指腹だけ)ではなく，膝を床に着けた姿勢(四つ這い位に近い状態)で実施するという方法の変更が考えられる．生卵を 30 回かき混ぜるという作業であれば，自助具を用いたり，5 回かき混ぜるたびに休憩をはさんだり，5 回かき混ぜるたびに道具を持ち直すなど，方法を変更することで目的である 30 回のかき混ぜ作業を完了させるなどが考えられる．

## E まとめ

対象者の数だけ個別の問題や課題があるため，対象者の年齢や性別に配慮すること，意向・興味関心・経験を考慮することも忘れてはならない．さらに，その作業が対象者にとって魅力的な活動であるかも大切な観点である．魅力的な活動は，いわば「夢中になれる」ということを意味する．作業は能動的に取り組まないと，継続的な取り組みは困難であるし，目標に向かって一歩ずつ向上することも困難である．動機づけ(モチベーション)を高くもった対象者は，作業療法士が意図した以上の効果や変化，時には予測もしなかった別の効果を生み出すこともある．予測できなかったことや目的に計上できていなかったことで，作業療法士が敗北感のようなものを感じることもあるかもしれないが，このような意外性は作業療法の魅力にもつながる．今後も，多くの事例報告や研究を通して作業分析の知見が蓄積されることが期待されている．

●引用文献

1) 金子　翼：作業分析-1-作業分析概論. 作療ジャーナル 25:119–124, 1991
2) 日本作業療法士協会：作業療法の定義(2018 年 5 月 26 日　定時社員総会にて承認).
https://www.jaot.or.jp/about/definition/
3) 鷲田孝保：第 1 章 作業療法における作業. 鷲田孝保(編)・日本作業療法士協会(監)：基礎作業学. 改訂第 2 版, pp1–17, 協同医書出版社, 1999
4) 清水　一：B 作業療法実践枠組み(改訂第 2 版)からみた作業の構造. 小林夏子, 他(編)：基礎作業学. 第 2 版, pp54–59, 医学書院, 2012
5) 鷲田孝保：第 3 章 作業分析と作業構造論. 鷲田孝保(編)・日本作業療法士協会(監)：基礎作業学. 改訂第 2 版, pp33–42, 協同医書出版社, 1999
6) 山根　寛：作業を分析する. 山根　寛, 他(著)・鎌倉矩子, 他(編)：ひとと作業・作業活動. pp69–116, 三輪書店, 1999
7) 小林夏子：E 作業分析. 小林夏子, 他(編)：基礎作業学. 第 2 版, pp39–44, 医学書院, 2012

COLUMN

# 作業療法に副作用はあるか？

2020 年から世界中を感染の恐怖に陥れている COVID-19，いわゆる新型コロナウイルスであるが，効果的な治療法が見つからないなかで頼りにされているのがワクチンである．

そしてそのワクチンにつきものなのが，副反応や副作用である．副反応は軽い発熱など症状が軽度のものを指すが，副作用は血栓ができやすくなったり，場合によっては死に至ったりという望まれない重篤な作用を指す．ワクチンに限らず，薬物はその成分や用量を誤って投与すると副作用が生じるが，作業療法の場合にはどうであろうか．

作業療法は薬物療法のような異物を生体に入れる治療ではないが，その指導のしかたや負荷の量を誤ると筋や関節を痛めたり，病気を再発させたりするおそれがある．これらには，負荷をかけすぎておこる「過用」と，間違った運動や活動を指導することによっておこる「誤用」がある．

一方で，作業療法には症状として表れない副作用がある．それは本来実施されるべき正しい治療が実施されないという「不作為」である．

たとえば，上肢の片麻痺の治療において，本来，その回復段階に応じた手技を用いなければならないところ，治療開始から数か月経っても低い回復段階の手技で延々と治療し続ければ，想定された回復段階に到達しないことがある．対象者からみればそれが作業療法あるいは作業療法士のせいではなく，自分の努力不足か病気のせいだと思うであろう．しかし，このような誤った指導や不適切に軽い負荷しかかけない治療は，熟練者からみれば明らかに間違った治療方法であり，正しい治療を提供しない「不作為」となる．

作業療法でも十分に副作用がおこりうることを心にとどめて，対象者と向き合ってほしいが，特に「不作為」に対しては自分自身を律することが必要である．提供している治療は本当に効果があるのかどうか，対象者にとって本当に最善の治療かどうか，と．

（能登真一）

# 2 作業の治療的適用

作業療法の対象は乳幼児から高齢者と幅広く，最近では障害をもった人だけでなく健康維持を目的とした人に対してなど，その範囲は広がってきている．

世界保健機関(World Health Organization; WHO)は 2001 年，国際生活機能分類(International Classification of Functioning, Disability and Health; ICF)を発表した．その ICF の概観を示す(▶**表 1**)[1]〔第 I 章 3 の図 2(➡ 31 ページ)も参照〕．作業療法は，対象者を基本的能力，応用的能力，社会的適応能力という観点からとらえ，社会資源や制度の利用などを個々人に応じて治療，指導および援助していく．それらは ICF における「心身機能・身体構造」，「活動」，「参加」，「環境因子」，「個人因子」に相当し，対応させて考えることができる．

作業療法の対象は，身体障害，精神障害，発達障害，高齢期障害，さらに環境への不適応により日々困難が生じている人や集団などである．作業療法の対象者をそれらの領域ごとにみてみると，疾患・障害はかなり広範囲にわたる(▶**表 2**)[2]．作業療法の実践場面も広範囲にわたり，病院，介護老人保健施設，家庭，職場，学校，老人ホームなどが含まれる．

作業療法士は実際の臨床現場において，どのような指示・依頼を受け(▶**表 3**)[3]，どのような手段を用いて作業療法を実施しているのであろうか(▶**表 4**)[3]．2015 年，医療から保健・福祉・介護

**▶表 1　ICF の概観**

| | 生活機能と障害 | | 背景因子 | |
|---|---|---|---|---|
| 構成要素 | 心身機能・身体構造 | 活動・参加 | 環境因子 | 個人因子 |
| 領域 | 心身機能<br>身体構造 | 生活・人生領域<br>(課題，行為) | 生活機能と障害への外的影響 | 生活機能と障害への内的影響 |
| 構成概念 | 心身機能の変化<br>(生理的)<br><br>身体構造の変化<br>(解剖学的) | 能力<br>標準的環境における課題の遂行<br><br>実行状況<br>現在の環境における課題の遂行 | 物的環境や社会的環境，人々の社会的な態度による環境の特徴がもつ促進的あるいは阻害的な影響力 | 個人的な特徴の影響力 |
| 肯定的側面 | 機能的・構造的統合性 | 活動<br>参加 | 促進因子 | 非該当 |
| | 生活環境 | | | |
| 否定的側面 | 機能障害<br>(構造障害を含む) | 行動制限<br>参加制約 | 阻害因子 | 非該当 |
| | 障害 | | | |

〔世界保健機関(著)・障害者福祉研究会(編)：ICF 国際生活機能分類—国際障害分類改訂版. pp9–18. 中央法規出版. 2002 より〕

▶表 2　各領域における作業療法の対象者の疾患・障害

| 対象者の領域 | | 疾患・障害名 |
|---|---|---|
| 医療 | 身体障害領域 | 脳血管性障害，骨折，高次脳機能障害(注意・遂行機能・記憶の障害など)，パーキンソン病，呼吸器系疾患，その他の骨・関節疾患，脊髄疾患，悪性新生物(がん，腫瘍など)，心臓疾患，失行・失認，失語，中枢神経系の系統萎縮・脱髄疾患など，脊髄損傷，脊椎障害，失調症，手首および手の損傷，頭部外傷，消化器系疾患，器質性精神障害(アルツハイマー病，脳血管性認知症などの認知症，脳損傷などによる人格・行動障害などを含む)，関節リウマチ，その他の疾患・障害，加齢による障害，膠原病，末梢神経損傷，神経筋接合部および筋の疾患(重症筋無力症，筋ジストロフィーなど)，その他の循環器疾患，てんかん |
| | 精神障害領域 | 統合失調症，感情障害，器質性精神障害(アルツハイマー病，脳血管性認知症などの認知症，脳損傷などによる人格・行動障害などを含む)，精神遅滞・知的障害，アルコール依存症，神経症性障害，自閉症・アスペルガー症候群・学習障害など特異的な学習障害と広汎性発達障害，成人の人格・行動障害，てんかん，薬物依存・薬物疾患，その他の精神疾患，摂食障害，心身症，情緒障害，脳血管性障害，児童青年期の行動・情緒障害(ADHD を含む) |
| | 発達障害領域 | 脳性麻痺，自閉症・アスペルガー症候群・学習障害など特異的な学習障害と広汎性発達障害，精神遅滞・知的障害，染色体異常，てんかん，重症心身障害，児童青年期の行動・情緒障害(ADHD を含む)，神経筋接合部および筋の疾患(重症筋無力症，筋ジストロフィーなど)，脳血管性障害，先天性奇形，視覚障害 |
| 介護保険 | | 脳血管性障害，器質性精神障害(アルツハイマー病，脳血管性認知症などの認知症，脳損傷などによる人格・行動障害などを含む)，骨折，パーキンソン病，心臓疾患，その他の骨・関節疾患，高次脳機能障害(注意・遂行機能・記憶の障害など)，失語，関節リウマチ，呼吸器系疾患，脊椎障害，その他の疾患・障害，加齢による障害，膠原病，中枢神経系の系統萎縮・脱髄疾患など，脊髄疾患，失行・失認，悪性新生物(がん，腫瘍など)，失調症，視覚障害，聴覚障害，その他の循環器疾患，統合失調症 |
| 障害福祉 | | 精神遅滞・知的障害，自閉症・アスペルガー症候群・学習障害など特異的な学習障害と広汎性発達障害，脳性麻痺，脳血管性障害，統合失調症，てんかん，高次脳機能障害(注意・遂行機能・記憶の障害など)，児童青年期の行動・情緒障害(ADHD を含む)，頭部外傷，感情障害，失語，染色体異常，視覚障害，器質性精神障害(アルツハイマー病，脳血管性認知症などの認知症，脳損傷などによる人格・行動障害などを含む)，脊髄疾患，神経筋接合部および筋の疾患(重症筋無力症，筋ジストロフィーなど)，脊髄損傷，失調症，中枢神経系の系統萎縮・脱髄疾患など，失行・失認，重症心身障害，聴覚障害，情緒障害，アルコール依存症，心臓疾患，神経症性障害 |
| 教育関連 | | 自閉症・アスペルガー症候群・学習障害など特異的な学習障害と広汎性発達障害，精神遅滞・知的障害，てんかん，脳性麻痺，染色体異常，重症心身障害，視覚障害，児童青年期の行動・情緒障害(ADHD を含む)，呼吸器系疾患 |
| 職業関連 | | 統合失調症，自閉症・アスペルガー症候群・学習障害など特異的な学習障害と広汎性発達障害，脳血管障害，精神遅滞・知的障害，感情障害，高次脳機能障害(注意・遂行機能・記憶の障害など)，てんかん，児童青年期の行動・情緒障害(ADHD を含む)，神経症性障害，アルコール依存症，器質性精神障害(アルツハイマー病，脳血管性認知症などの認知症，脳損傷などによる人格・行動障害などを含む)，脳性麻痺，失語，失行・失認，頭部外傷 |

〔日本作業療法士協会学術部(編著)：作業療法ガイドライン(2018 年度版)．日本作業療法士協会，2019．https://www.jaot.or.jp/files/page/wp-content/uploads/2019/02/OTguideline-2018.pdf より〕

の領域で働く作業療法士において調査された作業療法白書が出された[3]．ここに掲載された現場で実施されている内容をもとに，ICF に従って作業療法の評価および治療・指導・援助内容などを治療的適用として概説していく．

作業の治療的適用の原則として，身体機能領域の治療には，生体力学的アプローチと代償的アプローチがある．生体力学的アプローチは，関節可動域(range of motion; ROM)や筋力の改善を目指すアプローチ，上肢機能の改善を目指す運動療法的アプローチなどである．代償的アプローチは，機能障害の回復が期待できないときに行われるアプローチで，残存機能による代償，自助具などの機器による代償，家屋改造などの環境による代償などを用いるアプローチである．

# A 心身機能面への適用(基本的能力)

## 1 運動機能

運動機能は，人体の構造，関節，筋力，筋持久

▶表 3 作業療法の指示・依頼の内容

| 基本的能力 |
|---|
| 1. 運動機能の改善 |
| 2. 運動機能の維持・代償指導 |
| 3. 感覚知覚機能の改善 |
| 4. 感覚知覚機能の維持・代償指導 |
| 5. 認知心理機能の改善 |
| 6. 認知心理機能の維持・代償指導 |
| **応用的能力** |
| 7. 起居動作の改善 |
| 8. 起居動作の維持・代償 |
| 9. 上肢運動機能の改善 |
| 10. 上肢運動機能の維持・代償 |
| 11. 身辺処理能力の改善 |
| 12. 身辺処理能力の維持・代償 |
| 13. 知的精神的能力の改善 |
| 14. 知的精神的能力の維持・代償 |
| 15. 福祉用具などの代償手段の適応 |
| 16. 生活リズムの改善 |
| 17. コミュニケーション・対人技能の改善 |
| 18. 健康管理能力の維持・代償 |
| **社会的適応能力** |
| 19. 日常生活活動の改善 |
| 20. 社会生活適応能力の改善 |
| 21. 就労就学前訓練 |
| 22. 就労就学の指導・訓練 |
| 23. 余暇活動の指導・援助 |
| **環境資源** |
| 24. 人的環境の調整・利用 |
| 25. 物理的環境の調整・利用 |
| 26. 社会資源活用や各種サービス・制度の利用援助 |
| **その他** |
| 27. その他 |

〔日本作業療法士協会：作業療法白書 2015．日本作業療法士協会, 2017. https://www.jaot.or.jp/files/page/wp-content/uploads/2010/08/OTwhitepepar2015.pdf より〕

力，筋緊張，大脳からの随意運動コントロール，感覚フィードバックなどさまざまな要素が関係する．特に神経系や筋肉の障害，関節などの整形外科的障害など，さまざまな原因で直接的に障害される．作業療法士はこれらの原因を把握したうえで治療を行わなければならない(詳細は本シリーズ『身体機能作業療法学』参照)．

## a 関節可動域(range of motion; ROM)

関節は骨と軟骨，滑膜，関節包とその周囲にある筋，腱，靱帯，皮膚などから構成される．このなかのどれかに障害がおきても ROM 制限がおこる(▶表 5)[4]．寝たきりなどを含め，疾病などの不動により ROM 制限が発生する．皮膚や皮下組織，骨格筋，腱，靱帯，関節包などの関節周囲軟部組織の器質的な変化に由来した ROM 制限を拘縮と呼ぶ．多くの場合，関節周囲軟部組織の伸張性の低下は可逆的であり，治療することが可能である．一方，軟骨や骨など関節包内の構成体そのものに起因する ROM 制限を強直と呼ぶ．関節周囲組織の変化は非可逆的であり，外科的治療が適用される[4]．作業療法士は，ROM 角度を計測するだけでなく，制限の原因をしっかりと評価したうえでこの制限を改善し，障害によっては維持することを目的に ROM トレーニングを行う．具体的には他動運動，自動運動，介助運動などにより関節を動かし，ROM の最終域で伸張を加えるなどのトレーニングを行う．

## b 筋力

運動は疾病や障害により筋力低下をきたし障害されることが多い．加齢による低下もある．筋力を増強するトレーニングには，自力で関節を動かす筋力がない場合は，筋収縮を促し介助による運動，スプリングバランサーなどを用いた運動指導などを行う．自力で関節を動かすことができる場合には，負荷を用いた筋力増強トレーニングを行う．

### (1) 運動療法

脳血管障害などの中枢神経系の障害による運動障害では，**筋緊張の異常や共同運動**の出現などにより，関節を単独で運動させることが困難にな

**Keyword**

**筋緊張の異常・共同運動**　筋緊張とは，筋をリラックスさせた状態で検者が四肢を他動的に動かしたときに生じる抵抗のことである．脳卒中などの中枢神経系の障害で異常が生じ，抵抗がほとんどない弛緩状態や抵抗が非常に高い亢進状態となる．共同運動とは，動かしたい関節の運動が他の関節に影響し，結果的に上肢や下肢全体が運動してしまうことである．

▶表 4　作業療法の手段

**基本的動作訓練（生活に関連する作業を用いない訓練）**

1. 徒手的訓練
2. 器具を用いた訓練
3. 各種運動療法
4. その他の基本訓練

**各種作業活動—日常生活活動**

5. 食事
6. 更衣
7. 排泄
8. 入浴
9. 整容・衛生
10. 起居
11. 移動・移乗
12. 物品・道具・遊具の操作
13. 家事
14. 生活管理（安全，金銭，健康など）

**各種作業活動—手工芸**

15. 革細工
16. 木工
17. 陶芸
18. 粘土細工
19. 籐細工
20. 紙細工
21. ビーズ細工
22. モザイク
23. 七宝焼
24. デコパージュ
25. 版画
26. ジクソー
27. 編み物
28. 織物
29. 組みひも
30. マクラメ
31. 刺繍
32. 染色
33. 縫い物
34. その他の手工芸

**各種作業活動—創作・芸術活動**

35. 絵画
36. 音楽
37. 写真
38. 書道
39. 心理劇・ロールプレイ
40. 演劇・心理劇
41. 文芸活動
42. 生け花
43. 茶道
44. その他の創作・芸術活動

**各種作業活動—各種ゲーム**

45. 囲碁・将棋・オセロなど
46. カードゲーム
47. その他のゲーム

**各種作業活動—園芸**

48. 園芸

**各種作業活動—身体運動活動など**

49. 感覚・運動遊び（ブランコ，滑り台，トランポリン，プラスティックパテなど）
50. ゲートボール
51. 風船バレー
52. ダンス
53. 体操
54. その他のスポーツ

**各種作業活動—仕事・学習活動**

55. 印刷・製本
56. 簡易作業
57. パソコン（ワープロ・文書作成ソフト）
58. パソコン（ワープロ・文書作成ソフト以外）
59. 製図・トレース
60. レタリング
61. 書字
62. その他の仕事活動

**各種作業活動—生活圏拡大活動**

63. 公共交通機関活用
64. 一般交通手段の利用
65. 各種社会資源利用
66. 外出・散歩
67. 生活技能訓練
68. ミーティング

**用具の提供・適合・考案・作成・使用訓練**

69. 自助具
70. スプリント
71. 義肢
72. 装具
73. 椅子
74. 移動関連用具（車椅子含む）
75. 遊具
76. ベッド関連用具
77. 排泄関連用具
78. 入浴関連用具
79. コミュニケーション関連用具
80. その他

**相談・指導・調整**

81. 家屋改造
82. 家族関係の調整
83. 家族相談・指導
84. 就労相談・指導
85. 就学相談・指導
86. 社会資源の紹介
87. ケアプラン策定
88. 他職種への情報提供

**その他**

89. その他

〔日本作業療法士協会：作業療法白書 2015. 日本作業療法士協会, 2017. https://www.jaot.or.jp/files/page/wp-content/uploads/2010/08/OTwhitepepar2015.pdf より改変〕

▶表 5　関節可動域制限の原因

| 拘縮 | |
|---|---|
| 皮膚性の拘縮 | 皮膚や皮下組織の伸張性が低下することによって発生する |
| 筋性の拘縮 | 筋線維の伸張性が低下することによって発生する |
| 結合組織性の拘縮 | 関節の構成にかかわる，靱帯，腱，腱膜などの結合組織によって構成される組織の伸張性が低下することによって発生する |
| 神経性の拘縮 | 神経疾患に起因する．たとえば，痛みが原因で筋スパズムが持続することにより ROM 制限が発生する |
| **強直** | |
| 骨性の強直 | 軟骨などが破壊され，関節を構成する向かい合う骨が骨組織で統合され，両骨端間の骨梁は結合され 1 本の骨のようになる |
| 線維性の硬直 | 向かい合う関節面で結合組織の一部あるいは全部が癒合することによって発生する |

〔山本伸一(編)：臨床 OT　ROM 治療―運動・解剖学の基本的理解から介入ポイント・実技・症例への展開．三輪書店，2015 より〕

る．そのような場合は，単純な筋力増強訓練を行うと筋の異常な状態をさらに悪化させることがある．それらに対し，ボバース(Bobath)アプローチ，ブルンストローム(Brunnstrom)アプローチなど障害を受けた肢に積極的に働きかけその回復を目指す運動療法が行われる場合がある．ボバース夫妻は中枢神経系損傷患者の評価と治療を背景にした問題解決アプローチを考案し，麻痺側治療の礎をつくった．その後も発展を続け，現在もその治療法は使われている[5]．ブルンストロームは脳血管障害患者の運動麻痺に一定のパターンがあることを解明し，それらに沿った評価と訓練を体系づけた．現在では ブルンストロームステージと呼ばれ，その評価は幅広く使われている[6]．

## 2 感覚・知覚機能

感覚は光・音・機械的刺激などをそれに対応する感覚受容器が受けたときに発する情報で，知覚は感覚受容器を通じて伝えられた情報から対象の性質・形態などを感知・分別することである．触覚，温覚，痛覚，固有受容覚，視覚，聴覚，前庭感覚，味覚，嗅覚などがある．手は特に物を操作する運動器としてだけでなく，感覚・知覚機能をもつ感覚器としての役割が重要である．一般的に感覚障害は中枢神経障害や末梢神経障害などによって生じ，感覚器としての手の役割を遂行することができなくなる．

手の感覚は表在感覚と深部感覚に大別され，表在感覚では触覚，痛覚，温覚などが，深部感覚では位置覚，運動覚，振動覚などが検査され，感覚障害の種類・障害部位・程度を評価する．感覚障害に対しては，知覚再教育が行われる．それらは，末梢神経損傷などからくる末梢神経性感覚障害，脊髄損傷などからくる脊髄分節性感覚障害，脳損傷などからくる中枢神経性感覚障害などの診断によって，さらに回復が望めるか望めないかなどを評価して行われる．回復が望める場合には，残存している感覚や回復してきた感覚を使って手の諸動作に活用することで感覚情報を再学習させる．回復があまり望めない場合には，視覚情報などの代償を使って安全に諸動作が行えるように指導や訓練を行う．感覚障害による日常生活上の危険の種類や回避方法などを指導することも重要である(詳細は本シリーズ『身体機能作業療法学』参照)．

## 3 認知機能

認知機能とは，注意，記憶，思考，見当識，理解，計算，学習能力，言語，判断などを含む高次脳機能である．知能やパーソナリティなどが含まれる場合もある．以下，代表的な高次脳機能障害を概説する(詳細は本シリーズ『高次脳機能作業療法学』参照)．

### a 注意障害

注意障害とは，注意散漫で他の刺激に気が移り，1 つのことに集中できなくなることである．注意障害の治療は，段階的な反復練習などをして各障害にアプローチしていく．治療環境や生活環境を調整することも重要である．

### b 記憶障害

記憶には，記銘，保持，再生の 3 つの過程がある．内容により陳述記憶と非陳述記憶に分類され，時間により短期記憶と長期記憶に分類される．記憶に対する治療は，日常生活への適応をはかるために環境を調整し，代償手段の獲得を目指す．

### c 失語

失語は言語機能が低下あるいは障害された状態である．その症状に応じた適切な刺激を与えて，聞く・話す・読む・書くといった言語の機能トレーニングを行う．言語に加えて絵カードやジェスチャー，絵を描くことなど，残された機能を生かした実用的なコミュニケーションのトレーニングを行ったり，家族や同僚に症状とコミュニケーションのとり方を指導するなど，家庭・職場復帰に向けた環境調整を行う．

### d 遂行機能障害

遂行機能障害とは，目標を設定し，そのプロセスを計画，効果的に行動していくことができなくなる障害である．注意機能や記憶機能など他の高次脳機能障害に影響される．主な原因は外傷や脳卒中による前頭葉損傷である．意思と目標の設定，企画と計画の立案，目的に沿った行動の実行，行動の効率化などができなくなる．作業療法では，解決方法や計画の立て方を一緒に考える練習，マニュアルを利用して手順通り作業を遂行する練習，スケジュールで枠組みをして行動をパターン化する練習，遂行結果のフィードバックを行う練習などを行う．

### e 認知症

認知症とは，一度正常に発達した認知機能が後天的な脳の障害によって持続的に低下し，日常生活や社会生活に支障をきたすようになった状態をいう．今後も高齢化が進み認知症の人は増えていくことが予想され，作業療法士の役割も重要になってくる．認知症の原因となる疾患は，アルツハイマー病，血管性認知症，レビー(Lewy)小体型認知症などがある．認知症では，記憶の障害，遂行機能の障害，言葉や認識力の低下といった認知機能の障害に加えて，不安，幻覚，妄想，うつ症状，興奮，暴言・暴力，徘徊などの症状もみられる．作業療法においては，個別の認知機能の維持を目指した治療，日常生活や社会活動参加に対するアプローチ，環境調整などが重要である．家族や介護者側の負担軽減も重要になってくる．

## B 活動・参加面への適用

## 1 応用的能力

応用的能力は日常生活活動(activities of daily living; ADL)が中心であるが，できなくなる原因は，神経系や筋肉の障害，関節などの整形外科的障害，精神・認知的障害などさまざまである．作業療法士はさまざまな病気や障害を把握したうえで治療を行わなければならない．

### a 起居動作

起居動作は，ADL のなかでも最も基本的な動作であり，上肢運動機能や身辺処理能力を獲得する際に必要不可欠である．たとえば，背臥位から寝返り，体幹や上肢の力を使って座位になり，下肢の力や手すりなどの助けを借りて立位になったりする．

### b 上肢運動機能

上肢運動機能は，リーチ動作，物をつかむ/握る動作，運ぶ動作，それを離す動作など多種多様である．疾患による違いや障害レベルによる違いがあるので，適切な評価と治療を選択しなければならない．作業療法士は対象者の失われた運動機能を誘発し，筋力の増強や維持のためにさまざまな道具を使用する．それらの道具を使用することによって，導き出したいまたは強化したい運動機能を治療する．物の握り離しや指先の細かい動き，両手を用いて麻痺のある手と協調した動きを引き出し，また腕の力が弱い対象者には，腕を空間に持ち上げる力を補助するポータブルスプリングバランサーなどを使用して訓練を行う．代表的な道具には，ペグボード，ブロック，アクリルコーン，積み木，粘土，サンディングボード，輪入れなどがあり，それ以外にもはさみや鉛筆，ボールなどの日常によくある道具を使って治療を展開する．

## c 身辺処理能力

### (1) 食事動作

皿やテーブルから手の届く範囲の食物を取って食べる動作である．箸，スプーン，フォークなどで食物を取り，口まで運ぶ動作であるため，姿勢，視覚，上肢機能などを評価する必要がある．

### (2) 排泄動作

便意，尿意がわかり，トイレへ移動し，衣服を下げ，排泄し，トイレットペーパーなどを使用し，衣服を上げ，トイレから出る動作である．移動を含む動作であるため，姿勢，下肢機能，視覚，上肢機能などを評価する必要がある．

### (3) 整容動作

歯磨き，手洗い，洗顔，髭剃り，整髪，爪切り，鼻をかむ，化粧などの動作である．動作の種類は多く，姿勢，視覚，上肢機能などを評価する必要がある．

### (4) 更衣動作

日常の服からパジャマに着替えたり，またその逆をしたりする動作である．衣服を取り扱う動作であるため，姿勢，上肢機能，視覚，下肢機能などを評価する必要がある．

### (5) 入浴動作

脱衣を済ましたあとに洗い場に入り，シャワーや風呂桶で身体にお湯をかけ，全身をタオルなどで洗い，また身体にお湯をかける動作である．さらに浴槽に入り，身体を温め，浴槽から出て，脱衣所に移動する動作である．全身を使う動作であるため，姿勢，上肢機能，下肢機能，視覚などを評価する必要がある．

身辺処理能力は，このように上肢・下肢機能，姿勢，視覚，あるいは高次脳機能などにより左右される．急性期・回復期では運動機能や高次脳機能の改善に対してのアプローチも同時に行われるので，その機能回復の段階に沿った各動作のトレーニングが必要になってくる．回復が不十分な場合には，自助具などの道具を導入したり，家屋などの住環境を整える環境調整を行う．

## d 知的能力

知的能力障害は知能指数や学業，ADL の状況，重症度により軽度，中等度，重度，最重度に分類される．原因は，染色体異常，先天性代謝異常，頭部外傷など多岐にわたる．知的能力障害は，概念的，社会的，および実用的な領域における知的機能と適応機能両面の欠陥を含む障害である（▶表 6）[7]．評価は，認知機能や心理・社会的機能の遅れであるので，知的障害のレベルだけの評価では不十分で，心理・社会的な適応機能の分析を行うことが重要である．

作業療法では，姿勢運動発達や手の微細運動発達の遅れに対して感覚運動機能を利用したトレーニング，言語理解や抽象概念の獲得の遅れに対して遊びを通した認知機能を補うトレーニング，環境の理解や過去の経験からの目標設定の困難さに対して成功体験や集団を利用した心理・社会的機能を向上させるトレーニング，道具類を能力に合わせて選択し段階づけを行うなどの ADL の獲得を目指したトレーニングなどを実施する．

## e 福祉用具などの代償手段

作業療法では，対象者の身体機能の補完および

▶表6　知的能力障害の診断基準

| 知的能力障害(知的発達症)は，発達期に発症し，概念的，社会的，および実用的な領域における知的機能と適応機能両面の欠陥を含む障害である．以下の3つの基準を満たさなければならない | |
|---|---|
| A | 臨床的評価および個別化，標準化された知能検査によって確かめられる，論理的思考，問題解決，計画，抽象的思考，判断，学校での学習，および経験からの学習など，知的機能の欠陥 |
| B | 個人の自立や社会的責任において発達的および社会文化的な水準を満たすことができなくなるという適応機能の欠陥．継続的な支援がなければ，適応上の欠陥は，家庭，学校，職場，および地域社会といった多岐にわたる環境において，コミュニケーション，社会参加，および自立した生活といった複数の日常生活活動における機能を限定する |
| C | 知的および適応の欠陥は，発達期の間に発症する |

〔日本精神神経学会(日本語版用語監修)，髙橋三郎，他(監訳)：DSM-5 精神疾患の診断・統計マニュアル．p33，医学書院，2014 より〕

介護者の介護軽減のために，福祉用具を適合させる代償的アプローチがある．福祉用具とは，特定の目的をもって考案または手を加えられた補助器具のことを指し，食事・更衣・排泄・入浴動作関連用具などさまざまなものがある．介護保険などで利用できる福祉用具には，トイレの立ち座り，通路の伝い歩き，玄関上がりの昇降などを助ける手すり，玄関などの段差を解消して安全な外出をサポートするスロープ，屋内・屋外の安全な歩行をサポートする歩行器，歩行時に身体を支え，バランスを維持するための歩行補助杖，歩行が困難な人の移動を支援する車椅子，寝返りや起き上がりが困難な人をサポートする特殊寝台，臥床時間が長いとできやすい床ずれを防止または悪化を防ぐ床ずれ防止用具・体位変換器，ベッドから車椅子，トイレ，浴室などへの移動をサポートする移動用リフトなどがある．

## f 生活リズム

1日24時間の生活パターンに沿った時間スケジュール管理ができる能力である．就労していれば職業に従事する時間が1/3程度占めることがほとんどだが，それ以外に睡眠時間が1/3程度，ほかに余暇を楽しむ時間や勉強などにあてる時間など，1日の生活をコントロールする能力は長い人生を通して重要である．生活リズムのバランスを崩すと，不眠やうつ状態など，身体や精神の機能に影響を与える．作業療法では，生活リズムの安定を目指した治療が行われる．

## g コミュニケーション

コミュニケーションとは，人間の間で行われる知覚・感情・思考の伝達のことであり，社会生活を送るうえで重要な要素である．言語機能，認知機能，視覚・聴覚機能，発声発語器官を基盤とし，これらの機能が1つでも障害されるとコミュニケーションが困難になり，日常生活に多大な支障が生じる．原因として，脳卒中や頭部外傷による言語障害である失語症や発声発語障害，神経や筋肉の障害によって舌や口が動きにくくなり滑舌が悪くなる構音障害，言語発達障害や聴覚障害などさまざまな障害がある．精神・認知的障害などによりコミュニケーションがとれなくなることもある．検査・評価により鑑別診断が行われたあと，作業療法では，聞く・話す・読む・書くといった言語の機能回復トレーニング，絵カードやジェスチャー，絵を描くなど残された機能を生かした実用的コミュニケーショントレーニング，家族や周囲に症状とコミュニケーションのとり方を説明するなどの環境調整が行われる．

## h 健康管理能力

食事，睡眠，休養をバランスよくとり，飲酒や飲食をコントロールしたり，体調が思わしくないときには医療機関を受診したり，必要な場合には医師の指示に従って服薬をしたりするなど，自身の健康を管理する能力である．作業療法では，健康管理能力の獲得を目指した指導が行われる．

## 2 社会的適応能力

社会適応能力とは，日常生活でいかに効率よく適切に対処し自立していくかを示す能力であり，食事の準備・対人関係・お金の管理などを含むもので，社会生活を営むために重要な要素となるものである．作業療法では，社会適応能力の獲得を目指した治療が行われる．

### a 手段的日常生活活動(IADL)

#### (1) 家事

病気や症状が少し落ち着き退院を考えたとき，日常生活に戻り以前のように家事をするのが難しいことがある．作業療法では，生活に必要な調理・掃除・洗濯・買い物などの家事動作を実際に行い訓練する．調理動作であれば献立づくりや必要に応じて片手動作や利き手交換訓練，自助具の使用，さらには時間や火の管理などを含め訓練を行う．障害は，神経系や筋肉の障害，関節などの整形外科的障害，精神障害などの病気の種類によって，また患者個々のライフスタイルや生活環境によってさまざまであるので，作業療法ではこれらを把握したうえで治療を行っていく．

#### (2) 公共交通機関の利用

なんらかの用事のために，バス，鉄道などの交通機関を利用できる能力である．作業療法では対象者個々の必要性に応じて，シミュレーション訓練や実際場面での訓練を行う．買い物や銀行などの用事のための外出は，現在では家からインターネットを利用して済ませたり，他者に依頼したりすることもできる．状況によっては代替手段への援助も必要になってくる．

### b 社会生活適応能力

社会生活適応能力とは個人が社会のなかで自立した生活を維持するために必要な能力であり，実生活上の物事を適切に処理する能力である．作業療法では社会生活適応能力を経時的にとらえ，対象者を援助していく．記憶，言語，数学的思考，問題解決，判断などの概念的領域，対人的コミュニケーション技能，社会的判断などの社会的領域，身辺処理，金銭管理，行動管理，学校や仕事の実生活管理などの実用的領域について，多方面にわたり支援する必要がある．

### c 就労/就学

#### (1) 就労支援

就労はリハビリテーションの最終ゴールとなることが多いが，もとの職場に復帰する場合を想定した就労支援と，障害が残存してもとの職場に戻ることが難しい場合を想定した就労支援を実施していく．

#### (2) 就学支援

就学もまたリハビリテーションの最終ゴールとなることが多い．もとの学校に復帰する場合を想定した就学支援と，障害が残存してもとの学校に戻ることが難しい場合を想定した就学支援を実施していく．

### d 余暇活動

人の生活時間は生活必需活動(一次活動)，社会生活活動(二次活動)，余暇活動(三次活動)に分けられる．生活必需活動とは睡眠，食事，身辺処理など必要不可欠性の高い活動，社会生活活動とは仕事，学業，家事，社会参加など義務性，拘束性の高い活動である．余暇活動とはレジャー，人と会うこと・話すことが中心の会話・交際，心身を休めることが中心の休憩など自由裁量性の高い活動である．高齢になると社会生活活動は減少し余暇活動が増える傾向にあり，自由時間に行う余暇活動は大切となってくる．余暇活動に求めるものは個人によってさまざまであるので，作業療法士は，個人のニーズに合った支援をしていかなければならない．主な余暇活動として，手工芸(編み物，裁縫，革細工など)や娯楽活動(カラオケ，ゲームなど)，パソコン，脳トレや体を動かす体操，園芸，ウォーキング，球技などがある．子どもの余暇活動は，トランプやオセロ®などのゲーム，テレビゲーム，遊園地や動物園などの人気が高い．

## C 環境因子への適用

### 1 人的環境

対象者がADL，仕事などの生産的活動，余暇活動など，日常の活動を行うことができるように人的環境に働きかける．家庭で生活するうえでの家族への相談・指導，就労や就学するうえでの上司・同僚や教員などへの相談・指導などがある．

### 2 物理的環境

対象者がADL，仕事などの生産的活動，余暇活動など，日常の活動を行うことができるように物理的環境に働きかける．自宅などADLなどを行う場所の調整，身につける衣服や用いる道具類の調整などがある．

### 3 社会資源活用や各種サービス・制度

社会資源とは，利用者がニーズを充足し，問題解決するために活用される各種の制度・施設・機関・設備・資金・物質・法律・情報・集団・個人の有する知識や技術などの総称である[8]．制度には自立支援医療，精神障害者保健福祉手帳，障害年金，生活保護などが，社会復帰施設には精神障害者生活訓練施設(援護寮)，グループホーム，作業所，地域活動支援センター，就労支援センター，生活支援センターなどがある．公的機関には役所，保健所(福祉保健センター)，精神保健福祉センター，児童相談所など，医療機関には病院・診療所，デイケアなど，人的資源には家族会，自助グループなどがある．作業療法士は，これらの社会資源を活用して，対象者が多くの理解と協力を得られる諸機関を探すことが重要となってくる．

●引用文献
1) 世界保健機関(著)・障害者福祉研究会(編)：ICF 国際生活機能分類―国際障害分類改訂版. pp9–18. 中央法規出版. 2002
2) 日本作業療法士協会学術部(編著)：作業療法ガイドライン(2018年度版). 日本作業療法士協会, 2019. https://www.jaot.or.jp/files/page/wp-content/uploads/2019/02/OTguideline-2018.pdf
3) 日本作業療法士協会：作業療法白書 2015. 日本作業療法士協会, 2017. https://www.jaot.or.jp/files/page/wp-content/uploads/2010/08/OTwhitepepar2015.pdf
4) 山本伸一(編)：臨床OT　ROM治療―運動・解剖学の基本的理解から介入ポイント・実技・症例への展開. 三輪書店, 2015
5) 山本伸一(編)：中枢神経系疾患に対する作業療法―具体的介入論からADL・福祉用具・住環境への展開. 三輪書店, 2009
6) Brunnstrom S(著)・佐久間穣爾, 他(訳)：片麻痺の運動療法. 医歯薬出版, 1974
7) 日本精神神経学会(日本語版用語監修), 髙橋三郎, 他(監訳)：DSM-5 精神疾患の診断・統計マニュアル. p33, 医学書院, 2014
8) 日本精神保健福祉協会(監)：精神保健福祉用語辞典. 中央法規出版, 2004

# COLUMN ことわざに作業療法の本質を学ぶ

中国の古いことわざに「授人以魚 不如授人以漁」というものがある.

「人々に魚を与えるよりも釣り方を教えるほうがよい」と訳すが,「魚を与えれば，1日食べていける．魚の獲り方を教えれば，一生食べていける」という意味でとらえられている．英語では，Give a man a fish and you feed him for a day. Teach a man to fish and you feed him for a lifetime. となる.

対象者の日常生活活動の場面でも，車椅子からベッドへの乗り移り，着替え，食事などについては，介助したほうが簡単にすむことがほとんどである．しかし，これらの活動すべてを介助によって完結させてしまうと，その対象者はいつまで経っても自立できないであろう.

作業療法はまさにこのことわざにあるような魚の獲り方を教えるように，不自由になった状態でも自らの力で行うことのできる日常生活活動のしかたを伝え，片手での道具の使い方などを学習してもらう治療である.

時に,「できない」,「なんでこんな難しいことをさせるの」と詰め寄られる場面もある．そんなとき，われわれはその対象者の感情を受け止めながら,「あなたのためですよ」とやさしく微笑み，寄り添うのである.

（能登真一）

# 3 作業療法の理論

## A 理論を学ぶ目的

### 1 理論とは

理論とは，ある**現象**や**事象**の言葉による体系的な説明である．本書ではここまでに作業療法の歴史や原理，作業の治療的適用など作業療法に関する現象を解説してきたが，そこにみられる整理された説明も広く理論といえる．

より厳密には，理論とは2つあるいはそれ以上の概念の間の相互関係を論理的に説明したものである[1]．このうち検証が十分でないものを仮説といい，仮説が研究や実践場面において繰り返し検証されると理論に発展する．たとえば，熟練作業療法士は【「脳病変のタイプ(概念A)」，「発症からの期間(概念B)」，「肩関節周囲筋の麻痺の状態(概念C)」が，「肩の痛みの発生(概念D)」に関係する】ことを経験的に気づいており，発生リスクをある程度予見できる．この場合，「　」が概念であり，【　】全体が仮説である(▶図1)．さらに各概念をより緻密に定義し，必要ならば新たな概念を加え，「肩の痛みの発生(概念D)」との関係を十分に検証できれば理論になる．

なお，理論と同じ意味のように使われる言葉にモデル，**パラダイム**(➡ 265ページ)，アプローチ，枠組み，概念基盤などがある．これらの言葉の定義は著者によって異なるが，ここでは上記の説明に当てはまるものを理論とする．

> **Keyword**
> **現象，事象**　現象とは，人間が五感で感じ取れるすべての物事である．そのうち，ある条件下でみられる出来事を事象という．

### 2 作業療法理論を学ぶ意義

#### a 作業療法の体系的な理解

作業療法における理論と実践はさまざまな形でつながっている．たとえば，次の①や②のようなつながりである．このため理論を学ぶということは，作業療法の実践を体系的に知ることでもあり，また自らの実践の正当性を確かめることにも役立つ(▶図2)．

> ①作業療法の理論は，作業療法実践で認識された知見を集めた知識の体系であり，実践での利用・検証の積み重ねによって発展する
> ②ある実践の作業療法としての妥当性は，理論によって根拠を与えられ担保される

#### b 作業療法実践の説明

理論は作業療法の複雑な実践を説明するツールでもある．医療・保健分野では2000年ころまでに「**インフォームドコンセント**(➡ 93ページ)」や「根拠に基づく医療・実践(EBM・EBP)」の考えが広く浸透した．これらは，個々の実践内容やその妥当性についての明確な根拠と説明を専門職に要求する概念である．専門職は自分の経験や勘だけでなく，可能なかぎり明確な根拠に基づいた実践を行い，その内容をわかりやすく説明できなけ

図が示すように，人が感じ取れる現象や事象は無数にありうる．そのうち，概念化されている現象・事象は，ほんのわずかにすぎない．ほとんどは気づかれてもいない

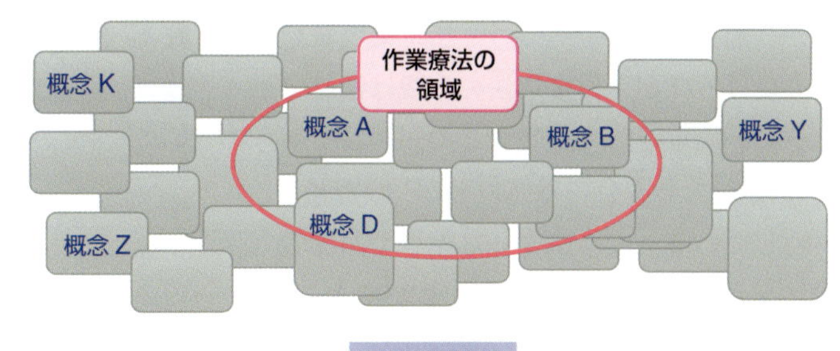


新しい概念や仮説の出現

実践家の経験による気づきや勘，研究，観測機器の進歩，大規模データの AI 解析などにより，新たな概念や仮説が出現する

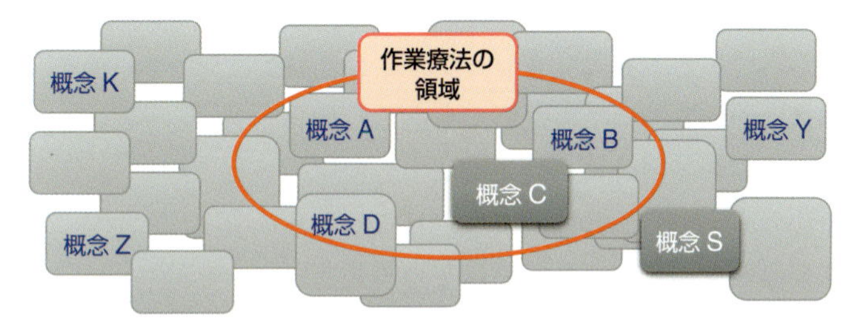


仮説：概念 ABC の状態にある者は，概念 D の状態になりやすい
仮説：概念 B の傾向が高い者は，概念 S の傾向も高い

研究や実践で仮説の確からしさが高まると，理論として受け入れられる．また，新たな知見により，理論自体も変化する

仮説の検証
実践適合

理論

▶図 1　概念と仮説，理論の関係

• 実践で認識された知見
• 実践での利用・検証

• 実践の根拠を提供
• 実践の妥当性を担保

▶図 2　理論と実践のつながり

- 理論は実践の知見を体系化したものであり，利用され検証されることで発展する．
- 実践の正当性は，理論的な根拠や妥当性によって支えられる．
- 理論を学ぶと，作業療法実践の理解が深まり，実践の正当性の説明や確認が容易になる．

ればならない．単純な科学的根拠では説明しきれない作業療法のような複雑な実践であっても，それは免れない．作業療法実践の説明に使えて根拠にもなる理論の整備が不可欠である．

こうした情勢に応えるかのように，このころより作業療法の独自性を明示した理論の開発・教育が顕著に加速した．2002 年に世界作業療法士連盟（WFOT）が「作業療法士教育の最低基準」[2] に作業療法理論を明確に位置づけ，同年に米国作業療法協会は「作業療法実践の枠組み」を発表している．わが国では日本作業療法士協会が WFOT の基準を満たす「教育基準」を 2003 年に打ち出し，2008 年には厚生労働省が作業療法の理論や概念を例示した「平成 22 年版国家試験出題基準」を公表している．作業療法を国民にわかりやすく説明し有効性を示すことを目指した「生活行為向上マネジメント（MTDLP）」[3] の開発が始まったのも 2008 年であった．

## C 正確な情報交換

理論は他者との情報交換にも役立つ．「OT というのはとても難しい職種で，作業療法室が何を

する場所か一目ではわからない」[4] と同業他職種から指摘を受けるほど，作業療法の実践は複雑で奥深い．その一端を言葉で説明するのが理論である．日本作業療法士協会では MTDLP の習得・活用を奨励している．これにより対象者や関係者に作業療法をわかりやすく伝えることができる．実習生と実習指導者の情報交換にも役立つ．

多職種連携が必須の実践現場においては，互いに他職種の理論を理解し合うことで，正確な情報交換をはかっている．養成教育プログラムに他職種を学ぶ機会があるのはこのためでもある．他職種の理論を学ぶのと同時に，作業療法士も他職種が作業療法の考え方になじめるよう，日ごろから作業療法理論を念頭においた対話に努める必要がある．この努力が職種間の相互理解と正確な情報交換につながる．

▶表 1　作業療法における理論の必要性に関する意見

| カテゴリ | 意見の例 |
| --- | --- |
| 実践の効率化 | ●実践の質を高める<br>●実践の手引きとなる<br>●実践に妥当性を与える<br>●根拠を提供する |
| 専門職の存続 | ●診療報酬を正当化する<br>●作業療法の守備範囲を明確にする<br>●アプローチの独自性を示す<br>●社会的な位置づけを確立する<br>●アイデンティティを高める<br>●作業療法の独自性を示す |
| 体系的な教育 | ●作業療法独自の知識体系を確立する<br>●教育の質を高める |
| 研究企画 | ●評価法開発の基盤となる<br>●研究の土台となる理論的根拠を提供する |

〔文献 1), 14), 15), 18) を参考に作成〕

## 3 理論の必要性と機能

作業療法における理論の必要性については多くの意見がある．代表的な意見を**表 1** にまとめた．これらは実践の効率化，専門職の存続，体系的な教育などにかかる意見であり，以下に示す理論の2つの機能が関係している．

### a 概念の提供

理論はある現象に名前(術語・専門用語)と定義をつける形で概念を提供する．たとえば，ニュートンの理論では，「物と物の間には互いに引き合う力が働いている」として，この現象を万有引力と名づけている．この概念があることで，今では物が地面に向かって移動する(落ちる)現象を「引力のため」と簡単に説明できる．同様に，作業療法においても現象を簡潔に記述し説明できるよう，作業療法理論や関連理論がさまざまな概念(▶**表 2**)を提供している．

さらに，ある現象を正確に測ったり同定したりするための理論も数多く開発されている．たとえば AMPS(Assessment of Motor and Process Skills)[5] という評価法を使えば，人が家事や着替えなどの作業をする様子(現象)を 35 の概念で詳細に記述でき，また対象者の能力の点数化もできる．具体例として 2 歳半の幼児の着替えを想像してほしい．着替えの様子を作業療法士として観察し，詳細に記述するにはどうしたらよいだろうか．ここで AMPS の概念(▶**表 3**)を使えば格段に簡潔かつ正確な記述が可能になる．服をつかむ，右袖を見つける，袖に腕を通すなどの一連の流れのなかで，うまくできている部分とそうでない部分を浮き彫りにできる．このように現象の記述や説明において，理論が提供する概念はきわめて有用である．

### b 変化の予測

理論における概念間の関係の説明は，現象の変化の予測に利用できる．人–環境–作業という 3 つの概念を扱う作業療法の理論であれば，「人は作業をすることでどのように変化するのか」，「環境が作業をすることにどのように影響するか」といった現象の予測に利用できる．理論的な予測は，その支援を実施することに妥当性と根拠を与える．また根拠があいまいな支援を試行錯誤するよりも，実践を効率化する．

▶表 2 理論が提供する概念の例

| 概念 | 現象・事象 | 理論 |
|---|---|---|
| 関節可動域 | 関節運動の可能な範囲 | 生体力学 |
| 筋力 | 姿勢のコントロールや身体各部を動かす緊張をつくる筋の能力 | 生体力学 |
| 持久力 | 課題を行うために必要な時間，努力を維持する能力 | 生体力学 |
| 柔軟性 | もとの形や大きさから伸びたり，もとに戻ったりする結合組織の能力 | 生体力学 |
| ボディメカニクス | 活動中の身体の位置と運動 | 生体力学 |
| 注意散漫 | なんらかの刺激により，注意がそれる(前頭前皮質，網様体の障害) | A-ONE |
| 運動性失行 | 課題は理解しているが，運動のプランニングと順序立ての障害により，運動を達成できない(運動前皮質，脳梁，他の障害) | A-ONE |
| 身体失認 | 自分の身体部位やそれぞれの関係を認識できない．身体と対象物を関係させることも困難(右下頭頂小葉の障害) | A-ONE |
| 半側空間無視 | 視知覚性障害あるいは注意の障害による，脳の損傷側と反対側の空間に示された視覚刺激に対する不注意(下頭頂小葉，右帯状回，他の障害) | A-ONE |
| 興味 | 行うことに楽しみや満足を見いだすこと．経験から生み出される | 人間作業モデル |
| 価値 | 行うことの重要性や意味を見いだしたもの．何を行うことが善であり，正しく，重要かということに関する信念を反映している． | 人間作業モデル |
| 個人的原因帰属 | 自分の能力と有効性についての自己認識 | 人間作業モデル |
| 役割 | 社会的および個人的に定義された立場 | 人間作業モデル |
| コミュニケーションと交流技能 | 意図や必要なことを伝えること．他者と一緒に行うために社会的な動作を協調させること | 人間作業モデル |

A-ONE：ADL-focused Occupation-based Neurobehavioral Evaluation
〔文献 16), 18) を参考に作成〕

▶表 3 AMPS の評価項目の 35 概念(一部抜粋)

| 運動技能 | |
|---|---|
| Stabilizes(スタビライズ) | ヨロヨロせずに，身体を安定させる |
| Reaches(リーチズ) | 対象物に手を伸ばす |
| Grips(グリップス) | 対象物を握って保持する |
| Manipulates(マニピュレイツ) | 手に持っている物を操作する |
| Calibrates(キャリブレーツ) | 力加減を適切に調節する |
| Endures(エンデュワーズ) | 疲労なく課題をこなす |
| **プロセス技能** | |
| Chooses(チューズ) | 道具や材料を適切に選ぶ |
| Inquires(インクァイアーズ) | 遂行に必要な情報を適切に収集する |
| Continues(コンティニューズ) | 途中で中断することなく続ける |
| Sequences(シークエンシズ) | 論理的に正しい工程で行う |
| Benefits(ベネフィッツ) | 同じ問題が繰り返しおきないようにする |

〔文献 5), 18) を参考に作成〕

## 4 実践の要となる大理論

作業療法の理論のなかには，作業療法実践全体の現象をカバーする理論がある．この種の理論は大理論や広範囲理論と呼ばれ，実践マニュアル的な細かな情報は提供しないが，諸外国の養成校における高いレベルの教育実態(▶表 4)[6] からも推察できるとおり，学ぶべき知識として重要な位置づけにある．

### a 大理論の利用価値

なぜ大理論が重要なのか．その作業療法士にとっての利用価値は，実践を進めるにあたってどのような情報を集め，それをどのようにとらえ，そして何を優先すべきかを判断する手助けとなる点にある．これは多様な支援内容が考えられる作業療法実践の特性上，非常に重要な利点である．

たとえば，脳梗塞で入院中の男性が「会社は早期退職して自宅で暮らす．共働きの妻には迷惑をかけたくない」と力なく語ったとする．さて，このあとどのような実践が考えられるだろう．作業療法士 A は，着替えやトイレなどの身辺動作が自立しないと自宅退院は困難と考え，まずトイレ動作の自立を目標に支援を開始しようと考える．作業療法士 B は，自宅での過ごし方と妻への思いに着目し，まずは他の男性患者の家事練習場面をそれとなく見学してもらい，改めて目標を相談しよ

▶表 4　各国における作業療法理論の教育状況

| 理論 | オーストラリア (*n* = 8) | カナダ (*n* = 6) | 英国 (*n* = 12) | 米国 (*n* = 39) | 合計 (*n* = 65) |
|---|---|---|---|---|---|
| CMOP-E（作業遂行と結び付きのカナダモデル） | 100.0% | 100.0% | 100.0% | 97.4% | 98.5% |
| MOHO（人間作業モデル） | 100.0% | 100.0% | 100.0% | 97.4% | 98.5% |
| PEOP model（人–環境–作業遂行モデル） | 50.0% | 83.8% | 75.0% | 84.7% | 81.5% |
| Kawa model（川モデル） | 75.0% | 50.0% | 58.3% | 7.7% | 33.8% |

CMOP-E: Canadian model of occupational performance and engagement
MOHO：model of human occupation
PEOP model: person-environment-occupation-performance model
〔Ashby S, et al: An exploratory study of the occupation-focused models included in occupational therapy professional education programmes. *Br J Occup Ther* 73:616–624, 2010 より翻訳・抜粋〕

うと考える．作業療法士 C は，力なく話す男性の様子から，本音は復職を希望しているが自信のなさから口に出せないでいる可能性を予想し，面接をやり直そうと考える．

以上のように，作業療法の実践内容は作業療法士が注目する情報に影響され，幾通りも考えられる．そこで求められるのが，作業療法としての妥当な判断である．もしも作業療法士 A の判断が「病院の方針だから」，「診療報酬制度のため」，「先輩や同僚もそうしている」といった理由からであったとしたら，作業療法の専門性を活かした判断が見当たらず，妥当な判断とはいいがたい．特に開始当初の段階では，作業療法として必要な情報は何か，そしてそれを十分に集めたかが問われる．熟練作業療法士はこれをしばしば「全体像はとらえたか」という言い方で新人や実習生に問いかける．この際，頼りになるのが大理論である．

**Keyword**

**クライエント中心の実践**　クライエントと作業療法士がパートナー関係となり，協働して行う実践．クライエントは自分自身のことを知っており，作業療法士は作業療法を知っている．この両者が対等な立場で協力する．

**作業中心の実践**　人は作業的存在であり，作業を通して自分自身をよりよく再構築できるという信条のもとでの実践．「作業を基盤とした実践」と「作業に焦点を当てた実践」の総称[7]という意味もある．クライエントにとって意味ある作業を中心に実践を展開する．医療者側の方針でセルフケアの自立や心身機能の回復を目指す考え方とは異なる．

作業療法の大理論は，「**クライエント中心の実践**」，「**作業中心の実践**」，「根拠に基づく実践（EBP）」といった現代の作業療法実践をガイドする原理[8]に準拠している．また観察された現象の要素の組織化や体系化の方法を提供し，実践家が観察に集中したり，注意をはらうべき手がかりは何かを決定するのを助ける[9]．大理論のこうした特長が，作業療法としての妥当な判断を導く．

## b 大理論で扱う現象

図 3 は複数の大理論を参考に，作業療法理論が説明する現象を筆者なりに簡潔にイメージ化したものである．これは作業療法の世界観を象徴する現象のとらえ方である．後述する各種の作業療法理論が，この現象の“全体”または“局所”を説明している．

## c 大理論の活用

先に述べたとおり，大理論は支援内容の詳細を提示するものではないため，実践では他の理論を組み合わせて利用する．また，どの理論も複雑な実践の一部分を説明するにすぎないため，実践においては理論を用いるのと同時に，別の観点も必要である．別の観点にはクリニカル・リーズニング（➡ 162 ページ）や自分の経験，感覚，直感，見方も含まれる．これらは理論と同等に価値があり，理論の修正や発展にも寄与する．

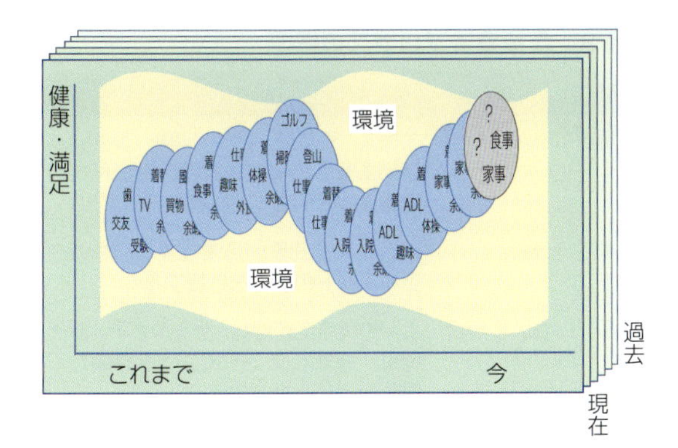


▶図 3 作業療法の大理論が説明する事例の現象
作業療法の事例を俯瞰すると，これまでのさまざまな作業やエピソードの連なりの先に対象者の今があるようにみえる．揺らめく環境のなか，次に連なる作業は，今の時点でまだ定かでない．通常，人は「したい・する必要がある・することを期待されている」作業を取り入れて生活し続けているので，そのような作業が次に連なる可能性が高いと予想できる．そして前に進むと同時に新たな連なりが生じ，健康や満足を促進する．

▶表 5 理論の分類と理論の例

| Reed の分類 | 理論の例 |
|---|---|
| **メタ理論**(meta theory)<br>専門職の存立に関係し，広範囲に焦点を当てたもので抽象的 | ●作業科学<br>●作業療法実践の枠組み(AJOT) |
| **大理論**(grand theory)<br>ある学問領域内で関心のある現象全体を表す広範囲の目標と概念を扱う | ●人間作業モデル<br>●作業遂行と結び付きのカナダモデル<br>●川モデル |
| **中範囲理論**(middle range theory)<br>比較的幅広い現象を扱うが，学問領域全体の現象はカバーしない | ●感覚統合理論<br>●認知能力障害モデル<br>●作業適応理論 |
| **実践理論**(practice theory)<br>目標およびそれを達成するために実践家がすべき行動を示す | ●生体力学モデル<br>●代償モデル<br>●生活行為向上マネジメント |

〔文献 15), 17) を参考に作成〕

▶表 6 作業療法士の評価の視点(着替えの場合)

| 作業療法士の評価 | 概念 |
|---|---|
| 着替えはどこまでを含めるか，服選びは？ 天候の確認は？ | 作業の形態 |
| 着替えに求める成果は何か，保温？ 衛生？ 装い？ | 作業の機能 |
| その人にとっての着替えの意味は，楽しみ？ 悩み？ 面倒？ | 作業の意味 |

# B 作業療法の諸理論

## 1 理論の分類

比較的よく知られている「理論の扱う現象の範囲」による分類を**表 5** に示した．理論の一元的な分類は難しく，理論のどの特徴に注目するかによっても意見が分かれるため，定説はない．概して大理論は扱う現象の範囲が広く，説明の抽象度が高い．対して実践理論は焦点を当てる現象を狭く限定しており，説明は具体的でわかりやすい．

## 2 諸理論の紹介

理論は世界中で次々と開発され発表されている．わが国で見かける理論のなかからいくつか紹介する．

### a メタ理論

#### (1) 作業科学

作業科学(occupational science)は作業療法の中核概念である作業を研究する基礎学問として1990 年前後に登場した．以降，作業科学の研究者によって多くの概念や仮説，理論が生み出され，実践で活用されている．たとえば作業の形態(form)，機能(function)，意味(meaning)という概念がある．作業療法士は作業の評価に際して「“動作” ができる・できない」以上のことを評価しているが，それらを明確にしていなかった．その例を**表 6** に示す．作業科学がそれらに対応する新たな概念を提供している．実証研究としては1997 年に発表された Well Elderly Study(健やか高齢者研究)[10] が特に有名で，作業中心の実践の高い効果を科学的に実証している．

作業科学では，蓄積した知識を他の学問領域や実践家にも提供することを目論んでいる．作業療

▶表 7　作業療法で扱う 5 つの側面

| 側面 | 含まれる内容 |
|---|---|
| 作業 | ADL，IADL，健康管理，休息と睡眠，教育，仕事，遊び，余暇，社会参加 |
| 文脈 | 環境因子(物理的，社会的，態度的)，個人因子(年齢，性別，人種と民族，社会的立場ほか) |
| 遂行パターン | 習慣，日課，役割，儀礼 |
| 遂行技能 | 運動技能，プロセス技能，社会交流技能 |
| クライエント要因 | 価値，信念，スピリチュアリティ，心身機能，身体構造 |

〔文献 11) を参考に作成〕

▶表 8　作業療法プロセスの概要

| 評価 | |
|---|---|
| 作業プロフィール | ニーズ，作業歴，価値や興味，文脈，クライエントの望む作業との結び付きを阻害する要因などの把握 |
| 作業遂行分析 | 望む作業を効果的に達成するためのクライエントの能力を把握する |
| 評価プロセスの統合 | 上記の情報を統合し，強みや弱み，優先順位，目標をクライエントと協働して決める |
| **介入** | |
| 介入計画 | クライエントと協働で立案，標的とする成果を確認 |
| 介入の実行 | 標的とする目標に向けた介入，反応のモニタリング |
| 介入の振り返り | 計画と実行状況を評価，達成度や継続を検討 |
| **成果** | |
| 成果 | 目標達成度を判定，方針(継続，変更，移行など)決定 |

〔文献 11) を参考に作成〕

法士が医学や心理学などの知識を利用するのと同様に，他領域の専門家による作業の知識の利用が広がり始めている．

### (2)　作業療法実践の枠組み

作業療法実践の枠組み(第 4 版)[11] は，作業療法の実践を説明した米国作業療法協会の公式文書である．作業療法士だけでなく，学生や他のヘルスケア専門職，教育者，研究者，当事者，行政などに伝える目的で書かれている．内容は，作業療法の哲学的背景や作業的存在として人をとらえる信念，作業の重要性などを示しつつ，作業療法実践を領域(domain)とプロセスに区分して説明する構成となっている．領域では作業療法士が専門知識を有する 5 の側面(▶**表 7**)を，プロセスでは作業療法サービスにおける作業療法士の取り組み(▶**表 8**)を説明している．

国際生活機能分類(ICF)の用語を取り入れる工夫もみられ，米国の作業療法実践の全体像が示されている．これを参考に日米の作業療法を比較したり，自身の実践内容を振り返ったり，あるいは教育課程を見直すなど，メタ理論のような利用も可能である．

## b 大理論

大理論は**図 3** の現象全体を扱う．わが国では次の 2 つの理論が成書もあり学びやすい．

### (1)　人間作業モデル

人間作業モデル(model of human occupation；MOHO)[12] は，人が作業に参加し適応的に生活し発達する様子を説明している．**図 4** に示すとおり，人の行為には意志，習慣化，遂行能力，環境という 4 要素が影響するとしている．そして行為の蓄積がその人の作業同一性(作業的存在としてどうありたいか)の形成に影響し，肯定的な作業同一性と作業有能性(作業同一性にかなう作業に参加できている程度)をもつ状態を作業適応(満足な状態)と説明している．

**図 3** の「？」に該当する作業を MOHO で説明すると，その人の価値や興味，習慣，役割，遂行能力に見合う作業であって，環境的にも有利な作業が当てはまると予想できる．通常，人は適応的に生活しているが，作業療法の対象者は病気による遂行能力の低下などで作業参加が制限され，適応が崩れた状態にある．この場合，MOHO を用いた実践では 4 要素に見合う作業を用いたり，要素を直接的に強化する別の理論を併用したりする．

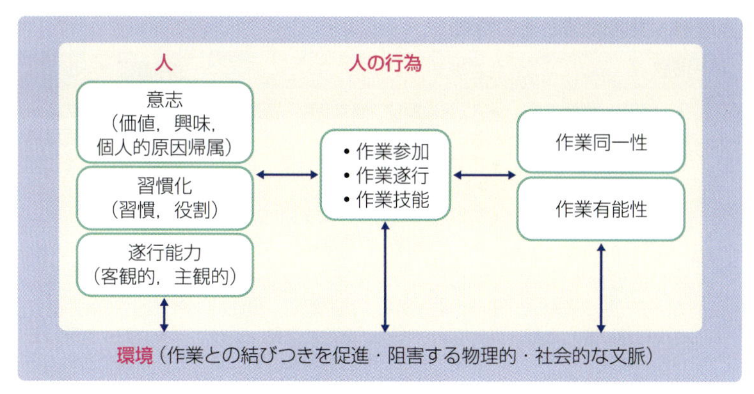


▶図 4　MOHO における作業適応の過程
〔Taylor RR（編著）・山田　孝（監訳）：キールホフナーの人間作業モデル―理論と応用．改訂第 5 版，協同医書出版社，2019 を参考に作成〕

MOHO は，評価ツールが豊富に整備されている点，および研究や事例報告が多数蓄積されている点にも特徴がある．

### (2) 作業遂行と結び付きのカナダモデル

カナダ作業療法士協会は作業療法の定義を次のように定めている．

> 作業療法とは，作業を通して日常生活を行うことを可能にする技術と学問である．健康を促進する作業を人が行うことを可能にし，公正ですべてを包み込むような社会を実現すれば，すべての人が人生の日常の作業において，自らの潜在力を使って参加することができる」[13)]

この定義にある作業の見方を模式的に示したのが，作業遂行と結び付きのカナダモデル（Canadian model of occupational performance and engagement; CMOP-E）である．理論の特徴と主要構成概念を**図 5** に示した．この図では，作業が環境と接し，人は作業と接している点に注目してほしい．人は環境とも接しているがそれはわずかである．つまり作業が人と環境の大部分をつなげている．このつながりを「engagement（結び付き）」と呼び，強く結び付くことを「作業の可能化」と説明している．あなたは環境（たとえば，職場，学校，友人，記念日）とどうつながっているだろう．仕事，勉強，会食などの作業でつながっていることに気づけると思う．まさに**図 5** に示すとおりである．

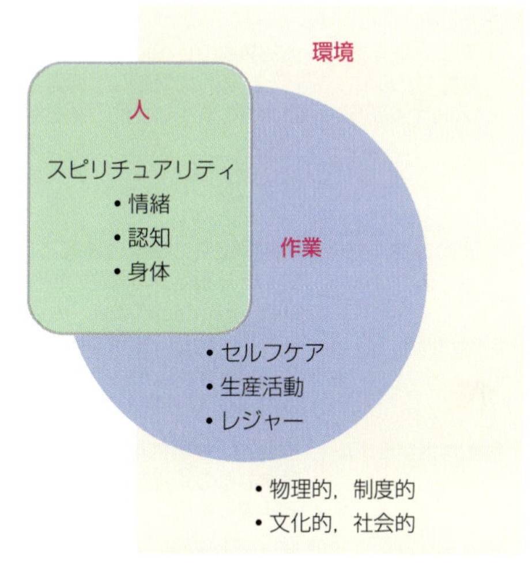


▶図 5　CMOP-E の特徴と構成概念
〔文献 12）を参考に作成〕

この理論における作業療法では，人と環境を強く結ぶ作業が行われている状況，すなわち「作業の可能化」を目指す．また，定義にも“公正ですべてを包み込むような社会を実現”とあるように，環境への視点を強調している．その実践のための理論も整備されている．

## C 中範囲理論と実践理論

作業療法士が開発または発展に寄与している理

▶表 9　各種の中範囲理論，実践理論とその特徴

| 分類 | 理論 | 概要 | 主要概念 | 主な評価ツール | 対象者 |
|---|---|---|---|---|---|
| 中範囲理論 | ①作業適応理論〔Schkade & Schutz, 1992〕 | 人，環境，作業の交流が適応的になされる様子を説明 | ● 人（習熟願望，感覚運動・認知・社会システム）<br>● 作業環境（習熟要請，仕事・遊び・セルフケア）<br>● 交流（習熟の圧力，作業的挑戦，作業役割期待，作業反応） | 専用ツールはない．作業的挑戦の程度を測る尺度が日本で開発されている | 作業に関する課題をかかえるすべての人 |
| | ② CO-OP〔Polatajko, 2001〕 | 認知的戦略を用いて，子どもの運動スキルを伸ばす力を養う介入理論 | 目標設定，ダイナミック遂行分析，遂行の自己分析，認知戦略，領域特異的戦略，ガイドされた発見，潜在的戦略の発見，学習や運動行動に基づいた可能化の原則，子どもの練習 | COPM（面接評価），PQRS（観察評価），ダイナミック遂行分析，普段の活動内容 | 協調運動障害の子ども．不器用さのある子どもや成人にも応用 |
| | ③感覚統合モデル〔Ayres, 1972〕 | 感覚情報を組織化する脳機能，および学習と遂行能力の発達 | 姿勢障害（姿勢を安定させることが困難），姿勢反応（平衡を維持するための身体の動き），感覚欲求（特定の感覚を過度に求める），感覚過小/過大反応，感覚弁別障害，固有受容覚，前庭覚 | 南カリフォルニア感覚統合検査（SCSIT），感覚統合・行為検査，感覚プロフィール | 子ども．児童期にみられた問題を示し続ける成人 |
| | ④アレン認知能力障害モデル〔Allen, 1985〕 | 認知機能のレベル分けと，それに対応した介入の要点を提供 | 課題遂行の認知的側面（観察可能な側面で，行動，処理，時間，経験，注意を含む），課題分析（ある課題の認知的要求の分析），環境的代償（認知的欠落を代償する調整をすること），注意 | アレン認知レベル（ACL）検査，ルーチン課題（RTI），プール活動レベル（PAL） | 認知能力の低下を認める人（認知症，頭部外傷など） |
| | ⑤運動コントロールモデル | 中枢神経系の損傷の結果としておこる，運動コントロールの障害に対するアプローチ．神経系の発達的特性を重視することから，神経発達的アプローチとも呼ばれ，古くから次の 4 つが用いられてきた．現代においては，システム理論を取り入れ，創発や動機づけの概念が加わるなど，大きく変化している．「ルードのアプローチ」，「ボバースの神経発達学的治療」，「ブルンストロームの運動療法」，「固有受容性神経筋促通法（PNF）」 | | | 脳血管障害などで運動コントロールに課題のある人 |
| 実践理論 | ⑥生体力学モデル | 解剖学，生理学，運動学などの知識を運動回復に利用 | 関節可動域（ROM），拘縮，筋力，持久力，運動強度，ボディメカニクス | ROM テスト，徒手筋力検査，運動負荷試験 | 筋力や持久力，関節の可動域に課題のある人 |
| | ⑦代償モデル | ある人の ADL 上の課題と能力のギャップを，特殊な道具や手順の工夫によって埋める技術．自助具，補装具，福祉機器の導入，住環境の整備，やり方の変更などが含まれる | | — | 日常生活課題と能力の間にギャップがある人 |
| | ⑧生活行為向上マネジメント：（MTDLP）〔OT 協会〕 | 作業療法実践における臨床思考と実践のプロセスをモデル的に提示 | 生活行為，生活行為の連続，生活行為の障害，PDCA サイクル，合意目標，ICF，基本的プログラム，応用的プログラム，社会適応プログラム | 生活行為聞き取りシート，生活行為向上マネジメントシート，生活行為課題分析シート | すべての作業療法の対象者 |
| | ⑨ OTIPM〔Fisher & Materella, 2019〕 | 支援を要する作業を特定し，実践モデルを選択・実行するプロセスをガイド | 状況的文脈（環境，制度，課題，社会，文化，役割，時間，心身機能，動機，適応），作業遂行，遂行分析（観察された視点，報告された視点），作業的挑戦，代償モデル，教育と教示モデル，習得モデル，回復モデル | AMPS，ESI | 作業に関する課題をかかえるすべての人や集団 |

COPM：Canadian occupational therapy performance measure（カナダ作業遂行測定）
PQRS：performance quality rating scale
ESI：evaluation of social interaction（社会交流評価）
CO-OP：cognitive oriented to daily occupational performance
OTIPM：occupational therapy intervention process model（作業療法介入プロセスモデル）
〔①～⑧は文献 19), 20) を参考に作成，⑨は文献 21) を参考に作成〕

論をいくつかピックアップし，その特徴を**表9**にまとめた．これらの理論は**図3**の現象の局所に焦点を当てている．たとえば，作業遂行，人の動作，筋や神経などである．対象を子どもや特定の疾患に限定した理論もある．

これら以外にも，数え切れない程の理論がある．また，認知行動療法(CBT)，社会生活技能訓練(SST)，拘束療法(CI療法)，促通反復療法(川平法)，ストレングスモデルなど，他領域の理論・技術が作業療法実践で有効利用され，さらに独自の発展をみせるものもある．

### ●引用文献

1) Miller RJ, 他(著)・篠田峯子, 他(訳)・岩﨑テル子(監訳)：作業療法実践のための6つの理論—理論の形成と発展. 協同医書出版社, 1995
2) World Federation of Occupational Therapists: Minimum standards for the education of occupational therapists 2002. https://www.wfot.org/resources/minimum-standards-for-the-education-of-occupational-therapists-2002
3) 日本作業療法士協会(編)：生活行為向上マネジメント. 改訂第3版, 日本作業療法士協会, 2018
4) 石川 誠, 他：都心から"患者中心のまっとうなリハビリテーション"を発信する—石川誠医師の新たなる挑戦. 作療ジャーナル 37:677–683, 2003
5) 吉川ひろみ, 他(編)：作業療法がわかるCOPM・AMPS実践ガイド. 医学書院, 2014
6) Ashby S, et al: An exploratory study of the occupation-focused models included in occupational therapy professional education programmes. *Br J Occup Ther* 73:616–624, 2010
7) 吉川ひろみ：作業療法のはじまりから今日まで. 吉川ひろみ(編)：作業療法の話をしよう—作業の力に気づくための歴史・理論・実践. pp20–24, 医学書院, 2019
8) Boyt Schell BA, et al: Contemporary Occupational Therapy Practice. In: Boyt Schell BA, et al (eds): Willard & Spackman's Occupational Therapy. 13th ed, pp56–70, Lippincott Williams & Wilkins, Philadelphia, 2019
9) Cohn ES, et al: Examining How Theory Guides Practice; Theory and Practice in Occupational Therapy. In: Boyt Schell BA, et al (eds): Willard & Spackman's Occupational Therapy. 13th ed, pp584–600, Lippincott Williams & Wilkins, Philadelphia, 2019
10) Clark F, et al: Occupational therapy for independent-living older adults. A randomized controlled trial. *JAMA* 278:1321–1326, 1997〔加藤貴行(訳)：自立して生活する高齢者への作業療法. *JAMA*(日本語版) 19:74–81, 1998〕
11) American Occupational Therapy Association: Occupational therapy practice framework: Domain and process, 4th edition. *Am J Occup Ther* 74(Suppl 2):7412410010, 2020
12) Taylor RR(編著)・山田 孝(監訳)：キールホフナーの人間作業モデル—理論と応用. 改訂第5版, 協同医書出版社, 2019
13) ヘレン・ポラタイコ：関心領域の特定—核としての作業. エリザベス・タウンゼント, 他(編著)・吉川ひろみ, 他(監訳)：続・作業療法の視点—作業を通しての健康と公正. pp34–60, 大学教育出版, 2011

### ●参考文献

14) 齋藤さわ子：理論はなぜ必要か—理論の役割. 杉原素子, 他(編集委員)・石川 齊, 他(編集主幹)：図解作業療法技術ガイド—根拠と臨床経験にもとづいた効果的な実践のすべて. 第4版, pp46–49, 文光堂, 2021
15) 小川真寛：理論と作業療法. 小川真寛, 他(編)：作業療法理論の教科書—5W1Hでわかりやすく学べる. pp2–13, メジカルビュー社, 2020
16) Arnadottir G: A-ONE training course lecture notes. 2017
17) 宮前珠子：図解作業療法で使われている理論の全体像. 杉原素子, 他(編集委員)・石川 齊, 他(編集主幹)：作業療法技術ガイド—根拠と臨床経験にもとづいた効果的な実践のすべて. 第4版, pp50–56, 文光堂, 2021
18) Kielhofner G(著)・石井良和, 他(訳)・山田 孝(監訳)：作業療法実践の理論. 原書第4版, 医学書院, 2014
19) Schell BA, et al (eds): Willard & Spackman's occupational therapy, 12th ed, Lippincott Williams & Wilkins, Philadelphia, 2014
20) Schell BA, et al (eds): Willard & Spackman's occupational therapy, 13th ed, Wolters Kluwer, Philadelphia, 2019
21) Fisher AG, et al: Powerful practice: a model for authentic occupational therapy. Center for Innovative OT solutions, Fort Collins, CO, 2019

# 作業療法士の養成と教育

1．作業療法士という医療職を目指すために必要な教育体系や職能団体について理解する．

1-1）作業療法士に求められる職業倫理の重要性に気づくことができる．
- □ ①作業療法士に求められる知識，技術，態度について，具体的に列挙しながらクラスメイトと確認し合うことができる．
- □ ②日本作業療法士協会が定める職業倫理の指針の概略を説明できる．

1-2）作業療法士になるために必要な教育課程を説明できる．
- □ ③作業療法士養成のためのカリキュラムをおおまかに述べることができる．
- □ ④臨床実習の内容について，クラスメイトと確認し合うことができる．
- □ ⑤作業療法士の生涯教育の必要性と日本作業療法士協会が定めている制度についてグループで議論できる．

1-3）作業療法の研究とエビデンスの必要性に気づくことができる．
- □ ⑥エビデンスのレベルの違いに気づくことができる．
- □ ⑦研究方法の違いをクラスメイトに説明することができる．

1-4）日本作業療法士協会の役割を説明することができる．
- □ ⑧日本作業療法士協会の設立経緯とその過程をクラスメイトと確認し合うことができる．
- □ ⑨日本作業療法士協会の事業内容と役割について，具体的に列挙できる．

1-5）世界作業療法士連盟の役割を説明することができる．
- □ ⑩世界作業療法士連盟の成り立ちと役割を概略説明できる．
- □ ⑪諸外国の作業療法の現状をわが国と比較できる．

# 1 作業療法士に求められる資質と倫理

## A 作業療法士に求められる資質・適性

現在，この教科書を手にしている学生は，なんらかの理由で作業療法と出合い，なんらかの理由で作業療法士になることを選んだはずである．残念ながら，途中で進路を変更する学生は，思いのほか厳しい勉強についていけずに進級などでの挫折がきっかけとなるか，臨床実習で“適性がない”ことが顕在化して，悩んだ末にあきらめることが少なくない．では，適性とは，作業療法士に必要な資質とはどういうものであろうか．ここで考えてみたい．

### 1 作業療法学生に期待されること

作業療法士養成校における教育の役割は，「作業療法士として生涯にわたり活躍するための基礎(すなわち資質，知識，技術に関する基礎)を築くこと，および医療専門職として新たに必要な知識，技術に出会ったときに，それらを自ら学ぶための能力と習慣を形成すること」である．2019 年に改訂された作業療法教育ガイドライン[1]では，卒業時の到達目標を「自ら学ぶ力を育て，作業療法の基本的な知識と技術を習得する」こととしている．つまり，作業療法の基本的な知識・技術を学ぶのはもちろんであるが，ただ教えられたことを覚えればよいということではない．わからないことや解決困難なことがあった際に，自ら“何がわからないのか，何が問題なのかを明らかにし，どう調べ，どう解決したらいいかを考え，実際に解決していく”能力を身につけることこそが大切なのである．

世界作業療法士連盟(World Federation of Occupational Therapists; WFOT)の作業療法士教育の最低基準(2016 年改訂版)では，作業療法士は教育プログラム終了時に，以下の 5 つの領域で相当の知識・技術・態度を備えることが期待されている[2]．

#### (1) 人間–作業–環境の関係ならびに作業と健康および作業と安寧との関係

人は「作業する存在」である．誰もがその人の環境に合った必要な作業を行って暮らしている．同じ作業でも，人や環境によって，行い方やその意味が違う．同じ「料理」という作業であっても，一家の主婦(夫)が家族の食事を毎日つくることと，そうではない者がたまに気分転換につくるのでは，その意味や重要度が違う．前者は仕事の一部であり，主婦(夫)という役割を果たすために非常に重要な作業であるが，後者は趣味の 1 つであって，それほど重要ではないのかもしれない．人(どんな人が)と環境(どこで)と作業(何を)のかかわりを常に考えることが必要である．

また，人は意味のある作業に従事し，その作業の結果から満足感や充実感を得て初めて，健康であることを実感できる．以下は筆者の母のエピソードである．

> 筆者の母は高齢で田舎で 1 人暮らしをしているが，股関節を傷めたことにより歩くこともままならず，外に出ることもなくなり，得意だった料

理もしなくなった．介護サービスを受けることにしたが，もともと他人に頼るのは嫌いな母は「何もできなくなった」と日中をベッドで過ごすことが多くなっていた．

あるとき，離れて暮らす孫に「ばあちゃんの漬物が食べたい」とせがまれ，帰省する孫のために秘伝の漬物をつくった．孫がとても喜んでくれたのをきっかけに，少しずつ台所に立つようになった．そして，つくったものを遊びにきた近所の人にふるまい，褒められ，段々と笑顔を取り戻していった．

彼女にとっては「漬物をつくる」という作業をすることで，大事な人に喜んでもらったことが何よりの励みになったと思われる．

頼んだのが遠くに離れて暮らす孫でなければ彼女は動かなかったかもしれず，料理が好きで毎年漬物をつけるという長年の習慣がなければ結果は違っていたかもしれない．現在，母は不自由ながらも日常生活を自分でこなし，彼女なりの健康な生活を送っている．

つまり，その人にとって意味のある「作業」が健康を増進し，与えられるばかりではなく主体的な生活を送るという真の福祉に役立つことを実感した出来事であった．

### (2) 治療者としての関係

対象者との信頼関係があってこそ，適切な治療関係がつくられる．適切な治療関係とは，作業療法士側が一方的に治療技術を提供することではなく，対象者と同じ目標を共有し，相談しながら目標達成に向けて取り組んでいける関係である．

実習後の報告を聞くと，「対象者との治療的関係」に疑問を感じることが多い．学生が立てた短期目標は「更衣動作の自立」であったが，うまくいかなかったという．「対象者は更衣の自立を目標とすることについて納得していたのか」と聞くと，「聞いていません」と返ってくることがある．対象者との目標が共有できていなければ，うまくいかないのは当たり前である．実習指導者の指導のもとで，対象者に自分の意見を伝え，対象者の意見を聞きながら目標を一緒に立てることを心がけたい．

また，医療・保健・福祉のどの領域においても，作業療法士だけでは十分な生活支援はできない．チームのなかで作業療法士としての意見を伝え，他職種の意見を聞き，関係者との適切な協力関係を構築し維持することが望ましい．

対象者との治療者としての専門的関係を適切に築くには，コミュニケーションに関する知識・技術，そして相手に対する誠実な態度が必要である．

### (3) 作業療法のプロセス

評価から到達目標の設定，治療・指導・援助計画の立案と実施に至る一連の作業療法過程を遂行し，必要時には修正しながら，適切に行うことができなければならない．この過程を習得することは，作業療法学生にとって最も大切である．授業や実習を通してしっかりと学習する必要がある．

### (4) 専門職としてのリーズニングと行動

作業療法士が作業療法を行う際，対象者がやりたいということをやみくもに何回も繰り返して訓練しているわけでもなければ，疾患や障害名だけを基準に課題を提供しているわけでもない．その場，そのときに応じて，対象者のさまざまな状況を読み取り，考え，決断しながら作業療法を進める．

作業療法過程のなかで，評価結果から仮説を立てて，対象者に最も適した治療方法を計画し，実行し，検証作業をしていく．1人ひとりの対象者に対して，どのような治療をどう行っていくかを決める際には，できるだけ証拠や根拠に基づいた方法を選択する必要がある．その際に数多い理論やこれまでの研究を調べ，それらを応用する力が求められる(➡ 74 ページ)．

### (5) 専門職としての作業療法実践の文脈

作業療法を行う際に，予算や法律，地域システムなどの条件のなかで，どう実践していくのか，医療・保健・福祉の専門家として，それらに関する法律や制度を知っていることも大切である．医療分野で働くことが多い作業療法士は，保健・福祉や就労などに関して，その現状さえ知らないことが多い．対象者が病院で過ごすのは，その人生のなかのわずかな時間である．対象者の長い地域生活の支援者になれるよう，社会的問題に関心をもち，ボランティア活動や社会福祉活動への参加をすすめたい．それらの活動に参加することで，自分の人間関係や視野を広げるきっかけになることだろう．

作業療法教育の世界では，2016年にWFOTによる「作業療法士教育の最低基準」が改訂されたことや，わが国の「理学療法士作業療法士学校養成施設指定規則」（以下，指定規則）の20年ぶりの改正を受け，2019年には日本作業療法士協会による「作業療法士教育の最低基準」も改訂された．作業療法教育をめぐるそれらの規則や基準の改正の背景には，世の中から求められている作業療法士の役割の変化がある．

活動の場が医療・福祉中心であったこれまでより，保健・医療・福祉・教育・就労支援へとその範囲は広がり，医療技術やIT技術の進歩に合わせた高度な知識・技術が必要とされている．また，地域で関連職種と連携するための調整力やコミュニケーション力も重要となっている．これからも社会の変化に合わせて，作業療法士に求められるものは変わるであろう．その時々の時代の要請に応えられるよう，自ら学ぶ姿勢と力を学生時代に養ってほしい．

## 2 作業療法士に求められる知識

### a 基礎的学習の大切さ

人の「作業」に焦点を当て，作業を通して対象者の能力を引き出すことが作業療法の特徴である．作業を科学的にとらえるには，さまざまな専門知識が必要である．人がうまく生活できなくなる，つまり作業ができなくなる原因は，生理機能，運動機能，認知機能，社会的機能などのさまざまな要因からなる．作業ができるように援助するためには，身体の構造や運動をつくり出す仕組み，心の仕組み，障害によって生じた運動や認知の異常や回復の仕組みなどに関する知識が必要となる．

作業療法学科に入学して1年目に習う解剖学や生理学，運動学などの基礎医学を難しいと感じるかもしれないが，人が作業をする際の身体や心の動きを知るにはこの基礎医学分野の学習が欠かせない．実習や国家試験の前，いや，卒業してからも「学生のときにもっと一生懸命，解剖学や生理学を勉強していればよかった」という声をよく聞く．対象者の身体・認知機能に向かい合った際，必ずその大切さに気づくはずである．

また，作業療法の対象者の多くは「障害をもつ方」または「障害をもつことが予想される方」である．障害を引き起こす疾患・疾病についてよく知るためには，整形外科学，神経内科学，内科学，精神医学，小児科学などの臨床医学の学習が重要である．

さらに，作業療法士における一般教養（リベラルアーツ）教育の大切さも指摘されている．専門職の養成課程では，つい，専門分野に直接関係のある知識や技術の習得に目を奪われ，「教養」科目を軽視しがちである．しかし，教養がないということは，人生経験の少ない若い作業療法士がさまざまな生活歴をもつ対象者にかかわる際，「話が膨らまない．対象者の背景や考えを想像できない．理解できない」などということになりかねない．人間として，社会人としての基礎力（➡ 91ページ）をつけるためにも一般教養科目は大切である．

最後に，これまで，作業療法士は「作業」の専門家でありながら，作業そのものに対する教育が不十分であることが指摘されている[3]．WFOTはもちろん，日本作業療法士協会でも時代の要請を受けて「作業療法は『作業』に焦点を当てる」という方針が改めて打ち出されている．作業とは何か，人が作業を行う意味，そして作業をどう治療に結びつけるかなどについて，十分に学習してほしい．

### b 作業療法における クリニカル・リーズニング

米国では作業療法の知名度は高いが，日本では残念ながら，まだそうとはいえない．世の中に認められるには，作業療法が「確かによい」ことを示さなければならない．そのためには，「なぜ，その対象者にその作業療法を提供したのか，その根拠は何か」を言葉で示す必要があり，その一助となるのがクリニカル・リーズニングである〔詳しくは，第 IV 章 4「臨床的思考過程と作業療法士の自己活用」(➡ 162 ページ)参照〕．作業療法士が行うクリニカル・リーズニングは大きく 5 つに分けられる[4]．

1 つ目は，「科学的リーズニング」もしくは「手続き的リーズニング」といわれているもので，医師が問診や検査結果から診断をするのと同様に，作業療法においても診断名や症状，検査・測定の結果から問題点をあげ，障害像に合わせて治療を進めるものである．疾病や機能不全に伴う活動障害が作業遂行にどのような影響を及ぼすかを評価して，適切な治療・援助方法を決めるというリーズニングで，わかりやすいために臨床や実習で多く使われている．

2 つ目は，対象者の語りのなかから，その人の人生の物語(個人史)に着目し，対象者がその物語を続けていくためにどうしたらいいかを考え，そのために最も意味のある作業を優先させて治療・援助していくものであり，「叙述的リーズニング」といわれる．

3 つ目は，「相互交流的リーズニング」と呼ばれるもので，対象者と作業療法士が，共通の目標に向かう際の関係をつくるのに使われる．

4 つ目は，作業療法で行う行為に関して，安全管理はどうか，対象者の意思は尊重されているか，公平になされているか，対象者と作業療法士の目標や優先順位の違いをどうとらえるかなど，倫理にかなっているかを考慮して治療を組み立てるものであり，「倫理的リーズニング」といわれる．

5 つ目は，作業療法を行ううえで，支払いや保険・保障，治療期間，家族や介護者の問題，家庭や職場環境など，現実的な制約を考慮して治療・援助を組み立てるものであり，「実際的リーズニング」といわれる．

経験のある作業療法士は，どれか 1 つのリーズニングだけを行っているわけではなく，臨機応変に使いこなしている．しかし，リーズニングを行うためには，自分の思考・行動を的確に言葉で表現できるという能力が必要であり，常日頃からグループ学習で自分の考えを述べる，症例報告を書くなどのトレーニングが役に立つ．

## 3 作業療法士に求められる技術

作業療法士に求められるものは，対象者にとって意味のある作業ができるように支援する技術である．作業に関する十分な知識があることが前提であるが，面接技術，検査・測定技術，治療技術，コミュニケーション技術などの技術の習得がとりあえずの目標となる．

臨床実習の際の面接場面をみていると，すんなりと対象者に打ち解け，多くの情報を聞き出すことができる学生もいれば，簡単な答えしか聞き出せず，話が弾まないので対象者のそばにいることさえ辛そうな学生もいる．その違いは，対象者の性格によるところもあるが，学生の接し方や話し方，態度によるところも大きいように思われる．外見も含めて受け入れられやすい雰囲気をつくり，自分がどう相手に映っているかを考えながら，声の出し方，大きさや口調などに気をつけたい．言語だけでなく，表情や身ぶり手ぶりなどの非言語的コミュニケーション手段を用いて，対象者の訴えを傾聴し，良好な関係をつくっていく技術が必要になる(➡ 35 ページ)．

検査・測定においても，対象者に余計な負担を与えず，早く正確に測れる技術が望ましい．作業ができるようにするために，評価に基づいて，必要な課題を適切な方法で適切に段階づけて提供する技術が必要である．そのためには，対象者の行

▶**図 1　社会人基礎力――3 つの能力と 12 の能力要素**
〔経済産業省：社会人基礎力. 2006. https://www.meti.go.jp/policy/kisoryoku/index.html より〕

動・作業場面の観察から，必要な情報を得るための動作分析・作業分析の技術は欠かせない．また，可動域訓練 1 つをとっても，できれば痛みが少なく可動範囲を確保できる技術があったほうがよいし，移乗の介助をするにしても，安心して任せてもらえる技術があったほうがよい．装具や自助具においても見栄えがよく，使う人に合った適切なものを提供できるほうがよい．それらの治療手段の技術は臨床の場で経験を積んで磨かれていくものである．学生のうちは，それらの基礎をしっかり学び，1 つひとつをていねいに行うことを心がけたい．

## 4 作業療法士に求められる態度

学生をとりまく社会環境の変化により，社会人，職業人として生きていくためのさまざまな技術や能力が求められるようになった．高等教育では「基礎学力」，「専門知識」の取得に加え，それらをうまく活用していくための基礎力を高めることが改めて必要であるとされる．

経済産業省では 2006 年から，「職場や地域社会で多様な人々と仕事をしていくために必要な基礎的な力」として，「社会人基礎力」を提唱している．社会人基礎力とは，①「前に踏み出す力」，②「考え抜く力」，③「チームで働く力」の 3 つの能力から構成されている(▶図 1)[5]．

作業療法を学ぶ学生は，社会人として，さらに専門職として求められる態度や行動を身につける必要がある．近年の理学・作業療法士養成校における学生の問題として「敬語が使えない，自分の考えや思いを表現できない，指示されないと行動ができない，コミュニケーションがとれない，ストレスがかかるとすぐ体調を崩す，提出物の期限が守れない」などが指摘されている．もともとの性格やこれまでの生活・教育環境にもよるが，挨拶，守秘義務の遂行，期限・約束の厳守，報告・連絡・相談の遂行を心がけよう．探究心・向上心などは学内や学外の場でさまざまな経験を積み，教員や実習指導者，仲間の力を借りながら，はぐくんでいけるだろう．

これまで，作業療法士に必要な資質について述べてきたが，何より，作業療法士に必要なものは，共感する力である．誠実に対象者に向かい合い，対象者の話をよく聞き(傾聴)，その人が置かれている状況を理解しようと努力し，その人の身になって考えることができる力が大切である．その力があってこそ，作業療法士に必要とされる知識，技術，態度が生きると思われる．

## 5 生涯教育について

医療・保健・福祉分野における専門職の教育は，医学の進歩や社会情勢の変化に合わせて生涯にわたって継続されるべきである．作業療法は，対象者の範囲も業務内容も幅広いため，専門的知識だけでなく，一般教養を含めて長期にわたり学習することが必要である．そのため，日本作業療法士協会では生涯教育制度を導入し，作業療法士免許を取得したのちも，さまざまな研修会や学会に参加したり，実習指導者として教育に携わるなど，生涯にわたり学習する機会を設けることで作業療法士の作業療法の質の維持・向上をはかっている．

# B 作業療法士が守るべき倫理

## 1 倫理とは

「倫理」とは，「人倫のみち．実際道徳の規範となる原理．道徳」とある〔広辞苑 第 6 版〕．簡単にいうと，人として守るべき秩序のことである．人は 1 人では生きられず，社会のなかで自分以外の人と助け合って生きていくものである．人と人とが助け合って生きていくためには，ある一定の決まりごとや掟を守ることが必要であり，その守るべき決まりごとや規範を倫理という．これから作業療法士になろうとする学生は，作業療法士である前にまず 1 人の人間として社会の秩序を守り，他人と助け合うという「人としての倫理」が必要である．

さらに，作業療法士として**医療**・保健・**福祉**領域で働くということは，人を相手にし，人の健康と幸せのために働くということである．したがって，その職に就く者として，より高い倫理性が求められることはいうまでもない．

## 2 職業倫理とは

ある職業に就いている個人や団体が，自らの社会的な役割や責任を果たすために，職業人としての行動を律する基準や規範を**職業倫理**(➡ 127 ページ)という．医師，看護師，保健師，作業療法士，理学療法士，言語聴覚士，臨床心理士，社会福祉士，介護福祉士などの医療・保健・福祉領域で働く専門職は，医師会，看護協会などの職能団体ごとに独自に専門職としての目指すべき価値や目的，専門職のとるべき態度や姿勢を倫理綱領としてまとめ，専門職としてのあり方(倫理)を提示している．

医師の倫理綱領の最も古いものは**ヒポクラテスの誓い**(➡ 5 ページ)である．紀元前に書かれたそれにはすでに，患者の生命と健康保持のために行うという医療の目的，患者のプライバシー保護，医療を継続するにあたっての徒弟制度の重要さ，専門職としての医師の尊厳などが記載されている．近年では，患者の意思というより，医師が自分の最良と判断するものを患者に提供する，すなわち，強い父親が弱い子どもを守るような関係をとるというパターナリズムを表すものとして，批

**Keyword**

**医療**　病気という名前で呼ばれる個人的状態に対し，それを回復させるか，あるいは悪化を阻止しようとしてとる行為をいう．その内容は，病気を診断し治療することであるが，実施にあたるのは，法律的にその免許を独占的に与えられている医師が中心になるところから，医師の行う行為一般に拡大されることもある．

**福祉**　特に，社会の構成員に等しくもたらされるべき幸福．「社会福祉」とは，個人・家庭・地域で生じる生活上の困難と障害を社会的責任において解決，あるいは緩和することを目標とする活動の総称をいう．金銭的・物質的給付やサービス提供だけでなく，サービス開発，専門職やボランティア育成などの福祉システムを含む．

判的に述べられることもある．しかし，ヒポクラテスの誓いが現在の医療人も守るべき基本的倫理が書かれた重要なものであることは間違いない．ヒポクラテスの誓いを現代的な言葉で表したのが，世界医師会(World Medical Association; WMA)のジュネーブ宣言(1948年)である．

その後，時代の移り変わりとともに，患者主体の医療が提唱されるようになり，リスボン宣言(1981年)にみられるような患者の権利擁護に関する意識が高まった．リスボン宣言に書かれている患者の権利としては，①良質の医療を受ける権利，②選択の自由の権利，③自己決定の権利，④医療の情報を得る権利，⑤**守秘義務**に対する権利，⑥健康教育を受ける権利，⑦宗教や文化，価値観など尊厳に対する権利などがあげられる．それまでのように医療行為の決定を医師がすべて行うのではなく，医療側は患者に納得してもらうために，十分な情報提供をする必要があり，治療には患者の意思や同意(**インフォームドコンセント**)などの**自己決定権**を尊重するという倫理が生まれ，改定を重ねながら現在に至っている．

また，看護の倫理綱領の原点はナイチンゲール誓詞(1893年)であるといえる．この誓詞には，看護に携わる者としての任務や心構え，守秘義務の励行などが述べられており，その理念は今日も国際看護師協会(International Council of Nurses; ICN)や日本看護協会の倫理綱領のなかにも含まれている．

## 3 作業療法士の倫理綱領

では，われわれ作業療法士はどうであろうか．

### a 世界作業療法士連盟(WFOT)の倫理綱領

医師や看護師のものより歴史は浅いが，1978年にWFOTにより倫理綱領が定められている．その後，時代の流れとともに数回の改訂を経て，2005年につくられた現行の倫理綱領が以下のものである[6](内容抜粋)．

#### (1) 人としての資質

作業療法士は，職務のあらゆる局面において，高潔，信頼，率直，誠実を行動で示す．

#### (2) 作業療法サービスを受ける人々に対する責任

作業療法士は，作業療法を受けるすべての人々に敬意をもって接し，個々人の置かれた状況を尊重する．作業療法士は，作業療法を受ける人々を差別してはならない．作業療法を受ける人々の価値観，意向，および参加能力を必ず考慮する．個人情報を守秘する．

#### (3) 協業的実践における専門職の行為規範

作業療法士は，職種間の協業の必要性を認め，他の職種がそれぞれ独自の貢献をしていることに敬意を表する．職種間の協業における作業療法士の貢献は，人々の健康と幸福に影響を与える作業遂行に基盤をおくことでなされる．

#### (4) 専門的知識の発展

作業療法士は，生涯学習を通して専門職の発展に参画し，習得した知識と技能を専門職としての仕事に応用する．

#### (5) 普及と発展

作業療法士は，作業療法職種全般の向上と発展に尽力する．作業療法士はまた，地方レベル，国レベル，国際レベルで，一般市民・他職種団体・行政機関に対して，作業療法を普及振興することに道義的な責任をもつ．

**Keyword**

**守秘義務**　職務上知ることとなった秘密を守る義務．公務員および医師・弁護士などがその義務を負う．

**インフォームドコンセント**　十分な説明を受けたうえで治療に同意すること．特に手術や実験的治療(研究)を受けるときに，メリット・デメリットを知らされたうえで患者が与える同意を指す．口頭や文書で行われるが，未成年の場合は保護者の同意が不可欠である．対象者の意思決定を最大限尊重するための手続き．

**自己決定権**　自己の生き方・生活のし方を自分の意思で決めること．

▶表 1　日本作業療法士協会倫理綱領

1. 作業療法士は，人々の健康を守るため，知識と良心を捧げる
2. 作業療法士は，知識と技術に関して，つねに最高の水準を保つ
3. 作業療法士は，個人の人権を尊重し，思想，信条，社会的地位等によって個人を差別することをしない
4. 作業療法士は，職務上知り得た個人の秘密を守る
5. 作業療法士は，必要な報告と記録の義務を守る
6. 作業療法士は，他の職種の人々を尊敬し，協力しあう
7. 作業療法士は，先人の功績を尊び，よき伝統を守る
8. 作業療法士は，後輩の育成と教育水準の高揚に努める
9. 作業療法士は，学術的研鑽及び人格の陶冶をめざして相互に律しあう
10. 作業療法士は，公共の福祉に寄与する
11. 作業療法士は，不当な報酬を求めない
12. 作業療法士は，法と人道にそむく行為をしない

1986(昭和 61)年 6 月 12 日(第 21 回総会時承認)

〔日本作業療法士協会：日本作業療法士協会倫理綱領. 1986 より〕

## b 日本作業療法士協会倫理綱領

日本作業療法士協会でも 1986 年 6 月に倫理綱領を提示し，われわれ作業療法士が進むべき道を示した(▶表 1)[7]．そして，2006 年，16 項にわたる作業療法士職業倫理指針[8] (➡ 128 ページ)を示している．作業療法士になる前に全文を読み込んでほしいが，以下では学生として実習などですぐ必要になると思われる重要な倫理項目について述べたい．

### (1) 守秘義務と個人情報保護

隠しておきたいことでも伝えなければならない対象者側の立場に立って考えると，安心して本音を語るには作業療法士が信頼できる人でなければならない．信頼を得るためにも，知りえた情報を決して部外者に漏らすことがあってはならない．口外しないこと以外にも記録の漏えいや個人情報を入れたデータの紛失，情報の改ざんなどは行ってはならない．以前，実習中の学生が書いた対象者についてのメモが病院のロッカー室で落とし物として見つかり，問題になったことがあった．メモであっても，個人の特定につながる情報は記載せず，その取り扱いには十分に注意したい．

また，実習中にありがちな友人どうしの感想の言い合いがインターネットで流れることもある．さらに，デイリーノートやケースノートなどの記録をパソコンで書くことが多いが，その情報がネット上に漏れることも考えられる．ネット上の情報の伝達は速く，対象者に与えるダメージは計り知れないため，厳重な注意が必要である．

### (2) インフォームドコンセントと自己決定権の尊重

医療の場においては，患者自身が自分の診断・治療・予後について正しい情報を得る権利をもつ．医療側は患者に説明を尽くし，患者からインフォームドコンセントを得てから医療行為をすることが当然のこととなった．保健・福祉の場でも同様で，サービス提供者は対象者にサービスの内容を説明し，対象者自らがサービスを選択するという時代になっている．作業療法士が評価，治療・援助・支援を行う際は，その目的・方法(内容)，それによる利益やリスクなども含めて対象者・その家族にわかりやすく説明し，十分な理解を得たうえで協力を得なければならない．

また，作業療法士と対象者はこれまで「訓練を施すもの」と「受けるもの」という関係でありがちだったが，パートナーとしてともに目標に向かっていくものという考え方が生じてきた．目標を決める際は，あくまでも対象者の自己決定が優先されることはいうまでもない．

対象者は「手がよくなりたい」のに，作業療法士が立てる作業療法の目標は「手は治らない」という予測に基づいた「ADL の自立」であり，ほとんどの作業療法を ADL 訓練に費やすということが

である．それでは ADL 訓練に対する対象者の協力が得られず，作業療法への不満が生じることになる．一方で，機能回復が期待できないにもかかわらず，対象者が望むからといつまでも機能訓練を行っている場合もある．機能的回復訓練の重要性はいうまでもなく，機能の回復に尽力することは大切である．しかし，機能回復に対する対象者の強い期待を受け止めながらも，「治った手で何がしたいのか」，「何が大切なのか」を上手に聞き取り，その「したいこと」，「大切なこと」ができるようになるには，何が問題で，どう解決・工夫していけばいいのかをわかりやすく説明し，理解を得る努力が必要である．特に入院・入所の訓練時間は限られているため，作業療法の優先課題は，クリニカル・リーズニング(➡ 162 ページ)に基づいて慎重に考えるべきである．

## 4 なぜ倫理を学ぶことが必要か

医療技術が進歩し，これまで生存が困難だった人もリハビリテーションの対象となることが増え，治療の困難な症例を担当することも多い．末期がんや不治の病の人を前にして，改めて生命の意味を考え，自分の治療行為が何の意味をもつのかについて悩むことがあるかもしれない．また，時代とともに価値観が多様化し，医療や福祉サービスを受ける側の権利意識が高まっている．ネットなどでも情報があふれているなかで，われわれがよかれと思って行った行為が，思わぬ大きな批判を受けることもあるかもしれない．さらに，目指す職業の理想の姿を学んでも，現実は学校で学んだようにはいかず，日常の業務，いやその前の実習過程でさえ，理想から外れた事象に出合い，この道を進むことに迷いが生じるかもしれない．

そんなときは倫理綱領を見直し，誰もがそれを目指していたことに思いをはせ，本来のあるべき姿を再確認するのがよい．

国の政策では，国民の健康を維持・増進するために「**地域包括ケアシステム**(➡ 99 ページ)」を推進している．これまで医療・保健・福祉のそれぞれの分野における各専門職間のつながりから，もっと広い範囲での連携が求められる時代になっている．それぞれの専門職によって問題のとらえ方，判断の内容や根拠が異なり，作業療法士としての意見を伝えてもうまく理解が得られず，人間関係で悩むことがあるかもしれない．

しかし，どの職種においても，倫理綱領にはサービスを受ける個人の人権の尊重と他職種への敬意が記載されている．職種や働く分野による意見の違いや討論はあっても，互いの倫理に基づいていれば，自ずと対象者にとっての最善の QOL の向上に向かって協力し合えるはずである．


●引用文献

1) 日本作業療法士協会教育部：作業療法教育ガイドライン．日本作業療法士協会, 2012
2) 日本作業療法士協会教育部養成教育委員会：作業療法教育の最低基準．2019 年 3 月．https://www.jaot.or.jp/files/page/wp-content/uploads/2013/12/kijyun4.1.pdf
3) 齋藤さわ子, 他：世界基準に沿った作業療法教育の試み．作療ジャーナル 47:311–316, 2013
4) Schell BA: Professional reasoning in practice. *In* Crepeau EB, et al (eds): Willard & Spackman's occupational therapy, 11th ed, pp314–327, Lippincott Williams & Wilkins, Philadelphia, 2009
5) 経済産業省：社会人基礎力．2006．https://www.meti.go.jp/policy/kisoryoku/
6) 世界作業療法士連盟・日本作業療法士協会(訳)：WFOT 倫理綱領．2005．https://www.jaot.or.jp/wfot/wfot_code_of_ethics/
7) 日本作業療法士協会：日本作業療法士協会倫理綱領．1986．https://www.jaot.or.jp/about/moral/
8) 日本作業療法士協会倫理委員会(編)：一般社団法人 日本作業療法士協会 倫理綱領・倫理綱領解説　作業療法士の職業倫理指針．2005．https://www.jaot.or.jp/files/page/kyoukainituite/rinrisisin.pdf

COLUMN

# 自分を好きになるということ

われわれは作業療法士である前に生身の人間である．その人生は誰にとっても決して平坦ではなく，山あり谷ありであろう．楽しいときやうれしいときは悩むということを忘れるが，苦しいときや悲しいときは悩み後悔するばかりである．そんなときでも，なんとか乗り越えて，前を向こうとする．あるいは，時が解決してくれる場合も多い．そしてそのような人生を振り返ったときに，自分自身を許せるかと，もう1人の自分に問うことになる．

病気を患ったり，障害をもったまま生きることを余儀なくされたりした人たちは，それぞれの山や谷をどのように乗り越え，人生をとらえているのだろうか．

自閉症は言葉を発することが苦手で，他人への興味が薄い，音に過敏，他者から触れられることへの抵抗が強いなど，対人関係の障害を特徴とする発達障害である．そんな自閉症の方が人生について語っている文章がある[1]．

もし自閉症が治る薬が開発されたとしても，僕はこのままの自分を選ぶかもしれません．
自分を好きになれるのなら，普通でも自閉症でもどちらでもいいのです．
僕は大人になり，自閉症である自分のことを好きになることができました．
失敗を繰り返す僕にも，明日という日はやってきます．
それがうれしいことだと思えるようになった今，自閉症は僕のパートナーのような存在になったのだと思います．

また，重度な麻痺のために立ち上がることさえできない脳性麻痺の父親の言葉にも考えさせられるものがある[2]．

「パパ，いくつになったら歩けるの」
——たしかにオヤジは一生自分の足では歩くことは出来なかったけれど，それなりの努力で人生を歩いていったのだ——と思ってくれるようなそんな一生でありたいと念じている．もちろん，身体的にばかりではなく，経済的にみても，とても独立して歩いているとは言えないかもしれない．しかし，私は，私なりの方法で，私だけにしか出来ない歩き方をしていくつもりなのである．

作業療法は対象者の思いを受け入れ，尊重しながら，その人たちの人生に寄り添っていこうとする仕事だと思っている．

（能登真一）

●引用文献

1) 東田直樹：自閉症の僕が跳びはねる理由．エスコアール，2007
2) 花田春兆：いくつになったら歩けるの．日本図書センター，2004

# 2 作業療法士の教育

## A 作業療法士の養成制度

### 1 作業療法士養成に関する背景

わが国の作業療法士の養成は，1963 年に国立療養所東京病院附属リハビリテーション学院（2004 年に，国立病院機構東京病院附属リハビリテーション学院に移行，2008 年に閉校）において 3 年制の養成として始まった．作業療法士養成の 3 年制課程については，「理学療法士及び作業療法士法」の第 12 条第 1 項（➡ 20 ページ）において，作業療法士国家試験の受験資格は，作業療法士の学校もしくは養成施設において 3 年以上作業療法士として必要な知識および技能を修得したものと規定されていることによる．ここでいう「学校」とは文部科学大臣が指定した学校を意味し，大学と短期大学などがこれにあたる．また「養成施設」とは都道府県知事が指定した作業療法士養成施設を意味し，専門学校がこれにあたる．

作業療法士の養成は当初，国公立の養成施設が主導し[1]，その後私立の養成施設も多く開設された．そのなかで，1979 年には 3 年制短期大学（金沢大学医療技術短期大学部）において，さらには 1992 年には 4 年制大学（広島大学）において作業療法士の養成教育が始まった．

このように，現在，作業療法士の学校養成施設の種類は大学，短期大学，専門学校といった 4 年制課程と 3 年制課程が併存している状況にあるが，最近の動向としては 4 年制課程が急増し，全養成課程の 7 割弱を占めるに至っている．

作業療法士養成の背景としては，医療や介護分野における作業療法士の需要が大きく関与している．すなわち，病院や介護老人保健施設などにおける作業療法提供体制の充足が目的であり，言い換えれば，作業療法を必要とする人々への安定した作業療法の提供が可能となるよう，必要とする作業療法士数を養成するという視点である．厚生労働省はこれまで，作業療法士の需要数と供給数に関する計画を策定し，作業療法士養成を促進させてきた．また，学校養成施設にかかわる国の規制緩和（1999 年）やリハビリテーションに対する社会からの要請の高まり，さらには回復期リハビリテーション病棟入院料の創設（2000 年）および介護保険制度の施行（2000 年）なども相まって，学校養成施設は 2000 年以降急激に増加し，その結果，作業療法士数は年々増加した〔第 VI 章 1 の図 3（➡ 235 ページ）参照〕．2021 年 4 月現在の作業療法士有資格者数は 104,286 人である[2]．

一方，2019 年 4 月の厚生労働省「医療従事者の需給に関する検討会，第 3 回理学療法士・作業療法士需給分科会」の資料では，理学療法士と作業療法士の供給数はすでに需要数を上回っており，2040 年ころには供給数が需要数の約 1.5 倍となる推計が示された[3]．

また同分科会では，学校養成施設の増加の一方で，国家試験合格率の低下や作業療法士養成の質の低下も指摘されており，まさに，作業療法士の養成は量から質への転換が求められている．

## 2 作業療法士国家試験

作業療法士という国家資格は学校養成施設を卒業するだけでは得られない．得られるのは作業療法士国家試験受験資格である．作業療法士となるには学校養成施設で 3 年以上にわたる学修を終えたのちに，厚生労働省が通常年度末に施行する作業療法士国家試験に合格し，厚生労働大臣の免許を受けなければならない．具体的には，国家試験合格後に厚生労働省令で定める書類(作業療法士免許申請書など)を添え，住所地の都道府県知事を経由して，厚生労働大臣に提出しなければならない．その後，厚生労働省は申請者を作業療法士名簿に登録し，作業療法士免許証を交付する．ここでようやく作業療法士として業務に従事することができる．

作業療法士国家試験では作業療法士として必要な知識および技能が問われる．試験科目としては，解剖学，生理学，運動学，病理学概論，臨床心理学，リハビリテーション医学(リハビリテーション概論を含む)，臨床医学大要(人間発達学を含む)および作業療法であり，この試験科目は厚生労働省の医道審議会で審議され，作業療法士国家試験出題基準にて具体的項目が示される．

## 3 作業療法士養成にかかわる制度

作業療法士の養成教育の基本骨格は，「理学療法士及び作業療法士法」に基づき，「理学療法士作業療法士学校養成施設指定規則」（以下，指定規則）および「理学療法士作業療法士養成施設指導ガイドライン」（以下，指導ガイドライン）に規定されている．また，わが国の作業療法士の職能団体である日本作業療法士協会は，作業療法士の養成教育の指針として「作業療法教育ガイドライン」を策定している．さらに，同協会は世界作業療法士連盟(WFOT)による「作業療法士教育の最低基準」（MSEOT)をふまえ，わが国の学校養成施設における作業療法士教育の質の維持と向上を目的に，「作業療法士教育の最低基準」（後述)を策定している．

日本作業療法士協会が策定した「作業療法教育ガイドライン 2019」[4] では，卒前教育の枠組みや作業療法士養成の重要な実践教育である臨床実習教育，さらには卒前教育における作業療法教授法などの指針を示している．卒前教育の枠組みでは，作業療法養成課程における卒前教育が果たす役割を「作業療法士として生涯にわたり活躍するための基礎を築くこと，すなわち資質，知識，技術に関する基礎および医療専門職として新たに必要な知識，技術に出会った時に，それらを自ら学ぶための能力と習慣を形成すること」[4] とし，作業療法卒前教育の到達目標を「自ら学ぶ力を育て，作業療法の基本的な知識と技能を修得する」こと[4] と規定している．

## 4 作業療法士教育の最低基準

日本作業療法士協会は作業療法士教育の水準の維持・向上を目指し，「作業療法士教育の最低基準」[5] を策定している．この基準は国内および国際的に認められている作業療法士の質を保証するために，作業療法士学校養成施設が備える教育の水準を示すものである[5]．その中身は，国内的には指定規則，指導ガイドラインの基準を満たし，国際的には WFOT の MSEOT を満たす内容である．すなわち，作業療法士教育の最低基準は学校養成施設の教育の「質の基準」であるとともに，WFOT の認定を受ける際の「審査基準」でもあり，とりも直さず，各学校養成施設における養成教育が国際教育の水準にあることを証明する基準である．

内容としては，教育理念と教育目標を明示し，教育課程の内容や教育方法，教育内容などに関する評価，作業療法実践教育，学校養成施設・設備および作業療法教員に関する基準などを定めている．学校養成施設は学生が教育目標に示す能力を身につけるための教育を行うとともに，教育の質の改善のために学生や第三者による評価を受けながら，定期的な自己点検を行うことが求められている．

### 5 作業療法士養成教育の評価

作業療法士学校養成施設は，先にあげた指定規則，指導ガイドライン，日本作業療法士協会教育ガイドラインおよび作業療法教育の最低基準などをふまえ，継続した教育内容の見直しが求められている．指導ガイドラインでは，養成施設は教員資格および教育内容などに関して，5 年以内ごとに第三者による評価を受け，その結果を公表することを規定している．この第三者評価機関であるリハビリテーション教育評価機構は，指定規則および指導ガイドラインに示される内容をもとに，学校養成施設の教育課程や教育研究活動などの評価を行う．具体的には，教育理念・目標・方針，教育環境(教員の要件など)，教育内容，教育成果および社会貢献について評価し，その結果を公表する．また，日本作業療法士協会では WFOT の MSEOT をもとに，WFOT 学校認定審査を行い，その結果を公表する．この審査により WFOT 認可を受けた学校養成施設は，WFOT 事務局へ報告され，WFOT 加盟国へも認可校として公表される．これに関連して，将来作業療法士として諸外国での留学や就労などに取り組む場合，WFOT 認可校を卒業していることが条件となる場合もある[6]．

## B 指定規則とカリキュラム

### 1 指定規則，指導ガイドライン

指定規則は「理学療法士法及び作業療法士法」に基づき，作業療法士を養成する学校養成施設の指定に関する基準を定めたものである(文部科学省と厚生労働省が管轄)．主な内容としては，学校養成施設の入学または入所の資格，修業年限，教育内容，教員数，教員資格，学生定員，教室・実習室，教育上必要な機械器具，臨床実習などを定めている[7]．一方，指導ガイドラインは厚生労働省管轄の養成施設の指定および監督に関する事項を定めたものであり(指定・監督権限は都道府県知事)，その内容は，指定規則に基づき，教員，生徒，授業，教室および実習室など，教育上必要な機械器具および実習施設などに関する事項について詳細に規定されている[8]．

この指定規則および指導ガイドラインは，1965 年に「理学療法士及び作業療法士法」が制定されて以降，社会状況の変化やそれに伴う作業療法士の役割の変化などを背景に，これまで改正されてきた．そのうち，教育内容と臨床実習に関する授業時間・単位数の推移を**表 1**[9] に示す．2020 年 4 月から施行された指定規則では，高齢化の進展に伴う医療需要の増大や**地域包括ケアシステム**[10] の構築などにより，作業療法士に求められる役割や知識などが大きく変化してきていることや，各学校養成施設における臨床実習の実施方法や認定方法がさまざまであることをふまえ，カリキュラムの追加や臨床実習などの見直しが行われ，総単位数が増加した．

### 2 作業療法士養成カリキュラム

カリキュラムは教育課程ともいい，それぞれの大学はその教育上の目的を達成するために必要な授業科目を自ら開設し，体系的に教育課程を編成する[11]．作業療法士の養成教育では，先に示し

**Keyword**

**地域包括ケアシステム**　団塊の世代が 75 歳以上となる 2025 年を目途に，重度な要介護状態となっても住み慣れた地域で自分らしい暮らしを人生の最後まで続けることができるよう，住まい・医療・介護・予防・生活支援が一体的に提供される体制である．

▶表 1　指定規則の変遷にみられる教育内容および臨床実習時間数の推移

| | 1966 年 | 1972 年 | 1989 年 | 1999 年 | | 2020 年 | |
|---|---|---|---|---|---|---|---|
| | 時間数 | 時間数 | 時間数 | 時間数 | 単位数 | 時間数 | 単位数 |
| 基礎科目 | 120 | 345 | 360 | 630 | 14 | 210 | 14 |
| 基礎医学(専門基礎科目) | 540 | 795 | 855 | 1,170 | 26 | 840 | 30 |
| 臨床医学 | 420 | | | | | | |
| 専門分野(臨床実習以外) | 540 | 510 | 795 | 765 | 35 | 1,110 | 35 |
| 臨床実習 | 1,680 | 1,080 | 810 | 810 | 18 | 990 | 22 |
| 選択必修科目 | | | 200 | | | | |
| 合計 | 3,300 | 2,730 | 3,020 | 3,375 | 93 | 3,150 | 101 |

〔鈴木孝治：これからの教育体制のあり方―卒前・卒後の一貫した教育体制．作療ジャーナル 52:1306–1312, 2018 より〕

たとおり，指定規則および指導ガイドラインにおいて，その教育内容の骨格が規定されている．また，日本作業療法士協会では教育ガイドラインを策定し，卒前教育課程修了時点での到達目標を定め，その実現に向けたモデル・コア・カリキュラムを策定している．これらを基盤として各学校養成施設のカリキュラムが編成される．

また，WFOT は作業療法に関する声明の 1 つとして，作業療法士は医学，社会行動学，心理学，心理社会学および作業科学における幅広い教育を受け，個人や集団，地域の人々と協働して取り組むための態度と技術，知識を身につけることを示している[12]．すなわち，作業療法士は幅広い知識と豊かなコミュニケーション能力，そして地域を含む多様な場面での作業療法を行える能力が求められている[4]．

指定規則および指導ガイドラインで明記されている作業療法士の教育課程の内容は，「基礎分野」，「専門基礎分野」，「専門分野」に大別される．カリキュラムの参考例を表 2 に示す．

## a 基礎分野(計 14 単位以上)

基礎分野とは，人間性を育む一般教養科目や専門科目学修のための基本的な知識を修得する科目である[13]．基礎分野の教育内容は「科学的思考の基礎」，「人間と生活」，「社会の理解」で構成されており，その教育目標は以下のとおり[8] である．

①科学的・論理的思考力を育て，人間性を磨き，自由で主体的な判断と行動する能力を培う．生命倫理，人の尊厳を幅広く理解する．
②国際化および情報化社会に対応できる能力を培う．
③患者・利用者などとの良好な人間関係の構築を目的に，人間関係論，コミュニケーション論などを学ぶ．

これらの教育目標をふまえた授業科目としては，生物学，倫理学，心理学，英会話，情報処理演習，国際関係論，コミュニケーション論などがあげられる．

## b 専門基礎分野(計 30 単位以上)

専門基礎分野は，医療関連の基礎知識の修得や専門的知識・技術を学ぶための前提となる科目である[13]．専門基礎分野の教育内容と教育目標は表 2 のとおりである．

## c 専門分野(計 57 単位以上)

専門分野は，専門的知識・技術を修得する科目である[13]．作業療法の専門分野の教育内容と教育目標は表 2 のとおりである．

▶表 2 モデルカリキュラム(作業療法教育課程)

| 教育内容(教育目標) | | 科目名 | 単位数 | 合計 |
|---|---|---|---|---|
| 基礎分野 | ●科学的思考の基盤<br>●人間と生活<br>●社会の理解 | 14 単位を選択<br>「生物学」,「倫理学」,「心理学」,「英会話」,「情報処理演習」,「国際関係論」,「コミュニケーション論」などを推奨 | 14 | 14 |
| 専門基礎分野 | 人体の構造と機能および心身の発達<br>(人体の構造と機能および心身の発達を系統立てて理解できる能力を培う) | 解剖学 | 2 | 12 |
| | | 解剖学演習 | 1 | |
| | | 解剖学実習 | 1 | |
| | | 生理学 | 2 | |
| | | 生理学演習 | 1 | |
| | | 生理学実習 | 1 | |
| | | 運動学 | 2 | |
| | | 運動学実習 | 1 | |
| | | 人間発達学 | 1 | |
| | 疾病と病気の成り立ちおよび回復過程の促進<br>(健康,疾病および障害について,その予防と発症・治療,回復過程に関する知識を習得し,理解力,観察力,判断力を養うとともに,高度化する医療ニーズに対応するため栄養学,臨床薬学,画像診断学,救急救命医学などの基礎を学ぶ) | 病理学 | 1 | 14 |
| | | 内科学 | 1 | |
| | | 外科学 | 1 | |
| | | 神経内科学 | 1 | |
| | | 整形外科学 | 1 | |
| | | 臨床心理学 | 1 | |
| | | 精神医学 | 1 | |
| | | 小児科学 | 1 | |
| | | 老年医学 | 1 | |
| | | 公衆衛生学(予防を含む) | 1 | |
| | | 画像診断学 | 1 | |
| | | 薬理学 | 1 | |
| | | 臨床栄養学 | 1 | |
| | | 救急医学 | 1 | |
| | 保健医療福祉とリハビリテーションの理念<br>〔国民の保健医療福祉の推進のために,リハビリテーションの理念(自立支援,就労支援などを含む),社会保障論,地域包括ケアシステムを理解し,作業療法士が果たすべき役割,多職種連携について学ぶ,地域における関係諸機関との調整および教育的役割を担う能力を培う〕 | リハビリテーション論(地域包括ケアを含む) | 2 | 4 |
| | | 保健医療福祉連携論 | 2 | |

(つづく)

## ▶表 2　モデルカリキュラム(作業療法教育課程)(つづき)

| 教育内容(教育目標) | | 科目名 | 単位数 | 合計 |
|---|---|---|---|---|
| 専門分野 | 基礎作業療法学<br>(系統的な作業療法を構築できるよう，作業療法の過程に関して必要な知識と技能を習得する) | 作業療法概論 | 1 | 5 |
| | | 基礎作業学 | 1 | |
| | | 基礎作業学実習 | 1 | |
| | | 作業療法の理論 | 1 | |
| | | 作業療法研究法 | 1 | |
| | 作業療法管理学<br>(医療保険制度，介護保険制度を理解し，職場管理，作業療法教育に必要な能力を培うとともに，職業倫理を高める態度を養う) | 作業療法管理学(教育を含む) | 2 | 2 |
| | 作業療法評価学<br>〔作業療法評価(画像情報の利用を含む)についての知識と技術を習得する〕 | 作業療法評価学概論 | 2 | 5 |
| | | 運動器障害作業療法評価学(画像評価を含む) | 1 | |
| | | 神経障害作業療法評価学(画像評価を含む) | 1 | |
| | | 精神障害作業療法評価学 | 1 | |
| | 作業療法治療学<br>〔保健医療福祉とリハビリテーションの観点から，疾患別，障害別作業療法の適用に関する知識と技術(喀痰などの吸引を含む)を習得し，対象者の自立生活を支援するために必要な課題解決能力を培う〕 | 身体障害作業療法治療学 | 2 | 19 |
| | | 身体障害作業療法治療学演習(喀痰吸引を含む) | 1 | |
| | | 内部障害作業療法治療学 | 1 | |
| | | 高次脳機能障害作業療法治療学 | 2 | |
| | | 精神障害作業療法治療学 | 2 | |
| | | 精神障害作業療法治療学演習 | 1 | |
| | | 発達障害作業療法治療学 | 2 | |
| | | 発達障害作業療法治療学演習 | 1 | |
| | | 高齢期障害作業療法治療学 | 2 | |
| | | 高齢期障害作業療法治療学演習 | 1 | |
| | | 日常生活活動学 | 1 | |
| | | 日常生活活動学実習 | 1 | |
| | | 義肢装具学 | 1 | |
| | | 義肢装具学実習 | 1 | |
| | 地域作業療法学<br>(患者および障害児者，高齢者の地域における生活を支援していくために必要な知識，技術を習得し，課題解決能力を培う) | 地域作業療法学 | 2 | 4 |
| | | 住環境整備・支援機器学 | 1 | |
| | | 就労援助技術論 | 1 | |
| | 臨床実習<br>(社会的ニーズの多様化に対応した臨床的観察力・分析力を養うとともに，治療計画立案能力・実践能力を身につける，各障害，各病期，各年齢層を偏りなく対応できる能力を培う，また，チームの一員としての連携の方法を習得し，責任と自覚を培う) | 見学実習 | 1 | 22 |
| | | 短期実習(評価実習) | 4 | |
| | | 総合臨床実習 Ⅰ(医療提供施設) | 8 | |
| | | 総合臨床実習 Ⅱ(病院・診療所) | 8 | |
| | | 地域作業療法実習 | 1 | |
| | | | 合計 | 101 |

〔小林隆司：新しいカリキュラムについて．作療ジャーナル 52:1313–1317, 2018 を参考に作成〕

# C 作業療法の実践教育

## 1 臨床実習の目的

作業療法の実践領域としては，保健や医療，福祉，教育および職業など広範にわたる．作業療法士はこれらの領域に関する作業療法の専門知識をもつことはもちろん，さまざまな対象者に対する作業療法の技能などを修得している必要がある．「作業療法士教育の最低基準」では，作業療法実践教育は，①指定規則で定められている臨床実習と，②指定規則外の臨床実習との組み合わせにより，1,000 時間以上を実施することとされている[5]．すなわち，作業療法の実践場面での教育は，作業療法士の養成教育に欠くことはできず，この実践教育の柱が臨床実習である．

臨床実習の目的は，施設や病院での体験学習を通して，学内で学んできた知識・技能・態度の統合をはかり，将来の作業療法実践のための基本を修得することである[14]．「作業療法臨床実習指針(2018)」[15] では，臨床実習の目的を，「学生が臨床実習指導者の指導・監督のもとに，作業療法対象者の全体像を把握，作業療法計画，治療・指導・援助などを通して，作業療法士としての知識と技能及び態度を身につけ，保健・医療・福祉にかかわる専門職としての認識を高めること」[15] としている．さらに，同指針では臨床実習の到達目標を「臨床実習指導者の指導・監督のもとで，典型的な障害特性を呈する対象者に対して，作業療法士としての，①倫理観や基本的態度を身につける，②許容される臨床技能を実践できる，③臨床実習指導者の作業療法の臨床思考過程を説明し，作業療法の計画立案ができる」[15] こととしている．

## 2 臨床実習の学修内容

臨床実習は原則として，見学実習，評価実習，総合臨床実習で構成される[8]．見学実習は患者への対応などについて見学をする実習，評価実習は患者の状態などに関する評価を実施する実習，総合臨床実習は患者の障害像の把握，治療目標および治療計画の立案，治療実践ならびに治療効果判定についての実習であり[8]，通常，見学実習，評価実習，総合臨床実習の順に学修を深めていく．具体的な臨床実習の場としては，病院や診療所，介護老人保健施設(これらを医療提供施設という)が多いが，先に示したとおり作業療法の実践領域は保健や教育，職業などにも及ぶことから，市区町村の介護予防事業や通いの場，保育所，**特別支援学校**(➡ 40 ページ)，就労支援施設，身体障害者福祉施設なども含まれる．

臨床実習において，学生は臨床実習指導者(以下，指導者)の指導・監督のもとで，臨床のさまざまな作業療法の実践場面を見学し，指導者の実践技術や態度を繰り返し模倣し，そして許容される範囲で徐々に対象者への作業療法評価や治療などを実施していく．この見学，模倣，実施の経験を通して，学生は臨床で求められる基本的態度や臨床技能，臨床思考過程を身につけていく．

ここでいう基本的態度とは，臨床場面でふさわしい服装や身なり，言葉遣い，礼節ある態度と行動，さらには臨床場面で得られるさまざまな情報の取り扱いや守秘義務の遵守などがあげられる[15]．臨床技能は作業療法士として対象者とかかわる際に修得しておくべき技能であり，対象者への一連の作業療法過程に必要な技能を示す(▶表 3)[15]．臨床思考過程とは，一連の作業療法過程から得られたさまざまな情報から，作業療法士が対象者の状態やかかえている問題，課題についてどのように考え，対象者の目標設定や治療法についてどのような考えで計画し，実施しているかという，まさに臨床場面での作業療法士の思考，推論，判断などを意味する．たとえば，対象者の疾患やそこから生じる障害という観点でみれば，ある治療プログラムを行うことが妥当と考えられても，対象者個々の状態や思い，かかえている問

## ▶表 3　臨床技能

| ICF 区分 | 臨床技能の対象区分 | 臨床技能（評価・治療・指導・援助）の対象となる具体的項目 |
|---|---|---|
| 心身機能・身体構造 | 精神・認知機能 | 意識水準，見当識，知的機能，気質・人格傾向，意欲，睡眠，注意，記憶，精神運動，情動など |
| | 感覚・知覚の機能 | 視覚，聴覚，前庭感覚，味覚，嗅覚，固有受容覚，触覚，温度覚，痛みの感覚 |
| | 音声と発話機能 | 発声，構音，発話，音声・文字言語の表出および理解 |
| | 心肺機能 | 心機能，血圧，呼吸器，呼吸機能，全身持久力 |
| | 消化器<br>摂食・嚥下機能 | 口唇・口腔，口腔から咽頭・食道など |
| | 代謝・内分泌機能 | 尿路，生殖機能など |
| | 運動に関連する機能と身体構造 | ●関節可動域，関節安定性，筋力，筋緊張，筋持久力<br>●運動反射，不随意運動反応，随意運動制御<br>●姿勢・肢位の変換・保持，随意性，協調性 |
| 活動と参加 | 学習と知識の応用 | ●視る，聞く，模倣，反復，読む，書く，計算<br>●技能の習得，注意集中，思考，問題解決，意思決定<br>●安全管理，時間管理など |
| | 日常的な課題と要求 | 単一課題の遂行，日課の遂行 |
| | コミュニケーション | 話し言葉の理解・表出，非言語的メッセージの理解・表出，書き言葉の理解・表出，会話，各種通信手段の操作，ディスカッションなど |
| | 運動・移動 | 基本的な姿勢の変換，姿勢保持，移乗，物の運搬・移動・操作，歩行と移動（さまざまな場所，用具を用いて），車椅子の操作，交通機関や手段の利用，運転・操作 |
| | セルフケア | 入浴，整容・衛生，排泄，更衣，飲食 |
| | 家庭生活・家事 | 調理，食事の片付け，買い物，洗濯，整理・整頓，掃除，ゴミ処理，生活時間の構造化，活動と休息のバランス |
| | 対人関係 | 基本的な対人関係，家族関係，公的関係など |
| | 社会レベルの課題遂行 | ストレスへの対処，心理的欲求への対処 |
| | 社会生活適応 | 役割行動，サービスの利用，他者への援助 |
| | 教育<br>仕事と雇用<br>経済生活 | ●就学前教育，学校教育，職業訓練，高等教育<br>●職業準備，仕事の獲得・維持，無報酬の仕事<br>●基本的金銭管理，複雑な経済取引，経済的自給 |
| | コミュニティライフ・余暇活動 | 自由時間の活用のしかた，活動意欲，創作活動，自主トレーニング，レクリエーション，レジャー，宗教観，政治活動・市民活動など |
| 環境因子 | 人的環境 | 家族・親族による支援，友人・知人による支援など |
| | 物的環境 | 生産品と用具，日常生活におけるもの，屋内外の移動と交通のためのもの（車椅子，装具，義手，自助具などの各種福祉用具），コミュニケーション用のもの，教育・仕事用のもの，文化・レクリエーション・スポーツ用のもの，住環境のためのもの |
| | サービス・制度・政策 | 消費，住宅供給，公共事業，コミュニケーション，交通，教育訓練，労働と雇用，社会保障など |
| 個人因子 | 生活再建にかかわる作業に影響を与える心身機能以外の個人の特性 | 性別，人種，信条などの個人特性は大切に守られるべき人権であり，治療・指導・援助の対象とすべきではないため，本項目は個別の生活再建にかかわる作業に影響の深い具体的対象に限定されるものである（例：心身機能に悪影響を及ぼす食習慣や生活習慣・嗜好など） |
| その他作業療法の実施に関連する技能 | 情報収集 | ●医学的情報（カルテ画像，検査結果など）<br>●社会的情報（家族，医師，看護師からの情報収集） |
| | 記録 | 患者指導用資料，カルテ，実施計画書，申し送り書，カンファレンス資料 |
| | 連携 | 他職種，他機関，他施設 |
| | リスクマネジメント | ●衛生（手洗い，マスク着用，ガウンテクニック）<br>●転倒リスク（安全確保できる位置に立つ，安全な訓練場面の設定）<br>●全身状態（外観・顔色・表情など），設備・物品などの環境 |

〔日本作業療法士協会：作業療法臨床実習指針（2018）．2018.
https://www.jaot.or.jp/files/page/wp-content/uploads/2013/12/shishin-tebiki2018-2.pdf より改変〕

題などは異なるわけであり，対象者自身がより最適な治療プログラムを選択し，実践するには，作業療法士は多様な観点で対象者へ治療プログラムを提案することが求められる．

## 3 臨床実習の評価

臨床実習は見学実習，評価実習，総合臨床実習で構成されることが基本であり，その実習科目ごとに学修(到達)目標が設定される．それぞれの目標達成に向け，教員や指導者は学生を教育・指導し，適宜評価を行う．臨床実習に関する評価は，診断的評価，形成的評価，そして総括的評価に大別される．診断的評価は実習前に学校養成施設の教員が学生の能力や準備状態を確認し，それに応じた指導計画の立案や実習履修の可否を判断する際に用いられる．形成的評価は実習中において，実習目標の達成に向けた学生の学習進捗度や到達度を指導者が評価し，その後の学生の実習課題の見直しや学習方法などの改善，さらには指導者の実習指導計画や方法などを再検討するための評価である．これは，指導者が学生を評価するだけではなく，学生自身の自己評価にも用いられる．そして，総括的評価は臨床実習の最終到達度を評価する．総括的評価は実習の最終到達度を評価するとともに，実習科目の単位修得を評定することから，主に学校養成施設(教員)が評価を行う．

この臨床実習の評価は，基本的態度(情意領域)，臨床技能(精神運動領域)，臨床思考過程(認知領域)の 3 つの側面をもつ[16]．指導者は，この 3 側面をチェックリストやルーブリック評価などを活用し，形成的評価を中心に行う[16]．一方，教員は，臨床技能，基本的態度について，**客観的臨床能力評価試験**(objective structured clinical examination; OSCE)を実習前後の評価として活用し，臨床思考過程においては実習後の症例報告や事例提示での筆記試験などを活用し評価する[16]．

## 4 臨床実習の指導体制

臨床実習の方法として，評価実習と総合臨床実習については，学生が診療チームの一員として加わり，指導者の指導・監督のもとで行う**診療参加型臨床実習**が推奨されている[8]．そのため，指導者は作業療法に関する相当の経験を有するだけでなく，学生の臨床実習指導に関する教育について学修する必要がある．すなわち，作業療法士免許を受けたのち 5 年以上の業務経験と臨床実習指導者講習会の修了が指導者の要件である．一方，この要件を満たさない場合であっても，指導者の指導・監督のもとで，診療チームの一員として指導者と一緒に学生に対する補助的指導を行うことは可能である．

このように，臨床実習指導体制は，複数の臨床実習指導者(統括，担当，担当補助)のチームによる指導体制(▶図 1)[15] をとることが望ましい[15]．また，状況に応じて学校養成施設の教員も参画する必要がある．日々変化する臨床実践にあって，さまざまな実習経験を通して学生の実習目標を達成するには，指導者に加え，補助的にかかわるスタッフや教員を含めたチームとしての臨床実習指導体制を整備することが重要である[15]．

**Keyword**

**客観的臨床能力評価試験**　臨床能力(主に臨床技能，基本的態度)を客観的に評価する方法である．学生は複数の部屋(ステーション)を回り，模擬患者に対し設定された課題を実施する．評価者は学生の臨床能力について評価シートなどを用いて客観的に評価する．

**診療参加型臨床実習**　医学教育の改善・充実に向けた臨床実習の効果的活用として導入された実習形態であり，その目的は，学生が診療チームに参加し，その一員として診療業務を分担しながら，医師としての職業的な知識・思考法・技能・態度の基本的な内容を学ぶことである．クリニカルクラークシップともいわれる．

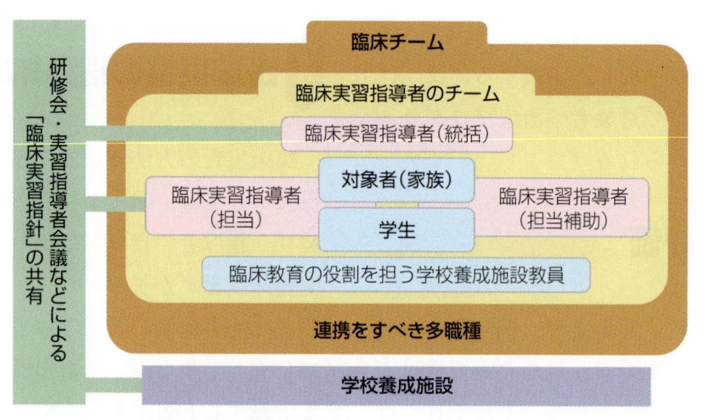


▶図 1　臨床実習指導体制の概要
〔日本作業療法士協会：作業療法臨床実習指針（2018）. 2018. https://www.jaot.or.jp/files/page/wp-content/uploads/2013/12/shishin-tebiki2018-2.pdf より抜粋〕

## D 卒後教育

### 1 作業療法士の資格認定制度

作業療法士は専門職であり，常に対象者への最適な作業療法を実践する責任を果たすために，生涯学び続ける必要がある．そのためには，日々の臨床実践を振り返り検討することはもちろんのこと，学会やさまざまな研修会などに参加し，自己研鑽に努めることが求められる．

日本作業療法士協会は，学校養成施設卒業後の作業療法士（日本作業療法士協会会員）に向け，作業療法の質の維持・向上をはかるため，これまで学会やさまざまな研修会を開催してきた．また，作業療法士数の急増や職域の拡大，社会的ニーズの多様化などへの対応から，作業療法の質の保証が課題となり，より組織的な生涯教育体制の整備が求められ，1998 年には生涯教育単位認定システムを創設し，2003 年度には同システムを生涯教育制度へと改定し，整備した[17]．

生涯教育制度は，「基礎研修制度」，「認定作業療法士制度」そして「専門作業療法士制度」で構成される（▶図 2）[18]．「基礎研修制度」は作業療法士の継続的な自己研鑽を支援するための制度で[18]，この基礎研修から開始することが基本である．「認定作業療法士制度」は，作業療法士の質の向上，作業療法に関する水準の維持・向上および作業療法士の専門性と社会的地位のいっそうの確立をはかるため，日本作業療法士協会が一定の基準を設けて作業療法士の養成・審査・認定を行い，これをもって国民の保健・医療・福祉に寄与することを目的とした制度である[18]．この制度における「認定作業療法士」とは，作業療法の臨床実践，教育，研究および管理運営に関する一定水準以上の能力を有する作業療法士を同協会が認定した者をいう[18]．「専門作業療法士制度」は，特定の専門分野において優れた実践能力をもつ作業療法士を認定することにより，その専門性をもって国民の保健・医療・福祉に寄与することを目的とした制度である[18]．「専門作業療法士」とは，「認定作業療法士」である者のうち，日本作業療法士協会が定める特定の専門作業療法士分野において，高度かつ専門的な作業療法実践能力を有することを同協会が認定した者をいう[18]．

### 2 大学院への進学

日々進歩する医学や医療，生命科学，さらに多

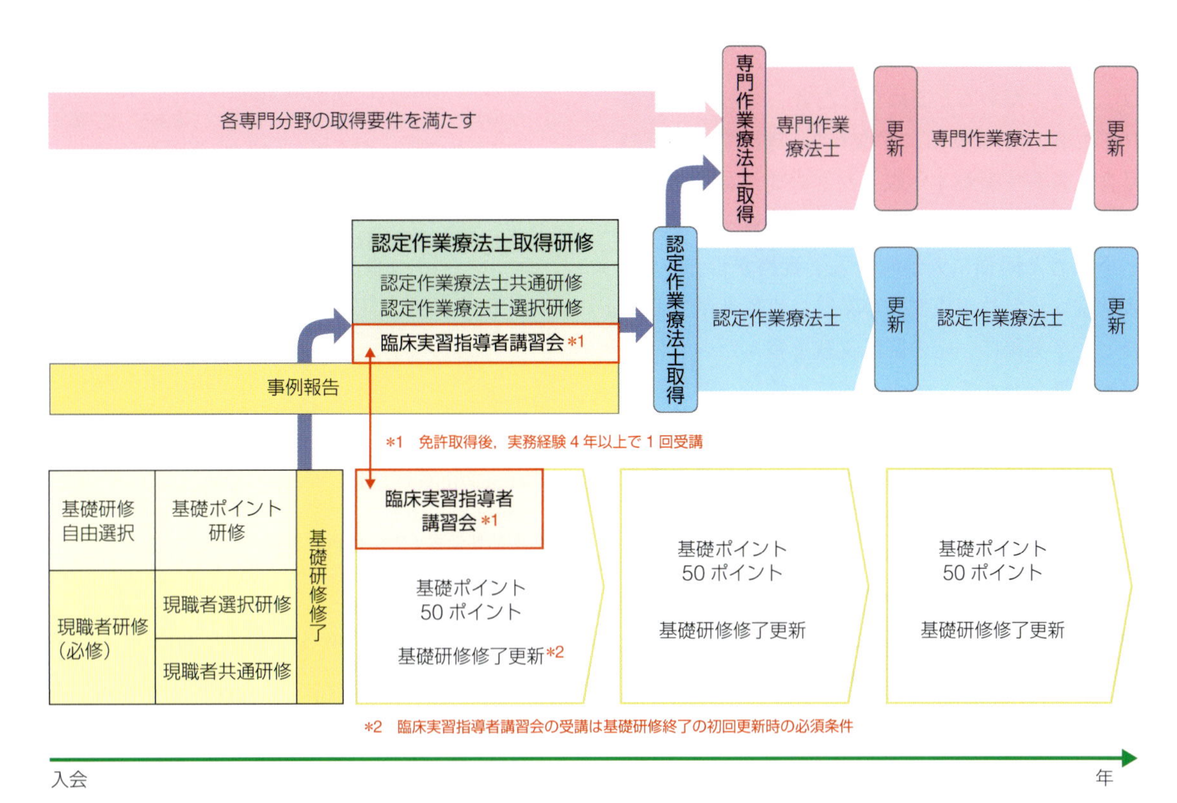


▶**図 2 生涯教育制度の構造図**
〔日本作業療法士協会：生涯教育制度 2020 制度の概要と解説. https://www.jaot.or.jp/files/page/kyouikubu/shougaikyouikutechoudensiban.pdf より抜粋〕

様化する社会からのニーズを受け，作業療法士には常に高度な知識と技能が要求されている．すなわち，作業療法士は臨床実践のみならず，研究や教育などに関する実践能力も求められている．これらの能力を高めるための方法の 1 つとして大学院への進学がある．わが国の作業療法学関連の大学院としては，1996 年に広島大学において修士課程が開設され，1998 年には同大学で博士課程が開設された．以降，全国の国公私立大学で大学院が設置されてきており，進学者も増加してきている．また，作業療法学系の大学院のほか，医学系や保健学系などの大学院へ進学する場合もある．

「大学院は，学術の理論及び応用を教授研究し，その深奥をきわめ，又は高度の専門性が求められる職業を担うための深い学識及び卓越した能力を培い，文化の進展に寄与することを目的とする」（学校教育法第 99 条第 1 項）．大学院は修士課程と博士課程からなる．修士課程の目的は，「広い視野に立って精深な学識を授け，専攻分野における研究能力又はこれに加えて高度の専門性が求められる職業を担うための卓越した能力を培うこと」（大学院設置基準第 3 条第 1 項）であり，標準修業年限は 2 年である．一方，博士課程の目的は，「専攻分野について，研究者として自立して研究活動を行い，又はその他の高度に専門的な業務に従事するに必要な高度の研究能力及びその基礎となる豊かな学識を養うこと」（大学院設置基準第 4 条第 1 項）である．すなわち，博士課程は修士課程に比べ，より自立した研究活動が求められる．博士課程の標準修業年限は 5 年であり，博士課程前期 2 年（修士課程として扱う）および後期 3 年の課程に区分する場合と区分しない一貫制（5 年）がある．

大学院の入学資格は，「大学を卒業した者又は文部科学大臣の定めるところにより，これと同等以上の学力があると認められた者」(学校教育法第102条第1項)である．すなわち，専門学校卒業の場合，修業年限が4年以上などの要件を満たした者で，文部科学大臣が認めた課程の修了者は，大学卒業者と同様に大学院の入学資格が得られる．大学院へは学校養成施設卒業後に直接進学する場合と，卒業後に一定の臨床実践を積んだのちに進学する場合がある．また，病院や施設などに勤務しながら通える夜間開講型の大学院もある．

大学院では必要とされる科目の単位を修得するほか，修士課程では必要な研究指導を受けたうえで，当該修士課程の目的に応じ，当該大学院の行う修士論文または特定の課題についての研究成果の審査および試験を合格することが学位取得の要件である[19]．一方，博士課程では必要な研究指導を受けたうえで，当該大学院の行う博士論文の審査および試験の合格が学位取得の要件である[19]．大学院進学の目的はさまざま考えられるが，研究実践能力の修得に加え，今後，大学や研究機関での勤務や民間企業での研究・開発職へのキャリアアップなどもあげられる．大学教員を目指すのであれば，修士以上の学位取得が望ましく，また継続した研究活動が必須であることから，大学院への進学を計画すべきである．

### ●引用文献


1) 日本作業療法士協会：日本作業療法士協会五十年史. pp110–111, 日本作業療法士協会, 2016
2) 日本作業療法士協会：2021年4月1日現在の作業療法士. 日作療士協会誌 (110):48, 2021.
3) 厚生労働省：医療従事者の需給に関する検討会　第3回理学療法士・作業療法士需給分科会「理学療法士・作業療法士の需給推計について」. 平成31年4月5日.
https://www.mhlw.go.jp/content/10801000/000499144.pdf
4) 日本作業療法士協会教育部：作業療法教育ガイドライン 2019.
https://www.jaot.or.jp/files/page/wp-content/uploads/2013/12/Education-guidelines2019.pdf
5) 日本作業療法士協会教育部養成教育委員会：一般社団法人日本作業療法士協会「作業療法士教育の最低基準」改訂第4.1版. 2019.
https://www.jaot.or.jp/files/page/wp-content/uploads/2013/12/kijyun4.1.pdf
6) 山﨑せつ子：作業療法の教育体系. 二木淑子, 他(編)：作業療法学概論. 第3版, pp79–90, 医学書院, 2016
7) 文部科学省・厚生労働省：理学療法士作業療法士学校養成施設指定規則.
8) 厚生労働省医政局長：理学療法士作業療法士養成施設指導ガイドラインについて(医政発1005第1号). 平成30年10月5日
9) 鈴木孝治：これからの教育体制のあり方—卒前・卒後の一貫した教育体制. 作療ジャーナル 52:1306–1312, 2018
10) 厚生労働省：地域包括ケアシステム.
https://www.mhlw.go.jp/stf/seisakunitsuite/bunya/hukushi_kaigo/kaigo_koureisha/chiiki-houkatsu/
11) 文部科学省：大学における教育内容・方法の改善等について「大学の教育内容・方法の改善に関する Q&A (平成26年2月更新)」.
https://www.mext.go.jp/a_menu/koutou/daigaku/index.htm
12) World Federation of Occupational Therapists: Statement on occupational therapy. 2010.
13) 丹羽　敦：作業療法教育課程の理解—基礎・専門科目と臨床実習の関係. 大庭潤平(編著)：作業療法管理学入門. pp134–135, 医歯薬出版, 2018
14) 丹羽　敦：作業療法臨床実習の目的と到達目標および評価. 大庭潤平(編著)：作業療法管理学入門. pp136–137, 医歯薬出版, 2018
15) 日本作業療法士協会：作業療法臨床実習指針(2018). 2018.
https://www.jaot.or.jp/files/page/wp-content/uploads/2013/12/shishin-tebiki2018-2.pdf
16) 丹羽　敦：臨床実習体制の変更点について. 作療ジャーナル 52:1318–1321, 2018
17) 日本作業療法士協会：作業療法白書 2015. pp89–93, 日本作業療法士協会, 2017.
https://www.jaot.or.jp/files/page/wp-content/uploads/2010/08/OTwhitepepar2015.pdf
18) 日本作業療法士協会：生涯教育制度 2020 制度の概要と解説.
https://www.jaot.or.jp/files/page/kyouikubu/shougaikyouikutechoudensiban.pdf
19) 文部科学省：中央教育審議会大学分科会大学院部会(第45回)「修士課程・博士課程の関係について」. 平成21年6月23日.
https://www.mext.go.jp/b_menu/shingi/chukyo/chukyo4/004/gijiroku/__icsFiles/afieldfile/2010/02/16/1288658_2.pdf


### ●参考文献


20) 小林隆司：新しいカリキュラムについて. 作療ジャーナル 52:1313–1317, 2018

# 3 作業療法研究とエビデンス

## A 作業療法のエビデンス構築とその活用

### 1 研究は誰しも必須のリテラシー

研究活動とは「先人達が行った研究の諸業績を踏まえた上で，観察や実験等によって知りえた事実やデータを素材としつつ，自分自身の省察・発想・アイデア等に基づく新たな知見を創造し，知の体系を構築していく行為である」と定義されている[1]．この定義を読む限りでは，研究は「研究者」が行うもので，臨床で作業療法を行う者(以下，臨床家)を目指す自分には関係ないと思う読者も少なくないだろう．しかし，研究には「つくる」，「使う」，「伝える」の3側面がある[2]．特に近年では，エビデンスに基づく実践(evidence-based practice; EBP)が広く普及し，最新かつ最良の研究結果を目前の対象者の意思決定に取り入れることが，すべての医療職に共通する必須のスキルとなっている．つまり，研究を「使う」という側面においては，すべての臨床家にかかわる事項といえる．

### 2 作業療法のエビデンス

作業療法研究の重要な役割としては，作業療法の有効性を検証し，その結果を対象者や行政へ説明することである．わが国の社会保障費は年々増加し，今後は，有効性がない，もしくは不明な治療/技術は保険適用外にするといった議論も出てくるかもしれない．また療法士の数も供給過多となり，これからは作業療法の新規領域開拓も求められる．このような現状を打開していくためにも，作業療法の有効性検証は急務の課題とされている．

では「作業療法」によって人の作業と健康を促進できるだろうか．Clark ら[3]は，地域在住の高齢者460名を，日常の作業に焦点を当てた作業療法介入群，非介入群に振り分け，6か月間の介入を行ったところ，作業療法を実施した群は非介入群と比べて，健康関連QOLや生活満足度，抑うつの指標でポジティブな結果となり，なおかつ費用効果も高かったと報告している．その他，Nagayama ら[4]は，介護老人保健施設の入所者44名に対して，作業に焦点を当てた実践を行った群と，通常の機能訓練を行った群を比較したところ，前者ではADLが改善した割合が47.8%(11/23名)であったが，後者は5%(1/21名)であったと報告している．このように，ADLやQOL向上における作業療法の有効性を示す客観的なエビデンスが段々と増えてきている．

しかし Levack ら[5]は，コクランライブラリーで報告されているリハビリテーション領域の論文を専門職ごとに整理したところ，理学療法士で259編，医師で202編だったのに対して，作業療

**Keyword**

**エビデンス**　エビデンスとは通常，根拠や証拠と訳されるが，エビデンスに基づく実践の文脈においては「臨床で実際の対象者から得られた臨床研究のデータ」を指す．

エビデンスの構築に適した介入

介入群　対照群

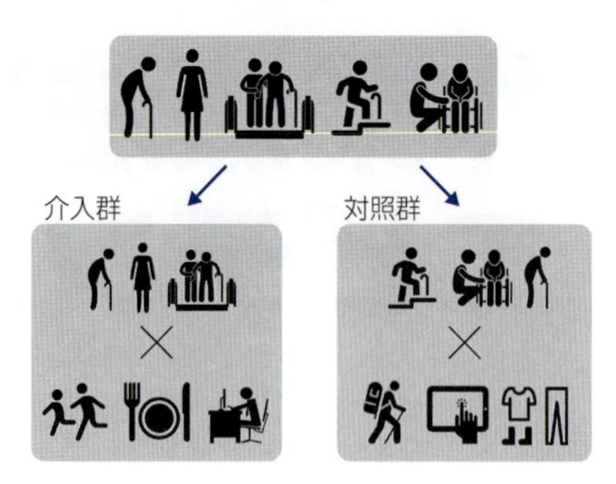


▶図 1　作業療法介入の統制の難しさ

法士はわずか 15 編であったと報告している．また東[6] によれば，学術誌『作業療法』で報告されている介入研究の約 60％ が単一事例報告であり，その傾向は近年でも著変はないと指摘している．事例報告は，作業療法の実践内容を内省したり，共有したりする目的においては有益であるが，エビデンス構築という観点でいえばガイドラインで採用される場合の推奨度は最も低い．これらの現状から，作業療法は健康や幸福を促進するか？ という問いに答えられる十分なエビデンスがそろっているとはいいがたい状況である．

## 3 なぜ作業療法はエビデンスが少ないのか

作業療法にエビデンスが少ない理由は，基本的には学問上の特性による影響が大きいと考えられる．エビデンスを構築するには，研究対象者の個別性や多様性，介入方法の複雑性などをできるだけ排除することが求められる．

たとえば，65 歳以上の女性，大腿骨頸部骨折という対象者に対して，歩行練習や筋力トレーニングといった身体機能を高めるプログラムの場合は，プロトコルに従ってある程度統制されたプログラムを実施できる．一方，作業療法は，対象者のやりたいこと，やってきたこと，家庭内の役割，住んでいる環境も考慮しながら，より個別的な介入計画を立案する．65 歳以上の女性，大腿骨頸部骨折といっても，介入プログラムを統制することが困難になる(▶図 1)．作業療法でエビデンスを構築していくためには，介入方法の厳格な手順化や，アウトカム測定の精度を高めることなどが今後は求められる．

## 4 エビデンスに基づく実践

カナダの医師 Guyatt ら[7] は，「臨床疫学」を臨床実践に組み込み，エビデンスに基づく医療(evidence-based medicine; EBM)を提唱した．EBM は，それまでの臨床家による経験則重視の実践のアンチテーゼとして一気に波及した．一時期作業療法ではエビデンスに基づく作業療法(EBOT)と呼ばれたが，近年では EBP という領域共通の用語に落ち着いている．

EBP では，臨床疫学研究の統計や確率を用いた集団のデータ(エビデンス)を，個人の帰結の予測に用いる．つまり「A さんの上肢麻痺は今後どの程度回復するだろうか？」，「A さんには 1 と 2 のどちらの介入が有効だろうか？」といった臨床疑問において，これまでの研究結果を参考に，予後や介入結果の見通しを立てるために活用する．

ただし注意すべき点は，「EBP はエビデンスを尊重するが，エビデンスのみで方針を決定するわけではない」ということである．厳密にいえば，

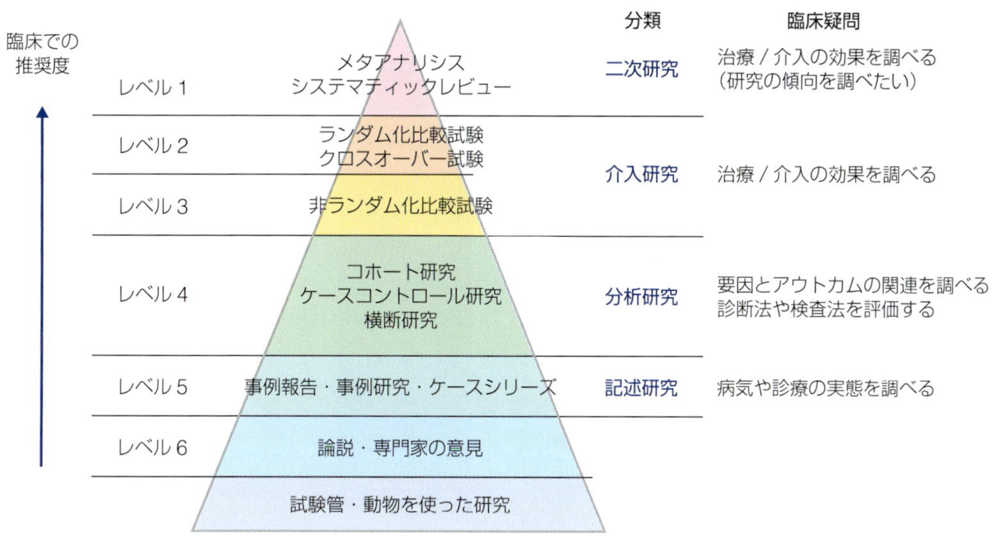


▶**図2 エビデンスピラミッド**
※方法は**表1**も参照

EBP は以下の4つの観点から総合的に判断する.
①入手可能な良質のエビデンス
②対象者の価値観や希望
③医療者の経験, 技術
④周囲の環境や状況

エビデンスに基づくとはいえ, 決してエビデンスの有無のみで方針を決定したり, エビデンスを対象者に押しつけたりすることがあってはならない. EBP には, 対象者自身が意思決定できることを支援するために, 対象者の希望を共有したり, エビデンスをわかりやすく説明したりといった, 高度なコミュニケーション技能も要求される.

## 5 エビデンスレベルと研究デザイン

エビデンスの信頼度は, 研究デザイン(研究方法)によって大まかに格づけされている(▶**図2**). よってまずは研究デザインの理解が必要である. **表1**に各研究デザインについてまとめた. **図2**のエビデンスピラミッドは, 上段にある方法を用いたほうがより情報の信頼度が高く, 下段はその逆を意味しているが, これはエビデンスの再現性があること(同じ研究をすれば同じような結果が得られるか), **バイアス**(真値を歪める要因)が少ないことによって序列されている. ただし, 臨床疑問によって適切な研究デザインも異なるため, **図2**右側に示した欲しい情報に合った適切な研究デザインについても併せて理解しておきたい.

## 6 EBP の実際 : 5ステップ

EBP を実践するうえでは, 以下の5ステップが基本となる.
ステップ1 : 疑問の定式化(PICO/PECO)
ステップ2 : 情報収集(文献検索)
ステップ3 : 情報の批判的吟味
ステップ4 : 情報の対象者への適用
ステップ1~4の振り返り

**Keyword**
**バイアス** 研究における主なバイアスとは結果の一定の偏りを指し, 対象者の選択時に生じる選択バイアス, 結果を取得する際に生じる情報バイアス, 結果になんらかの影響を及ぼす因子がある場合の交絡に大別される.

▶表 1　研究デザイン

| 研究方法 | 概要 |
|---|---|
| メタアナリシス | システマティックレビューと同様の手順で行われた既存の介入研究(特にランダム化比較試験)の結果を統合し，統計学的に解析する研究 |
| システマティックレビュー | ある臨床疑問について，一定の方法で関連のある既存の文献を収集し，批判的に吟味して系統的にまとめたもの |
| ランダム化比較試験 | ある対象集団をランダムに介入群と対照群に振り分け，一定期間介入を行い，両群のアウトカムを比較する |
| コホート研究 | 仮説として考えられる要因をもつ集団(曝露群)ともたない集団(非曝露群)を一定期間追跡し，両群の疾病の罹患率または死亡率を比較し，仮説とした要因の影響を調べる(前向き研究) |
| ケースコントロール研究 | 目的とする疾病(健康障害)をもつ集団(ケース)と，その疾病に罹患したことのない人の集団(コントロール)を選び，仮説として設定された要因のある割合を両群で比較する(後ろ向き研究) |
| 横断研究 | ある集団に対して，一時点(同時的)で一斉にデータを収集する．たとえばアンケート調査など |
| 事例報告<br>ケースシリーズ | 日々の臨床において，1 事例をていねいに観察し，病気や障害の実態の変化，作業療法介入による変化などを経時的，後方視的にまとめていく．複数事例でまとめる場合をケースシリーズと呼ぶ |

## a ステップ 1

ステップ 1 では，あやふやな臨床疑問を PICO/PECO で定式化して文献検索に備える(▶表 2)．PICO/PECO を使った疑問の定式化は研究を「つくる」際にも用いられるため，しっかり身につけておきたい．PICO/PECO は，patient(対象者)，intervention/exposure(介入/条件)，comparison(比較)，outcome(帰結)の頭字語で，両者は I と E によって介入について比較したいのか，ある条件について比較したいのかで使い分ける．もし介入や条件が何か思い浮かばない場合には，PICO/PECO を作成することは難しい．まずどのような介入や，結果に関連する要因があるのかを調べる検索方法に切り替える．

▶表 2　PICO/PECO による臨床疑問の定式化

| | | | |
|---|---|---|---|
| Patient | 対象者 | どのような対象者に | P：脳卒中後片麻痺者 |
| Intervention<br>Exposure | 介入 | 何の介入を行った場合 | I：作業療法理論に基づく練習を行った場合 |
| | 条件 | どのような条件がある場合 | E：発症から 2 か月後に上肢麻痺が中等度の場合 |
| Comparison | 比較 | I/E がない場合と比べて，他の I/E と比べて | C：通常の作業療法と比べて<br>C：発症から 2 か月後に上肢麻痺が軽度の場合と比べて |
| Outcome | 帰結 | どのような成果があるか | O：ADL や QOL の改善に差はあるか |

## b ステップ 2

ステップ 2 では，インターネット上の文献検索データベースで文献検索を行う．データベースは，英文で無料のものは，PubMed，Google ScholLar，OTseeker がある．和文の無料のものは，Google ScholLar，J-STAGE，CiNii などで，有料は医中誌 Web，メディカルオンラインなどがある．もちろん英文のほうが情報量は豊富であるため，翻訳サイトを活用してでも英文で読むほうがよい．具体的な検索方法は専門書に譲るが，基本的な検索演算子を用いて，ステップ 1 で定式化した P(対象)，I(介入)/E(条件)，O(帰結)に該当する単語を検索キーワードとして用いる．

読む文献にもいくつか種別があり，一次資料と二次資料に大別される．一次資料とは，原著論文，事例報告，学会発表であり，目的/方法/結果/考察といった流れで研究結果が載っている．二次資料とは，複数の研究論文を整理して発表されたもので，診療ガイドライン，システマティックレビューなどが該当し，調べる領域の概要把握に役立つ．

EBP で活用する論文は，原則的に一次資料の原著論文(研究論文ともいう)が優先される．これは第三者による**査読**を受けており，情報の信頼性が比較的担保されている．事例報告や実践報告も査読を受けているが，これらはエビデンスピラミッドでも示されている通り，信頼性は低い．学会抄録も査読を受けているが，そもそも抄録自体の文字数が少ないため査読の信頼性は高くない．

一方，二次資料として，システマティックレビューやメタアナリシスは，厳密な手順で既存のエビデンスを精査し，一定の質が担保された研究結果を体系的にまとめているため，情報の信頼度は高くなる．もちろん査読も受けている．その他，重要な二次資料として診療ガイドラインがある．これは学術団体の専門委員会などが，既存のエビデンスを精査し，各治療/介入や評価尺度の推奨レベルと情報の信頼度について体系的にまとめた文章を指す．しかし前述したように，作業療法はそもそも既存のエビデンスが多くないので，ガイドラインにも限りがある．総説や解説(教科書を含む)といった二次資料は，著者が既存の研究結果を著者なりの方法で整理したもので，第三者の査読を介していない．専門領域のアウトラインを把握するには効率的だが，そこで引用されている一次資料を確認するようにしたい．ちなみに，インターネット上の情報は，発信する情報源が政府や学術団体といった公的機関であれば信頼性は高いが，それ以外の情報については基本的にEBP で用いることは推奨されない．

まとめると，まず既存のエビデンスの概要を知りたい場合には，システマティックレビュー，メタアナリシス，診療ガイドラインなどを検索し，併せて総説や解説も調べる．ステップ１のPICO/PECO の段階で臨床疑問が具体的であれば，ピンポイントで原著論文を検索していくとよいだろう．

**Keyword**

**査読**　研究論文を学術誌に投稿したのち，論文を掲載するに値するかどうかについて，同じ領域の研究者や専門家によって行われる評価を指す．

## c ステップ 3

ステップ３では，ステップ２で集めた文献に批判的吟味を加えながら，臨床疑問に答えてくれる情報を集めていく．批判的吟味とは論文を客観的に分析することであり，論文の短所をあら探しすることではない．どの研究にも，新たな知見と限界が必ず存在する．その両者をていねいに読み解くことが批判的吟味といえよう．基本的に①研究の妥当性，②臨床的意義，③適用可能性の３点から行う[8]．

①研究の妥当性では，研究自体にバイアスが混在していないかを確認する．②臨床的意義では，介入効果の大きさや結果のばらつきがどの程度あるのか精査する．たとえば，介入群が対照群より統計的に有意な効果が認められたとしても，対象者や支援者が実感できないくらいの小さい効果である場合は，臨床的意義があるとはいいがたい．③適用可能性とは，結果がEBP を適用する目前の対象者にどの程度適用できるかを調べる．これは研究対象者の属性を確認する．研究論文には，年齢，性別，疾患，研究への組み込み基準や除外基準などが記載されており，それにどの程度マッチするかを吟味する．

この批判的吟味には研究法や統計など包括的な知識を要するため，初学者にはかなりハードルが高い．批判的吟味に使えるチェックリストがいくつか発表されており〔Critical Appraisal Skills Programme (CASP)[9]，EQUATOR network[10]〕，それも参照いただきたい．

## d ステップ 4

ステップ４は，「エビデンスを対象者に適用する」と表されるが，基本的に対象者中心の意思決定支援だと筆者は考えている．エビデンスが対象者に適合するか確認しつつ，難しいエビデンスの情報や，治療/介入の方針に関する選択肢のメリットやデメリットを，対象者にわかる言葉で説明し，対象者自身が合理的に意思決定することを臨床家が支援する．実際の現場では，認知機能などが低下して意思決定に参加することが難しい対象者や，医療者に任せたいと思っている対象者も一定数存在するため，EBP を押しつけることなく，状況に応じて柔軟に対応する．ステップ 4 で臨床家が抑えておきたいポイントとして，以下の 4 点があげられる[11]．

①この結果が適用できないほど，自分の対象者がその試験の対象者と大きく異なっているか．
②自分の診療環境でその治療は実施できそうか．
③その治療による，対象者の利益や害はどの程度と考えられるか．
④避けようとしているアウトカムや，行おうとする治療法に対する対象者の期待はどうか．

### e ステップ 5

ステップ 5 では，ステップ 1〜4 までを振り返り，次回の EBP に役立てる．EBP がうまくいったケースも，逆のケースも，その原因はプロセスにある．またこの振り返りにおいて，既存のエビデンスが明らかに不足している場合には，ステップ 1 で作成した PICO/ PECO を参考に研究計画を立案することも検討する．

# B 作業療法の研究方法

## 1 研究の手順

研究とは「問いを立て，解く行為」である．手順は以下の 4 点に集約される．

①研究疑問を設定する．
②研究計画を立てる．
③データを収集する．
④解析する．

まず解くべき問い，すなわち研究疑問を設定し，それを解く方法として研究計画を立案する．そして計画に沿ってデータを収集し，解析する．研究にはさまざまな方法があるが，どの方法を選択するかは研究疑問によって決まる．研究するうえでのやってはならないことは，方法ありきで計画を立てることである．あくまで問いが先で，方法はそのあとである．

## 2 研究疑問を設定する

### a 仮説をつくる：臨床疑問

よい研究はよい問いをつくることから始まる．どんなに複雑な統計手法，高価で精密な機材を使ったとしても，よい問いでなければよい研究は成立しない．逆に良質な問いであれば，それを解く方法の精度が少々荒くても，知の体系化に貢献できる．

ではよい問いとは何だろうか．目的によって異なるが，基本的には「臨床現場（特に EBP）で使ってもらえそうなテーマ」と考えておくとよい．学生は現場との接点が少ないので，問いを立てるために大量の文献を調べることになるが，それだけでは現場の肌感覚から少しずれた研究になってしまう．研究テーマを決める際は，臨床にアンテナを向けつつ，可能であれば実際に現場に足を運んで課題を聞いたりしながら，臨床現場に貢献できるテーマの立案を心がけたい．

臨床現場で生まれた疑問を臨床疑問（clinical question）と呼ぶ．たとえば「脳卒中後の上肢機能練習はいろいろあるが，どれが効果的か？」や，「あの認知症の方はなぜ徘徊しているのか？」など，日々疑問が出てくる．この臨床疑問は，仮説検証型と仮説生成型に分類できる．仮説検証型とは，たとえば「脳卒中後の麻痺側上肢に課題思考型訓練を実施すると改善するか？」といった Yes, No で答えられるタイプの問いである．一方仮説生成型は，たとえば「脳卒中後の麻痺側上肢を生活で使用しない理由は何か？」といった What, How, Why に答える探索的な問いである．

### b 仮説をつくる：研究疑問

ぼんやりとした臨床疑問を，研究で「解ける」形式に加工する必要がある．それを研究疑問(research question)と呼ぶ．臨床疑問が仮説検証型の場合は，先に述べたPICO/PECOで研究疑問を定式化する．仮説生成型の場合は，PCC(participants, concept, context)を埋めつつ，研究仮説を立案する．なお仮説検証型でも，C(比較対象)を設定できない研究はPICO/PECOが成立しないので，PCCを用いる．PICO/PECO，PCCで立案した研究疑問は，下記のFINERの視点でさらに洗練させる．

① feasible(実施可能な)
② interesting(興味深い)
③ novel(新規性のある)
④ ethical(倫理的な)
⑤ relevant(重要な問題)

研究疑問とは研究の骨組みで，研究計画に最低限必要な要素で構成される．研究疑問を立案する過程において，研究デザインは?，サンプルの特徴や必要な数は?，方法は?，解析方法は?などと，研究全体をイメージしながら計画の骨子を練る．

## 3 研究計画を立てる

### a 研究デザインを考える

研究デザインは，質的研究と量的研究に大別される(両者を組み合わせた混合研究という方法もある)．臨床疑問が仮説検証型の場合は，数値データを用いて白黒はっきりさせるような量的研究と相性がよく，仮説生成型の場合は，動画/画像/言語データから現象をていねいに分析する質的研究と相性がよい．量的研究と質的研究はその目的や役割が異なるため，優劣をつけるものではなく，相補的な関係にあるといえる．

### b 仮説生成型の問い：質的研究

臨床疑問がWhat, How, Whyに答えるような問いの場合には，質的研究が適している．質的研究の目的は，複雑な現象を理解・解釈し，理論化を行うことである．特に作業療法では，本人の価値観や，作業の意味，役割といった部分を介入内容に組み込んでいく特性から，質的研究が採用されることが多い．質的研究では，研究対象者のインタビューや観察を通して，メモ，録音，動画撮影によってデータを取得し，それらをテキストデータに変換して分析，つまりコーディングやカテゴライズを繰り返して理論化することが主となる．分析には語彙力や経験にも左右されるため，初学者が最初から1人で行うことは推奨されない．質的分析手法は多数存在するが，目的に応じた主要なものを図3[12]にまとめた．各手法の詳細は専門書を参照されたい．

### c 仮説検証型の問い：量的研究(▶図4)[12]

量的研究は，介入の有無によって介入研究と観察研究に大別される．ここでの介入とは，治療/介入の範疇を超えて，臨床で何かしらの実験的統制までをも包括している用語であり，無作為化，盲検化，割付けなども「介入」に含まれている．

臨床介入研究では，ランダム化比較試験，クロスオーバー試験，前後比較研究に分類される．ランダム化比較試験とは，研究対象者をある治療/介入を行う介入群と，別の治療/介入を行うか，無介入の対照群に振り分け，治療/介入の効果を検証するものである．クロスオーバー試験とは，基本ランダム化比較試験と同じだが，治療/介入の終了後に，対照群にも治療/介入を行う．対照群をつくらないので，倫理的な課題は軽減されるが，実験期間が長くなってしまう．前後比較研究とは，対照群を設定せずに介入群の介入前後を比較するデザインである．

観察研究は，記述的研究と分析的研究に分けられ，記述的研究は主に記述統計を用いて，実態の

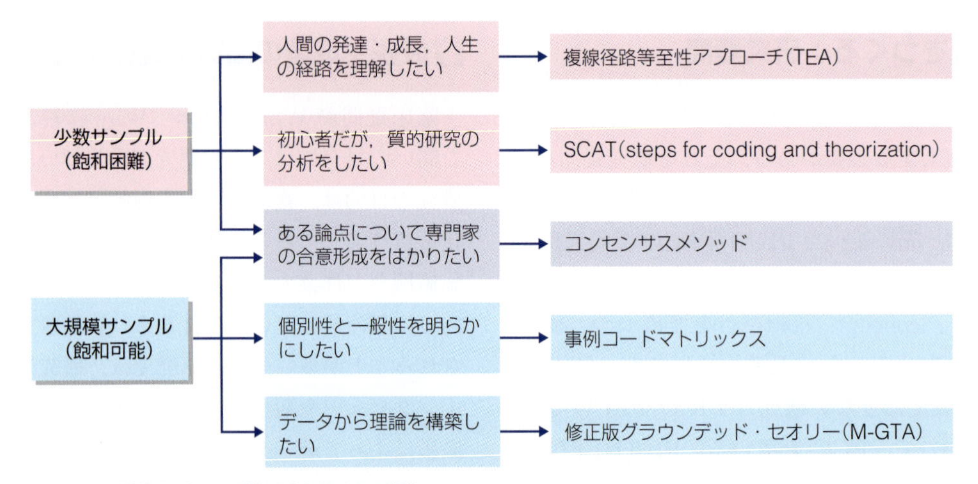


▶**図 3　質的研究の目的と対応する手法**
〔友利幸之介，他：作業で創るエビデンス—作業療法士のための研究法の学びかた．医学書院，2019 より改変〕

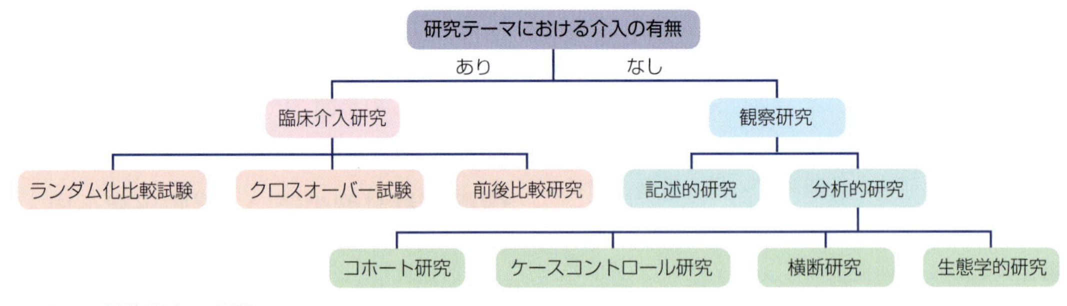


▶**図 4　量的研究の分類**
〔友利幸之介，他：作業で創るエビデンス—作業療法士のための研究法の学びかた．医学書院，2019 より改変〕

把握に努める研究である．事例報告も記述的研究に分類される．分析的研究とは，ある結果(たとえば健康状態)に影響を及ぼす因子(たとえば作業実施状況)が何かを分析するものである．分析的研究には横断研究，ケースコントロール研究，コホート研究などがある(▶**表 2** 参照)．

また量的研究では統計学が用いられる．統計学は記述統計と推測統計に分類される．記述統計では，現象を変数化してわかりやすく加工することで，数値を図表でまとめたり，平均値や標準偏差で表すことによってデータの特性をわかりやすく表現する．推測統計では，母集団から抽出した対象集団(サンプル)に何かしらの介入を施し，統計解析を行うことで，母集団でも同様の結果になりうるかどうか推測する．

統計処理のポイントは，①統計解析の目的，②**尺度水準**の確認(名義尺度，順序尺度，間隔尺度，比率尺度)と，③統計モデルの選択である．そのほかにも統計モデルを選択するためにいくつかの確認事項があるが，それらを**表 3**[13] に示した．たとえば 2 群間の差をみたい場合，データが異なる 2 群で繰り返しなし，尺度が順序尺度だと，マン・ホイットニー(Mann-Whitney)の検定が選択される．これはあくまで統計モデルの一部だが，

**Keyword**
**尺度水準**
- 名義尺度：単なる区別のみの尺度
- 順序尺度：大小関係に意味がある尺度
- 間隔尺度：目盛が等間隔になっている尺度
- 比率尺度：目盛が等間隔で 0 が原点の尺度

▶表 3　統計手法の選び方

| 目的 | 対応の有無<br>繰返しの有無 | データ（尺度） | 正規性 | 要因 | | 統計モデル |
|---|---|---|---|---|---|---|
| | | | | 比較群数 | 繰返し | 調整なし |
| 2 群間・3 群間<br>以上の差をみたい | 対応なし<br>繰返しなし | 連続尺度<br>（比率・間隔） | 正規 | 2 群 | | 対応のない $t$ 検定 |
| | | | | 3 群以上 | | 一元配置分散分析 |
| | | | 非正規 | 2 群 | | Mann-Whitney の検定 |
| | | | | 3 群以上 | | Kruskal-Wallis 検定 |
| | | 順序尺度 | | 2 群 | | Mann-Whitney の検定 |
| | | | | 3 群以上 | | Kruskal-Wallis 検定 |
| | | 名義尺度 | | 2 群 | | $\chi^2$ 検定 |
| | | | | | | Fisher の正確確率検定 |
| | | | | 3 群以上 | | $\chi^2$ 検定 |
| | 対応あり<br>繰返しあり | 連続尺度<br>（比率・間隔） | 正規 | | 2 回 | 対応のある $t$ 検定 |
| | | | | | 3 回以上 | 反復測定一元配置分散分析 |
| | | | | 2 群以上 | 2 回以上 | 反復測定二元配置分散分析 |
| | | | 非正規 | | 2 回 | Wilcoxon 符号順位検定 |
| | | | | | 3 回以上 | Friedman 検定 |
| | | 順序尺度 | | | 2 回 | Wilcoxon 符号順位検定 |
| | | | | | 3 回以上 | Friedman 検定 |
| | | 名義尺度 | | 2 | 2 | McNemar 検定 |
| 相関関係をみたい | | 連続尺度<br>（比率・間隔） | 正規 | | | Pearson の相関分析 |
| | | | 非正規 | | | Spearman の相関分析 |
| | | 順序尺度 | | | | Spearman の相関分析 |

〔山田　実（編）：メディカルスタッフのためのひと目で選ぶ統計手法―「目的」と「データの種類」で簡単検索！適した手法が 76 の事例から見つかる，結果がまとめられる．羊土社，2018 より改変〕

本項では統計モデルを選択するイメージをつかんでもらうことを目的とし，詳細の解説は専門書に譲る．

## 4 データを収集する

### a 文献研究

文献研究では，研究疑問に沿って文献を収集して調査を行う．主な種類として以下の 4 つに分類される（▶表 4）．ナラティブレビューは総説や解説で，検索式や採用/除外基準を明示しないので，検索再現性に乏しく，研究論文としては認められていない．一方，システマティックレビューとメタアナリシスは，事前に仮説検証型の研究疑問や，検索プロトコルを厳格に設定し，その計画に沿って実行される．両者の違いはデータの統合で，システマティックレビューは定性的，メタアナリシスは定量的である．スコーピングレビューは，検索プロトコルは決めるものの，柔軟に対応することが可能で，研究疑問もどちらかといえば仮説生成型に設定される．

### b データ収集

エビデンスとは臨床現場で実証された結果であり，研究の遂行には現場の協力が不可欠である．基本的に研究は通常臨床の範疇を超えることにな

▶表 4　文献レビューの種類

<table>
<tr><th>文献レビューの種類</th><th>解説</th><th>検索再現性</th><th>研究疑問</th><th>バイアスチェック</th><th>データの統合</th><th>統計</th></tr>
<tr><td>ナラティブレビュー</td><td>従来型の文献レビュー．総説/解説．一次研究の質評価や結果要約など系統的な手法をとらない</td><td>なし</td><td>あいまい</td><td>なし</td><td rowspan="3">定性的</td><td rowspan="3">なし</td></tr>
<tr><td>スコーピングレビュー</td><td>研究疑問（PCC）に沿ってあらゆる種類の研究を系統的に集め，主要な概念，理論，エビデンスの出処，リサーチギャップなどを明らかにする．網羅的・探索的</td><td rowspan="3">あり</td><td>明確で広い</td><td>ほぼなし</td></tr>
<tr><td>システマティックレビュー</td><td>焦点を絞った研究疑問（PICO）について系統的かつ再現可能な状態で検討する．バイアスリスクの検討</td><td rowspan="2">明確で狭い</td><td rowspan="2">あり</td></tr>
<tr><td>メタアナリシス</td><td>PICO に沿った系統レビューを行い，同じアウトカムを測定した複数の研究結果を定量的に統合し，治療効果など単一最良推定値を求める</td><td>定量的</td><td>あり</td></tr>
</table>

るので，研究対象者や現場のスタッフも善意で成り立っていることをよく自覚し，よってデータを取得させてもらえる現場との常日ごろからの関係づくりや，研究以外でのボランティアなどの手伝いも欠かせない．データ収集時にはミスがないように，事前に十分なシミュレーションを行う．また，臨床家が，「労をとってでも現場で必要な研究だから協力したい」と思えるようなテーマをつくることも重要なポイントといえる．

### c 研究倫理

臨床研究の実施にあたっては，研究対象者の人権や尊厳の保護に努めることが大前提である．特に人を対象とした研究では，介入と侵襲の程度を把握する．介入とは前述のとおりで，**侵襲**（➡ 54 ページ）とは研究目的で行われる対象者への心身的な傷害を指す．このような想定されるリスクと，研究がもたらす科学や社会への利益とを天秤にかけ，利益が上回る場合に研究の実施が可能となる．たとえば，ランダム化比較試験は臨床家や研究対象者の意図に関係なく，ランダムに介入群と対照群に振り分けられる．これは研究対象者へのリスクが高い行為ではあるが，その結果によって未検討な介入の効果が明確になるなど，得られる利益が大きい場合に，研究の実施は倫理的に受け入れられる．

現時点では，人を対象とした研究で，研究目的でなんらかの介入や侵襲がある研究はすべて倫理審査委員会の承認が必要となっており，迷う場合も委員会に相談することが推奨されている．通常審査には数か月を要するため，前もって準備する．

## 5 解析する

### a 研究を発表する

研究の目的は「知の体系の構築」であり，研究成果を世間に向けて発表するまでが義務といえる．自分の研究を伝える手段には，学会発表，論文，講演，教科書，インターネットがある．誰でもインターネットで即座に情報を拡散できるようになったが，基本は査読がある研究論文や学会などで発表することが望ましい．

研究を発表する際には，目的，方法，結果，考察という型に沿って説明する．論文だとフォーマットはすべて投稿規定に明記されているので，執筆前に十分に確認する．執筆は基本的にアカデミックライティングを心がけるが，ポイントとなる点は以下のとおりである．

①内容を盛り込みすぎない．
②緒言に研究疑問を明記する．
③疑問と結論を対応させる．
④考察や結論が結果に基づいている．

⑤パラグラフライティングを意識する.

**●引用文献**

1) 文部科学省科学技術・学術審議会 研究活動の不正行為に関する特別委員会：研究活動の不正行為への対応のガイドラインについて―研究活動の不正行為に関する特別委員会報告書. 平成18年8月8日. https://www.mext.go.jp/b_menu/shingi/gijyutu/gijyutu12/houkoku/__icsFiles/afieldfile/2013/05/07/1213547_001.pdf
2) 中山健夫：エビデンス―つくる・伝える・使う. 体力科学 59:259–268, 2010
3) Clark F, et al: Effectiveness of a lifestyle intervention in promoting the well-being of independently living older people: results of the Well Elderly 2 Randomised Controlled Trial. *J Epidemiol Community Health* 66, 782–790, 2012
4) Nagayama H, et al: Effectiveness and cost-effectiveness of occupation-based occupational therapy using the aid for decision making in occupation choice (ADOC) for older residents: pilot cluster randomized controlled trial. *PLoS One* 11, e0150374, 2016
5) Levack WMM, et al: One in 11 Cochrane Reviews are on rehabilitation interventions, according to pragmatic inclusion criteria developed by Cochrane Rehabilitation. *Arch Phys Med Rehabil* 100, 1492–1498, 2019
6) 東 登志夫：我が国の作業療法士による研究活動の現状と課題. 作業療法 39:136–141, 2020
7) Guyatt G, et al: Evidence-based medicine. A new approach to teaching the practice of medicine. *JAMA* 268, 2420–2425, 1992
8) 加藤憲司：エビデンスと実践をつなぐ 量的研究論文の読み方・使い方―批判的吟味とは, どのような読み方か. 看管理 26:86–88, 2016
9) Critical Appraisal Skills Programme (CASP). https://casp-uk.net/
10) EQUATOR network. https://www.equator-network.org/
11) 斎藤清二：医療におけるナラティブとエビデンス―対立から調和へ. pp57–69, 遠見書房, 2012
12) 友利幸之介, 他：作業で創るエビデンス―作業療法士のための研究法の学びかた. 医学書院, 2019
13) 山田 実(編)：メディカルスタッフのためのひと目で選ぶ統計手法―「目的」と「データの種類」で簡単検索！適した手法が76の事例から見つかる, 結果がまとめられる. 羊土社, 2018

# 4 日本作業療法士協会とその役割

日本作業療法士協会は，作業療法士国家資格者で構成される団体で，医療・保健・福祉の向上を目的にさまざまな事業を展開している．本項では，日本作業療法士協会の歴史と機能，その役割について解説する．

## A 日本作業療法士協会の設立

### 1 作業療法の始まり

作業療法の起源は古代エジプトやギリシャにさかのぼるが，作業が心身の健康の手段として用いられるようになったのは，18 世紀終わりから 19 世紀のはじめにかけてのことである．欧米の精神病患者の病院などで，精神の健康状態を回復させるために作業を用いることが実践された．この実践は，教育的かつ倫理的見地から人道療法（moral treatment）と呼ばれ，作業療法の原型となった．また，18～19 世紀の産業革命に伴う過酷な労働やその労働環境の悪化が原因となった結核患者の治療に作業が用いられたが，この動きも作業療法の原型といわれている．20 世紀には，第一次世界大戦に関連する負傷者の運動器障害を中心とする医学的リハビリテーション技術に作業療法が用いられるようになった．

わが国では，1901 年に欧州の留学から帰国した呉秀三が，東京府立巣鴨病院で精神障害者に対して人道的かつ組織的に行った治療に作業を用いたことが作業療法の始まりとされている．

### 2 わが国における作業療法士の養成

1917 年に米国で全国作業療法推進協議会（NSPOT）が結成されてから，ボストン，フィラデルフィア，セントルイスに世界で初めての作業療法士養成校が開校された．NSPOT は，1921 年に米国作業療法協会（AOTA）に改名し，多くの作業療法士養成校の開設に影響を及ぼした．

わが国では，1963 年に東京都に国立療養所東京病院附属リハビリテーション学院が，世界保健機関（WHO）と世界作業療法士連盟（WFOT）の協力のもと就学期間 3 年制の養成校として開設された．このときは「理学療法士及び作業療法士法」〔第 I 章 2 の表 1（➡ 20 ページ）参照〕の制定以前であったため，Occupational Therapy の和訳も定まっておらず，OT 科という名称の養成課程がつくられた．その後，1966 年に福岡県に労働福祉事業団九州リハビリテーション大学校，1969 年に東京都立府中リハビリテーション学院が開設され，2021 年 3 月時点では全国に大学，専門職大学，専門学校など 201 校（210 課程）の作業療法士養成校が開設され，入学定員数は 7,950 名となっている．

### 3 理学療法士及び作業療法士法の成立と作業療法士国家試験の実施

「理学療法士及び作業療法士法」は，1965 年 6 月 29 日に昭和 40 年法律第 137 号として公布され，同年8月29日に全面的に施行された．その成立までの経緯は，1963年に医療制度調査会によって当時の厚生大臣に「医療制度全般についての改善の基本方策に関する答申」が提出され，その結果，「PT・OT身分制度調査打合会」が設置され，制度化への取り組みとして養成・試験・免許などの身分制度の検討が始まったことからであった．

第1回作業療法士国家試験は1966年2月に実施され，国立療養所東京病院附属リハビリテーション学院の第1回卒業生と特例措置（作業療法実務経験者や厚生大臣が指定した講習会などを修了した者）を受けた受験生が計60名受験し，20名が合格した．2020年度は第56回作業療法士国家試験として開催され，合格者数は4,510名であった．

## 4 日本作業療法士協会の誕生

1966年に実施された第1回作業療法士国家試験の合格者と，すでに米国で作業療法士免許を取得していた者を合わせると，22名の作業療法士たちが日本国内に存在していた．当時，国立療養所東京病院附属リハビリテーション学院を卒業して作業療法士となった5名は，同校教員であった鈴木明子氏（日本作業療法士協会初代会長）と合議した呼びかけ文を作成し，日本作業療法士協会の設立に取り組んだ．その呼びかけ文の主な内容は，以下のとおりであった．

- 作業療法の普及と向上は一般の要請であると同時に有資格者の責務であること
- 有資格者が相互に連絡提携して内外の諸問題に対処できる組織をもつ必要があること
- 作業療法士の社会的な身分の確立をはかる必要があること
- 作業療法士の業務に専門職としての権威と内容を与える必要があること
- 国内のリハビリテーション関連団体と協力しWFOTに加盟する必要があること

この呼びかけにより，同年に日本作業療法士協会設立第1回発起人会が国立療養所東京病院附属リハビリテーション学院で開催され，規約や設立趣意書などが検討された．その後，第2回発起人会が開催され，日本作業療法士協会定款および設立趣意書が完成し，同年9月25日に日本作業療法士協会設立総会が開催された．その結果，任意団体として日本作業療法士協会が誕生した．9月25日は，わが国における「作業療法の日」として日本作業療法士協会が定めている．

## 5 任意団体としての日本作業療法士協会

日本作業療法士協会は，1966～1981年のおよそ15年間は任意団体として活動した．その間に行われた活動は，今の日本作業療法士協会の礎となり，その精神や理念は現在へと受け継がれている．その活動のなかでも特記すべきことは，協会ニュースの発行，作業療法の診療報酬点数の制度化，日本作業療法学会の開催，WFOTへの加盟であろう．

### (1) 協会ニュースの発行

協会ニュースは「日本作業療法士協会ニュース」という名称で職能団体および学術団体における情報を会員および内外に知らせる大切な情報源として発行され，今もなお「日本作業療法士協会誌」という名称で毎月発行されている．「日本作業療法士協会ニュース」の第1号は1966年11月に創刊された（▶図1[1]，2[2]）．

### (2) 作業療法の診療報酬点数の制度化

協会は点数化推進委員会を設置し，その設定に尽力した．その結果，1974年に新設された作業療法にかかる点数は，「身体障害作業療法（複雑）」80点，「身体障害作業療法（簡単）」40点，「精神科作業療法」30点，「精神科デイ・ケア」60点であった．

### (3) 日本作業療法学会の開催

1966年に日本作業療法士協会が設立された翌年の1967年5月29～31日に，第1回日本作業

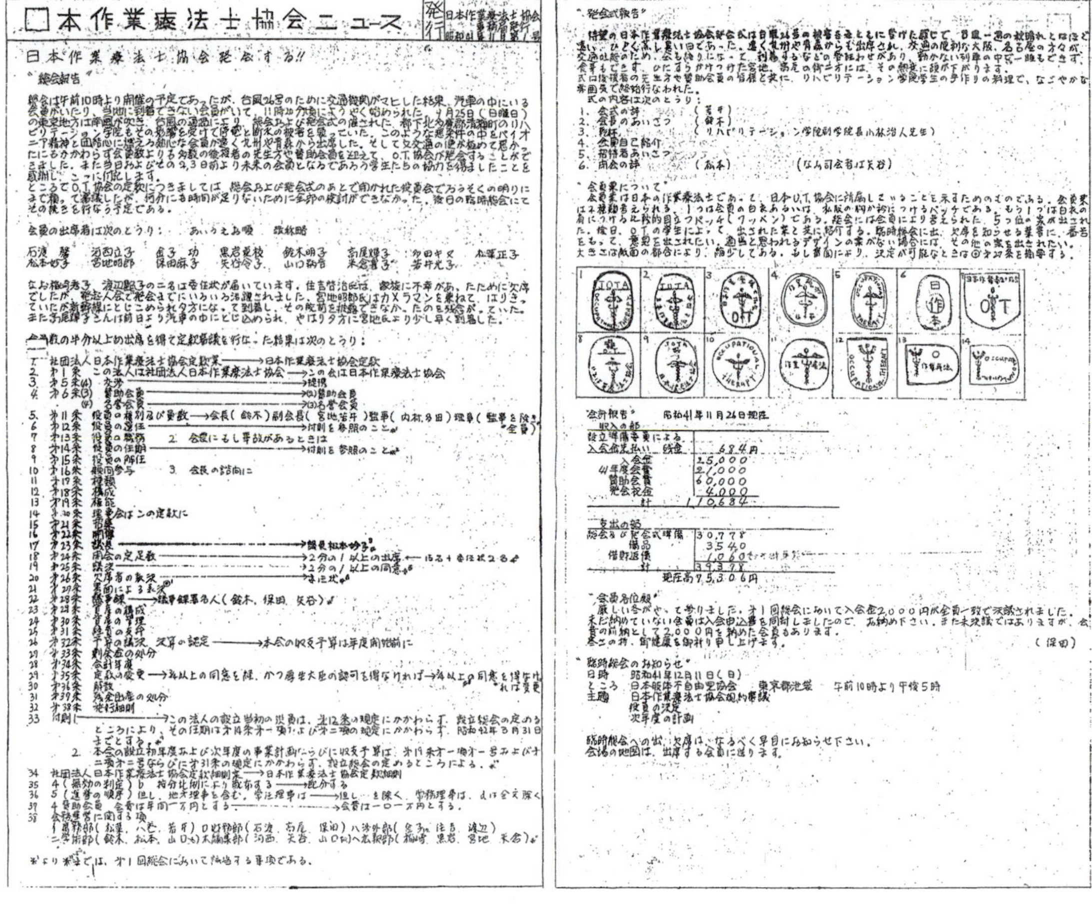

日本作業療法士協会ニュース

日本作業療法士協会発会する!!

"総会報告"

"発会式報告"

"会章案について"

"会計報告" 昭和41年11月26日現在

"会費納入"

"臨時総会のお知らせ"

▶図 1 「日本作業療法士協会ニュース」第 1 号(1966 年 11 月)
〔日本作業療法士協会：日本作業療法士協会五十年史. 日本作業療法士協会, 2016 より〕

療法学会が東京都千代田区の私学会館で開催された．その後，毎年 1 回，全国の主要都市で日本作業療法学会が開催され，作業療法の学術的発展に大きく寄与している．

### (4) WFOT への加盟

1972 年 8 月にオスロで開催された第 10 回 WFOT 代表者会議で承認され正会員となった．WFOT の加盟は，日本作業療法士協会設立当初からの大きな目標であり，日本の国家試験制度や学術的活動などさまざまな世界基準を達成しその条件を満たした．2014 年にはわが国で第 16 回世界作業療法士連盟大会を開催するに至った．

## 6 日本作業療法士協会の法人化

法人化とは，小規模な事業を行っている者(団体)に，法人格(権利能力)が与えられ，その法人組織のなかで事業を引き継いで行っていくことである．日本作業療法士協会は 1981 年 3 月 19 日，社団法人(現在は一般社団法人)を取得し，民法上，慈善・学術・技芸その他の公益事業を目的とした組織として，主務官庁の許可を得て法人となっている．

任意団体から法人化への道は険しく，法人化には 10 年間を要した．その理由は，法人化を管轄

▶図 2　日本作業療法士協会誌
〔日作療士協会誌 (109), 2021 年 4 月より〕

設立趣意書
昭和 40 年に理学療法士，作業療法士法が制定されて以来，日本全国各地の病院及び施設，研究所などに於いて作業療法士は名実共に医療の一員として活動を続けてきた．周知の如くリハビリテーション医療は，医師，看護婦，理学療法士，作業療法士，言語治療士，ソーシャルワーカー，臨床心理士などから構成されるチームによってなされるものである．心身に障害をもつ人々により良いリハビリテーション医療を行なうためには他のメンバーの活動を理解しうる広い知識が要求される．又作業療法の対象は精神障害及び身体障害又年令的には小児から老人迄と広範囲にわたっている．最近激増している交通事故や産業災害による障害の治療にも作業療法は不可欠であり，このように国民の保健医療に直接関係をもつ作業療法士の存在は重大なものになる．このように作業療法士には高度の医学的知識と専門的技術を要求されるが，医学の進歩は日進月歩であり，従って作業療法士の学術，技能の向上のための努力は不断になされなければならない．そのために作業療法士による職能団体が昭和 41 年に設立された．以来協会は会員の学術，技能の振興につとめて来た．会員の研究発表の場である学会は年を追って充実し，本年第 6 回を数えるに至った．又各地に支部を設置し研修会などを行ない，地域社会とのつながりの中での活動にも留意してきた．現在資格をもつ作業療法士は全国で約 350 名いるが，リハビリテーション医療を必要とする人の数に対して絶対的に少ない．このためには本協会は教育機関への協力や，教育機関増設の要望を行うなどの活動を通して教育の向上に努力している．海外的には各国の作業療法士の団体との交流をはかり，世界作業療法士連盟への正会員としての加盟に努力している．これらの目的，事業を達成するために本協会が正式に日本政府から法人として認められることを願うものである．
昭和 47 年 1 月 10 日　　　日本作業療法士協会
会長　鈴　木　明　子

▶図 3　法人化設立のために 1972 年に作成した趣意書(原文)
〔日本作業療法士協会：日本作業療法士協会五十年史．日本作業療法士協会, 2016 より〕

する厚生省が示す法人化要件の変化や基準への対応であった．そのため協会は要件を満たし，かつ法人化としてふさわしい事業活動計画などを策定し，法人化の認可を得ることができた(▶図 3)[1]．

また，2008 年に施行された「公益法人制度改革関連 3 法」への対応として，2012 年 4 月 1 日に一般社団法人に移行した．当初，公益認定を受け公益社団法人への移行を受ける予定であったが，公益社団法人は「不特定かつ多数の者の利益の増進に寄与する」とされているため，会員の自己研鑽・技能向上などに配慮する事業が相対的に軽減することを考慮し，当分の間は一般社団法人にて活動をすること決定し，その後は 5 年ごとを区切りとして公益社団法人の取得の検討がなされている．

## 7 日本作業療法士協会の定款(▶表 1)[1]

定款とは，その法人の目的・組織・活動・構成員・業務執行などについて定めた基本的な規則である．日本作業療法士協会の定款の変遷は，協会設立時(1966 年)，法人設立認可時(1980 年)，一般社団法人認可時(2012 年，現行の定款は 2020 年一部改正)の 3 期に分けられる．

日本作業療法士協会の目的は，すべての定款において学術技能の研鑽および人格の陶冶(とうや)に努めること，作業療法の普及と発展，国民への貢献が示されている．

▶表 1　日本作業療法士協会の定款の変遷

| 協会設立時の定款<br>1966(S41)年 12 月 11 日承認 | 社団法人設立認可時の定款<br>1980(S55)年 12 月 1 日承認 | 現行の定款(一部改正)<br>2020(R2)年 5 月 30 日承認 |
|---|---|---|
| (目的)第 3 条　本会は作業療法士の学術技術の研鑽並びに人格資質の陶冶に努め，作業療法の発展を促進し，以って医療の向上を図り，国民保健の維持発展に寄与するを目的とする | (目的)第 3 条　本会は，作業療法士の学術技能の研さん及び人格資質の陶やに努め，作業療法の普及発展を図り，もって国民医療の向上に資することを目的とする | (目的)第 3 条　この法人は，作業療法士の学術技能の研鑽及び人格の陶冶に努め，作業療法の普及発展を図り，もって国民の健康と福祉の向上に資することを目的とする |
| (事業)第 4 条　本会は前条の目的を達成するために次の事業を行う<br>(1)作業療法士の社会的地位の向上に関すること<br>(2)作業療法士の学術技能の振興に関すること<br>(3)作業療法士の教育機関に協力し，教育の向上に資すること<br>(4)内外関係団体との提携，交流に関すること<br>(5)作業療法の向上発展に資するための講習会，刊行物の発行並びに調査，研究に関すること<br>(6)その他前条の目的を達成するために必要と認められること | (事業)第 4 条　本会は，前条の目的を達成するために次の事業を行う<br>(1)作業療法の学会，研修会，講習会等の開催に関すること<br>(2)作業療法の調査研究に関すること<br>(3)作業療法の刊行物の発行に関すること<br>(4)作業療法の普及指導に関すること<br>(5)作業療法士の教育の向上に関すること<br>(6)作業療法士の社会的地位の向上に関すること<br>(7)内外関係団体との提携交流に関すること<br>(8)その他前条の目的を達成するために必要と認められること | (事業)第 4 条　この法人は，前条の目的を達成するため，次の事業を行う<br>(1)作業療法の学術の発展に関する事業<br>(2)作業療法士の技能の向上に関する事業<br>(3)作業療法の有効活用の促進に関する事業<br>(4)作業療法の普及と振興に関する事業<br>(5)内外関係団体との提携交流に関する事業<br>(6)大規模災害等により被害を受けた人の自立生活回復に向けた支援を目的とする事業<br>(7)その他この法人の目的を達成するために必要な事業<br>2　前項に定める事業は，その実施地域を本邦及び海外とする |

〔日本作業療法士協会：日本作業療法士協会五十年史. 日本作業療法士協会, 2016 より〕

## 8 日本作業療法士協会の事業

日本作業療法士協会の事業は，その定款に定められている．事業は，その定款にある目的を達成するために実施する目標や活動である．それらは**表 1** にあるように，学術の発展や技能の向上，普及と振興などに関するものである．また，これら事業の遂行には各事業を行う部門や事務局が設けられ，会員や事務局員が活動をしている．

## 9 日本作業療法士協会の組織

日本作業療法士協会の組織は，構成員(会員)により構成されている．会員には，正会員，名誉会員，賛助会員がある．正会員は作業療法士免許を有する者で，この法人の目的に賛同する者，名誉会員はこの法人の事業に顕著な功労があった者または学識経験者，賛助会員はこの法人の目的に賛同し，これを援助する個人や団体である．2021 年 3 月 31 日時点では，総会員数は 63,474 名となっている．毎年多くの作業療法士が免許を取得し，会員となる．今後も日本作業療法士協会は会員数を増やし，さまざまな事業を推進していくことになる．

事業を実施するにあたっては，事業を計画し，事業実施し，事業報告を行わなければならない．また，協会の事業はそのほとんどが会員からの会費で成り立っている．そのため協会の最高意思決定機関は，会員を代表する社員(代議員)と協会役員で構成される社員総会である．

代議員は，おおむね会員 300 人に対して 1 名の割合で選出され，役員は，**会長**，副会長，理事

**Keyword**

**会長(歴代会長)**　会の長・責任者を指し，その団体・組織を代表したり，あるいは会務を総理する．日本作業療法士協会の歴代会長(就任期間)は以下のとおりである．初代：鈴木明子(1966～1979 年)，第二代：矢谷令子(1979～1991 年)，第三代：寺山久美子(1991～2001 年)，第四代：杉原素子(2001～2009 年)，第五代：中村春基(2009 年～現在)．

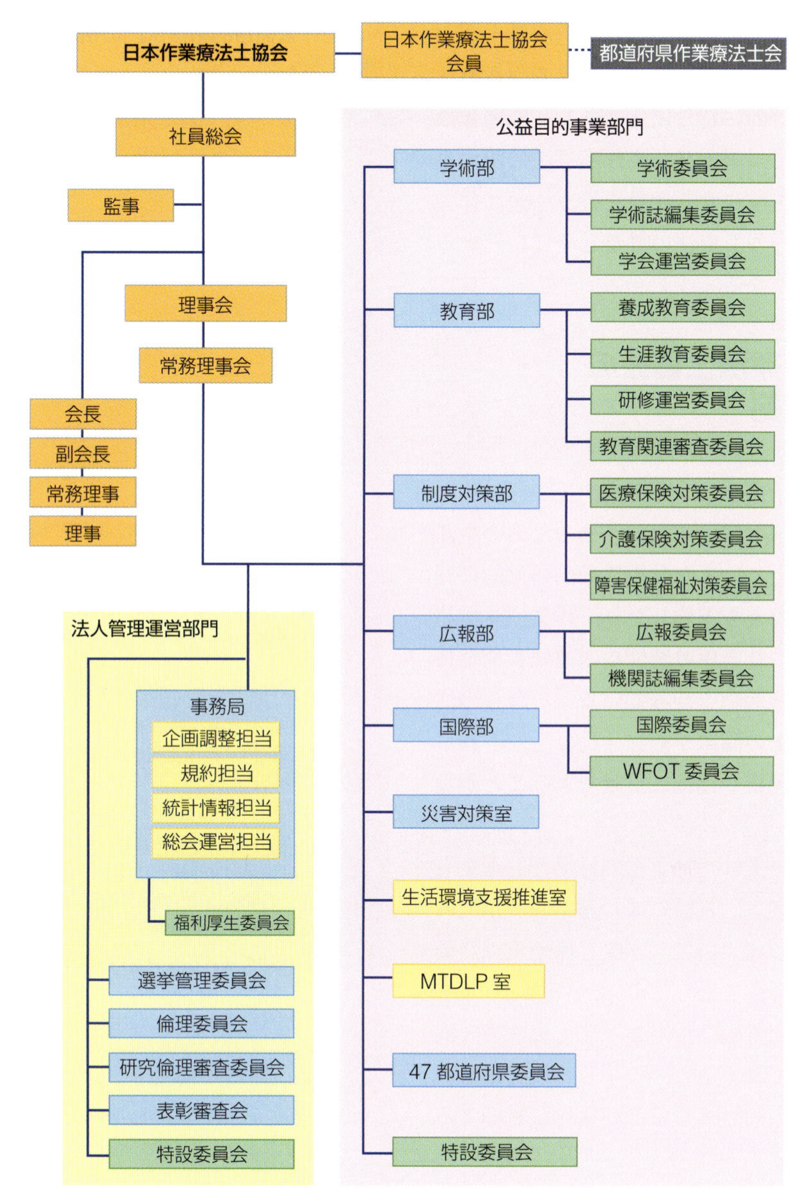


**図 4 日本作業療法士協会の組織(2021 年度)**
〔日作療士協会誌 (109), 2021 年 4 月より〕

で構成される．2021 年 3 月 31 日時点では，社員数 249 名，役員は理事 20 名以上 23 名以内，幹事は 2 名以上 3 名以内で構成され，理事のなかから会長 1 名，副会長 3 名，常務理事 8 名が選出されている．また，役員により理事会が執り行われ，協会事業の事実上の運営方針策定を行っている．

さらに，事業を行うために公益目的事業部門と法人管理運営部門が設置され，公益目的事業部門は，学術部，教育部，制度対策部，広報部，国際部，災害対策室および生活環境支援推進室，MTDLP 室，47 都道府県委員会が設定されている．法人管理運営部門には事務局，選挙管理委員会，倫理委員会などが設定され，協会運営の実務を担っている(▶**図 4**)[2]．また，全国の都道府県には，日本作業療法士協会とは別組織として各都道府県士会がある．士会とは，その都道府県における作業療法の普及と発展を目的に行う団体であり，両団体は協力，連携をして，その目的や作業療法に関するさまざまな課題を解決する活動を行う．両団体に所属した会員は，作業療法の普及と発展に関する活動を行うことになる．

## 10 日本作業療法士協会の活動と役割

日本作業療法士協会は，作業療法士（＝会員）の臨床に役立つ知識と技能を向上させるための生涯学習環境を整えたり，また学術活動が効果的に行えるように学会などを実施したり，作業療法業務に必要かつ役立つ社会保障制度や関連情報を会員と共有したりする活動を行っている．それらの活動が，作業療法士の臨床や教育活動に活かされることで，国民の健康や福祉に貢献できることが役割といえる．

そのため協会事業は，毎年度の目標と計画をもとに実施されている．目標には，基本的に年度内に達成される事項について，主要目標や重点活動項目が設定される．また，1983 年からは 10 年を区切りとした長期計画を策定し，第 1 次～第 3 次長期計画が実行されてきた．しかし，社会情勢や社会保障制度などの目まぐるしい変化に対応するために，5 年ごとの中期的な見直しに変更され，中長期的な計画は「作業療法 5 ヵ年戦略」と名称を改められ，単年度と中期的な事業が有機的に実施されている．公益目的事業部門は，「作業療法 5 ヵ年戦略」と主要目標，重点活動項目に即して各部の活動を行うことで，その役割を果たす．公益目的事業部門の主な部署の業務分掌を**表 2**[3] に示す．法人運営管理部門は，事務局として公益目的事業の効率的かつ効果的な活動を支え，また数万人の会員の管理や国内外の関係機関と連携をはかっている．

**表 2　公益目的事業部門の各部の業務分掌**

| 部署 | 業務分掌 |
|---|---|
| 学術部 | ●作業療法の臨床領域における専門基準に関すること<br>●作業療法の学術的発展に関すること<br>●学会の企画・運営に関すること<br>●学術資料の作成と収集に関すること<br>●学術雑誌の編集と論文表彰に関すること<br>●その他学術に関すること |
| 教育部 | ●養成教育の制度と基準に関すること<br>●養成施設の教育水準の審査と認定に関すること<br>●臨床教育に関すること<br>●国家試験に関すること<br>●生涯教育制度の設計に関すること<br>●生涯教育制度の運用に関すること<br>●作業療法の研修に関すること<br>●その他養成教育・生涯教育に関すること |
| 制度対策部 | ●医療保険における作業療法に関すること<br>●介護保険における作業療法に関すること<br>●保健・福祉各領域における作業療法に関すること<br>●障害児・者にかかわる法制度における作業療法に関すること<br>●障害児教育における作業療法に関すること<br>●作業療法における福祉用具・住宅改修などに関すること<br>●その他保険制度・保健福祉領域に関すること |
| 広報部 | ●国民に対する作業療法の広報に関すること<br>●国民に対する作業療法啓発講座などの企画・運営に関すること<br>●その他広報・公益活動などに関すること |
| 国際部 | ●国際的な学術交流，研修，教育支援などに関すること<br>●世界作業療法士連盟に関すること<br>●国外の関係団体・関係者との連絡調整に関すること<br>●その他国際交流に関すること |
| 災害対策室 | ●大規模災害発生時および復興時の支援活動に関すること<br>●大規模災害を想定した平時の支援体制の整備に関すること<br>●その他災害対策に関すること |

〔日本作業療法士協会. https://www.jaot.or.jp より〕

# B 職能団体としての役割

## 1 職能団体とは

日本作業療法士協会の正会員になる要件は，作業療法士免許を取得していることである．わが国の法律では，作業療法士は診療の補助として作業療法を業とすることができる者として，医療従事者であり医療の一専門職であるといえる．また，作業療法士の職域は医療分野のみでなく，社会福祉分野，公衆衛生分野，教育分野などの多岐にわたる．

職能団体とは，作業療法士や医師，看護師などの医療関連や，弁護士，行政書士などの法律関連などの専門的資格をもつ専門職従事者が，自らの専門性の向上や専門職としての待遇や利益の保持・改善を目的とする組織である．多くの専門職団体は，自らの社会的地位や役割の維持・向上のために，その専門職どうしが結束し，さまざまな活動を通して，その団体の理念や目的の達成のために活動している．

日本作業療法士協会は，作業療法士の職能団体として組織された団体であり，その社会的地位や役割の維持・向上，および専門性の向上や専門職としての待遇や利益の保持・改善を目的する組織である．

## 2 専門職団体としての職業倫理

作業療法士は，人を対象として治療・指導・援助を行う者である．そのため高度な知識と技術を常に向上させる精神とともに，高い倫理性を備えている必要がある．倫理とは，簡単にいえば人の正しい行動といってもよい．正しい行動については，その個人に委ねられては十分に足ることはない．そのため作業療法士個々人が，作業療法の対象者や家族をはじめとして社会全体から信頼に足る行動ができるために，日本作業療法士協会は専門職団体として，作業療法士の倫理綱領(➡ 94 ページ)[1] と職業倫理指針を定めている(▶表 3)[3]．

この倫理綱領と職業倫理指針は，作業療法業務内にとどまらず，日常の行動指針にも関係する．個々の作業療法士が専門職団体の会員として，倫理性のある業務や日常生活を送ることが，作業療法士を必要とする人々の健康や幸福に寄与できることにつながるのである．

## 3 作業療法士の知識と技術の向上

作業療法士は，対象者に対する治療・指導・援助を行うために知識と技術を向上させる努力をしなければならない．日本作業療法士協会は，その協会活動の目的に作業療法士の技能の向上を掲げ，また倫理綱領には知識と技術に関して常に最高水準を保つとしている．

そのために，協会の教育部を中心として，臨床教育や生涯学習のために生涯教育制度を設計し運用している．詳細は本書第 III 章 2D「卒後教育」(➡ 106 ページ)を参照のこと．

## 4 作業療法の有効活用および普及と振興

医療や福祉に関する職能団体は，その専門性を活かし国民の健康や幸福に寄与することを目的に活動を行っている．そのため自らの専門性を有効活用するためには，その活動範囲を広げて多くの国民に認知してもらい，かかわることが重要である．現在，作業療法士の業務として法律に明記されているのは，社会保障制度における診療報酬制度や介護保険制度に位置づけられるものである．そのため，社会保障制度における作業療法士の役割やその範囲を維持・改善させていくことは，作業療法の普及と振興に重要である．日本作業療法士協会は，作業療法士の社会的地位や身分を向上させ，待遇や利益の保持・改善を目的とする組織であり，協会組織においては，制度対策部や広報部を中心としてその役割を担い，作業療法士の所

**Keyword**

**職業倫理**　特定および専門的な職業に求められる倫理，または職業人に求められる倫理のことをいう．ある職業に就いている個人や企業は，必ず自らの社会的な役割や責任があり，その役割や責任を果たすために，自身の行動を律するための基準や規範を示すものが職業倫理である．職業倫理の最も代表的なものにヒポクラテスの誓い(➡ 5 ページ)がある．

**表 3　作業療法士の職業倫理指針**

| 項 | 内容 | 細目 |
|---|---|---|
| 第 1 項　自己研鑽 | 知識・技術・実践水準の維持・向上，生涯研鑽，継続的学習，能力増大のための機会追求，専門職としての資質向上，専門領域技術の向上・開発 | 1. 生涯研鑽<br>2. 継続的学習<br>3. 能力増大のための機会追求<br>4. 専門職としての資質向上<br>5. 専門領域技術の向上・開発 |
| 第 2 項　業務上の最善努力義務(基本姿勢) | 対象者利益のための最善努力，業務遂行上の最善努力 | 1. 対象者利益のための最善努力<br>2. 業務遂行上の最善努力 |
| 第 3 項　誠実(良心) | 健康維持のための知識と良心，最も良いサービスの保証，ニーズと結果に基づいた治療の終了，マーケティングと宣伝の真実性 | 1. 健康維持のための知識と良心<br>2. 最も良いサービスの保証<br>3. ニーズと結果に基づいた治療・援助・支援の終了<br>4. マーケティングと宣伝の真実性 |
| 第 4 項　人権尊重・差別の禁止 | 個人の人権尊重，思想・信条・社会的地位による差別の禁止，業務遂行における人権尊重，セクシャルハラスメント・パワーハラスメントの防止 | 1. 人格の尊重<br>2. 人権の尊重<br>3. セクシャルハラスメント・パワーハラスメントの防止 |
| 第 5 項　専門職上の責任 | 専門的業務の及ぼす結果への責任，対象者の人権擁護，自らの決定・行動への責任 | 1. 専門職としての作業療法士<br>2. 専門職上の責任 |
| 第 6 項　実践水準の維持 | 実践水準の高揚，専門職としての知識・技術水準保持，不断の学習と継続的な研修 | 1. 専門職としての知識・技術保持<br>2. 不断の学習と継続的な研修 |
| 第 7 項　安全性への配慮・事故防止 | 事故防止への万全の配慮，事故発生時の報告・連絡，対象者・家族への事情説明 | 1. リスクマネジメント<br>2. インシデント・アクシデントの報告および分析<br>3. 事故防止マニュアルの作成<br>4. 事故発生に対する対応 |
| 第 8 項　守秘義務 | 職務上知り得た個人の秘密守秘，対象者の秘密保護の責任，プライバシーの権利保護 | 1. 義務としての秘密保持<br>2. 個人情報と個人の秘密<br>3. 情報漏洩の防止 |
| 第 9 項　記録の整備・保守 | 報告と記録の義務，治療経過の報告義務，記録の保存義務 | 1. 報告と記録の義務<br>2. 記録の保存義務 |
| 第 10 項　職能間の協調 | 他職種への尊敬・協力，他専門職の権利・技術の尊重と連携，他専門職への委託連携，他専門職への委託・協力依頼，関連職との綿密な連携 | 1. 他職種への尊敬・協力<br>2. 他専門職の権利・技術の尊重と連携<br>3. 関連職との綿密な連携 |
| 第 11 項　教育(後輩育成) | 後輩育成・教育水準の高揚，教育水準の設定・実施，臨床教育への協力 | 1. 後輩の育成<br>2. 後輩育成の形態<br>3. 変化に対応する教育活動の実施<br>4. 教育水準の高揚・維持のための環境整備 |
| 第 12 項　報酬 | 不当報酬請求の禁止，適正料金，違法料金徴収の禁止 | 1. 不当報酬収受の当事者にならない<br>2. 対象者からの礼金等の収受の自重<br>3. 利害関係者からの贈与・接待を受けない<br>4. 名義貸しによる不当報酬収受の防止<br>5. 勤務先における不当報酬要求の防止 |

（つづく）

▶表 3　作業療法士の職業倫理指針(つづき)

| | | |
|---|---|---|
| 第 13 項　研究倫理 | 研究方法に関すること(被験者に対する配慮), 著作権に対する配慮 | 1. 研究方法に関すること(被験者に対する配慮)<br>2. 著作権に対する配慮 |
| 第 14 項　インフォームド・コンセント | 評価・サービスに先駆けてのインフォームド・コンセント, 対象者・家族への評価・目的・内容の説明 | 1. 評価・サービスに先駆けてのインフォームド・コンセント<br>2. 臨床研究に際してのインフォームド・コンセント |
| 第 15 項　法の遵守 | 法と人道にそむく行為の禁止, 関連法規の理解と遵守 | 1. 一社会人としての法の遵守<br>2. 作業療法士としての法の遵守 |
| 第 16 項　情報の管理 | 会員情報の漏洩, 協会ホームページの運用 | 1. 会員情報の漏洩<br>2. 協会ホームページの運用<br>3. 不適切用語使用の禁止 |

〔日本作業療法士協会. https://www.jaot.or.jp より〕

管庁である厚生労働省のほか, 関連する文部科学省や経済産業省とも必要に応じて適切な関係をはかり, 作業療法を有効活用できる環境づくりに取り組んでいる.

## 5 関連団体との連携

日本作業療法士協会は, その事業に「内外関係団体との提携交流」を掲げている. その目的は, 医療・保健・福祉の向上であり, 協会の活動目標を達成することにつながる. 各都道府県に設置されている各都道府県士会は, その地域における特徴と地域課題に即した活動を行い, 日本作業療法士協会と強く深い連携をはかり, 作業療法の普及と振興に取り組んでいる. また作業療法士連盟は, 作業療法士にかかわる国や自治体の政策を支持し, 作業療法を市民が活用できるように日本作業療法士協会の活動との連携・推進をはかっている. また, 作業療法をはじめとするリハビリテーション医療の発展とリハビリテーションサービスの充実を目指し, 作業療法士の社会的地位の向上に取り組んでいる. 以上のように, 作業療法士が組織する団体は日本作業療法士協会, 都道府県士会, 日本作業療法士連盟が存在し, 三位一体となって活動している. また, 国外に関する活動は日本作業療法士協会の国際部を中心として, WFOT や WFOT の地域組織であるアジア太平洋作業療法士地域グループ(APOTRG), アジア地域を中心とした国との 2 国間協定をはかり, 作業療法の普及と振興に取り組んでいる.

また, 作業療法関連団体との連携のみならず, 日本医師会, 日本理学療法士協会, 日本言語聴覚士協会などリハビリテーションに関連する各専門職団体との連携もはかりながら, 事業目的の達成を通じて国民の健康に寄与している.

# C 学術研究団体としての役割

## 1 学術団体とは

作業療法士は医療専門職であり, 自然科学や人間や人為の所産を研究する人文科学にもかかわる. 作業療法を実施する場合は, その経験のみならず科学的な根拠を用いて実施することが必要であり, 作業療法学やリハビリテーション科学, 福祉工学などを学問の基盤とする. 日本作業療法士協会は, **日本学術会議**の協力学術研究団体として学術研究の向上・発展を目的にもち, その達成のために学術研究活動を行う団体でもある.

## 2 日本作業療法士協会の学術活動

日本作業療法士協会は，その事業に作業療法の学術の発展を掲げている．その主たる部門は公益目的事業部門にある学術部であり，学術部には学術委員会，学術誌編集員会，学会運営委員会が設置されている．その活動は，「**作業療法ガイドライン**」，「作業療法ガイドライン実践指針」の作成であり，これらにより，作業療法学の構造および作業療法実践を支える基本的な枠組みを示している．そのほかに作業療法の技術解説書としての「作業療法マニュアル」，作業療法実践に活用される「作業療法関連用語解説集」を作成している．また，組織的学術研究体制の整備として事例報告登録制度や課題研究助成制度を策定し，学術的根拠となるデータの蓄積，日本作業療法学会の企画運営，学術誌『作業療法』の編集・発行などにより作業療法に関する研究の推進を幅広く行い，会員の臨床実践を支えている．

### a 日本作業療法学会の開催

日本作業療法学会は 2021 年時点で第 55 回目が開催されている日本で最大の作業療法に関する学会である．学会は，研究交流や学術情報の流通を促進し，その専門および特定の学術分野の発展に寄与している．作業療法を主とした学会は，日本作業療法学会のみではなく，各種専門分野に特化した学会も多く存在し，また作業療法に関連する学会として，日本リハビリテーション医学会，日本義肢装具学会，日本高次脳機能障害学会などのリハビリテーション関連学会がある．海外に関しては，世界作業療法連盟大会(WFOT congress)やアジア太平洋作業療法学会(APOTC)など世界規模や地域・国の学会があり，近年では多くの日本の作業療法士たちが参加して発表を行っている．

### b 学術誌『作業療法』の発行

学術誌は，研究成果をまとめた論文が掲載された刊行物である．日本作業療法士協会が発行する『作業療法』は，作業療法の学術的発展に寄与する論文としての「総説」，「原著論文」，「実践報告」，「短報」に加えて，日本作業療法学会や日本作業療法士協会の情報が掲載されている．著者となる作業療法士は会員であり，会員の臨床や教育などで実践された作業療法の成果を知ることができる．また日本作業療法士協会は，欧文の『Asian Journal of Occupational Therapy』を刊行しており，日本のみならずアジア太平洋地域の作業療法実践の研究成果を知ることができる．

**Keyword**

**日本学術会議**　1949 年に科学が文化国家の基礎であるという確信のもと，行政，産業および国民生活に科学を反映，浸透させせることを目的として設立された．所轄は，内閣総理大臣のもとで，政府から独立して職務を行う「特別の機関」として設立された．その分野には，人文・社会科学，生命科学，理学，工学の 5 分野がある．

**作業療法ガイドライン**　作業療法士の業務指針を具体的に示したものとして 1991 年に初版が作成された．本ガイドラインは作業療法士のみならず，作業療法の対象者や家族，作業療法を学ぶ養成校の学生，関連職種，行政機関または公共団体の職員などの広範な人たちに，作業療法の概要と基本的な枠組みを明示するものである．2021 年現在は 2018 年度版が最新のものである．


●引用文献

1) 日本作業療法士協会：日本作業療法士協会五十年史. 日本作業療法士協会, 2016
2) 日作療士協会誌 (109), 2021 年 4 月
3) 日本作業療法士協会. https://www.jaot.or.jp/

●参考文献

4) 大庭潤平：作業療法管理学入門. pp102–104, 医歯薬出版, 2018.
5) 吉川ひろみ：作業療法の歴史. 岩﨑テル子(編)：標準作業療法学 専門分野 作業療法学概論. pp77–78, 医学書院, 2008.

# 5 世界作業療法士連盟とその役割

わが国の作業療法士の数は，米国に次いで世界第2位である[1,2]．他の国と地域と比較した際，わずか50数年の間でこのような大きな職能団体となった国はあまり例をみない．

作業療法士養成課程や資格制度も国と地域によって異なる．ここではまず世界作業療法士連盟(WFOT)の組織と主な活動を紹介し，WFOTが作業療法士の養成と教育に果たす役割について述べる．併せて，他の国と地域の作業療法の状況も紹介する．

WFOTでは，**国際連合**(United Nations; UN)から独立国家として認められていない地域の作業療法協会も，申請と条件がそろえば加盟団体として認定している．よって，ここでは加盟国とはせず，国と地域，加盟団体と表記する．

## A 世界作業療法士連盟(WFOT)の成り立ち

1951年，さまざまな国と地域から28名の作業療法士が英国に集い，職業団体としての国際組織の必要性を議論した．翌1952年，再度11団体〔米国，英国(当時はイングランドとスコットランド)，カナダ，南アフリカ，スウェーデン，ニュージーランド，オーストラリア，イスラエル，インド，デンマーク〕の代表者が英国に集結し，WFOTを発足させた．その後，1959年には**世界保健機関**(World Health Organization; WHO)から正式な協力団体として認定を受け，1963年にはUNから**非政府組織**(non-governmental organizations; NGO)として認められている[3]．

WFOTは，発足当初より作業療法を促進するための国際組織として，以下の目的を掲げている[4]．

①作業療法協会，療法士および他の関連職種間との国際協力を促進する．
②臨床実践力の推進と作業療法サービスの質の基準を制定する．
③専門職の倫理と利益の促進を支援する．
④作業療法学生の国際交流を促進する．
⑤情報交換を促進する．
⑥作業療法士の養成を促進する．

**Keyword**

**国際連合**　第二次世界大戦を防ぐことができなかった国際連盟の反省をふまえ，1945年に新たに発足した国際組織である．国際平和と安全の維持，諸国間の友好関係の発展，経済的・社会的・文化的・人道的な問題解決と人権・基本的自由の助長を目的としている．世界保健機関をはじめ，多くの分野で国際的責任を有する国際開発協会や国際通貨基金などの関連機関をもっている．

**世界保健機関**　国際連合の専門機関の1つであり，人の健康を基本的人権の1つととらえ，その達成を目的として1948年に設立された．世界保健機関憲章第1条「すべての人々が可能な最高の健康水準に到達すること」を目的にさまざまな活動を行っている．そのなかには国際疾病分類(ICD)の作成，災害時緊急対策，また保健・医療に関するさまざまな人的資源や物理的指標も公開している．

**非政府組織**　国際連合と連携を行う民間組織と定義され，国際経済，社会，文化，教育，衛生，科学，技術，人権の分野で国連の目的達成に貢献し，国連関連機関に有益な貢献をするものと認められる団体を指す．

## 1 加盟団体

11 団体で発足した WFOT だったが，2021 年現在，正規加盟 75 団体，準加盟 23 団体，地域グループ・他で 7 団体，計 105 の団体からなる組織となった[5]．2 年に 1 回開催される代表者会議では，正規加盟団体のみが投票権をもつ．そのためには，作業療法協会と WFOT 認定校の存在が条件となる．一方，作業療法協会はあるものの WFOT 認定校がない団体には，代表者会議での投票権は与えられず，準加盟団体と位置づけられる[6]．また，投票権はないものの地域グループ(regional group)も存在する．

日本作業療法士協会も，1970 年の準加盟を経て 1972 年に正規加盟団体となっている．また，WFOT の加盟団体であるとともに，アジア太平洋作業療法士地域グループ(Asia Pacific Occupational Therapists Regional Group; APOTRG)の一員でもある．

## 2 WFOT の組織

各加盟団体は，WFOT へ 1 名の代表者と必要に応じ 1〜2 名の代表代理を選出している．この代表者のなかから，WFOT の執行部(executive management team)が選挙にて選出される[7]．執行部のメンバーは，会長(1 名)，副会長(2 名)，事務局長(1 名)に加え，WFOT の主な働きを担う教育部(education)，実践開発部(practice development)，研究部(research)の各部長である．各部は単独で活動したり，他の部と連携をとりつつプロジェクトを遂行している．また，部の構成員は **WFOT の個人会員**や，各国と地域からの代表たちである．WFOT は，時代の変化に対応するため必要に応じ組織の改編を繰り返しており，現在の体制で運営が始まったのは 2018 年からである．

**Keyword**

**WFOT 個人会員**　個別の年会費(25 US ドル)を支払うと個人会員になれる．現在，この手続きは日本作業療法士協会が代行しており，11 月までに協会へ入会申込書を送れば，協会が一括して WFOT へ申し込み，翌年 1 月から個人会員として認められる．会費は，毎年 3 月前後に郵送される日本作業療法士協会費と一緒に振り込むことになる．個人メンバーになると WFOT がもつ多くの情報に加え，年 2 回発行されるオンライン学術誌『Bulletin』にもアクセスできる．また，さまざまな WFOT の活動に参加することも可能となり，WFOT の研究基金への募集資格も得ることが可能となる．

## 3 WFOT の事業

WFOT では常に多数のプロジェクトが進行している．ここではそのなかから代表的なものを紹介する．

### a 世界大会

WFOT は 4 年に 1 回，世界大会(WFOT congress)を開催している．1990 年代後半〜2000 年代初頭までの大会では，根拠に基づいた作業療法実践(EBOT)や，さまざまな理論やその枠組みに焦点が当てられてきた．2014 年の第 16 回横浜大会のテーマは「Sharing Traditions, Creating Futures(伝統を分かち，未来を創る)」であり，地域での実践，他職種との連携，作業療法の核となるその本質についての報告もなされている．また，大会前に世界各地で相次いで発生した自然災害に対し，作業療法士がどのように支援してきたか，多くの国と地域から実践報告が行われていた．

一方，2018 年の第 17 回大会(南アフリカ)のテーマは「Connected in Diversity; Positioned for Impact」で，2022 年の第 18 回大会(フランス)のテーマは「Occupational R-Evolution」である．この十数年間，WFOT 大会では，作業療法の対象を一個人から集団へ，医療現場から地域社会へ，社会の変化とともに地域生活や多様な文化への適応へと，徐々に焦点を移行してきている．

### b 人的資源調査

WFOT は 2006 年から 2 年に 1 回，主に加盟団体を対象に人的資源調査(human resource project)を行ってきた．調査への参加は年々増加し，2020 年の調査には 89 団体が回答している[1)]．WFOT からの問いに対し，各団体がどのように解釈し回答しているか不明瞭ではあるものの，世界の作業療法の状況を推察する貴重な手がかりとなる．**表 1** にその抜粋を記す．表には含めなかったが，各団体が「作業療法士が不足」としている領域や，男女比，協会の組織率，日本では制度化されていない作業療法アシスタント制度なども調査している．

冒頭で述べたように，日本の作業療法士数は米国に次いで第 2 位である．しかし，対人口比になると，北欧諸国の作業療法士数は圧巻である．また，日本では取り入れられていない作業療法士免許を**更新制**にしている団体も多く，更新のために協会が提供する「生涯教育プログラム」の受講を義務づけている団体も多い．WFOT は教育最低基準を定めているが，就業年数や最終学歴レベルは各国と地域で異なり，さらなる調査が必要な部分である．

### c 声明文

作業療法に関係する多くの概念をどうとらえ定義するか，WFOT はその立場を声明文(position statement)として発表してきた．2000 年以降，WFOT は「個人の疾病や構造変化による社会参加への制限」に加え，「社会構造に起因する社会参加への制限」へ，作業療法の対象を拡大している．WFOT が発表してきた声明文も，“Occupational Therapy and Human Rights; Revised”(作業療法と人権；改訂)，“Human Displacement”(住み慣れた場所を離れるということ)，“Occupational Therapy in Disaster Preparedness and Response; DP&R”(災害からの復興支援)，“Occupational Therapy in Disaster Risk Reduction”(減災)，“Diversity and Culture”(多様性と文化)など，社会の構造と公正さによる人の生活–作業への影響を論じるものが目立つようになってきた[8)]．

## B WFOT の役割

WFOT の目的の 1 つは，国際組織として作業療法の臨床実践力の推進と，作業療法サービスの質の基準を制定することである．国際社会において，国と地域にわたるそれらの差をなくすためには，統一した作業療法士養成教育への指針が急務であった．

1958 年，WFOT は教育部を設立している．作業療法士が修得すべき知識と技術について，またその教育基準を制定するために多くの議論を重ね，1966 年，WFOT は「作業療法士の教育」を発表している．以降，年々変化する社会情勢と，それに対応できる作業療法士育成の指針としての「作業療法士教育の最低基準」(minimum standards for the education of occupational Therapists; MSEOT)(➡ 98 ページ)は，改訂を繰り返している．

WFOT は MSEOT に則った養成教育プログラムを継続的に提供する「WFOT 認定校」とし，認定校の存在を正規加盟団体になるための条件としている．また，**表 1** にも示したように，WFOT 認定校の卒業を，作業療法士資格取得の条件としている国と地域も存在する．

**Keyword**
**作業療法士免許の更新制**　国家試験合格後，その資格を維持するために更新手続きを必要とする制度である．更新には，申請書のみ提出，申請書と手数料が必要，申請書と生涯教育プログラムの受講証明が必要など，国と地域によってさまざまである．現在，日本にはこの制度が取り入れられておらず，一度国家試験に合格すれば一生その資格を有することができている．

▶表 1　human resource project 2020

| 国と地域 | 作業療法士数 | 対10,000人比 | WFOT認定校数 | 毎年WFOT認定校を卒業する卒業生数 | WFOT非認定校数 | 毎年WFOT非認定校を卒業する学生数 | 協会に学生会員枠がある | 協会内学生会員数 | 資格・免許制度** | 資格取得にWFOT認定校卒業が条件 | 免許更新のために，生涯教育プログラム受講が必要 |
|---|---|---|---|---|---|---|---|---|---|---|---|
| アルゼンチン | 12,900 | 3 | 5 | 122 | 16 | 304 | ○ | 17 | ◎ | | |
| アルメニア | 50 | 0.2 | | | 2 | 8 | | | | | |
| オーストラリア | 22,413 | 9 | 51 | 1,808 | | | ○ | 500 | ○ | ○ | ○ |
| オーストリア | 3800 | 4 | 8 | 250 | | | ○ | 260 | ○ | | |
| バハマ | 11 | 0.3 | | | | | ○ | | ○ | ○ | ○ |
| バングラデシュ | 257 | 0.02 | 1 | 40 | | | ○ | 130 | ○ | ○ | ○ |
| ベルギー | 12,000 | 10 | 14 | 800 | | | ○ | 320 | ○ | | |
| バミューダ | 36 | 6 | | | | | | | ◎ | ○ | ○ |
| ブラジル | 21,232 | 1 | 16 | 355 | 18 | 267 | ○ | 56 | ○ | | |
| ブルガリア | 50 | 0.1 | 1 | 10 | | | ○ | 13 | | | |
| カナダ | 18,254 | 5 | 14 | 1,010 | | | ○ | 2,369 | △ | | |
| チリ | 6,000 | 3 | 1 | 70 | 23 | 800 | | | | | |
| 中国 | 383 | 0.003 | 6 | 94 | 7 | 52 | ○ | | △ | | ○ |
| コロンビア | 6,193 | 1 | 11 | 156 | | | ○ | 23 | ○ | | |
| コスタリカ | 315 | 1 | | | 1 | 20 | ○ | 1 | ○ | | |
| クロアチア | 638 | 2 | | | 1 | 59 | ○ | 60 | ○ | | ○ |
| キプロス | 177 | 2 | 1 | 35 | | | | | ○ | ○ | |
| チェコ共和国 | 1,000 | 1 | 1 | 15 | 4 | | ○ | 30 | | | |
| デンマーク | 12,534 | 22 | 7 | 464 | | | ○ | 1,150 | ○ | ○ | |
| ドミニカ共和国 | 56 | 0.1 | | | 1 | 6 | ○ | 60 | | | |
| エストニア | 100 | 1 | 2 | 13 | | | ○ | 36 | | | |
| フェロー諸島 | 80 | 16 | | | | | | | ○ | ○ | |
| フィンランド | 3,500 | 6 | 5 | 228 | | | ○ | 550 | ○ | | |
| フランス | 12,765 | 2 | 25 | 1,000 | | | ○ | 154 | △ | | |
| ドイツ | 59,000 | 7 | 139 | 2,100 | 52 | 665 | ○ | 1,000 | △ | | |
| ガーナ | 37 | 0.01 | 1 | | 1 | | ○ | 90 | ○ | | ○ |
| ギリシャ | 1,800 | 2 | 5 | 163 | 1 | | | | ○ | | |
| ガイアナ共和国 | 6 | 0.1 | | | | | ○ | | ○ | | ○ |
| ハイチ | 5 | 0.004 | 1 | 4 | | | ○ | 5 | | | |
| 香港 | 2,383 | 3 | 3 | 160 | | | ○ | 61 | ○ | ○ | |
| アイスランド | 314 | 9 | 1 | 18 | | | ○ | 10 | ○ | ○ | |
| インド | 15,000 | 0.1 | 20 | 690 | 8 | | ○ | 2,100 | | | |
| インドネシア | 1,200 | 0.04 | 1 | 100 | 2 | 160 | ○ | 760 | ○ | | ○ |
| イラン | 3,000 | 0.4 | 11 | 250 | 2 | 15 | | | ◎ | | ○ |
| アイルランド | 2,700 | 6 | 4 | 122 | | | ○ | 129 | ○ | ○ | ○ |
| イタリア | 1,700 | 0.3 | 1 | 20 | 11 | 240 | ○ | 50 | ○ | | ○ |
| ジャマイカ | 4 | 0.01 | | | | | ○ | | ○ | ○ | ○ |
| 日本[注] | 94,255 | 7 | 161 | 5,977 | 34 | 1,315 | | | ○ | | |
| ヨルダン | 1,000 | 1 | 3 | 150 | | | ○ | 10 | ○ | | ○ |
| カザフスタン | 4 | 0.002 | | | | | ○ | 0 | △ | | |
| ケニア | 850 | 0.2 | 3 | 275 | | | ○ | 70 | ○ | ○ | ○ |
| 韓国 | 18,000 | 4 | 23 | 1,000 | 37 | 1,000 | | | ○ | | ○ |
| コソボ | 20 | 0.1 | 1 | 12 | | | ○ | 65 | ○ | | ○ |
| ラトビア | 132 | 1 | 1 | 18 | | | ○ | 10 | ○ | ○ | ○ |
| レバノン | 130 | 0.2 | | | 2 | 25 | ○ | 10 | ○ | | |
| ルクセンブルク | 300 | 5 | | | | | ○ | 10 | ○ | | |

注：2021 年 4 月現在の作業療法士有資格者数は 104,286 名となっている．

（つづく）

▶表 1　human resource project 2020（つづき）

| 国と地域 | 作業療法士数 | 対10,000人比 | WFOT認定校数 | 毎年WFOT認定校を卒業する卒業生数 | WFOT非認定校数 | 毎年WFOT非認定校を卒業する学生数 | 協会に学生会員枠がある | 協会内学生会員数 | 資格・免許制度** | 資格取得にWFOT認定校卒業が条件 | 免許更新のために，生涯教育プログラム受講が必要 |
|---|---|---|---|---|---|---|---|---|---|---|---|
| マカオ | 130 | 2 | | | | | | | △ | ○ | |
| マダガスカル | 32 | 0.01 | 1 | 15 | | | ○ | 30 | ◎ | | |
| マレーシア | 1,892 | 1 | 4 | 189 | | | ○ | 41 | | | |
| マルタ | 170 | 4 | 1 | 11 | | | ○ | | ○ | ○ | |
| モーリシャス | 70 | 1 | | | | | ○ | | | | |
| メキシコ | 536 | 0.04 | 3 | 30 | 9 | 724 | ○ | 44 | ○ | | ○ |
| モロッコ | 6 | 0.002 | 1 | 20 | | | ○ | 60 | ○ | ○ | |
| ナミビア | 89 | 0.4 | * | | 1 | | ○ | | ○ | ○ | ○ |
| オランダ | 4,682 | 3 | 5 | 400 | | | ○ | 209 | ○ | | ○ |
| ニュージーランド | 2,969 | 6 | 2 | 161 | | | ○ | 17 | ○ | | ○ |
| ナイジェリア | 52 | 0.003 | | | 2 | 87 | ○ | 5 | ○ | | ○ |
| ノルウェー | 5,000 | 9 | 6 | 180 | | | ○ | 480 | ○ | ○ | |
| パキスタン | 400 | 0.02 | 3 | 55 | 1 | | | | | | |
| パレスチナ | 130 | 0.3 | 2 | 40 | 1 | | | | ◎ | ○ | |
| パラグアイ | 15 | | | | | | | | | | |
| ペルー | 520 | 0.2 | | | 2 | 20 | ○ | 2 | ○ | | |
| フィリピン | 4,428 | 0.4 | 6 | 300 | 5 | 300 | ○ | 124 | ○ | | ○ |
| ポーランド | 500 | 0.1 | | | 5 | 120 | ○ | 6 | ○ | | |
| ポルトガル | 1,837 | 2 | 3 | 120 | 1 | 16 | ○ | 32 | ○ | | |
| ルーマニア | 120 | 0.1 | 1 | 35 | 2 | 55 | ○ | 10 | | | |
| ロシア | 70 | 0.005 | 1 | 1 | 3 | 10 | | | ○ | | ○ |
| ルワンダ | 10 | 0.01 | 1 | 12 | | | ○ | 12 | ◎ | ○ | ○ |
| サウジアラビア | 260 | 0.1 | 2 | 50 | | | ○ | 151 | ○ | | ○ |
| セーシェル | 3 | 0.3 | | | | | ○ | | ○ | ○ | ○ |
| シンガポール | 1,201 | 2 | 1 | 56 | | | ○ | 334 | ○ | | |
| スロベニア | 512 | 2 | 1 | 40 | | | | | ○ | ○ | |
| 南アフリカ | 5,662 | 1 | 8 | 269 | | | ○ | 1,085 | ○ | ○ | ○ |
| スペイン | 9,000 | 2 | 6 | 200 | 13 | 750 | ○ | 3 | | | |
| スリランカ | 151 | 0.1 | 1 | 20 | 1 | 19 | | | ○ | ○ | |
| スウェーデン | 11,992 | 12 | 8 | 390 | | | ○ | 1,035 | ○ | ○ | |
| スイス | 3,400 | 4 | 3 | 81 | | | ○ | 80 | ○ | ○ | ○ |
| 台湾 | 3,843 | 2 | 7 | 315 | 3 | 136 | ○ | 75 | ◎ | | ○ |
| タンザニア | 5 | 0.001 | 1 | 30 | | | ○ | 3 | ○ | | ○ |
| タイ | 1,000 | 0.1 | 2 | 100 | | | | | ○ | ○ | |
| トリニダード・トバゴ | 21 | 0.2 | 1 | 8 | | | ○ | 13 | ○ | ○ | ○ |
| チュニジア | 330 | 0.3 | | | 1 | 25 | ○ | 10 | ○ | | |
| トルコ | 350 | 0.04 | 1 | 70 | 10 | 300 | ○ | 50 | | | |
| ウガンダ | 150 | 0.03 | 1 | 15 | | | ○ | 15 | ○ | ○ | ○ |
| ウクライナ | 30 | 0.01 | * | | 700 | | | | | | |
| 英国 | 39,895 | 6 | 64 | 1,500 | | | ○ | 3,945 | ○ | | ○ |
| 米国 | 136,483 | 4 | 203 | 7,774 | | | ○ | 22,017 | ◎ | ○ | ○ |
| ウルグアイ | 45 | | | | | | | | | | |
| ベネズエラ | 4,000 | 1 | 3 | 240 | 4 | 80 | | | ○ | | |
| ザンビア | 7 | 0.004 | 1 | | | | ○ | 5 | ○ | ○ | ○ |
| ジンバブエ | 155 | 0.1 | 1 | 20 | | | ○ | 15 | ○ | ○ | ○ |

準加盟団体：　　，非加盟団体：

* 調査実施年（2019 年）準加盟，** ○：必要，◎：州・地区へも資格登録が必要，△：州・地区へのみ資格登録が必要

〔World Federation of Occupational Therapists: Human resources project 2020: global demographics of the occupational therapy profession. Listed in alphabetical order より〕

### 1 作業療法士教育の最低基準（MSEOT）

世界には，作業療法の質や作業療法養成教育をモニタリングするための規定を有さない国と地域も存在する．これらの国と地域にとって，WFOT が提唱する教育基準に則った養成教育の提供は，専門職としての独自性の獲得と作業療法をその社会へ還元するという観点から有用である．一方，政府機関による規定を有する国と地域であっても，作業療法士という専門職を国際的に高いレベルに位置づけることを目的に，WFOT が提唱する基準に則った教育の提供は有用となる．MSEOT は疾病構造の変化や社会情勢に応じ，改訂を繰り返してきた．2016 年に改訂出版された MSEOT では，従来の医療機関での作業療法にとどまらず，地域住民がかかえるさまざまな健康課題に対し，先を見越して迅速に対応できるよう，その教育の焦点を拡大している[9,10]（➡ 98 ページも参照）．

### 2 認定へのプロセス

養成校からの申請は，WFOT 教育部の審査を経て最終的には代表者会議で承認される．また，教育部では資源が不足がちな準加盟団体からの養成校の申請の場合，必要に応じ支援プロジェクトを発足させている．プロジェクトの目的は単に可否を審査するものではなく，申請書に基づきカリキュラムなどの内容を吟味し，不足部分へのアドバイスを行い，認定までのプロセスを支援するものである[11]．

正規加盟団体になれば，あとに続く養成校の申請のための支援は，MSEOT を遵守する当該団体に委託される．日本では，日本作業療法士協会の教育部がその役割を担っている．

### 3 再申請

養成校の認定期間は 5 年であり，各養成校はそのつど WFOT へ再認定のための申請が必要である．多くの場合，再申請への支援と手続きも正規加盟となった該当団体に委託されている．

### 4 正規加盟団体代表による教育評価機関の設置案

WFOT は，正規加盟団体に対して，認定校の再申請手続きの公明性を保つため教育評価機関（education review board）の設置を求めている．わが国では，日本作業療法士協会の教育部にこの部門が設置されている．しかし，さまざまな理由で設置が困難な団体もある．特にその傾向は，近年増加している作業療法新興地域からの正規加盟団体に著しい．よって WFOT では，教育部管轄で新たな教育評価機関（multi-country review boards）を設置することを提案している．これは新興団体からの認定校の再申請を，経験豊かな正規加盟団体が支援することを目的としている．現在，評価機関を設置するためのガイドライン策定のためのプロジェクトが発足している[12]．

## C 諸外国の作業療法

### 1 欧米

#### a 米国

1900 年代初頭，主に短期大学で看護や社会福祉士を学ぶ学生を対象として 6〜12 週間の作業療法教育が開始された．しかし，症例検討と手工芸を中心とした演習は，元々の興味が看護や社会福祉の学生たちにとって不評に終わっている[13]．1924 年，米国作業療法協会（AOTA）は作業療法士教育のための最低基準を発表した．これは12か月の教育期間の養成コースにとどまり，その科目は心理学，解剖学，運動学，整形外科学，精神障害学，内科学や手工芸などであった[14]．

1931年，ミルウォーキー・ダウナー大学で初の学士レベルの教育が開始され[13]，これを機に4年制大学での養成課程が増加していった．同年，AOTAは米国医学会に作業療法養成教育の検証を依頼し，その検証結果は1935年に改訂された教育基準に大きな影響をもたらしている[14]．1947年には，南カリフォルニア大学で修士課程の教育が開始された．同年，初の作業療法の教科書として，また日本でも翻訳され教科書や参考書として活用されている『Willard & Spackman's Occupational Therapy』の初版も出版された[15]．

1990年代までには，米国の作業療法教育は学士レベル(大学4年制)へ移行している．カリキュラムは，医学的な知識や技術に加え作業療法の基本概念・理念や問題解決力・臨床思考力に重点をおき，医療にとどまらない職域の拡大に大きく役立っている．2005年，米国は作業療法教育レベルを大学修士レベルに引き上げ，国家試験受験資格も修士課程卒業が条件となった．さらに，2027年には最低教育を博士課程レベルまで引き上げることが決定し，現在(2021年)移行期間である．米国における作業療法教育レベルの引き上げは，最終学歴を学士もしくは高等専門学校卒業までとしている国と地域に大きな影響をもたらしている．

## b カナダ

1926年に設立されたカナダ作業療法士協会(Canadian Association of Occupational Therapists; CAOT)は，作業療法が職業として生き残るためには，「科学的な根拠に基づき，患者たちの退院後の生活を想定しスムースな社会復帰を支援するサービスであるべき」と提言し，作業療法教育プログラムを開始している[16]．しかし，第二次世界大戦を機とした帰還兵を含む整形外科領域や，ポリオに対する作業療法の需要の高まりは，教育プログラムの乱立を引き起こした[17]．

1950年代，カナダ医学会は，より強力な医療チームを構成するために理学療法教育と作業療法教育を合併し，3年間の養成プログラムを開始した．しかし，プログラムの終了時，7割以上の卒業生は理学療法士として働き，作業療法士の需要は継続的に高いものの，供給が追いつかない状況が続いていた．1960年代には，養成期間が18か月ではあるものの，初の単独プログラムが開始されたが[18]，養成教育の統一を欠いた状態は1980年代まで続いていた．この時期の作業療法の報酬は国費による医療費で賄われ，医療モデルによる作業療法が強調されている．そのようななか，作業療法の独自性への危惧と職業としてのさらなる可能性を示唆した「Maxwell Report」が発表された[19]．

1980年代，Maxwell Reportを受けたCAOTは，作業療法士養成教育のための最低基準を設定し，養成教育を大学学士レベルへ統一した．また，念願だった資格取得のための国家試験も開始している．この時期，CAOTは作業療法のガイドライン(Canadian Model of Occupational Performance; **CMOP**)(➡ 58ページ)の作成に着手した．CMOPの作成にあたり，当初は特定疾患に対する治療ガイドラインとする動きもあったが，作業療法の基本理念に立ち返り，クライエントを中心とした「作業ができること」をガイドラインの中心に据え，活動の場を医療現場に限定しない方針で作成を始めた[20]．1990年代には，CMOPの成果判定のための評価法(Canadian Occupational Performance Measure; COPM)も開発している[21]．CMOPは，作業療法の対象を疾病による障害だけでなく，健康増進領域へも拡大させた．これらは日本にも紹介され，現在多くの作業療法実践現場で活用されている．また，2008年にはカナダでの作業療法教育レベルも大学修士レベルへ引き上げられている．

### c 英国

英国の作業療法教育は 1930 年に始まった．当時は精神科領域での需要が高く，養成教育も精神科に重点がおかれていた．1938 年には初の作業療法士認定試験が開始されている．その後，第二次世界大戦による負傷者支援のための人材育成を急務と考える政府の援助もあり，次第に身体領域への教育も加わっていった[22]．10 週間という期間で開始された養成プログラムも徐々に延長し[23]．1990 年代には大学学士レベルへと移行した．

英国では，多くの作業療法士は地域で活動している．市民が受傷したり疾病を発症したりした場合，医療機関では最小限の医療しか提供されないため，生活に支障をきたしたまま自宅での生活へ戻ってしまうこともある．医療機関から離れた生活支援は自治体と福祉に委ねられる．作業療法を利用したい場合，利用者が自治体やかかりつけ医へ相談し，作業療法士の紹介を受けている．作業療法士は自治体に籍をおき，利用者の状況に応じて訪問治療や自宅改修・福祉機器などのアドバイスも行っている．また，英国作業療法士協会(Royal College of Occupational Therapists)はオンライン化された「作業療法士一覧」を一般公開しており，作業療法を受けたい利用者は，その地域に住む作業療法士のなかからその専門性に応じ選ぶことも可能である．

### d スウェーデン

スウェーデンの作業療法教育は 1944 年に始まった．スウェーデンも精神科領域で働く作業療法士が多かったが，2 つの大戦を機に身体領域へも活動範囲を拡大している．10 週間で始まった養成期間だったが，2 年コースの期間を経て 3 年コースと徐々に延長された[24]．当時は，作業療法の効果は認められつつもその根拠に欠き，養成コースの充実と期間延長に対する批判的な意見も存在していた[25]．しかし 1970 年代になると，作業療法士養成教育は「高等教育」と認識され，1993 年，4 年制大学での教育が開始された[24]．

## 2 アジア圏

### a 韓国

韓国へ作業療法が紹介されたのは，1950 年代の朝鮮戦争で負傷した兵士に対する治療が始まりだった．また，カナダと米国のキリスト教布教団の協力を得て，1 年間の養成プログラムも開始された．1965 年，初の国家試験制度が始まるが，これは 3 年間の理学療法士養成教育を受けたのち，1 年の臨床経験を積めば作業療法士の国家試験も受験できるものだった．この制度は 1995 年まで継続している．1979 年，韓国発の作業療法単独の学士コースが延世大学校の保健学部で開設された[26]．

韓国作業療法士協会が正式に発足したのは 1993 年であり，1998 年以降，養成校は増加し，それに伴い作業療法士数も増加している．しかし，韓国も実習施設の不足と生涯教育の充実が課題となってきている．2015 年から免許更新制とし，更新のための生涯教育制度の受講を義務づけている．

### b 台湾

1946 年，精神病院の入院患者の健康増進のために「活動」が行われたのが始まりであった．1956 年，WHO の支援を得て，台湾国立大学病院で作業療法科が開始された．1970 年には台湾国立大学に作業療法学科が開講し，国内での作業療法士養成も始まった．また 1982 年，のちの台湾作業療法協会の前身となる協会が設立された．

1997 年，作業療法士法が施行され，この法律により作業療法士の開業が可能となった．そして 2002 年，作業療法士による最初のクリニックも開業された．2003 年には，協会による地域精神科クリニックも運営され始めた．

台湾においては協会設立後の 1982 年を境に作業療法士数が急激に増加している．作業療法士は発達障害，身体障害，精神障害，老年期障害分野で活動している．作業療法士によるクリニックの多くは発達障害分野での開設である[27]．

## c シンガポール

1950 年代，英国の作業療法士によって作業療法が紹介された．1960～1970 年代は，Colombo Plan[*1]の支援を受け，作業療法を学びに英国，オーストラリア，ニュージーランドへの留学が始まっている．1980 年代も，英国の後押しによる Commonwealth Scholarship[*2]と，シンガポール公共サービス委員会によりこの支援は継続している．また 1975 年，シンガポール作業療法協会が設立されている．1990 年代初頭，同協会は，将来の高齢社会を見据え，作業療法，理学療法，言語療法の必要性を問う意見書を政府に提出している．

1992 年，シドニー大学の協力を得て，Nanyang Polytechnic に 3 年制の養成課程が設立された．初の卒業生たちはシドニー大学で 1 年間就学し，学士を取得している[28]．2009 年，作業療法学科を擁するシンガポール工科大学が設立され，学士レベルの教育を開始している．これに並行して Nanyang Polytechnic での養成課程は閉校している．

シンガポールでは作業療法士教育にレジデント制を取り入れている．国家試験に合格すると，conditional（条件つき）occupational therapist となる，その後，restricted（制限つき）occupational therapist を経て，再度認定試験を受験し，合格すると full（制限なし）で作業療法が行える．条件つきと制限つきの期間は，単独での治療は制限され，上位の作業療法士の監督を必要としている．

シンガポールの作業療法も自由診療（開業）が可能であり，対価はさまざまな公共基金から支払われている．活動領域は福祉機器，ロボット工学，障害者の運転評価とリハビリテーション，高次脳機能障害，刑務所における精神科領域の作業療法のほか，地域での健康維持・予防にも大きく関与している[29]．

## d 香港

香港の作業療法の始まりも，精神病院で行われた籐細工製作であった．1950 年，香港に滞在していた英国の理学療法士が作業療法の必要性を説き，入院中の結核患者・整形外科患者や精神病院のなかで，気晴らし的な「治療」が始まった．1953 年より，英国の作業療法士の雇用が始まり，作業療法士が必要になるたびに英国からの招聘を繰り返していたが，言語の壁が立ちはだかり，作業療法が根づくまでには至らなかった[30]．

これを解決するために，1967 年から作業療法を学びに他国への留学が始まっている．しかし，作業療法の需要は徐々に増加するものの，留学養成では追いつかず，1978 年，最初の 4 年制の養成校が設立された．同年，香港作業療法協会も設立されている[30]．

作業療法士数が徐々に増加している香港だが，依然として需要に供給が追いついていない．高齢社会，病院から地域への連携を考慮し，作業療法の需要はさらに増加していくとみられている．また，作業療法の新しい領域として，建築やケースマネジメント，精神障害者の社会復帰，太極拳を利用した健康増進などがある[31]．

## e フィリピン

フィリピンでの作業療法教育の歴史は長く，1962 年の開始当初から大学学士レベルでの教育が行われていた．フィリピン作業療法士協会（現在の Philippine Academy of Occupational Therapists Inc; PAOT）も 1965 年に設立され，

---

*1：コロンボプランとは，1950 年，戦後最も早期に組織された開発途上国援助のための国際機関である．イギリス連邦外相会議を源とした機関であり，技術協力を通じ，主にアジア太平洋諸国の社会・経済開発の促進を目的としている．日本も 1954 年に加盟し，支援を始めている．

*2：1958 年，コモンウェルス奨学金も元イギリス連邦の国々が設立した国際機関で，途上国の学生を支援している．

1969 年には更新制の資格制度も開始した．しかし，経験を経た作業療法士や高い学歴をもつ作業療法士たちは米国やカナダでの就業を望み，自国での作業療法に従事する作業療法士の増加には至っていない．

15 歳未満の人口が国民の約 30% を占め，65 歳以上の人口が 6% に満たないフィリピンでは，作業療法士の多くは発達障害分野に従事している．多くの対象児たちは知的障害や広汎性発達障害，脳性麻痺の診断をもつため，運動障害のみでなく，社会適応を目的とした作業療法も行っている．成人に対する作業療法では，入院患者の疾患は脳血管障害を筆頭に，脊髄損傷や切断，熱傷，骨折などの整形外科疾患が多くの割合を占めている．一方，通院患者になると，自閉症など発達障害が大部分を占める．

PAOT は，繰り返される自然災害に対し，行政の支援が入りにくい地域を選択的に支援してきた．過去の災害では，シェルターを使いやすくする工夫のみでなく，災害救助を行っている人たちへの精神的な支援も行っている．今後の課題としては，老年期に携わる作業療法士は極端に少なく，経験も少ないため[32]，PAOT では今後の高齢化社会を見据え，卒後教育の充実をはかっている．

### ●引用文献

1) World Federation of Occupational Therapists: Human resources project 2020: global demographics of the occupational therapy profession. Listed in alphabetical order
2) World Federation of Occupational Therapists: Human resources project 2018: global demographics of the occupational therapy profession
3) World Federation of Occupational Therapists: History. https://wfot.org/about/history
4) World Federation of Occupational Therapists: World Federation of Occupational Therapists (est.1952). https://search.wellcomelibrary.org/iii/encore/record/C_Rb1971630_S_Orightresult_X0?lang=eng&suite=cobalt
5) World Federation of Occupational Therapists: List of member organizations. https://wfot.org/membership/member-organisations/list-of-wfot-member-organisations
6) World Federation of Occupational Therapists: Member organizations. https://wfot.org/membership/member-organisations
7) World Federation of Occupational Therapists: Management team. https://wfot.org/about/management-team
8) World Federation of Occupational Therapists: List of WFOT position statements
9) World Federation of Occupational Therapists: Minimum standards for the education of occupational therapists (revised 2016)
10) 世界作業療法士連盟（WFOT）・日本作業療法士協会（訳）：「作業療法士教育の最低基準」2016 年改訂版
11) World Federation of Occupational Therapists: Process for the approval of education programmes. Updated October 2020
12) World Federation of Occupational Therapists: 33rd council meeting, 2018 Cape Town, South Africa, final minutes
13) Reed KL, et al: Concept of occupational therapy, 4th ed, pp440–476, Lippincott Williams &Wilkins, Baltimore, 1999
14) Ryan SY: Scope of occupational therapy. *In* Hopkins HL, et al (eds): Willard and Spackman's occupational therapy, 8th ed, pp8–11, Lippincott Williams &Wilkins, Philadelphia, 1993
15) Gordon DM: The history of occupational therapy. *In* Crepeau EB, et al (eds): Willard & Spackman's occupational therapy, 11th ed, pp202–215, Lippincott Williams &Wilkins, Philadelphia, 2009
16) Friedland J, et al: In the beginning: CAOT from 1926–1939. *OT NOW* 3 (January/February):15–18, 2001. https://www.caot.ca/document/7489/CAOT1926_39.pdf
17) Cockburn L: The greater the barrier, the greater the success: CAOT during the 1940's. *OT NOW* 3 (March/April):15–18, 2001. https://www.caot.ca/document/7490/CAOT1940.pdf
18) Cockburn L: The professional era: CAOT in the 1950's & 1960's. *OT NOW* 3 (May/June):5–9, 2001. https://www.caot.ca/document/7491/CAOT1950_60.pdf
19) Cockburn L: Change, expansion and reorganization: CAOT in the 1970's. *OT NOW* 3 (July/August):3–6, 2001. https://www.caot.ca/document/7492/CAOT1970s.pdf
20) Trentham B: Diffident no longer: building struc-

tures for a proud profession. CAOT in the 1980's. *OT NOW* 3 (September/October):3–7, 2001.
https://www.caot.ca/document/7493/CAOT1980s.pdf

21) Green MC, et al: Prospering through change: CAOT from 1991 to 2001. *OT NOW* 3 (November/December):13–19, 2001.
https://www.caot.ca/document/7494/CAOT1991_2001.pdf

22) Grove E: Working together. In College of Occupational Therapists: The Dr Elizabeth Casson memorial lectures 1973–2004: published together in celebration of the 50th anniversary year of Dr Casson. pp83–91, College of Occupational Therapists, London, 2004.
https://www.yumpu.com/en/document/read/12287102/the-dr-elizabeth-casson-memorial-lectures-1973-2004

23) British Association and College of Occupational Therapists: Our history: key dates in the history of the British Association and Royal College of Occupational Therapists.
https://www.rcot.co.uk/about-us/our-history

24) Occupational Therapists of Sweden: History.
https://www.arbetsterapeuterna.se/foerbundet/english/about-us/history/

25) Björnsson A: "Never forget Estelle!" — American patron saint of Swedish occupational therapy.
https://www.arbetsterapeuterna.se/media/1395/neverforgetestellebjornsson2012.pdf

26) Yoo EY: Occupational therapy in South Korea. At "The 2nd exchange meeting with East Asian countries", Hyogo University of Health Sciences, 2015/6/18.
https://www.jaot.or.jp/files/page/wp-content/uploads/2018/02/emeac.report.pdf#page=14

27) Chou YC: The current practice of Occupational Therapy in Taiwan. At "The 2nd exchange meeting with East Asian countries", Hyogo University of Health Sciences, 2015/6/18

28) Beng LH: History of occupational therapy in Singapore. インタビュー, 2015/6/20

29) Beng LH: Perspectives on occupational therapy in Singapore. At "The 2nd exchange meeting with East Asian countries", Hyogo University of Health Sciences, 2015/6/18.
https://www.jaot.or.jp/files/page/wp-content/uploads/2018/02/emeac.report.pdf#page=35

30) Hong Kong Occupational Therapy Association: The history and development of HKOTA.
https://hkota.org.hk/history

31) Chan S: A presentation on occupational therapy services in Hong Kong – an update. At "The 2nd exchange meeting with East Asian countries", Hyogo University of Health Sciences, 2015/6/18.
https://www.jaot.or.jp/files/page/wp-content/uploads/2018/02/emeac.report.pdf#page=19

32) Grecia AS: The Philippine OT practice: a reflection of collaborative and transformative responses to national healthcare agenda, global competitiveness & market demands. At "The 2nd exchange meeting with East Asian countries", Hyogo University of Health Sciences, 2015/6/18.
https://www.jaot.or.jp/files/page/wp-content/uploads/2018/02/emeac.report.pdf#page=24

# 作業療法の実践過程

1. 作業療法を正しく実践するために，一連の過程を修得する.

1-1）作業療法における評価と治療の違いを述べることができる.
- □ ①作業療法の目的を ICF の構造に沿って理解できる.
- □ ②作業療法の実践過程を評価のステージと治療のステージに分けて説明できる.

1-2）作業療法の評価の内容と過程について，具体的にそれらの項目を列記できる.
- □ ③情報収集過程で入手すべき項目を❶医学的情報と❷社会的情報に分けて，それぞれ列記できる.
- □ ④初回評価の目的とそこで実施されるべき評価項目について，グループでディスカッションできる.
- □ ⑤評価結果から問題点や利点を抽出し，統合と解釈につなげる過程を理解できる.

1-3）作業療法の目標や治療について，その関係性を説明できる.
- □ ⑥治療目標について，❶リハビリテーションゴール，❷長期目標，❸短期目標の 3 つを比較して述べることができる.
- □ ⑦治療プログラムの決定から再評価に至る過程を説明できる.
- □ ⑧治療プログラムの立案について，治療対象，治療目的，治療方法に分けて具体的に説明できる.

1-4）作業療法の実践過程で必要とされる思考の過程と態度に気づくことができる.
- □ ⑨クリニカル・リーズニングとは何か説明できる.
- □ ⑩作業療法の実践にあたって必要とされる自己活用の態度について，その定義や具体的な態度をクラスメイトと確認し合うことができる.

# 1 作業療法の仕組み

作業療法は日常生活活動(activities of daily living; ADL)や手段的日常生活活動(instrumental activities of daily living; IADL)そして対象者にとって意味や価値のある「作業」を治療の手段として治療・指導・援助を行う医療技術である．治療には効果が求められ，指導・援助も対象者やその家族にとってよい結果をもたらすためのものでなければならない．何事もよい結果をもたらすためには，明確な目標とそれに向かう綿密な計画，そして正しく実践することが必要である．それでは，作業療法の場合，対象者やその家族が納得するような効果や結果をもたらすためには，どのように目標を立て，計画し，実施していけばよいのであろうか．本章では，効果的な作業療法を実践していくための過程について説明していく．

## A 作業療法士の業務

作業療法は医療技術の１つであるため，医学，つまり科学に基づいた実践が必要である．科学に基づくということは，客観的なデータを活用し，それを論理的に解釈するプロセスを経る必要がある．医学の場合は，人間という生物の生体反応を調べ，それを経験的にわかっている標準値などと比べて，その差から現象を説明し，目標や戦略を立てて治療を行う．

作業療法も医療技術である以上，このようなデータに基づいた実践が必要である．データは数字で表すことのできる量的なものだけではなく，言葉で示される質的なものも含むが，あくまで客観的に解釈できるデータを活用することが重要である．この観点に立てば，作業療法は決して作業療法士の勘や思いつきで治療を進めてはいけない仕事といえる．このことをもう少し具体的に考えてみよう．

たとえば，咳が止まらず高熱が出た場合，医師はその症状がいつから出始めて，どの程度つらいのかといった**主訴**を患者に尋ねる．そして，インフルエンザや新型コロナウイルスを疑って抗原検査やPCR検査の指示を出すであろう．検査で陽性ならばウイルスへの曝露があったことを確認できる．あるいは，スポーツをしていて歩けなくなるほどの捻挫をした場合でも，医師はその怪我をしたときの状況を尋ね，患部を触診し，骨折や靱帯損傷の有無をX線やCT検査などで確認する．この画像検査によって，診断名と治療法が決められる．このように医師の診療は患者の主訴を尋ね，必要な検査を実施し，その結果を解釈したうえで，治療法を決定するという過程をたどる．

これと同じように，作業療法でも患者に主訴を尋ね，さまざまな検査や情報収集を行って，症状を判断し，その原因を特定する．右手の動きが悪い対象者の場合は，筋力や関節可動域(ROM)，感覚などの検査を行って，それが筋の問題なのか，痛みが原因であるのか，あるいは神経の問題なのかを判断して治療法を考える．あるいは，抑うつ

**Keyword**

**主訴**　対象者が健康状態について訴える内容はさまざまであり，そのうち主となるものをいう．痛みの感じ方は人それぞれ異なるように，対象者がどの症状や不便を最も深刻に考えているかということを聞き取ることが重要である．

状態が強い患者にもその訴えに対して支持的に傾聴し，心理状態を標準化された尺度で測定して，その結果を解釈して治療プログラムを立てるという過程をたどる．

## B 作業療法の目的

作業療法はその定義にもあるとおり，人々の健康と幸福を促進するために実践される医療である．健康と幸福は一般的すぎる概念であるため，ここでは国際生活機能分類(ICF)に沿ってその内容を確認してみたい．

ICF〔第 I 章 3 の図 2(➡ 31 ページ)参照〕は身体構造・心身機能と活動，参加，そして環境因子，個人因子から構成される生活機能の分類方法である[1]．身体を構成する組織や部位，そして心身機能が人間の健康と幸福の基盤であることは疑いがない．そこに日々の活動が加わり，家庭や社会へ参加することで人間らしい生活を成り立たせている．さらに，生活にはさまざまな環境が影響を与え，対象者個人の性格や価値観が反映されることになる．

作業療法は，身体構造・心身機能，活動，参加，環境因子そして個人因子というあらゆる側面から対象者の回復をはかろうとする．それらを**表 1** に例示しながら説明していこう．

▶**表 1　ICF にみる作業療法の目的**

| ICF | 目的 | 例 |
|---|---|---|
| 身体構造・心身機能 | ●失った構造の補完<br>●運動機能の改善，向上，維持<br>●心理・精神機能の改善，向上，維持 | ●義手や装具の装着練習，筋力向上トレーニング，ROM 拡大トレーニング，感覚の再学習，認知トレーニングなど |
| 活動 | ●ADL 能力の回復，改善，維持<br>●意味や価値のある活動の獲得 | ●ADL 練習，代償手段の獲得練習<br>●意味や価値のある活動の獲得練習 |
| 参加 | ●参加機会の向上<br>●意味や価値のある活動への参加 | ●IADL 練習<br>●意味や価値のある活動への参加練習 |
| 環境因子 | ●物理的環境の改善<br>●人的環境の改善 | ●直接的な環境調整<br>●間接的な家族・専門職指導 |
| 個人因子 | ●個人特性の把握・利用・再設計 | ●ライフスタイル，習慣，役割，興味，趣味などの再検討や指導 |

### 1 心身機能・身体構造

まず身体構造に関しては，失った構造を補完するように援助することが作業療法の目的となる．心身機能に対しては，運動器や感覚器などの身体の側面と，心理的・精神的な側面の両面に対して，その機能を回復・改善させる．高齢者や進行性疾患の患者については，機能を維持することも重要な目的となる．

### 2 活動

活動面に対しては，病気や障害をかかえながらでも，自宅や施設などで可能なかぎり自立した日常生活が送れるようにその ADL 能力を改善させる．心身機能と同様，対象者によっては ADL 能力を維持することも作業療法の大きな目的となる．さらに，対象者にとって意味や価値のある活動を実現することも大事な目的となる．

### 3 参加

対象者にとって意味や価値のある活動は，それを通して家庭や社会に参加することができるようになるとすれば，それは ICF のなかの参加の側面での目的となる．また，参加するために必要な IADL 能力を改善することも，参加における目的となるであろう．

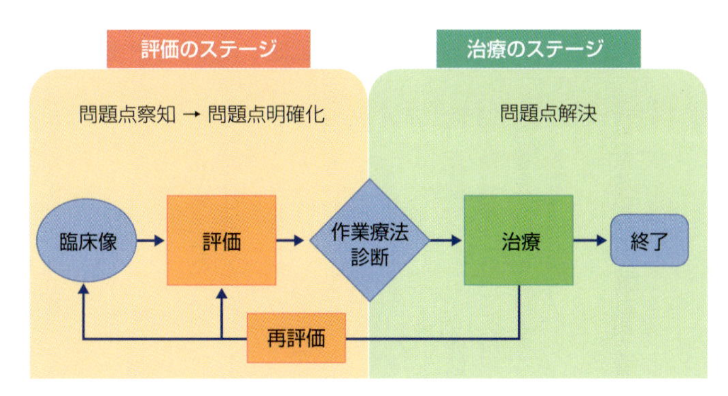


▶**図 1 単純化した作業療法の過程**
〔Rogers JC, et al: Occupational therapy diagnostic reasoning: a component of clinical reasoning. *Am J Occup Ther* 45: 1045–1053, 1991 より〕

### 4 環境因子

さらに ICF の重要な側面の 1 つである環境因子に対しても，作業療法は積極的にアプローチする．環境は大きく，物理的な環境と人的な環境に分けられるが，前者では，自助具という食事や整容動作を容易にするための生活用品に関するものと，段差の解消や手すりの設置など家屋や住環境に関するものとがある．後者の人的な環境については，医療や介護現場などの専門職スタッフに対するアプローチと，家族や介護者に対するものがある．心身機能や活動と参加に対する作業療法は，患者や対象者本人に対する直接的なアプローチであるが，環境因子に対するアプローチは間接的なものである．

### 5 個人因子

さらに，作業療法は対象者のさまざまな個人因子にも関与し，日々のライフスタイルや習慣や役割，興味といった部分にまで近づき，生活の再建や再設計のためにそれらの再検討や指導を行う．

このように作業療法は対象者の全体をとらえ，あらゆる側面に対してアプローチできるという魅力がある．裏を返せば，そのぶん，対象者の将来の生活を決める重要な役割を担っていることが理解できるであろう．

## C 作業療法の実践過程

### 1 2 つのステージ

作業療法は単に作業を用いて治療することを指すだけではなく，対象者の情報収集や面接，さまざまな評価から治療の目標を立て，治療プログラムを立案し，それを実践する一連の流れを指す．そのため，個々の実践過程を示した単語に作業療法を冠した作業療法評価や作業療法治療という用語は本来適切ではない．しかしながら，医師が行う評価や理学療法士が行う評価や治療などと区別するために，作業療法評価や作業療法治療という用語が用いられる場合もある．実際，作業療法士を養成するためのカリキュラムのなかにも作業療法評価学や作業療法治療学という科目があるであろう．本章でも作業療法を大まかにとらえるために，さまざまな実践過程を評価と治療の 2 つに分けて説明していくこととする．

クリニカル・リーズニング(➡ 162 ページ)という用語を初めて用いたロジャースとホルム[2)]は，作業療法の過程を**図 1** のように，2 つのステージに分けて説明している．

## Ⅰ．情報収集段階

①資料・情報収集
②面接
③観察

## Ⅱ．初回評価・ゴール設定・作業療法計画・実施期間

④作業療法の評価実施計画立案
(1) 検査項目の選択
(2) 検査実施（(1)を受けて行う）
(3) 検査結果データごとの解釈と検討
(4) 評価結果からの対応課題（問題点）の検出

⑤カンファレンスによるリハビリテーションゴールの設定
(1) リハビリテーションゴール設定
(2) 作業療法長期・短期ゴール設定

⑥作業療法実施計画立案
(1) ⑤(2)を受けてゴール設定（対応課題確認）
(2) 作業療法（治療・訓練・援助）実施の手順
(3) 作業療法実施の対応法および手段の選択
(4) 作業療法の実施

---

**Ⅰ-①**
カルテ，チームメンバー，対象者本人，家族から得る情報として作業療法の評価，実施の参考とされる

**Ⅰ-②**
定期的および必要に応じて行われ，それらの情報は対応法の選択資料となる

**Ⅰ-③**
より適切な対応がとれるために終始行われる観察は対象者の現状把握，変化をとらえ，その対応法の選択へとつなげる

**確認事項①〜③**
収集した①②③の情報から作業療法に必要な情報が収集されているか確認する．必要に応じて不足資料の追加収集を行う．データの示す意味，価値が明確に理解され，その対応法が適切に選ばれるかの確認は最も重要とされる

**Ⅱ-④-(1)**
対象者の状態に必要，かつ適切とされる検査・測定の項目を選ぶ

**Ⅱ-④-(2)**
各検査・測定が正しく行われ記録されているかチェックする

**Ⅱ-④-(3)**
各検査・測定から出された結果のデータや状態情報の意味やその解釈について適切な判断が行われているかチェックする

**Ⅱ-④-(4)**
各検査・測定の結果から作業療法として対応すべき事項を課題として整理し提示する（通常，問題点とされる事項）

**確認事項④(1)〜(4)**
評価バッテリーの選択，評価知識と技法力，検査結果数値の読み，解釈に対しての対応策の選択，その重要性を認識する

**Ⅱ-⑤-(1)**
チームメンバーより決定された対象者個人のリハとしてのゴールの設定（到達目標）

**Ⅱ-⑤-(2)**
(1)で出された，その個人のゴールを受けて作業療法としての長期・短期ゴールを設定する

**確認事項⑤(1)(2)**
リハビリテーションゴール,作業療法長期·短期ゴール設定の整合性をチェックする

**Ⅱ-⑥-(1)**
⑤-(2)において出された長期・短期ゴールを明確にし，各長期と短期の関係および④-(4)との整合性を確認する

**Ⅱ-⑥-(2)**
作業療法の長期·短期ゴールに向けて出された課題に対しての治療·訓練·援助の行われる手順（順位）を明確にする

**Ⅱ-⑥-(3)**
⑥-(2)において出された手順ごとにその対応法，手段の選択が適切に提示されているかを確認する

**Ⅱ-⑥-(4)**
上記⑥-(1)〜(3)を経て実践を開始する

**確認事項⑥(1)〜(4)**
評価から出された課題への作業療法計画の整合性について確認する

---

### 〈対象者入院，初回面接，初回評価〉

Ⅰ-①②③→Ⅱ-④(1)(2)
情報収集，面接，観察，検査・評価結果

Ⅱ-④(3)(4)
評価結果の解釈

### 〈リハビリテーションゴール，作業療法ゴールの設定〉

①リハゴールに基づいて作業療法ゴールの設定
②評価結果からの作業療法の対応課題抽出
③対応課題の手順，手段の選択

Ⅱ-⑤(1)(2)，Ⅱ-⑥(1)

### 〈作業療法計画の立案〉

作業療法の手順：対象者の病因，機能回復機序に応じ対応課題の順序立てを行う．
作業療法手段の選択：作業手段を対応課題の解消．軽減に向けて適用できるよう選び出す．

Ⅱ-⑥(2)(3)
対応課題の順序立て

### 〈作業療法の実施〉

Ⅱ-⑥(4)

Aさんの発言，質問

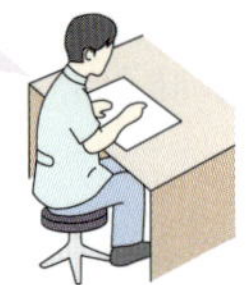


▶**図 2　作業療法実践の仕組み**
〔矢谷令子, 他（編）：作業療法実践の仕組み．改訂第 2 版, pp42–43, 協同医書出版社, 2014 より一部改変〕

## Ⅲ．再評価以降の期間

⑦作業療法再評価
(1) 再評価結果によるリハビリテーション
(2) ゴールの続行または変更
作業療法実施の続行または変更
(3) 作業療法終了

## Ⅳ．フォローアップ期間・地域サービスの活用

⑧フォローアップ期間 地域サービスの活用
実施計画の立案
(1) 退院・退所時に決められた復帰先への連携
a．住宅復帰
b．職場復帰
c．学校復帰
d．その他の復帰先
(2) 対象者の復帰先に基づく作業療法業務の確認
a．復帰先職場における作業療法固有の業務
b．共労職員との連携業務
c．組織活動としてのマネジメント業務
d．評価・業務企画・記録・報告業務
e．その他の対応業務

Ⅲ-⑦-(1)
ある期間（あるいは定められた期間）の後に作業療法効果の判定を行い，リハプログラムの再検討を行う．このとき，初期に立てたゴールの続行，あるいは変更を決定する．また，その理由も明確にしておく

Ⅲ-⑦-(2)
作業療法士は⑦-(1)を受けて初回時の⑥-(1)(2)(3)と同様の過程を経て作業療法を実施する．その実施/変更も検討する

Ⅲ-⑦-(3)
カンファレンスにおいて対象者への対応終了とされた時点で終了し，同時に決定先によるフォローアップへの連携業務を準備する

確認事項⑦(1)〜(3)
再評価や経過記録時における評価結果は必ず前回の評価結果と比較し，その変化を記録し，作業療法の適用効果判定を行う．終了へ向けて準備を行う

Ⅳ-⑧
Ⅲ-⑦-(3)の決定に沿って本人の復帰先となる(1) a〜d に関係する作業療法の役割が開始される

Ⅳ-⑧-(1)
それぞれの利用者のⅢ-⑦-(3)の決定に沿って，本人の復帰先に連絡する．医療機関が各利用者の帰属する機関や他専門サービス提供など，施設との情報やサービスの内容について，必要な連携がシステム化されて実施されていることが大切である

Ⅳ-⑧-(2)
a は対象者の関係施設において提供する作業療法を企画する．b〜e について，それぞれの役割を果たす

確認事項⑧(1)(2)
退院・退所時に，復帰先への連携および復帰先での明確なフォローアップの企画，サービス内容を確認する

〈再評価〉

Ⅲ-⑦(1)(2)

A さん，あれから○○週間経ちましたね．その後の様子をみせていただいてもよいですか．どのような変化があるか再評価させて下さいね．何かご意見を聞かせて下さい．

A さん，次のような変化がみられましたよ．これは良い方向に向かってきていますのでこのままゴールに向けて少しずつプログラムを進めていきましょう．（または，変更していきましょう）

〈退院，復帰先生活への説明〉

Ⅲ-⑦(3)
退院決定カンファレンス

A さん，はじめに検討しました A さんの課題，だいぶ対応されてきましたね．退院へ向けて準備してきたこと，それぞれについて確認しておきましょうね．
（理解力，遂行力，応用力の確認，必要に応じて訓練，指導，援助，提案）

Ⅳ-⑧(1)(2)
退院後のフォローサービスの受け方の説明と地域サービスにおける他職種との連携．⑧(2)b〜e はそれぞれ業務確認を行う．

### a 評価のステージ

前半は評価のステージであり，評価を通して対象者の問題点を明確にする段階である．具体的には対象者の臨床像から評価を実施し，問題点や残存している能力などを整理し，対象者の全体をとらえる．また図中の作業療法診断とは，評価の結果から問題点を整理し，その原因を分析して治療目標と治療プログラムを決定することであり，作業療法判断と読み替えてもよいかもしれない．いずれにしても，医師が行うような病名を診断することとは異なり，対象者を 1 人の障害をもった人間としてその全体像をとらえることを指す．

### b 治療のステージ

後半は治療のステージであり，作業療法診断の結果を受けて治療を実施する段階である．このように評価 → 治療 → 再評価の流れを繰り返し実施するのが作業療法の特徴である．

## 2 評価と治療の意味

さて，ここまで評価と治療という 2 つの重要な用語を用いて作業療法を説明してきたが，そもそも作業療法における評価と治療とは何か．

評価とは一般に事物や人物についてのよし悪しや価値を判断することであるが，作業療法を含めたリハビリテーションにおいては，種々の検査を通して心身機能や活動の状況，社会参加の状況などを把握することをいう．さらには，単にさまざまな検査を行うばかりではなく，面接や情報収集をすること，評価結果をまとめて問題点や残存能力を抽出するといった，対象者をとらえるための活動全体のことを指す．

一方，作業療法における治療とは，さまざまな作業を用いて患者や対象者の心身機能や ADL・IADL の能力を回復・改善させることである．医療のなかで比較すれば，薬物療法や放射線療法，手術などと並ぶ医学的治療の 1 つである．一方で，介護現場や福祉現場，教育現場では「治療」とは呼ばずに「指導」や「援助」という言葉がふさわしい場合もある．いずれにしても，手段や場所を問わず，対象者の健康や社会参加を促していくことが作業療法の治療である．治療はさらに，当初実施した治療プログラムの効果が期待通り表れているかどうか，回復の段階が想定したところに到達しているかどうかなど，対象者の心身機能や ADL の様子を再評価することによって確かめる必要がある．そしてそのつど，治療目標を見直し，治療プログラムを再検討する．特に急性期や回復期にある対象者を担当する場合には，これらを絶えず繰り返すことが必要である．

矢谷[3] はこれら作業療法の過程を「実践の仕組み」と称して説明している．次項からは先の**図 1** で作業療法の 2 つのステージを大まかにとらえたうえで，**図 2**[3] に沿って作業療法の具体的な実践過程を説明していくことにする．


●引用文献

1) 世界保健機関(著)・障害者福祉研究会(編)：ICF 国際生活機能分類—国際障害分類改定版. p17, 中央法規出版, 2002
2) Rogers JC, et al: Occupational therapy diagnostic reasoning: a component of clinical reasoning. *Am J Occup Ther* 45:1045–1053, 1991
3) 矢谷令子, 他(編)：作業療法実践の仕組み. 改訂第 2 版, pp42–43, 協同医書出版社, 2014

# 2 評価と問題点の抽出

評価は前項図1(➡ 147ページ)の評価のステージに該当する．評価の目的はカルテや面接，観察などさまざまな情報源からの情報を集約し，対象者の全体像を把握することである．作業療法の治療や指導，援助する対象項目は非常に多岐にわたっているため，さまざまな視点，角度から情報を収集することが重要となってくる．そしてそれらの情報から対象者の問題点と利点を整理し，治療目標と治療計画を立案する．このような観点から，評価で収集すべき情報は多ければ多いほどよく，しかもそれぞれに精度の高い確実なデータが求められる．

▶表1　情報収集段階で入手すべき情報と入手先

| 分類 | 収集すべき情報 | 入手先 |
|---|---|---|
| 医学的情報 | 診断名，合併症，発症や受傷の経緯，既往歴，治療経過，画像診断，薬物療法(副作用を含む)，血液など生化学検査データとその解釈，予後予測，治療方針，禁忌事項などリスク管理に関する情報，治療期間(入院期間)など | ●主治医，リハビリテーション専門医<br>●カルテ，施設間連絡票など |
| | 他のリハビリテーションの情報 | ●理学療法士，言語聴覚士など |
| 社会的情報 | 生育歴，生活歴，学歴，職歴，家族状況，経済状況，現在の生活や環境に関する情報 | ●看護部門<br>●MSW<br>●対象者本人，家族 |

## A 情報収集の段階

情報収集段階では，対象者の情報収集と面接，観察を実施する．これらの順序は勤務する施設のルールや対象者の状態などによって異なり，対象者と初めて対面する前に情報収集を済ませておく場合もあれば，対象者との面談ののちに情報収集を始める場合もある．

### 1 情報収集

情報収集は対象者のことを知るうえで欠かせない活動である．その情報は大きく医学的情報と社会的情報の2つに分けられる．

#### a 医学的情報

**表1**に示すとおり，医学的情報には診断名や合併症，発症や受傷の経緯，既往症，治療経過，画像診断，薬物療法，生化学検査結果，予後予測，禁忌事項，治療方針などが含まれる．

通常，作業療法の**指示箋**には対象者の氏名と性別，年齢，診断名と目的しか記されていない．そのため，対象者についての医学的情報はカルテから入手したり，主治医やリハビリテーション専門医(以下，リハ医)から直接聞き取ったりしなければならない．

診断名は特に重要で，病気のタイプや重症度を併せて確認することで，対象者の状態が想像できるようになる．ただ，作業療法で担当する疾患は

**Keyword**

**指示箋**　リハビリテーション処方箋とも呼ばれる．これは主治医あるいはリハ医が処方するもので，作業療法士が対象者に対して評価や治療を行う法的根拠をなすものである．そこには，対象者の状態や作業療法を実施する目的などが記されている．

さまざまであるため，診断された病気についての知識が少なければ，対象者と向き合う前に専門書で病因や症状，標準的な治療，予後などを勉強しておかなければならない．これは画像診断や薬物療法に関する情報にも当てはまる．現在はカルテも紙ではなく電子化されているものが多いため，作業療法室の端末から画像診断を含めたあらゆる医学的情報を確認することができる．X 線や CT あるいは MRI 画像の所見から病気や怪我の部位，程度，手術などの情報を読み取ることが可能だが，そのためには基礎となる脳や骨格についての知識が必要となる．薬物療法についても処方されている薬物の効用と副作用を調べる必要がある．特にステロイドが処方されている場合には易感染性に注意する必要があるし，精神疾患に処方されている薬物については**パーキンソニズム**や口渇，起立性低血圧などが出現する可能性があるため，よく理解しておく必要がある．

作業療法の処方を含めた対象者の治療方針を決めるのは主治医あるいはリハ医である．医師から入手すべき情報として，禁忌事項などのリスク管理のための情報がある．発症直後で全身状態が安定していない時期や手術のあとの安静期間などにおいては，安静度や離床の可否などについて十分に確認をしておく．特に心臓に問題がある場合には，コントロールすべき血圧の範囲や脈拍の上限，あるいは危険な不整脈の出現の可能性などについて医師の指示を仰いでおく必要がある．入院期間や治療目標などを含めた治療方針についても，できるだけ早い段階で確認しておく必要がある．症状の改善の見通しや，逆に病状の進行の可能性，さらには予後予測についても主治医から聴取する．がんや神経難病，認知症などが対象となるが，特にがんの場合は生命予後についての情報が重要となり，神経難病では心身機能の低下と ADL 能力低下の速度などの情報が必要となってくる．そのうえで，これら病気の予後，生命予後の情報を患者本人に伝えてあるかどうかということについても，必ず確認しておく．これら病気や生命予後の告知については主治医の業務であるから，情報の取り扱いには十分に気をつけなければならない．

医師以外から入手すべき情報として，病棟での生活の様子は看護部門から，他のリハビリテーションの評価や経過については担当の理学療法士や言語聴覚士から確認する．なお，対象者が転院してきた場合には，これら疾患と治療経過に関する情報は前の病院からの施設間連絡票でも確認することができる．

### b 社会的情報

一方，社会的な情報については，対象者の生育歴や生活歴，学歴や職歴などを把握する．併せて，家族の状況や経済状況などの現在の生活や環境に関する情報を入手しておく．特に家族や家屋に関する情報は退院先を決めるうえで重要なポイントとなる．これら社会的な情報については，看護部門や医療相談員(medical social worker; MSW)から入手するが，可能であれば対象者本人や家族などからも聴取する．

## 2 面接

面接は対象者と向き合って，通常は 1 対 1 で対話などをする行為のことを指す．作業療法の場面では 4 つの目的がある．1 つ目は対象者との間に信頼関係を築くことである．作業療法はセラピストと対象者が 1 対 1 の関係になるため，互いの信頼関係の構築は医療を進めていくうえでの絶対条件となる．面接の場面では自己紹介をしたうえで，これから実施される作業療法の評価や治療そしてその目的などを説明し，それに対して同意(**インフォームドコンセント**(➡ 93 ページ)と呼ば

**Keyword**

**パーキンソニズム**　パーキンソン病でみられる症状に似た症状の総称．症状には小刻みなふるえ(振戦)や筋の固縮，バランスの低下，動作の遅延などがある．

れる）を得る手続きを経る必要がある．

2つ目は対象者の**主訴**（➡ 145 ページ）を確認することである．対象者が何に困っていて，今後の治療で症状や障害がどのように改善し，どのような生活や社会参加を望むのかという対象者自身の希望やニードを具体的に話してもらう．

3つ目は対象者の状態を把握することである．特に精神疾患や認知症など認知機能に障害がある場合には，会話の様子や受け答えの反応などから幻聴や幻覚，妄想などの精神症状，言語の理解や発話の症状，さらには対象者自身の病気や障害に対する認識の程度を把握できる．

4つ目は，情報収集段階で得られなかった対象者に関する情報を収集することである．病前の生活の様子や仕事，趣味，価値観，家族や住居の状況などを確認する．

### 3 観察

面接は対象者と向き合ってコミュニケーションをはかりながら進めるものであるが，観察はセラピストが対象者と距離をとって気づかれないように行うものである．観察するポイントは対象者の身だしなみや姿勢，麻痺の状態，生活の様子などであり，評価の前に行う場合もあれば，評価や治療を進める過程で行う場合もある．初回評価に先立って行う観察では，対象者の状態を大まかに把握することでその後に行うべき評価の計画を立てることができるようになる．また治療中の観察からは，対象者の治療に対する理解度や意欲などを把握できる．

## B 初回評価

評価の目的は対象者の全体像を把握したうえで，現在の問題点と残存能力を整理し，治療目標と治療計画を立案することである．特に対象者を担当して最初に行う評価を初回評価と呼び，治療の方向性を決める大事な評価である．一方，治療の過程で，当初立案し提供したプログラムの効果が予定どおり認められているかどうかということを把握するために実施する評価を再評価と呼ぶ．この再評価は治療経過に応じて幾度も実施するものであるから，必ずしも2回目に行う評価だけを指すものではない．

### 1 評価の項目と計画

初回評価で最も重要なことは必要な情報を漏れなく収集することである．ただし，心身機能の回復が著しい急性期などでは，何日もの時間をかけて評価をしていると治療のタイミングを逸したり，評価開始当初に測定した機能が治療プログラムを立てるまでに自然に回復したりしてしまうこともある．また進行性の疾患や高齢者などでは，評価に多くの時間をかけてしまうと，その間に機能が悪化したり**廃用症候群**（➡ 42 ページ）を呈したりすることがある．そのため，急な回復や悪化が予測される場合には，まずは症状を大まかに把握し，最低限必要な治療プログラムを実践しながら，徐々に細かな評価を実施していくことが必要となる．

初回評価では，身体構造・心身機能および活動能力を網羅的に検査するためには**表2**に示すような評価項目を整理しておくことが重要である．身体構造・心身機能では精神・心理機能（一部は高次脳機能とも表現される）と身体機能に分けて評価を行うが，いずれの項目も活動の基礎をなすものであるため，その実施にあたっては正確な手技が求められる．活動と参加については，院内で実際に評価できるものと関係者からの情報収集で済ませるものがある．環境因子や個人因子についても，対象者本人や家族などから情報を集める必要がある．

このように対象者1人の臨床像を把握しようとすれば，これだけ多くの評価を実施しなければならない．しかしながら現実的には，すべての評

▶表 2　作業療法の評価項目

| ICF の分類 | | 評価項目 |
|---|---|---|
| 身体構造・心身機能 | 精神・心理機能 | 意識レベル，見当識，意欲，情緒，思考，不安，抑うつ，注意，記憶，言語，認知，遂行機能など |
| | 身体機能 | バイタルサイン，反射，反応，筋力，筋緊張，変形，欠損，感覚・知覚，ROM，上肢の巧緻性・協調性，呼吸・循環機能，排尿・排泄機能，嚥下，座位・立位バランスなど |
| 活動と参加 | | 起居，歩行，ADL(食事，整容，更衣，排泄，入浴)，IADL(家事，買い物，金銭管理，電話の使用，服薬管理，家屋の管理，交通機関の利用など)，遊び，学習，仕事，趣味，レジャー，社会参加など |
| 環境因子 | 物理的環境 | 住居，居住環境，医療・福祉資源など |
| | 人的環境 | 家族関係，保健医療福祉スタッフとの関係など |
| 個人因子 | | 性格，希望，QOL，生きがい，経済状況など |

価を短時間に実施することは難しいため，評価項目に優先順位をつけて短時間に少ない項目で対象者の全体像をとらえるようにしなければならない．そのためには，疾患と症状の関係を理解することが必要である．**図 1** に示すように，脳卒中であれば片麻痺という障害が生じるため，運動麻痺や感覚障害，高次脳機能障害，そして ADL の低下がおこるから，それぞれに対応した評価項目が優先される．また認知症では，運動麻痺や感覚障害は生じないが，認知機能全般が低下して生活に支障が出るため，見当識や高次脳機能を評価し，**BPSD**(behavioral and psychological symptoms of dementia)と呼ばれる行動と心理面に表れる症状の有無と程度を優先して評価する．このように初回評価では，担当する対象者の疾患に応じて，優先するべき評価項目を整理して，その実施計画を立てることが必要となる．

**Keyword**

**BPSD(認知症の行動・心理症状)**　アルツハイマー病などの認知症では，記憶障害などの認知機能障害で構成される中核症状と，徘徊や幻覚，妄想などの行動異常・精神症状を周辺症状として分けて評価する．周辺症状のほうが家族など介護する側に大きな負担となることが多い．

## 2 作業分析

ADL や IADL は個々の活動や動作をいくつかの工程に分けたうえで，工程ごとに評価を行う．作業療法ではこのような工程に分けて評価する方法を作業分析と呼んでいる．後述する治療プログラムのボトムアップになっている構造〔第 IV 章 3 の図 2(➡ 159 ページ)〕は，この作業分析が正しく実施されて可能になるものである．つまり，自立できていない ADL 動作を細かく工程に分け，それぞれの工程でどのような身体機能と認知機能が必要で，対象者はそれらの何が支障となっているのかという心身機能と活動の関連性を論理的に考えるために必要となる．詳しくは，第 II 章「作業の分析と治療への適用」を参照されたい．

# C 問題点と利点の整理

初回評価の結果がまとまれば，次に治療で対応すべき課題を問題点として整理する．問題点とは疾患や障害によってなんらかのマイナスの影響を受けるものを指すが，これとは逆に障害されずに残されている機能や能力については，治療を進めていくうえでのプラスの効果を期待できるため，利点として整理する．問題点と利点は実施した評価の項目ごとに列記していってもよいが，通常は国際生活機能分類(ICF)のカテゴリーごとに整理する．**図 2** に示した脳卒中の例を参考に確認していこう．

まず健康状態としては，診断名と合併症，障害像を記す．次に心身機能・身体構造については，利点(プラス)として，非麻痺側の筋力が保たれていることを示してある．問題点(マイナス)としては，半側空間無視や注意障害という精神・心理機

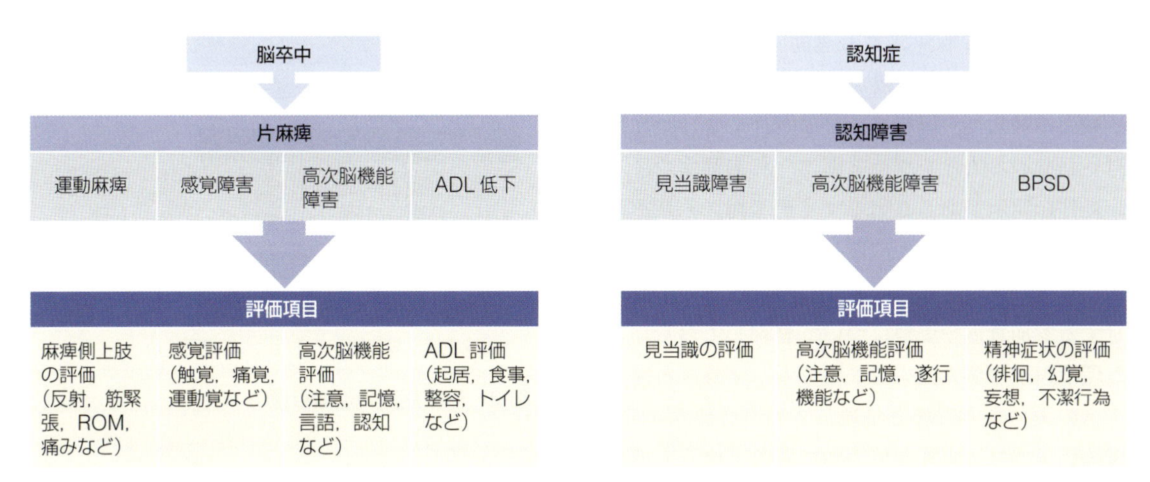


▶図 1　疾患と障害，評価項目の関係

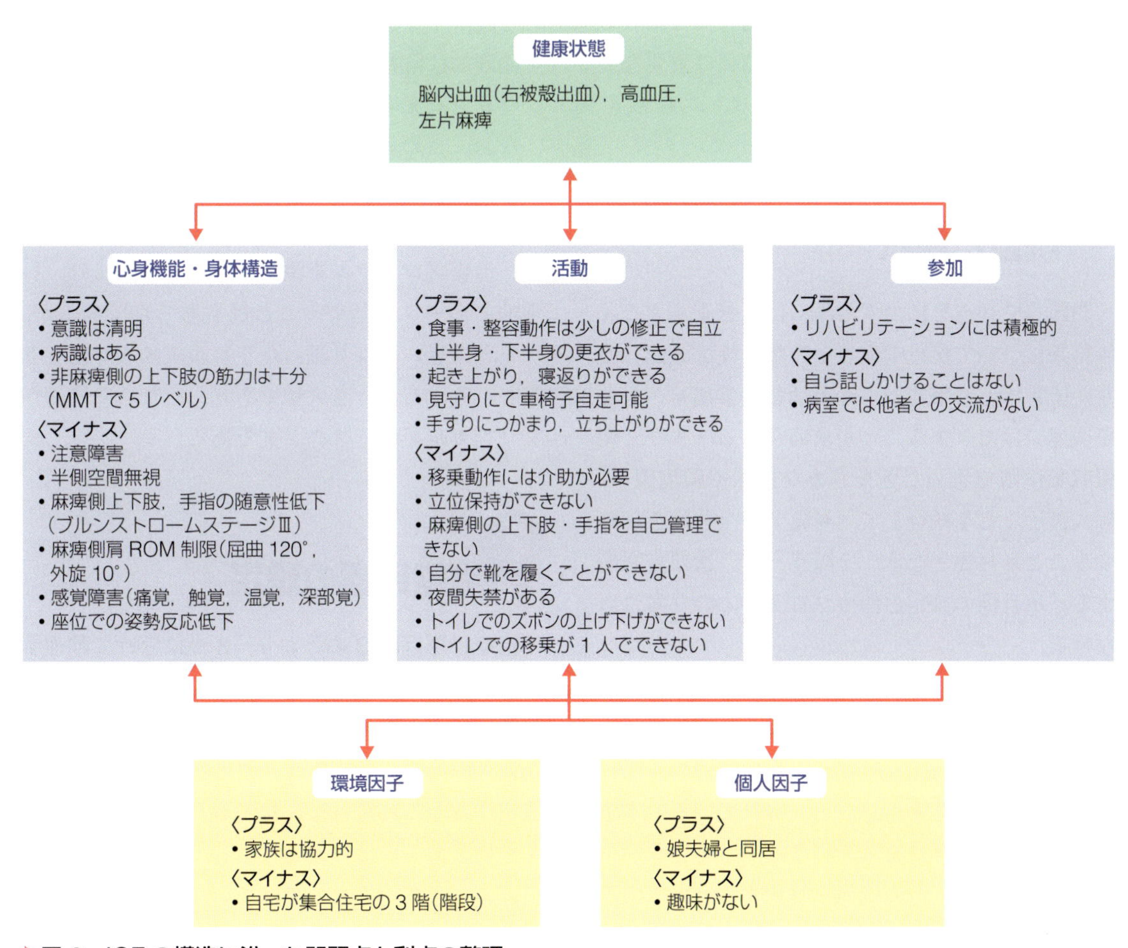


▶図 2　ICF の構造に沿った問題点と利点の整理
MMT：徒手筋力検査

能の障害と左片麻痺による運動麻痺と感覚障害，関節可動域(ROM)制限などが列記されている．活動面に関しても同様に，食事動作や整容動作が自立していることをプラス面に，移乗動作やトイレ動作に問題があることをマイナス面にそれぞれ整理してある．参加面に関しては，入院中は社会との接点が閉ざされることから，院内での活動に対する参加意欲や姿勢について整理しておく．また環境因子や個人因子についても，プラスとマイナスの両面から影響を整理しておく必要がある．環境因子では，家族が協力的であるという人的な面でのプラス面と，自宅が集合住宅の 3 階であるという物理的なマイナス面が示されている．退院後の受け入れや社会復帰を目指す場合には家族の協力が欠かせないため，家族との関係は重要な要因となる．第 III 章 2 の表 3(➡ 104 ページ)も参照.

## D 統合と解釈

問題点や利点を抽出する際には，さまざまな評価結果について疾患や症状との整合性を確認したり，ICF の心身機能レベルと活動・参加レベルとを関連づけたりすることが求められる．また，情報収集段階で集めたさまざまな情報や環境因子，個人因子などを統合して，対象者の全体像を理解することも必要となる．そのうえで，次項で説明する治療目標の設定と治療プログラムの立案につなげる．

ここではさまざまな情報を関連づけるという論理的な思考プロセスが必要となる．通常，このような作業は「考察」と呼ばれ，臨床実習のレポートや論文などでその用語が用いられている．本書では実際の思考プロセス，つまり，さまざまな情報を統合させて，その関係を解釈するという実際の思考内容である「統合と解釈」という用語を用いる．また，他書や臨床実習を含めた臨床現場では，対象者にとって重要な問題点や利点に治療のターゲットを絞ることを「焦点化」といったりもする．

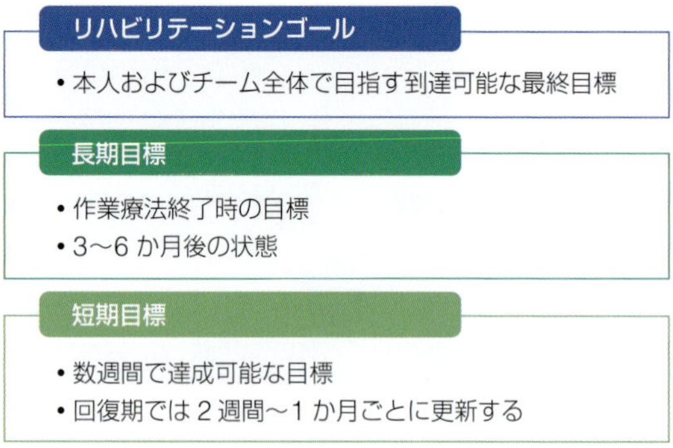

**リハビリテーションゴール**
- 本人およびチーム全体で目指す到達可能な最終目標

**長期目標**
- 作業療法終了時の目標
- 3〜6 か月後の状態

**短期目標**
- 数週間で達成可能な目標
- 回復期では 2 週間〜1 か月ごとに更新する

▶図 3　作業療法の治療目標

いずれの用語を用いても，必要とされるのは対象者を理解するために，さまざまな情報や評価結果を論理的に解釈し，そこから治療目標や治療プログラムを立案することである．

なお，この統合と解釈で用いるスキルがクリニカル・リーズニング(➡ 162 ページ)と呼ばれるものである．作業療法士が対象者の治療目標を決めたり，治療プログラムを決定したりする際には，科学的なデータに基づくことはもちろんであるが，対象者の思いに寄り添ったり，現実的な対応を考慮したりすることも大切であり，それらの道筋がクリニカル・リーズニングである．

## E 治療目標の設定

治療目標は**図 3** のとおり，3 つに分けて整理する．作業療法士が独自に設定するのは短期目標と長期目標である．リハビリテーションゴールの設定に合わせて，その内容と整合性をはかりながら設定する．これら目標に対する具体的な期間は病院や施設あるいは対象者によって異なるため明確に定められているものではないが，作業療法士自身が担当する期間に確実に改善や獲得が見込めるものを想定する．

## 1 リハビリテーションゴール

リハビリテーションゴールはリハビリテーションチーム全体で共有する目標であり，リハビリテーションが完了するときの対象者の生活状態を想定して決定する．リハビリテーションチームは主治医をはじめ，作業療法士，理学療法士や言語聴覚士のほか，看護師，MSWなどで構成され，これらの関係者が一堂に会すカンファレンスという場でそのゴールを決定する．通常，各部門による初回評価が終了するタイミングでカンファレンスが開催され，そこで各担当療法士が初回評価の結果とその解釈，予後予測を説明する．そこでは，主治医による疾患の予後予測や入院中の治療方針に加えて，看護師やMSWから対象者の家族の状況，経済状況などが説明される．それらをもとに対象者の退院後に落ち着く最終的な状態を想定して，退院時期や転院先を決定していく．脳卒中や整形外科疾患などは具体的な見通しを立てやすいが，がんや神経難病など進行性の疾患の場合は維持していくべき機能や活動を焦点化することが重要となる．

## 2 長期目標

リハビリテーションゴールが設定されると，次に長期目標を設定する．長期目標や短期目標は部門ごとに設定する．作業療法では退院時や転院時に達するであろうADLのレベルを想定して決定する．たとえば，移動能力はどの程度で安定しているか，トイレ動作や入浴動作はどの程度自立できているのかなどを想定する．この長期目標の設定時期は退院や転院に合わせて設定する必要がある．病院の役割によって異なるが，作業療法士が最も多く勤務する回復期リハビリテーション病棟の場合は，その平均在院日数が60日前後であるため，入院から2か月あるいは発症から数えると3か月程度の状態を想定している場合が多い．脳卒中の回復期リハビリテーション病棟への入院期間が最大180日であることをふまえると，長期目標の想定期間は長くとも6か月程度を目安とすべきであろう．いずれにしても，リハビリテーションゴールと整合させながら，対象者の入院中に実現が可能な状態を目標に設定する．

## 3 短期目標

短期目標は長期目標を達成させるために段階的に設定する．設定する期間については，病院や施設の役割や対象者の年齢などに左右されるが，先の長期目標を2か月とした回復期リハビリテーション病棟では，2週間～1か月ごとに達成が可能な目標を設定する．急性期の病院であれば，1週間か2週間程度とより短いものになるであろう．

たとえば，回復期リハビリテーション病棟に入院する脳卒中の対象者において，長期目標でトイレ動作の自立が必要とされる場合，車椅子からの立ち上がりやトイレへの移乗動作の獲得が当面の短期目標となるであろう．また，手の怪我などであれば，2週間後に改善可能な握力やROMを具体的に掲げる場合もある．

治療の効果が認められ，それらを達成できれば，次の新たな短期目標を立て直す．当初の想定どおりに治療が進まなかった場合にも同様に短期目標を変更するが，どちらの場合においても再評価というプロセスをしっかりと踏むことが重要である．

# 3 治療プログラムの立案・フォローアップ

第Ⅳ章1の図1(➡147ページ)の治療のステージにあたる．日本作業療法士協会による作業療法の定義(➡3ページ)に明記されているとおり，作業療法における治療とは，対象者の作業に焦点を当てて健康の改善や社会参加を促進することである．そこには，対象者に直接触れながら行う治療もあれば，新たな動作や運動のしかたなどを指導したり，心理的な支援や適切な環境の援助をしたりするなど，多様なアプローチ方法がある．

## A 治療プログラムの決定

治療プログラムは治療目標を達成するために戦略的に計画されるもので，その成果が確実に期待できるものでなければならない．治療プログラムを立てる手順は，まず短期目標を達成するために解決すべき治療の対象を選ぶことから始める．そして治療の目的を明らかにし，具体的な治療手段とその方法を考えるという手順を踏む．通常，治療すべき対象は複数あるため，そのなかからどの課題解決を優先させるべきか，対象とする活動を支えている心身機能の問題点は何かなどを考慮しながら治療の対象を選んでいく．

この治療プログラムを立てる際に，対象者の希望や好みをどのように反映させればよいのであろうか．作業療法は対象者にとって目的や価値をもった生活の再獲得を目指すものであるため，それが何であるかを把握することは重要である．一方で，治療プログラムの選択や決定に際しては，治療の効果や機能回復の可能性などを検討して選ぶことも重要である．そのため，この過程を作業療法士と対象者の双方が納得する方法で進めることが理想であるが，最終的には作業療法士の責任において実施すべきである．大事なことは，最終的な治療プログラムとその決定に至ったプロセスを対象者に十分に説明し，同意を得ることである．つまり，ここでも**インフォームドコンセント**(➡93ページ)が重要な役割をもつ．

治療の対象が決まれば，治療する目的を明確にする．そしてその目的に沿った具体的な治療方法を考えていくことになる．先に例示した(前項の)図2(➡155ページ)の問題点から考えてみよう．心身機能・身体構造面では左片麻痺によって左(麻痺側)の肩関節のROM制限が問題となっている．また活動面ではトイレでの移乗動作が自立できていないことがわかる．これらを治療の対象として，治療の目的と方法を**図1**に整理した．まず左肩関節のROM制限については，この原因が

**治療対象**
- A. 麻痺側肩ROM制限（屈曲120°，外旋10°）
- B. トイレでの移乗動作ができない

**治療目的**
- A. 肩関節屈曲の可動域を屈曲30°，外旋10°改善させる
- B. 近位監視下における移乗動作の自立

**治療と方法**
- A. 他動的なROM拡大練習と滑車を用いた自動介助運動練習
- B. 車椅子からの立ち上がり練習と立位でのバランス向上練習

▶**図1　治療対象・目的・方法の例**

▶表 1　作業療法で用いる活動の具体例

| 対象 | 作業活動の種類 | 具体例 |
|---|---|---|
| 1. 基本的能力（ICF：心身機能・身体構造） | 感覚・運動活動 | 物理的感覚運動刺激（準備運動を含む），筋力向上トレーニング，ROM 拡大練習，知覚の再教育練習，トランポリン・すべり台，サンディングボード，ダンス，ペグボード，体操，風船バレー，軽い運動など |
| 2. 応用的能力（ICF：活動と参加・主に活動） | 生活活動 | 食事，更衣，排泄，入浴などのセルフケア，起居・移動，物品・道具の操作，金銭管理，火の元や貴重品などの管理練習，コミュニケーション練習など |
| 3. 社会的適応能力（ICF：活動と参加・主に参加） | 余暇・創作活動 | 絵画，音楽，園芸，陶芸，書道，写真，茶道，貼り絵，モザイク，革細工，籐細工，編み物，囲碁・将棋，各種ゲーム，川柳や俳句など |
| | 仕事・学習活動 | 書字，計算，パソコン，対人技能練習，生活圏拡大のための外出活動，銀行や役所など各種社会資源の利用，公共交通機関の利用，一般交通の利用など |
| 4. 環境資源（ICF：環境因子） | 用具の提供，環境整備，相談・指導・調整 | 自助具，スプリント，義手，福祉用具の考案・作成適合，住宅など生活環境の改修・整備，家庭内・職場内での関係者との相談調整，住環境に関する相談調整など |
| 5. 作業に関する個人特性（ICF：個人因子） | 把握，利用，再設計 | 生活状況の確認，作業の聞き取り，興味・関心の確認など |

〔日本作業療法士協会学術部（編著）：作業療法ガイドライン（2018 年度版）. 日本作業療法士協会, 2019. https://www.jaot.or.jp/files/page/wp-content/uploads/2019/02/OTguideline-2018.pdf より改変〕

不動による軽度の拘縮であれば，関節運動を繰り返すことによって改善しやすいため，屈曲運動を 150°，外旋運動を 20° まで改善させることを治療の目的とする．これを達成するために 2 つの治療方法を考案する．1 つは作業療法士が対象者の肩関節を他動的に動かす練習で，もう 1 つは対象者自らが滑車を使って行う自動介助運動練習である．これは麻痺した手を滑車のつり革の片側に結び付けて，健康な右腕の力で滑車を動かすというものである．また活動面のトイレでの移乗動作については，近位監視下での移乗動作の獲得を目的として掲げている．これを実現するために，車椅子からの立ち上がり練習と，実際に車椅子から便座へと移る動作の練習を行う．このように，作業療法の治療プログラムはその対象と目的，そしてその目的を達成させるための具体的な方法の立案がセットで必要となる．

作業療法の治療には**表 1**[1] に示すとおり多種多様の活動を用いる．重要なことは，評価で抽出した問題点を解決するために，どのような治療が効果的かという視点と，対象とする活動の基盤となっている心身機能は何かという観点である．つまり，先に例示したトイレでの移乗動作に関していえば，それを可能とするためには**図 2** に示すようにボトムアップで心身機能の改善をはかりながら，より上位の基礎的な練習を積み重ねることで，治療対象としたトイレでの移乗動作練習に到達するという構造になっていることを理解してほ

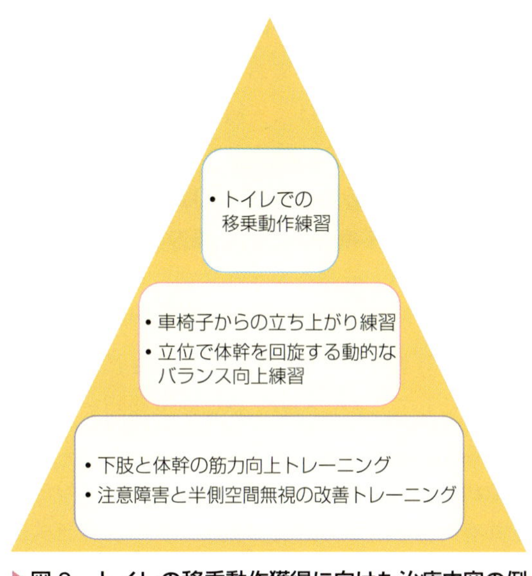

▶図 2　トイレの移乗動作獲得に向けた治療内容の例

しい．車椅子から立ち上がるには主に下肢と体幹の筋力，それに立位になったときのバランスを保持する機能が必要となる．加えて，注意障害や半側空間無視という認知面の問題があれば，それを個別にどのように軽減していくかという視点も重要となるのである．

## B 治療・指導・援助の実施

評価は定められた方法で正確に実施する必要があるが，治療ではその日の対象者の体調や気分などの状態によって臨機応変に対応できたほうがよい．ただし，評価とは異なり，成果を残すことが何より重要であることを意識しておく必要がある．また立案された作業療法プログラムは複数あるため，それらをどのように組み合わせて実施するか，その優先順位や時間配分はどうするかといった実施計画を立てておくことも重要である．

治療のステージでは，実施するプログラムの効果を確認できるよう，日々の対象者の変化を詳細に記録しておく必要がある．実際の記録の方法は第 VI 章 3「作業療法の記録と報告」(➡ 258 ページ)で説明するが，可能なかぎり詳細にデータとして残しておくべきである．これは数字で残せるもののほか，対象者の言葉や態度で表現されるものもある．そしてこの日々の記録は診療報酬を請求するうえでも欠かせない業務の 1 つとなる．また理学療法士や言語聴覚士，看護師などと日々の情報を共有し合うことも重要であり，多職種の連携によって治療目標の達成を早めるような努力が求められる．

対象者やその家族，関係者などに指導や援助を行う場合には，対象者の症状と障害の程度，それらが生活場面に与える影響などについて，対象者の環境面に配慮しながら説明する必要がある．そのときに医学的な専門用語を平易な言葉を用いて説明する能力も身につけておかなければならない．

## C 再評価による効果判定と目標の再検討

初回評価によって立案した治療プログラムは，実施から一定期間が経過したのちに効果を検証する必要がある．ここでも初回評価で重要視した評価項目を基準として，その効果と変化を確認することが重要である．初回評価とは異なる評価方法を用いたり，初回評価で着目しなかった評価項目を評価しても治療の効果は判定できない．つまり，同一の評価項目の結果を比較することが重要なポイントとなる．この結果の比較により，当初想定したとおりの効果が得られているのか，もしくは想定したほど効果が得られていないのかを判断する．

そのうえで，効果が得られ，当初想定したレベルに達していれば，より高いレベルや強い負荷を用いた治療プログラムを立案したり，次の新たな治療目標を立てたりする．一方，効果が十分に得られていない場合には，難易度を下げたり，治療方法そのものを変更したりする．作業療法が目標とする活動の多くは，心身機能の回復に応じて徐々に能力のレベルを上げていくものであり，治療計画では段階づけ(➡ 59 ページ)と呼ばれる難易度の設定と調整が必要となる．

以上のような治療効果の判定や難易度の再設定のために行うのが再評価である．これは作業療法の治療期間に応じてたびたび実施することになる．そして，この再評価を通じて，治療目標の再設定，新たな治療プログラムを提供するというサイクルが作業療法の流れとなる．米国の作業療法の教科書にも**図 3** のような作業療法の実践過程を示した図がある[2]．大事なことは，作業療法の治療プログラムの選定にあたっては**エビデンス**(➡ 109 ページ)を重視することである．また，治療プログラムは理論や研究，作業療法士の経験，そして対象者の好みを反映させたものであり，決して，作業療法士のひらめきや思いつきだけで提供され

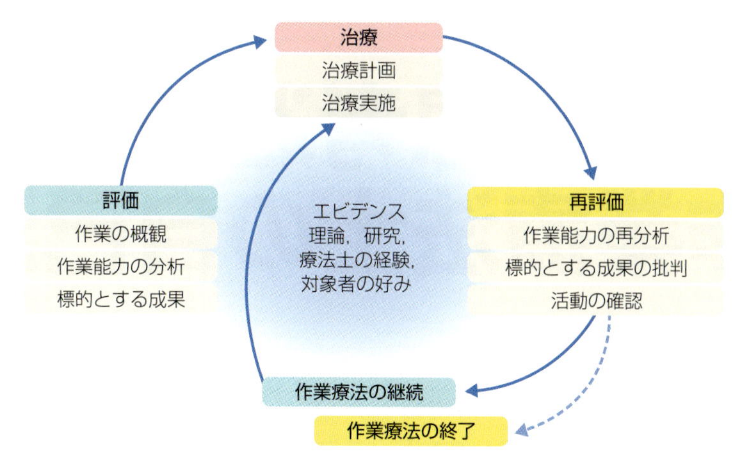


▶**図 3 作業療法の実践過程のイメージ**
〔Chisholm D, et al: Overview of the occupational therapy process and outcomes. *In* Schell BA, et al (eds): Willard and Spackman's occupational therapy, 13th ed, pp352–368, Lippincott Williams & Wilkins, Philadelphia, 2019 より〕

るものであってはならないことを示している．

## D フォローアップ

作業療法は退院（退所）や転院というタイミングで終了となる．自宅に退院する場合で，主治医が退院後も作業療法の継続が必要と判断すれば，外来で通院して作業療法を継続する場合がある．また，医療機関から介護保険など福祉サービスに移行する場合には，入院中から要介護認定を申請したり地域で利用可能なサービスなどを調べたりするなど，作業療法をはじめとしたリハビリテーションが継続されるような支援が必要である．このためには MSW やケアマネジャーなど他職種との連携が必要で，対象者にとって切れ目のないサービスが提供されることを意識しなければいけない．

また自宅に退院するのではなく，転院や施設へ入所する場合には，次の施設で担当する作業療法士のために施設間連絡票を作成し送付する必要がある．さらに対象者が職場や学校などに復帰する場合には，事前に職場の上司や学校の教員などと情報共有をしたり，かかわり方などを指導したりする．このような一連の活動がフォローアップとして重要となる．

●**引用文献**

1) 日本作業療法士協会学術部（編著）：作業療法ガイドライン（2018 年度版）．日本作業療法士協会, 2019. https://www.jaot.or.jp/files/page/wp-content/uploads/2019/02/OTguideline-2018.pdf
2) Chisholm D, et al: Overview of the occupational therapy process and outcomes. *In* Schell BA, et al (eds): Willard and Spackman's occupational therapy, 13th ed, pp352–368, Lippincott Williams & Wilkins, Philadelphia, 2019

# 4 臨床的思考過程と作業療法士の自己活用

初回評価，治療プログラムの実施，再評価に至る一連の作業療法の実践過程では，評価結果を統合して解釈し，結果を想定しながら治療目標や治療プログラムを決定するという思考過程が必要である．対象者の症状や程度は多様であり，対象者の人生や生活もそれぞれ異なるため，方程式のように1つの決まった答えを導き出せるものでもない．そのため，評価で集めた客観的な情報や対象者の個人因子，環境因子などを総合的に考慮し判断することが求められる．またその過程では，作業療法士自身の自己活用ともいうべき，対象者と直接接する作業療法士としての態度や接し方も求められる．本項では，作業療法の実践過程で求められる作業療法士の思考過程や態度について説明する．

## A クリニカル・リーズニング

対象者の治療目標や治療プログラム立案，つまり評価のステージで統合と解釈の際に求められる思考や判断の道筋のことをクリニカル・リーズニング（clinical reasoning；臨床推論）と呼んでいる．この用語は1983年に南カリフォルニア大学のロジャース[1]によって用いられたもので，彼は「療法士は患者のQOL（quality of life；生活の質）に重大な意味をもつ意思決定に際し，患者の情報を集め，それらを変換するためにクリニカル・リーズニングスキルを使う」と述べた．つまり，クリニカル・リーズニングとはスキルであり，作業療法士に求められる思考技法ともいえるものである（➡ 88ページ）．

リーズン（reason）とは理由，推理，根拠などの意味をもつが，山田[2]はクリニカル・リーズニングを「臨床で働く作業療法士が，自分の対象者のことについて何かを判断し，その対象者の治療をどのように進めていくべきなのかを判断して，この2つの判断の関係を考えていく」ことと説明している．作業療法士になるためには，さまざまな情報を収集すること自体をまず習得しなければならないが，それに加えて，集まった情報を統合して解釈し，治療の戦略を考えたり，判断したりする技能の習得が必要である．

作業療法は医師の行う治療とは異なり，評価結果から一律で定型的な治療法を導き出す治療ではない．むしろ，対象者の立場に立って，その不便となった生活や人生の立て直しに協力していこうとする治療である．言い換えれば，病気や怪我を治療するというよりも，障害をもった1人の人間を治療しようとする．人間は生い立ちや家族，職業，そして価値観などもさまざまなため，100人の対象者がいれば，100通りの作業療法を提供することが求められることになる．この意味で作業療法には医師以上にさまざまに配慮すべきリーズニングが求められていることも理解されるであろう．

シェルら[3]は，作業療法に求められるクリニカル・リーズニングについて，**表1**のように整理している．これらのうち，科学的リーズニングと手続き的リーズニングは，情報に基づいて実施する標準的で科学的な論理的推論である．対象者個人というよりも，疾患や障害に焦点を当て，治療戦

▶表 1 作業療法におけるクリニカル・リーズニングの視点

| 分類 | 説明 | 考察におけるリーズニングのヒント |
|---|---|---|
| 科学的リーズニング | 仮説検証，パターン認識，理論に基づく意思決定と統計的なエビデンスを利用した論理的で科学的な方法によるもの | 対象者個人の特性に焦点を当てるのではなく，これまでに蓄積された医学的情報やエビデンスと比較して，対象者に「特異的に」生じているものは何かということを考え判断する |
| 手続き的リーズニング | 対象者の状態に対して，通常の手続きをとったうえで考えようとするもの | 問題を特定するために，通常行う評価や問題点の整理，そして治療プログラムを選択するという手続きに従って判断する |
| 叙述的リーズニング | 対象者にとっての特別な環境(病気や障害の影響，日常生活における作業能力の問題など)を前向きに想定したうえで，対象者とその家族がつくり上げる共同ストーリーを創造しようとするもの | 対象者個々に判断されるもので，対象者の語りから，過去と現在，そして将来のことを考え判断する |
| 実際的リーズニング | 治療の可能性をサービス提供の現実に適合させる実践的なもの | 対象者本人やその状態に焦点を当てるのではなく，スケジュールやサービスに対する支払い，作業療法士のスキルといった現実的な物事から判断する |
| 倫理的リーズニング | 倫理的ジレンマを分析したり，代替手段を検討したり，とるべき行為を決定したりするもの | 特に治療における原則やリスク，利益が競合するジレンマに直面した際に，正しいことは何かという視点で判断する |
| 相互交流的リーズニング | 対象者と作業療法士の良好な人間関係の構築のためにとられるもの | 作業療法士は対象者が何を好み，何を好まないかということに関心をもって判断する(称賛，共感，そして対象者の協力を支え励ます非言語的な行動の使用を含む) |
| 条件的リーズニング | 条件を柔軟に変更したり，対象者の可能性を予想したりするもの | 過去の経験と現在の情報に基づき，不確実な将来を予測して判断する |

〔Schell BA, et al: Professional reasoning as the basis of practice. *In* Schell BA, et al (eds): Clinical and professional reasoning in occupational therapy, 2nd ed, pp482–497, Lippincott Williams & Wilkins, Philadelphia, 2019 より改変〕

略を立てる．客観的な情報を論理的に処理したり科学的に裏づけたりすることによって信頼性を高めようとする思考過程である．一方，叙述的リーズニングは，対象者の現在だけではなく，過去および将来を見据えた人生を 1 つの物語としてとらえようとする推論である．この推論では，対象者の疾患や障害の受け止め方，生活や人生に対する価値観などを考慮する．相互交流的リーズニングは叙述的リーズニングを補完するもので，対象者に共感し，支えながら治療の方向性を判断していく．また倫理的リーズニングでは，治療のリスクや利益などとの間で生じるジレンマにどのように対処するかという推論が求められる．

このようにクリニカル・リーズニングにはいくつもの視点があるが，臨床場面で求められるのは，これらの視点のうちどれか 1 つの視点ではなく，複数の視点を組み合わせることである．科学的リーズニングだけで判断してもいけないし，叙述的リーズニングに偏り過ぎてもいけない．つまり，作業療法ではどの視点も欠かすことのないように治療戦略の判断を実施する姿勢が求められている．

## B 自己活用

作業療法の実践場面では，作業療法士自身の対象者への態度や接し方なども重要となる．矢谷[4]は，「人間は人とのふれあいや付き合いの中で自分の立ち居振る舞いから人間関係に至るまでの，時，場所，性格をわきまえて行動している」としたうえで，「作業療法では自己活用を適切に活用することによって，対象者へのより有効な援助ができる」と述べている．さらに，この考えを表した言葉として，ジェロームの講演のなかでの一節を紹介している．それは，「作業療法の治療のなかで，対象者はそれぞれ自分の健康な側面を生かして少しずつ対人関係に成功していくようにするが，その対象者とのなかで，もっとも役立つ治療の道具となるものは，それは作業療法士自身である」というものである．対象者は病気や怪我，障害をかかえた人間であり，心に傷を負ったままの状態であることがほとんどである．そのような対象者を目前にしたとき，作業療法士は自分自身を活用してまずは対象者を受け入れるところからスタートしなければならない．そして作業療法の実践に向けてともに歩んでいくという態度，あるいは接し方が必要となってくる．

**表 2**[5] は作業療法で求められる自己活用の態度をまとめたものである．作業療法士になるにはこれらの態度を養う準備も必要である．

支持は対象者の権利を守り，援助していくことを保証するものである．対象者の訴えに耳を傾け，それを受け止める．そして対象者に代わって，周囲の人たちとの仲介役として機能することが求められる．協業とは対象者が治療に対して，積極的かつ平等な立場で参加できるようにするもので，対象者に可能なかぎり選択肢や自由度，自律性を確保する．共感は対象者の考えや感情および行動を理解するように努めるものである．ここで大事なことは対象者の境遇や状態に思いをはせ，理解しようとすることであり，決して同情するというものではない．ともにわかり合おうとする態度が重要なのである．また治療の過程では，対象者の努力や成果に対して称賛を与えることも重要となる．励ましは，このような正の強化を通じて対象者に希望を植え付ける役割を果たすものである．これらのほか，指導や問題解決という現実的な態度も必要となる．

**▶表 2　作業療法士に求められる態度**

| 技法 | 定義 |
|---|---|
| 支持<br>(advocating) | 対象者の権利を擁護し援助することを保証する．作業療法士は対象者に代わって外部の人々や組織との仲介役，交渉役などとして機能する |
| 協業<br>(collaborating) | 対象者が治療に対して積極的にかつ平等な立場で参加できるように求める．その際，可能なかぎり選択肢や自由度，自律性を確保する |
| 共感<br>(empathizing) | 対象者の考えや感情および行動を理解するように努力し続ける．対象者が作業療法士の見解を誠実で正当なものとして理解する過程を保証する |
| 励まし<br>(encouraging) | 対象者に希望を植え付ける機会を提供する．正の強化を通じて，対象者の考えや行動を称賛する．喜びや遊び心，そして信頼の態度を伝える |
| 指導<br>(instructing) | 治療について，その計画，順序，結果について対象者に明示する．明確な指示を伝え，成果のフィードバックを行う |
| 問題解決<br>(problem solving) | 現実的な考えを促すため，選択肢の要点を伝え，それらを分析する機会を与える |

〔Taylor RR: Therapeutic relationship and client collaboration. *In* Schell BA, et al (eds): Willard & Spackman's occupational therapy, 13th ed, pp527–538, Lippincott Williams & Wilkins, Philadelphia, 2019 より〕

### ●引用文献

1) Rogers JC: Eleanor Clarke Slagle Lectureship — 1983; clinical reasoning: the ethics, science, and art. *Am J Occup Ther* 37:601–616, 1983
2) 山田　孝：クリニカル・リーズニング. 作業行動研 5: 1–5, 2001
3) Schell BA, et al: Professional reasoning as the basis of practice. *In* Schell BA, et al (eds): Clinical and professional reasoning in occupational therapy, 2nd ed, pp482–497, Lippincott Williams & Wilkins, Philadelphia, 2019
4) 矢谷令子：作業療法の修得に備えて. 矢谷令子(編)・日本作業療法士協会(監)：作業療法概論. 改訂第 2 版, pp51–79, 協同医書出版社, 1999
5) Taylor RR: Therapeutic relationship and client collaboration. *In* Schell BA, et al (eds): Willard & Spackman's occupational therapy, 13th ed, pp527–538, Lippincott Williams & Wilkins, Philadelphia, 2019

# COLUMN 作業療法と手──「さわる」と「ふれる」の違い

たとえば，骨折のリハビリテーションでは，多くの場合，手関節の骨折は作業療法，足関節の骨折は理学療法が担当し，脳卒中片麻痺の治療でも，上肢の麻痺は作業療法が，下肢の麻痺は理学療法が担当するというように，手は作業療法，足は理学療法というテリトリー(一種の縄張り)のようなものがある．これは，作業療法が得意とするADL場面で手を使用することが多く，理学療法が得意とする歩行では足を使用するためであろう．

さらに，手は足に比べて繊細な動きができたり，微妙な感覚を感知できたりするため，それら特殊な機能のリハビリテーションにはハンドセラピー，あるいは手の外科領域という特別な命名がなされている．

特に感覚に関しては，手は足よりも感度のよい触覚を有しているが，手の触覚に関する行為には大きく「さわる」と「ふれる」という2つの表現のしかたがある．「サボテンをさわる」，「肌にふれる」，「雪をさわる」，「逆鱗にふれる」など，さまざまな使い分けがあり，その逆は言わない．伊藤[1]の言葉を借りれば，「さわる」は物的なかかわりであり，「ふれる」は人間的な関わりである．さらに，相手が人間であっても，ただ自分の欲求を満足させるために一方的に行為に及ぶのは「さわる」であるという．

つまり，われわれは人間を物のように「さわる」こともできるし，物に対して人間のように「ふれる」こともできるのである．この観点に立てば，病気や障害とともに生きている対象者にかかわるときには，あくまで「ふれる」ことを通して，互いの信頼関係を築いていかなければならないことに気づく．決してその逆の「さわる」ようなことをしてはいけないのである．そして究極のよい信頼関係とは，対象者と作業療法士の互いが「ふれ・あう」ことができるようになった状態なのだと思う．

(能登真一)

●引用文献

1) 伊藤亜紗：手の倫理．講談社選書メチエ, 2020

COLUMN

# バーチャル・リアリティと2次元の世界

近年のIT技術の進歩により，バーチャル・リアリティという，現実ではないがそれに限りなく近い3次元の世界を体験できるようになってきた．

作業療法でもそのバーチャル・リアリティの技術を用いた治療が可能となりつつある．たとえば，ゴーグルをかけた世界にはよく知った街並みが映り，そこを自由に歩く練習ができたり，海に潜って魚を獲ったりしながらゲーム感覚で手を伸ばしたり身体を動かしたりできる．さらには，病院に入院しながらバーチャル・リアリティの世界で自動車運転の練習ができるようにもなってきた．

このように仮想による3次元の世界が広がる一方で，われわれの前に2次元の世界が依然として存在することも知っておく必要がある．

私と世界とのあいだに入って，さまざまなモノとの関わりを媒介してくれていた車いすがなくなり，私の体は床や，床から数センチ以内にあるモノという限られた範囲とのあいだにしかつながりをもたなくなる．それまで関わりを持っていた本棚や机は頭上はるか高いところに行く．手が届かず，見ることしかできないという意味では天井と一緒だ．私はまた「二次元の世界」に舞い戻るような感覚になった．

これは脳性麻痺の医師が自らの体験を語った言葉[1]である．われわれは3次元の世界に生きており，その目線は常に3次元の空間上にある．対象者に近づくためには，時々2次元の世界を想像してみるとよいかもしれない．

（能登真一）

●引用文献

1) 熊谷晋一郎：リハビリの夜. 医学書院, 2009

# 作業療法の実際

**1**．作業療法の実際について，4 つの領域の事例を通して理解する．

**1-1**）作業療法の 4 つの領域について，具体例をあげて述べることができる．

- □ ①作業療法の 4 つの領域，つまり❶身体機能領域，❷精神機能領域，❸発達過程領域，❹高齢期領域における対象者の違いについて，クラスメイトと話し合うことができる．

**1-2**）4 つの領域の共通点と異なる点に気づくことができる．

- □ ② 4 つの領域に共通した作業療法の目的について，グループでディスカッションできる．
- □ ③ 4 つの領域で異なる作業療法の目的について，グループでディスカッションできる．

**1-3**）事例を通して，作業療法実践過程の違いをより具体的にイメージすることができる．

- □ ④評価から治療に至る作業療法実践過程について，4 領域の共通点をグループで出し合うことができる．
- □ ⑤各領域の治療構造の違いを具体的に列記することができる．

**1-4**）4 つの領域とそれらをつなぐ地域での作業療法の役割があることについて，友人と話し合うことができる．

- □ ⑥各領域から地域生活へ移行することの重要性に気づくことができる．
- □ ⑦各領域における地域での作業療法の役割を具体的に述べることができる．

# 1 身体機能分野における作業療法の実際

## A 身体機能分野における作業療法の原則

### 1 作業療法の目的

身体機能分野の作業療法は，各疾患の病態や症状・病期や重症度により分類されている．これは，医療機能により分類された各医療現場で実践されている場合が多い．医療機能は，高度急性期機能，急性期機能，回復期機能，慢性期機能に分類されている[1]〔第Ⅰ章4の図1(➡42ページ)参照〕．リハビリテーションは，多くの**エビデンス**(➡109ページ)により早期の実施効果が示され，作業療法においても同様に早期退院を目指した早期実施が各医療現場で実践されている．

作業療法の目的は，**作業療法ガイドライン**(➡130ページ)にあるように「人々の健康と幸福を促進すること」であり，「人は作業を通して健康や幸福になる」という基本理念と学術的根拠に基づいて行われている[2]．各医療現場において，作業活動を通じて心身機能や活動能力を改善し，社会的活動への早期復帰を目指して治療，援助，指導が行われている．また，進行性疾患や障害をもつ対象者に対しては，今ある機能を維持することも大切な目的となる．

### 2 対象となる疾患・障害像

身体機能分野における作業療法の対象となる疾患例を**表1**[3]に示す．リハビリテーションの対象となる時期は，急性期，回復期，生活期に分類される．1人の対象者に対して，複数の医療機能で展開される場合も多い．たとえば，脳血管疾患では，発症後，脳卒中集中治療室(stroke care unit;

**表1　身体障害領域の疾患例**

- 脳血管障害・頭部外傷
- 高次脳機能障害(注意・遂行機能・記憶の障害など)
- 運動器の疾患・外傷
- 脊髄損傷
- 神経筋疾患
- 切断(外傷，血行障害・腫瘍)
- リウマチ性疾患
- 循環器疾患
- 呼吸器疾患
- 内部疾患
- 周術期の身体機能障害の予防・回復
- がん(悪性腫瘍)
- スポーツ外傷・障害
- 骨粗鬆症・熱傷
- フレイル
- **ロコモティブシンドローム**
- **サルコペニア**

〔久保俊一：リハビリテーション医学・医療の概念．加藤真介，他(編)・久保俊一(総編集)・日本リハビリテーション医学会(監)：リハビリテーション医学・医療コアテキスト．医学書院，pp4–5, 2018より改変〕

**Keyword**

**ロコモティブシンドローム**　運動器の障害のために移動機能の低下をきたした状態のことを表し，2007年に日本整形外科学会によって新しく提唱された概念である．運動器とは，身体を動かすためにかかわる組織や器官のことで，骨・筋肉・関節・靱帯・腱・神経などから構成されている．

**サルコペニア**　1989年にローゼンバーグによって提唱された概念で，ギリシャ語の筋肉と喪失を組み合わせた造語である．高齢期にみられる骨格筋量の減少と筋力もしくは身体機能(歩行速度など)の低下を指す．

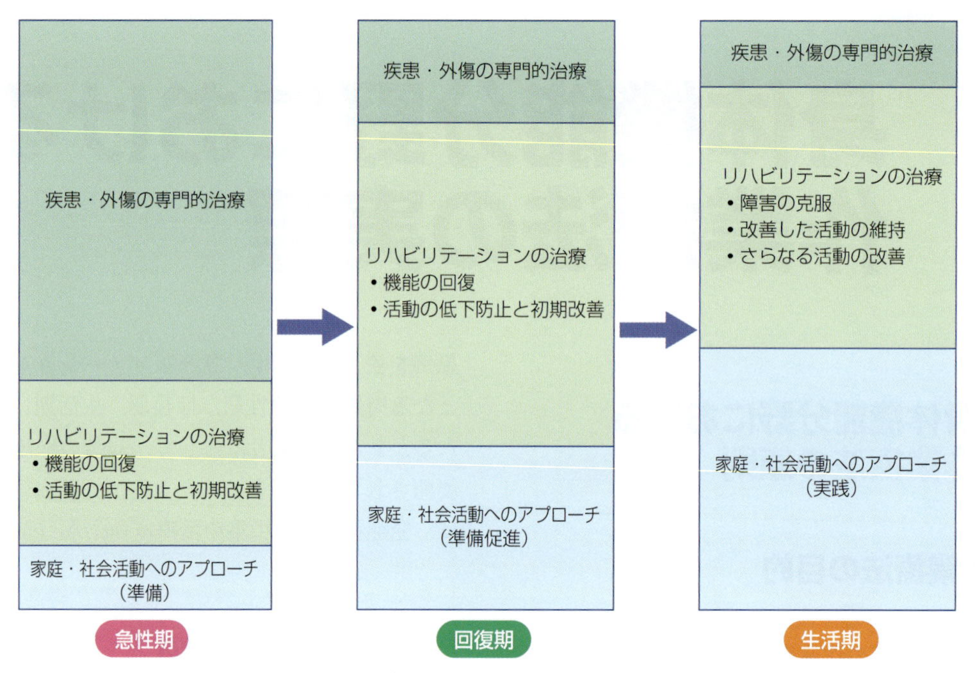


▶**図 1　急性期・回復期・生活期のリハビリテーション治療**
〔久保俊一：リハビリテーション医学・医療の概念. 加藤真介, 他(編)・久保俊一(総編集)・日本リハビリテーション医学会(監)：リハビリテーション医学・医療コアテキスト. 医学書院, p5, 2018 より〕

SCU)に数日間入院後，急性期機能病棟，回復期リハビリテーション病棟で治療する．また，交通事故による運動器疾患では，緊急手術後，集中治療室(intensive care unit; ICU)に数日間入院後，回復機能のある地域包括ケア病床で治療する．

## 3 目標設定

身体機能分野における作業療法の目標設定は，急性期，回復期，生活期の各フェーズの特徴と予後を見据えて立案される．また，リハビリテーションチームで共有するリハビリテーション目標，作業療法長期目標，短期目標がある．**図 1**[3]に各フェーズのリハビリテーション治療の内容を示す．急性期では，疾患や外傷に対する専門的治療が中心となるため，疾患の病期や病態に応じて短期間に目標が変化していく．このため，疾患の病期や重症度，緊急度を理解し，徹底したリスク管理が重要となる．回復期では，リハビリテーション治療が中心となり，作業療法では，在宅復帰を主目的に予後と対象者の意向を見据えた集中的なかかわりが重要となる．いずれの病期でも医療チーム内での意見統一と限られた時間を有効に使うための優先順位づけ，変化に対応するための目標の適時修正が重要である．

目標設定をする場合，疾患の予後予測は重要となり，これまでの多くの研究により，さまざまな予後予測が試みられている．脳卒中では，脳画像所見による損傷の部位や大きさと運動予後に関係があることが示されている[4]．また，発症前の日常生活活動(ADL)や入院中の ADL，年齢や併存疾患などの因子が予後に影響を与えていることが報告されている[5]．これまでの研究による予後予測は大変有用であるが，臨床場面での対象者は個別性が大きく，それまでの生活歴や併存疾患や心理・社会的な要素など，回復や経過に影響を与える因子の数も多い．そのため，**カンファレンス**などを通じて医療チーム全体で対象者の全体像をつかみ，リハビリテーションゴールや方針を共有し目標を設定していく．

## 4 評価と治療の枠組み（方法と手段）

身体機能分野においては，多くの対象項目に沿った評価がある[6]．一般的情報には，現病歴・合併症，既往歴，画像診断，薬物療法，趣味，他部門からの情報などがある．対象者の状態により限られた時間で評価を行う必要がある場合は，対象者の基本情報を整理し，評価の優先順位を考えて効果的な評価計画を立てることが重要である．

評価の進め方は病期や重症度により異なる．障害が軽度で受傷前の生活レベルまで回復することが見込まれる場合は，「心身機能・身体構造」の要素を中心とするボトムアップアプローチが有効である．一方，障害が重度で完全な治癒が見込めない場合，または機能障害の改善（代償も含む）や機能維持のため長期の援助が必要となる場合では，トップダウンアプローチが有効である．これは機能回復だけでなく，環境設定や社会資源も活用して対象者の希望を実現していくアプローチ法である．これら評価・アプローチの優れている面を取り入れながら，対象者の全体像の把握を深めていく．

急性期においては，症状が重症なほど臥床傾向となりやすく，不動による筋萎縮，筋力低下，関節拘縮，起立性低血圧，褥瘡，心肺機能低下，深部静脈血栓，せん妄などが生じる．このため，リハビリテーションでは，疾病によるリスクに配慮しながら，他職種と協力し早期離床を目指す．

**Keyword**

**カンファレンス**　医療現場で行われるカンファレンスは，1人ひとりの患者について，情報共有し，治療を行い，計画を立て，評価，修正を行い，より効果的な医療やケアを効果的に提供できるようにすることである．ケースカンファレンスとは，多職種がそれぞれの評価記録をもとに，経過報告や問題点の検討を行い，リハビリテーション計画を立案する話し合いのことである．

| 難易度 | FIM 運動項目 |
|---|---|
| 易 | 食事 |
| | 整容 |
| | 排便管理 |
| | トイレ移乗 |
| | 車椅子移乗 |
| | トイレ動作 |
| | 上半身更衣 |
| | 排尿管理 |
| | 下半身更衣 |
| | 歩行 |
| | 清拭 |
| | 浴槽移乗 |
| 難 | 階段 |

▶**図 2　ADL・FIM 運動項目の相対的難易度**
〔Koyama T, et al: Relationships between independence level of single motor-FIM items and FIM-motor scores in patients with hemiplegia after stroke: an ordinal logistic modelling study. *J Rehabil Med* 38:280–286, 2006 より抜粋〕

急性期・回復期に優先されるのは，機能回復と活動低下の防止である．また，回復期は作業療法経過のなかで対象者の希望や意向が明確になる時期でもあり，対象者が望む作業や機能予後，治療期間を考慮しながら治療を展開していく．具体的には，離床練習から離床の先のセルフケア（食席での食事，トイレでの排泄）につなげ，活動範囲の拡大に努める．また作業療法場面だけの練習に終わらないよう，病棟スタッフや家族と協力し，「できる ADL」から「している ADL」に展開することが重要である．Koyama らは，脳卒中患者より得られた機能的自立度評価法（Functional Independence Measure; FIM）の運動項目の相対的な難易度を示しており（▶図 2）[7]，各 ADL を獲得する順序の目安にも利用できる．

## 5 治療の方法

身体機能領域の治療には，生体力学的アプローチ，代償的アプローチがある．生体力学的アプローチは，運動機能障害や**廃用症候群**（➡ 42 ページ)を対象とした関節可動域(range of motion; ROM)の改善や筋力の改善，耐久性の改善，上肢機能の改善などを目的としており，運動障害の片麻痺に対する促通療法(川平法)や拘束療法(CI 療法)，電気刺激を利用した治療法(HANDS 療法)など運動学習理論に基づくアプローチも報告されている[8]．その他，認知リハビリテーションアプローチや神経発達的アプローチなど，さまざまな生体力学的アプローチ方法が実践されている．臨床場面では，対象者の病態や障害に合わせて課題の難易度を設定し，いくつかのアプローチを組み合わせた方法が用いられている．

代償的アプローチは，身体構造と機能制約の改善が十分に得られない場合に，機器による代償(補装具，自助具，福祉用具など)，環境による代償(家屋改造，介助法，社会資源の活用など)を用いて活動や参加を拡大していく．代償的アプローチは，その設定するタイミングが特に重要で，早すぎると過剰介助となり，十分な機能改善を妨げる場合がある．また，遅すぎると活動制限の期間が長くなり，活動が阻害される可能性があるため，計画的かつ慎重に実施することが必要である．

## B 身体機能分野における作業療法の実際

### 1 急性期から回復期の作業療法(脳血管障害)

脳出血による左片麻痺者が急性期治療後から回復期リハビリテーション病棟を経て自宅退院となった作業療法過程を紹介する．

#### 症例提示

**■一般的情報(医学的情報，社会的情報)**

①**症例**：A さん，男性，60 歳代後半．
②**家族状況，家屋状況**：妻(60 歳代前半)と 2 人暮らし．夫婦関係は良好．木造 2 階建て一軒家，寝室は 2 階で，布団使用．トイレは洋式，浴槽はユニットバス，手すりなし．
③**診断名**：脳出血(右視床出血)．
④**現病歴**：X 年 Y 月 Z 日に意識障害を発症し，総合病院に救急車にて搬送され，SCU 入院．頭部 CT 上，右視床出血を認めた．入院時意識レベルは Japan Coma Scale(JCS)でⅡ-10，保存的治療にて経過．
⑤**既往歴，合併症または併存疾患**：心不全の既往あり．入院後，血圧と尿酸値が高値であったため薬物療法が実施された．また入院時の超音波検査において腹部大動脈瘤が認められたが，経過観察となっている．
⑥**薬物療法**：数種類の降圧薬のほか，心不全に対する治療薬，尿酸値の高値に対する治療薬，潰瘍治療薬が処方されている．
⑦**画像診断**：右視床出血と周囲に軽度浮腫性変化や低吸収域がみられたが，再出血の危険性はなく保存療法が選択された．
⑧**生活歴**：大学を卒業し，会社員として定年まで勤務．飲酒は毎日，日本酒 2 合程度．喫煙は 20 歳から毎日 30 本以上．
⑨**趣味**：スポーツ(野球，相撲)観戦，旅行．
⑩**他部門からの情報**：他部門からの情報を**表 2** に示す．

#### a 評価および問題点の整理

本症例は，第 3 病日(発症日を第 1 病日とし，発症日から 3 日経過)に医師からベッドサイドで理学療法(PT)，作業療法(OT)，言語聴覚療法(ST)

▶表 2　A さんについての他部門情報

| 職種 | 情報 |
|---|---|
| 脳外科医師 | 心不全は内服で落ち着いており，腹部大動脈瘤についても経過観察する．血圧は当初低下せず，数種類の降圧薬を服用してようやく落ち着いてきている．右視床出血は比較的大きな出血であったが，再出血の徴候はみられず，このまま保存療法とする |
| リハビリテーション科医師 | 併存疾患は落ち着いているが，病巣が大きく，左上下肢麻痺は重度である．麻痺は重度に残るものと考えられるが現在回復傾向にある．夜間せん妄，高次脳機能障害もみられ，介助にてADL の改善を目指しリハビリテーションを進める |
| 看護師 | 日中，夜間ともバイタルは安定している．血圧も徐々に落ち着いてきている．当初は夜間の不穏や体動が激しいなどの危険行動がみられたが，声かけにて減少している |
| 介護士 | 食事は急いで食べるため，食べこぼしや時々むせがある．起き上がりと移乗動作は軽介助必要．着替え，入浴は介助が必要 |
| 理学療法士 | 下肢の麻痺は改善傾向．立ち上がりは，2 人介助で実施してなんとか可能．移乗動作の介助量軽減を目指した練習や介助歩行練習を進める |
| 言語聴覚士 | 覚醒は徐々に改善．軽度の嚥下障害があり．性急さ，軽度の左半側空間無視，注意障害がみられる |
| ソーシャルワーカー | 持ち家の一軒家．長年勤めた会社を定年退職し，退職後は妻と 2 人暮らし．介護保険は申請していない |
| 薬剤師 | 数種類の薬物を内服しているため，剤形の工夫や服用の方法を指導している．アレルギーなどの症状なく服用できている |

開始の指示があった．第 4 病日には，SCU から急性期一般病室に転病棟となった．医師からは，入院時検査で腹部大動脈瘤が診断されたが，重症度，緊急性は低いため，保存的治療となった．しかし心不全の既往もあるため，急な血圧の上昇（変化）に注意しながらの離床練習の許可があった．二次的合併症予防，離床目的，嚥下機能の評価目的で PT，OT，ST が開始された．

症例の情報を ICF に基づいて示す（▶図 3）．

**(1)　全身状態**

ベッドサイドにて OT 開始となった．開始時は，血圧 150/85 mmHg，脈拍 80 回/分，意識レベルは JCS I-2～I-3 であり，時々ぼーっとした反応であった．会話は可能だが，辻褄が合わないことが多く，従命困難なときがあった．ベッド上で多動なときがあり，トイレの訴えも多く，ベッドから転落しそうになるなどの危険行動がみられた．

**(2)　運動機能**

左側上下肢に重度の麻痺があり，ブルンストロームステージ（Brunnstrom Recovery Stage; BRS）は上肢 I，手指 I，下肢 I であった．ROM は著明な制限はみられないが，左肩の最終可動域に痛みの訴えがあった．感覚は左側上下肢の表在感覚，深部感覚が中等度鈍麻であった．右側上下肢の筋力は保たれており，徒手筋力テスト（Manual Muscle Test; MMT）は，動作上，右上下肢 4 レベル以上と観察された．ベッドアップ時には，意識レベル，血圧，心拍数などのバイタルサインは安定し，変化もみられなかった．

**(3)　精神機能**

検査の途中で集中力が低下したり，急に怒り出したりすることがあった．書字では，名前は可能だが，現住所の指示に生家の住所を記載したり，生年月日の指示にも生家の住所を記載したりするなど，動作性保続がみられた．改訂長谷川式簡易知能評価スケール（HDS-R）は 5/30 点，MMSE（Mini-Mental State Examination）は 8/30 点だったが，途中で集中力低下したため，休憩を入れながら検査を実施する必要があった．コース（Kohs）立方体組み合わせテストは不可であった．右向き傾向が多く，左上下肢に注意をは

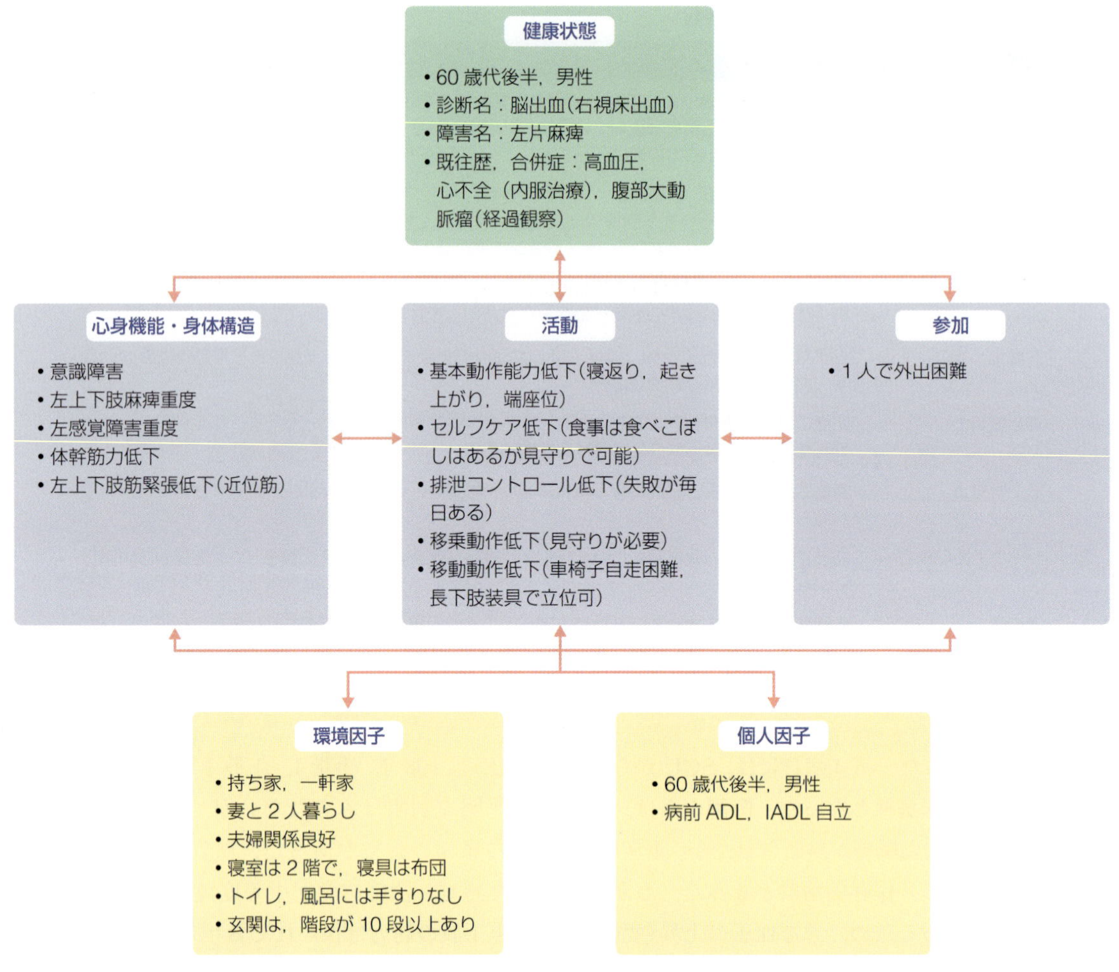


▶図3　国際生活機能分類(ICF)に基づいたAさんの全体像

らえないなど，視線や動作観察から左半側空間無視が疑われた．

### (4) 日常生活活動(ADL)

基本動作は，左側への寝返りは不可，右側へは可能であるが，左上肢を背部に忘れるなどの様子が観察された．起き上がりは，途中まで可能であるが自力では不可．体格が大きく動作の性急さがみられ，指示理解が困難なために協力動作が得られず，左側への寝返り，起き上がりなどの基本動作には1〜2人の介助が必要であった．車椅子座位では姿勢がすぐに崩れ，頸部の安定性も悪いことから，リクライニング車椅子を使用した．端座位は，良肢位をセッティングすると手すりを把持して，短時間であれば保持可能であった．食事は介助にて摂食できたが，食事以外のセルフケアは全介助であった．排泄動作では，導尿，浣腸，薬物にて排泄管理され，おむつ交換は全介助であった．更衣，整容はベッド上臥位で全介助，入浴は機械浴で全介助であった．FIMでは25/126点，バーセルインデックス(Barthel Index; BI)は10/100点であった．

## b 目標設定と治療プログラムの立案

リハビリテーション目標は発症後12週(3か月)までの自宅退院とした．脳出血の部位，大きさなどから，歩行自立が困難で，在宅介護が必要

▶表3 AさんのOT目標とOTプログラム〔発症後4週(1か月)〜発症後8週(2か月)〕：回復期リハビリテーション病棟

| OT目標 | | |
|---|---|---|
| 長期目標(1か月間，4週間) | トイレに行きたいときに，一部介助にてトイレ動作が可能となる | |
| 短期目標(2週間) | ●基本動作が一部介助にて可能となる<br>●立位での下衣動作が片手で可能となる<br>●左上肢のセルフストレッチが習得できる | |

| OTプログラム | 実施場所(発症後期間) | 設定と段階づけ |
|---|---|---|
| 移乗動作練習，トイレ動作練習 | 病室からトイレ，OT室(発症後4〜8週) | ●パンフレットを見て理解を促す<br>●OT室で実際の動作で確認する<br>●さまざまな場所で最適な動作が行えるか確認する |
| 下衣動作練習 | トイレ，OT室(発症後4〜8週) | OT室では，輪投げやお手玉を利用して立位でもバランス練習や下衣動作の模倣練習を実施．トイレ動作時に右側のみで下衣操作ができるように練習，指導 |
| 左上肢のセルフストレッチ | 病室，OT室(発症後4〜8週) | 麻痺手のROMの確保と左手への動作の参加を促す |

であることが予想されるため入院中にできるだけADLの介助量を軽減し，妻との介護生活が可能となるよう，新しい生活スタイルの構築を目指すことをチームの目標とした．

## C 作業療法経過

OT経過とOTプログラムを，発症からの時期と医療機能病棟ごとに3期に分けて示す．

### (1) 第1期(急性期機能病棟)

脳血管疾患の急性期であり，腹部大動脈瘤の併存疾患があるため，厳密に血圧の管理を行いながら離床練習を進めた．離床練習時は，介助量が多いことが予想されたため，理学療法士，作業療法士，看護師とともに複数人で実施した．疲労感や覚醒の変動があるため，覚醒のよい昼食前に実施したり，短時間に分割して実施したりするなどの配慮が必要であった．

OT開始当初は，徐々に離床時間を増やすことで覚醒時間を増やし，生活リズムを整えることを目標とした．第3病日より，理学療法士や看護師と協働して離床練習し，リクライニング車椅子に乗車．第5病日より標準型車椅子への乗車が可能となり，介助量も，2人介助から1人介助で可能となった．徐々に車椅子の乗車時間も延長し，左上下肢の麻痺管理や端座位バランス，移乗動作能力などの身体機能面やADL能力面への働きかけを増やしていった．第14病日(発症後2週)には，PT室では，長下肢装具(LLB)を使用した起立歩行練習が開始となった．第28病日(発症後4週)には，さらに意識レベルの改善が認められ，食事も自立となり，問題行動は軽減し，「もっと練習時間を増やしたい」などリハビリテーションへの意欲も高くなった．車椅子自走が可能となったが，左側のブレーキやフットレストの操作を忘れる場面があった．対象者，妻ともに自宅退院を希望しており，集中的なリハビリテーション継続のため，第30病日に回復期リハビリテーション病棟へ転病棟となった．

### (2) 第2期(回復期リハビリテーション病棟)

発症後4週(1か月)〜発症後8週(2か月)の時期のOT目標とOTプログラムを**表3**に示す．第42病日(発症後6週)には，上下肢の麻痺は改善がみられたが，依然として近位の筋緊張が低かった．遠位には筋緊張亢進が出現し，中等度の痙縮がみられた．このため，プログラムを見直し，左上肢機能練習としてセルフストレッチを追加した．また，トイレ動作練習や更衣動作練習などのADLの改善を目標としたプログラムを追加した．

PTでは，短下肢装具(SLB)での介助歩行練習が開始された．上肢の麻痺は変わらず重度で，肩の痛みは若干増悪した．痛み止めは服用しなかったが，動作時痛と筋緊張の亢進があったため，温熱療法も併用しながらセルフストレッチを指導した．PT では，SLB とロフストランド杖で中等度の介助歩行が 30 m 程度可能となった．このころに自宅退院を見据えて，介護保険も申請した．

**(3) 第 3 期(回復期リハビリテーション病棟)**

第 56 病日(発症後 8 週)に住宅評価を行い，寝室の 1 階への変更，玄関，トイレへの手すりの設置，入浴はデイサービスを利用することを決定した．住宅評価時に対象者も同席し，退院後の生活を家族と一緒に考えることができた．対象者からは，それまで「左手が動くようになりたい」，「もっと歩きたい」などの希望しか聞かれなかったが，住宅改修後より「毎食，食卓の自分の席で食べたい」，「トイレには歩いて行きたい」，「おしゃれな服で妻と旅行に行きたい」など具体的な希望が聞かれた．OT プログラムは，自宅退院の実現に向けて，対象者，妻の希望を取り入れた．大きな体格の夫の介助に不安のある妻に対しては，見学を積極的に促し，階段昇降の介助法を指導した．

第 84 病日(発症後 12 週)の身体機能は，麻痺は改善(BRS 上肢 Ⅲ，手指 Ⅳ，左下肢 Ⅲ)したが，筋緊張は，近位は低緊張，遠位は亢進し，左手でのリーチや把持は困難であった．精神機能は，左半側空間無視，注意障害が軽度に残存していたが，HDS-R 26/30 点，MMSE 29/30 点，コース(Kohs)立方体組み合わせテストは 74 点(コース IQ 81.9)と改善した．ADL は，寝返り，起き上がりは自立，立ち上がり，立位保持は手すりを把持すれば可能となった．移乗動作は見守りレベルとなり，車椅子操作(左のブレーキ，フットレスト)は声かけや確認が必要であったが自走は可能であった．トイレ動作においては，時々方向転換時に誘導が必要であった．更衣動作は，左側を整えることが困難であった．歩行は，SLB とロフストランド杖で，介助で 50 m 連続歩行可能となった．BI 45/100 点，FIM 運動項目 46/126 点と改善が得られた．左手の管理も以前より可能となり，痛みが軽減した．麻痺手をポケットに入れたり，ポシェットに乗せるなど工夫したりする行動が出るようになった．家のなかを想定した歩行練習や妻による介助歩行練習にて妻の不安も少なくなった．T 字杖歩行の希望や家のまわりを妻と散歩したいなど継続的な目標設定も可能となり，自宅退院後も週 2 回のデイサービスによる入浴とリハビリテーションの継続を計画した．

## d 本症例の特徴と作業療法治療構造についての解説

本症例は，重症例で，急性期から回復期を経て自宅退院した症例である．

ADL 改善の経過をカンファレンスなどで情報共有し，チーム全体で把握することに努めた．

急性期では，脳血管疾患の急性期の病態と併存疾患に鑑み，血圧管理を中心としたリスク管理を十分に行い，生体力学的アプローチを実施した．早期離床や ADL の改善，麻痺の改善，精神面の改善など，多くの問題に対して介護者の疲労感や介助量の多さや，時間的な制約が多いことから，実施場所，人数などを考えながら OT を実施した．回復期では，予後予測を試みながら，身体状況や精神状況などに合わせて ADL を改善することを継続的な目標とした．対象者のような重症例では，麻痺肢の改善への生体力学的アプローチだけでなく，麻痺肢の管理の獲得や妻への介助法指導，住宅改修など代償的アプローチも重要となる．対象者の目標は，日々のかかわりのなかで，機能改善だけでなく，退院後の新しい生活を見据えた作業へと変化していった．身体機能分野の OT では，予後予測を入れながら，家族を含めたチームによる情報共有とチームアプローチが重要であり，作業療法においてもさまざまな治療手段を適切な時期に実施し，対象者の本来のニーズを取り入れながら作業療法を展開していくことが重要である．

## 2 急性期から生活期の作業療法（大腿骨頸部骨折）

脳血管障害の既往がある自宅生活者が，自宅で右大腿骨頸部を骨折し，手術から地域包括ケア病棟を経て自宅退院したOT過程を紹介する．

### 症例提示

**■一般的情報**

①**症例**：Bさん，男性，70歳代，身長165cm，体重44kg，BMI 16.2（低体重）．

②**家族状況，家屋状況**：妻と2人暮らし．長男，長女が別世帯で，長男家族は同市に在住しているが毎日の協力は困難であった．家屋状況は，木造2階建て，以前の脳梗塞後自宅改修が実施されており，トイレは洋式，手すりあり，浴室にはシャワーチェアと手すりを設置．居室を2階から1階に変更しベッドを導入していた．

③**診断名**：右大腿骨頸部骨折．

④**現病歴**：X年Y月，玄関の縁石につまずき転倒し，右大腿骨頸部を骨折．救急車にて病院に搬送され，受傷後5日，同病院で手術（後外側アプローチによる人工骨頭置換術）．

⑤**既往歴，合併症または併存疾患**：X－5年：アテローム血栓性の左脳梗塞，軽度の右上下肢麻痺と注意障害がみられるが，下肢装具（ankle foot orthosis; AFO）とT字杖で屋外歩行自立していた．

⑥**薬物療法**：抗炎症薬などが処方されている．

⑦**画像診断・手術所見**：受傷時の大腿骨頸部骨折はガーデン分類ステージⅣ[9]（完全骨折で骨折部が離開している）であった．

⑧**生活歴**：65歳まで工場勤務，定年後は，趣味である囲碁を公民館で行っていた．5年前に左脳梗塞（左放線冠）を発症し右片麻痺となっていたが，AFOとT字杖で歩行自立して自宅退院となった．受傷前は，要介護1，週1回デイサービスに通っていた．ADLでは，入浴は見守りが必要であったが，下肢装具とT字杖で週に1回公民館に通い，趣味を再開していた．

⑨**趣味**：囲碁，将棋．

⑩**他部門からの情報**：他部門からの情報を**表4**に示す．

**▶表4 Bさんについての他部門情報**

| 職種 | 情報 |
|---|---|
| 整形外科医師 | 単純X線上アライメントは良好．人工骨頭置換術は，後外側アプローチのため，術後8週までは禁忌肢位に気をつける．大腿骨頸部骨折のクリニカルパスに準じて，術後1日より車椅子乗車可，患側へ荷重は可及的に全荷重可 |
| 脳外科医師 | MRI画像では，5年前の脳梗塞後と比べて，ラクナ梗塞，脳萎縮がわずかに進行 |
| 看護師 | 日中，夜間ともバイタルは安定している．術後より深部静脈血栓症はみられていない．術後数日，夜間せん妄がみられたが，徐々に消失し良眠できている．左踵に褥瘡（NPUAP/EPUAPの分類Stage Ⅰ）がみられたが改善傾向 |
| 介護士 | 食事は自立．起き上がり，移乗動作は軽介助必要．着替え（下衣），入浴は軽介助から見守りが必要 |
| 理学療法士 | 歩行訓練は，右側にSLBを着用し，T字杖を使用して軽介助で80～120m×2～3セット行っている．易疲労性あり |
| 言語聴覚士 | 注意障害軽度，嚥下機能低下あり．間接嚥下訓練を実施 |
| ソーシャルワーカー | 持ち家の一軒家．長年勤めた会社を定年退職し，退職後は妻と2人暮らし．5年前に脳梗塞を患うが手すりなどを設置し自宅退院し，週1回のヘルパー，週1回のデイサービスを利用．要介護1 |
| 栄養士 | 低体重であるため，食思を尋ねながら，高カロリーゼリーなど栄養補助食品を追加 |

**Keyword**

**ガーデン（Garden）分類**　大腿骨頸部骨折を転位の程度によって分類する．高齢者の大腿骨頸部骨折の発生段階を4つに分けた進行度（ステージ）分類である．ステージⅢ，Ⅳは，転位型骨折とされ，人工骨頭置換術の適応となる．

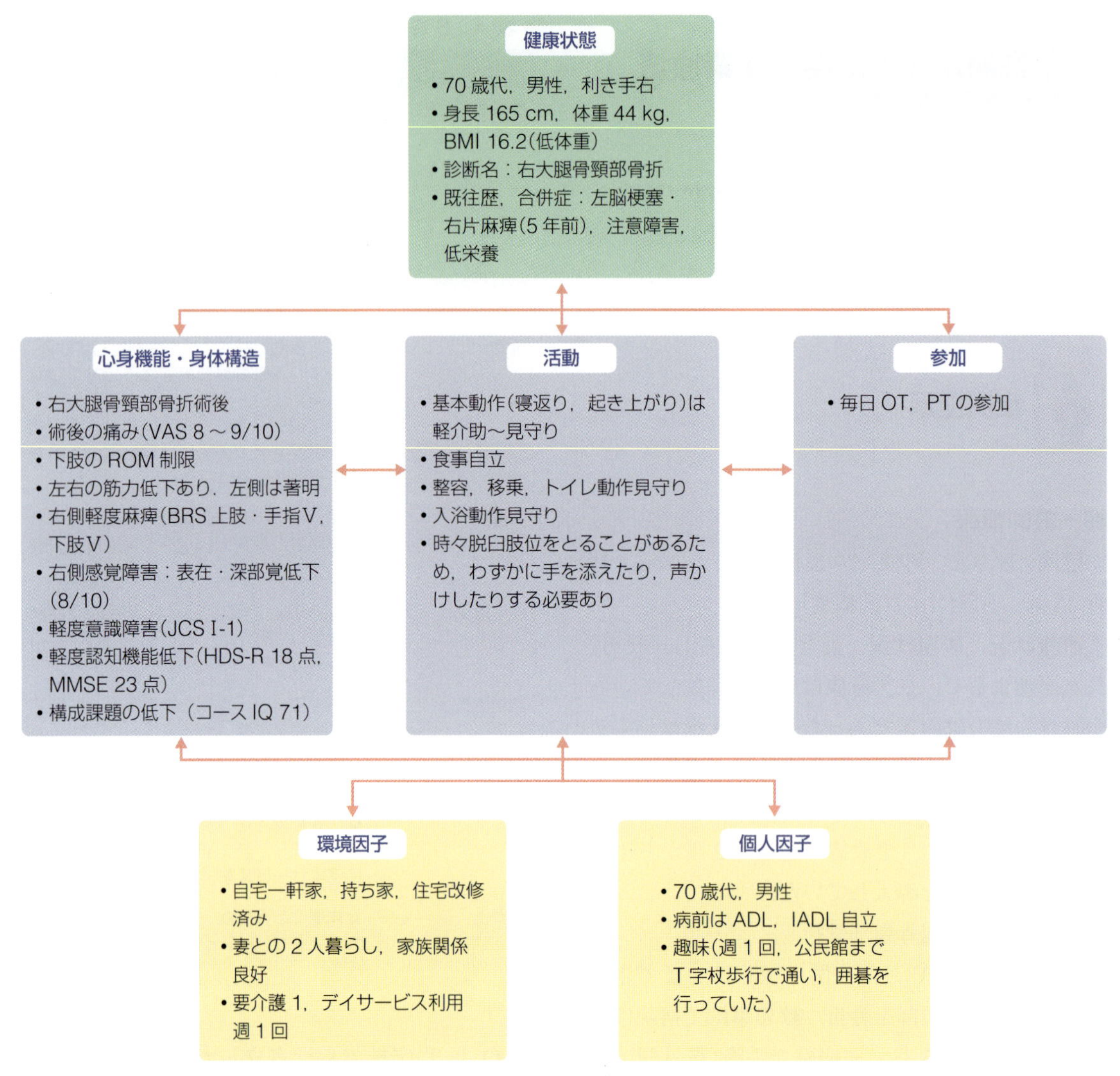


▶図 4　国際生活機能分類(ICF)に基づいた B さんの全体像

## a 評価および問題点の整理

手術翌日より PT，OT が処方され，離床の許可があった．OT は，開始日はベッドサイドで実施し，覚醒はやや低下していたが，会話の内容に問題は認められなかった．対象者と妻からは，「以前の生活に早く戻りたい」との希望が聞かれた．症例の情報を ICF に基づいて示す(▶図 4)．

**(1)　運動機能**

既往の脳梗塞による片麻痺は，軽度右片麻痺(BRS で上下肢Ⅴ，手指Ⅴ)と，感覚障害は，右上下肢とも表在・深部覚は軽度低下(8/10)であった．術後の痛みがあり，視覚アナログスケール(Visual Analogue Scale; VAS)では，8/10，夜間は 9/10 であった．下肢長については，転子果長が右 83.5 cm，左 84.0 m と著明な脚長差はみられなかった．ROM(右/左)は股関節屈曲 60°/120°，外転 20°/40°，外旋 0°/40°，膝関節屈曲 100°/130°，筋力(右/左)は腸腰筋 2/4，大殿筋 −/3，中殿筋 −/3，内転筋 2/3 で，術後の皮膚と筋の癒着，疼痛による筋スパズムおよび筋出力低下を認めていた.

### (2) 認知・精神機能

意識レベルは, JCS で I-1 であった. 自発語は少ないが, 理解, 表出ともに文レベルで可能であった. HDS-R は 18/30 点, MMSE は 23/30 点であった. 減点項目は, 見当識(日時, 場所), 遅延再生, 計算, 言語の流暢性であった. コース立方体組み合わせテストは 40 点(コース IQ 71)で, 構成課題の低下がみられた.

### (3) 日常生活活動(ADL)

基本動作, 寝返り, 起き上がりでは時々脱臼肢位をとることがあるため, 声かけや介助が必要であった. 食事は自立, 整容, 移乗, トイレへの移乗, トイレ動作は最小介助レベルであった. 座位での下衣と靴下の更衣動作において, 股関節屈曲保持困難, 股関節外旋位での膝関節屈曲可動域制限が影響し, 介助が必要となっていた. また, 立位で股関節 0° での外転, 膝関節屈曲動作の困難さを認めていた. ADL 評価では BI は 75/100 点, FIM は 116/126 点であった.

## b 目標設定と治療プログラムの立案

医師からは, 大腿骨頸部骨折術後のクリニカルパスに準じて, 術後 1 日より車椅子乗車可とのことであり, ADL 自立のうえ, 術後 8 週(2 か月)での自宅退院をリハビリテーション目標とした. 妻と 2 人の在宅生活が安全に送れるように計画を立て, 生活スタイルの構築を目指すことがチーム内で共有された.

## c 作業療法経過

OT 経過と OT プログラムを, 術後からの時期と医療機能場所ごとに分けて示す.

### (1) 第 1 期(急性期病棟から地域包括ケア病床)

術後 1 週は急性期機能病棟であったが, 状態の安定に伴い術後 2 週から地域包括ケア病床に転棟した. 長期目標を術後 8 週(2 か月)で ADL の自立した自宅退院としたため, OT では, 自宅での更衣, 入浴の動作の自立を目指すこととした. 短期目標として, 脱臼肢位の理解の獲得, 更衣と入浴動作の見守りとした. 痛みと下肢機能の改善に合わせて ADL 練習を実施し, 再脱臼の危険性のある時期と疼痛の強い時期は, 自助具を用いて安全な動作を習得することとした.

具体的には, まずは脱臼肢位の理解を写真や実際の動作を行いながら促した. この時期は, 股関節屈曲, 外旋可動域が不十分で, 痛みや筋力低下による自動運動は困難であった. 特に靴下の着脱動作は困難であったため, 自助具のソックスエイドを作成した[10]. 自助具のソックスエイドは, 端座位にて両手で紐を把持して足部を通す際, 安定した端座位姿勢が可能なリーチ範囲を考慮し, 作業療法士がプラスチックで自作した. 脱臼肢位を考慮した床上動作の獲得, 動作のなかでの股関節過屈曲, 内旋, 内転の複合動作に気づきを得ることを目標とし, 動作の進行度を確認しながら, 自動介助にて運動方向を誘導した. 使用方法を学習したのち, 病室でも, 靴下を履くように促した.

また入浴動作においては, 浴槽へのまたぎ動作が困難であった. 浴槽のまたぎ動作獲得に向け, 上肢支持した立位にて股関節 0° での膝関節屈曲と股関節外転の単関節運動, 膝関節屈曲位での股関節外転の複合運動を指導した. この時期には膝関節屈曲角度が不足しており, また運動方向の理解が不十分であったため, バスボードに座ってから浴槽に入る方法を指導した. バスボードを用いた動作においても時々脱臼肢位をとることがあり, 声かけが必要であった.

移動手段は, 術後 1 日より車椅子乗車し, PT 室では歩行練習を実施した. 術後 2 週より AFO とロフストランド杖にて歩行が可能となり, PT 室, OT 室内での移動を歩行に変更し, 漸増的に歩行の頻度・量を増やした.

### (2) 第 2 期(地域包括ケア病床)

術後 4 週(1 か月)～術後 8 週(2 か月)の時期の OT 目標と OT プログラムを**表 5** に示す. 術後 4 週には, 身体機能の改善と作業療法士とのかか

▶表 5　OT 目標と作業療法プログラム〔術後 4 週(1 か月)〜術後 8 週(2 か月)〕

| OT 目標 | | |
|---|---|---|
| | 長期目標(4 週間)<br>術後 4 週〜8 週 | 以前の仲間と週 1 回囲碁ができる．自宅環境の整備・指導 |
| | 短期目標(2 週間)<br>術後 4 週〜6 週 | ● 自宅環境下での更衣動作，入浴動作の獲得<br>● 体力の向上(安全に疲労せず 1〜2 km または 30 分程度歩行できる)<br>● 再転倒予防の教育 |

| 作業療法プログラム | 実施場所(術後期間) | 設定と段階づけ |
|---|---|---|
| 靴下の着脱練習 | OT 室，病室<br>(術後 4〜6 週) | 術後 6 週には，痛みと股関節 ROM の改善に伴い，自助具なしに靴下の着脱練習を行う |
| 浴室動作練習 | OT 室，浴室<br>(術後 4〜6 週) | ● パンフレットを見て脱臼肢位の理解を促す<br>● OT 室ではバスボードなしに実際の動作を行い確認する<br>→入浴日には，浴室でも実施する<br>→自宅環境に近い手すりと高さで実施 |
| 階段環境の指導 | OT 室，自宅<br>(術後 4〜8 週) | 自宅での階段の手すりの設置指導，階段まわりの環境指導，角への目印の設置などの指導 |
| 耐久性向上練習 | PT・OT 室内，病棟内，病室から PT・OT 室，院外<br>(術後 4〜8 週) | 獲得している歩行手段と疲労度に応じて，PT・OT 室内の移動，病棟内，病室から PT・OT 室の移動，院外練習へと漸増的に距離と頻度と時間を増やしていく |

わりのなかで，退院後には「仲間と囲碁を行いたい」,「囲碁の場所は，自宅から 3 km 離れた場所」,「場所は 3 階にあり，エレベーターがないこと」など対象者が望む意味ある作業目標が明確になった．達成目標が具体的になってきたため，OT 長期目標を「以前の仲間と同じ場所で囲碁ができる」とし，自宅生活・外出を安全に継続するための指導も行うこととした．短期目標として，自宅環境下での ADL の獲得，囲碁会場まで安全に移動できる体力の向上，再転倒予防の教育を新たに設定した．

入浴動作では，下肢の ROM の改善に伴い，またぎ動作の運動が可能となってきていたため，バスボードを外し，高さ調整が可能な練習用浴槽を，自宅環境下の 45 cm の高さに設定して練習を開始した．

術後 6 週からは自助具なしに靴下の着脱，靴の着脱が安全に可能となり，床のものを拾い上げる，体幹を回旋させるなどの動作も安全に行えるようになった．ADL 評価では BI は 100/100 点，FIM は 126/126 点と改善した．

家屋状況は，住宅改修済みであったが，今回，転倒受傷した玄関に新たに手すりを設置した．また，自宅の階段まわりの整理整頓，階段の角には目立つように蛍光テープを貼付するなどの指導を実施した．さらに室内は，スリッパやサンダルではなく，病院と同様に室内用の靴を履くように指導し，再転倒予防の注意を喚起した．

また，週 1 回であったデイサービスを 3 か月程度週 2 回に増やし，退院後のリハビリテーションの継続を予定した．さらに，骨粗鬆症治療薬の服薬指導や低体重に対する栄養指導など，薬剤師や栄養士による指導も退院前に複数回実施した．

## d 本症例の特徴と作業療法治療構造についての解説

病院では，患者や医療スタッフが目指す到達目標に向けて，医療の標準化と医療の質を向上させるクリニカルパスというマネジメントシステムが疾患や治療ごとに構築されている[11]．急性期のリハビリテーションでは，このクリニカルパスの指示内容に沿って安静度やリハビリテーション負荷が決まり，治療が進められる．本症例も大腿骨頸部骨折のクリニカルパスに沿って，術後から早期リハビリテーションを行った．

退院までに，①脱臼肢位の理解と獲得，②自宅環境下での更衣・入浴動作の獲得を目標としてOT を実施した．術後の**侵襲**(➡ 54 ページ)による疼痛などは，軟部組織の安定が得られる術後 3〜4 週まで続くと考えられており，術後 4 週には，痛みの改善と ADL の改善に伴い，対象者から具体的な作業内容の希望が聴取でき，自宅生活をイメージした，より具体的な長期目標と短期目標へ変更した．この対象者のように既往歴に脳梗塞の片麻痺があったり，サルコペニアと考えられる低体重や筋力低下があったりする場合には，退院時の住宅指導，再転倒防止のための服薬指導や栄養指導など多職種連携によるチームアプローチが重要となる．

### ●引用文献


1) 厚生労働省：第 14 回地域医療構想に関する WG「平成 30 年度病床機能報告の見直しに向けた議論の整理（資料編）」. 平成 30 年 6 月 15 日.
https://www.mhlw.go.jp/file/05-Shingikai-10801000-Iseikyoku-Soumuka/0000212393.pdf
2) 日本作業療法士協会学術部（編著）：作業療法ガイドライン（2018 年度版）. p5, 日本作業療法士協会, 2019.
https://www.jaot.or.jp/files/page/wp-content/uploads/2019/02/OTguideline-2018.pdf
3) 久保俊一：リハビリテーション医学・医療の概念. 加藤真介, 他（編）・久保俊一（総編集）・日本リハビリテーション医学会（監）：リハビリテーション医学・医療コアテキスト. 医学書院, pp4–5, 2018
4) 前田真治：我々が用いている脳卒中の予後予測. *J Clin Rehabil* 10:320–325, 2001
5) 小山哲男：脳卒中リハビリテーションにおける画像診断の進歩—拡散テンソル法 MRI の予後予測への応用. *MED REHABIL* (161):29–35, 2013
6) 日本作業療法士協会学術部（編著）：作業療法ガイドライン（2018 年度版）. pp8–10, 日本作業療法士協会, 2019.
https://www.jaot.or.jp/files/page/wp-content/uploads/2019/02/OTguideline-2018.pdf
7) Koyama T, et al: Relationships between independence level of single motor-FIM items and FIM-motor scores in patients with hemiplegia after stroke: an ordinal logistic modelling study. *Jpn J Rehabil Med* 38:280–286, 2006
8) 二木淑子, 他（編）：作業療法学概論. 第 3 版, pp47–62, 医学書院, 2016
9) 林　泰史, 他（編著）：大腿骨近位部骨折のリハビリテーション—急性期・回復期のリハビリ訓練. pp75–109, インターメディカ, 2018
10) 市川和子（編）：作業療法臨床実習とケーススタディ. 第 2 版, pp281–287, 医学書院, 2011
11) 遠藤直人（編）：大腿骨近位部骨折ゼロを目指す治療・予防戦略—多職種連携による取り組み. 医薬ジャーナル社, pp76–91, 2015


### ●参考文献


12) 宮越浩一（編）：リハに役立つ治療薬の知識とリスク管理. pp110–113, 羊土社, 2019
13) 日本脳卒中学会　脳卒中ガイドライン委員会（編）：脳卒中治療ガイドライン 2015［追補 2019 対応］. 協和企画, 2019

# 2

# 精神機能分野における作業療法の実際

## A 精神機能分野における作業療法の原則

### 1 精神機能作業療法の目的と対象

60歳代(男性)のCさんは，院内の草花に水をやるのが日課であった．いつも決まった時間に姿を見かけるので，姿を見かけるとおおよその時間がわかるくらいCさんにとって定着した活動であった．ある日，午後から強い雨が降り始め，その日は夕方まで降り続けた．何気なく庭に目を向けると，土砂降りのなか，麦わら帽子をかぶり，いつもどおり水を撒くCさんの姿を見かけた．30歳代(女性)のDさんは，体育館でスポーツをするので，「それに合った服装で参加してください」とアナウンスしていたにもかかわらず，その日に限ってきれいなドレスを着て来館された．40歳代(男性)のEさんは，退院して初めての1人暮らしを始めた．しかし1週間ほどして脱水症状にて再入院となってしまった．どうやら満足に食事をとっていない様子だった．ゴミの仕分けが厳格になり始めた時期で，分別のしかたに対応できず，ゴミを出さないために食料の調達を止めてしまったようである．

臨床現場で出会ったこの方々は，どんな風に世界が見え，どのように物事を判断し，行動選択をされていたのだろうか．その答えに少しでも近づくためには，精神疾患の成立のメカニズムや障害構造の特性を知り，それが個々の日常生活や社会生活にどのように影響を与えているかを理解しなければならない．

#### a 精神機能作業療法の目的

精神機能の不調は，児童期から老年期までのあらゆるライフステージでみられる．たとえば，40～50歳代の働き盛りに，気分が落ち込む，物事が考えられなくなる，身体がだるい，眠れないなどの訴えが聞かれることがある．その背景には，仕事での厳しいノルマや上司と部下との板ばさみなど，社会的役割に伴う要素が重なり，精神的にも身体的にも疲弊しやすい状況が存在する．一方，これらの時期をやり過ごし，定年退職を迎えたときには，趣味などで自由な時間を楽しむはずが，社会とのつながりを失ったことで，抑うつ感が出現することがある．人は社会とのつながりのなかで，その役割を実感し，自分の存在意義を確認する．自分が役に立つという実感をもてることが生きがいにつながる．

作業療法は，病気や障害により阻害された心身機能や社会との関係性(役割など)を回復し，再構築することで，新たな生き直し(**リカバリー**)をはかる支援である．作業活動を通して，その人のもつ固有の特性を浮き彫りにし，対象者自身がそ

**Keyword**

**リカバリー**　セルフヘルプグループなどの当事者活動に起源をもち，個人の手記から注目された概念である．明確に統一された定義はないが，病気や障害を通して，個人の態度，価値観，感情，目的，役割などが建設的に変容していく過程であり，リカバリーは「新たな生き直し」と表現されることもある．

れを認識することができる，試行錯誤による体験的なアプローチに特徴がある．

### b 精神機能作業療法の対象

作業療法の対象者は，疾患別でみる場合と，目的（場面）別でみる場合がある．

**(1)　疾患別**

「作業療法白書 2015」によると，精神機能作業療法における対象者の疾患・障害（医療施設）では，統合失調症が最も多く（93.2%），次いで感情障害（84.7%），器質性精神障害（アルツハイマー病，脳血管性認知症などの認知症，脳損傷などによる人格・行動障害などを含む）（75.1%），精神遅滞・知的障害（66.9%），アルコール依存症（54.2%），神経症性障害（43.5%），自閉症・アスペルガー症候群・学習障害など特異的な学習障害と広汎性発達障害などの発達障害（32.0%），成人の人格・行動障害（25.4%）が続いている[1]．

**(2)　目的（場面）別**

認知機能障害をもつ対象者，身体合併症を伴う対象者，退院，就労・復職，地域生活を目的とする対象者，司法精神医療の対象者などがあげられる．

これらの対象者への作業療法は，医療施設であれば，病室，病棟ホール，作業療法室，屋外などで，入院・外来作業療法として実施される．一方，医療施設以外では，居宅，社会復帰・療養施設，地域のコミュニティ施設などで実施される．

## 2 精神機能作業療法の基盤となる視点

精神障害を理解するために基盤となるモデルや考え方について，「統合失調症の回復過程」，「ストレス–脆弱性–対処技能モデル」，「国際生活機能分類（International Classification of Functioning, Disability and Health; ICF）」の 3 つを紹介し，作業療法との関係について述べる．

### a 統合失調症の回復過程と作業療法

統合失調症の回復過程は，**図 1**[2] のように，前駆期，急性極期，寛解前期，寛解後期，慢性期，静止期に分けられる．一方，作業療法では寛解前期を**精神病後抑うつ**（post-psychotic depression）[3] のピークの前後で 2 つに分け，前半を亜急性期，後半を回復期前期としている．そして寛解後期は回復期後期に相当し，慢性期，静止期は生活期に相当する．回復過程に沿った作業療法の概要を**表 1** に示す．

**(1)　前駆期**

発症に至る前に，落ち着きのなさ，抑うつ，不安，思考・集中困難，エネルギーの欠如や緩慢さ，仕事能率の低下などがみられることがあり[3]，発症前の前駆症状として位置づけられている．後述の「ストレス–脆弱性–対処技能モデル」では，素因としての脆弱性にストレスがかかることで発症すると考えられている．

**(2)　急性期**

**①要安静期（急性極期から寛解時臨界期まで）**

非常に多彩かつ特徴的な症状が出現する時期で，幻覚（幻聴が多い），妄想などの陽性症状が活発となる[3]．対応としては，脳機能に対する安静，十分な睡眠の確保，向精神薬の投与，安全・安心な環境を設定する，などがある[3]．この時期は，活動そのものが負担となるので原則として作業療法は行わない．

**②亜急性期（寛解時臨界期から精神病後抑うつ状態まで）**

安静が必要な状態は脱したものの，過敏性が高く刺激に対して混乱しやすい時期である．寛解過

**Keyword**

**精神病後抑うつ（post-psychotic depression）**　統合失調症の経過で，急性期の陽性症状が軽快したのちに，感情の起伏が乏しくなり，無気力で何もしなくなるなどの抑うつ状態に陥った状態で，疲弊消耗状態と呼ばれることもある．些細な刺激が誘因となり急性状態に後戻りしやすい不安定な時期である．

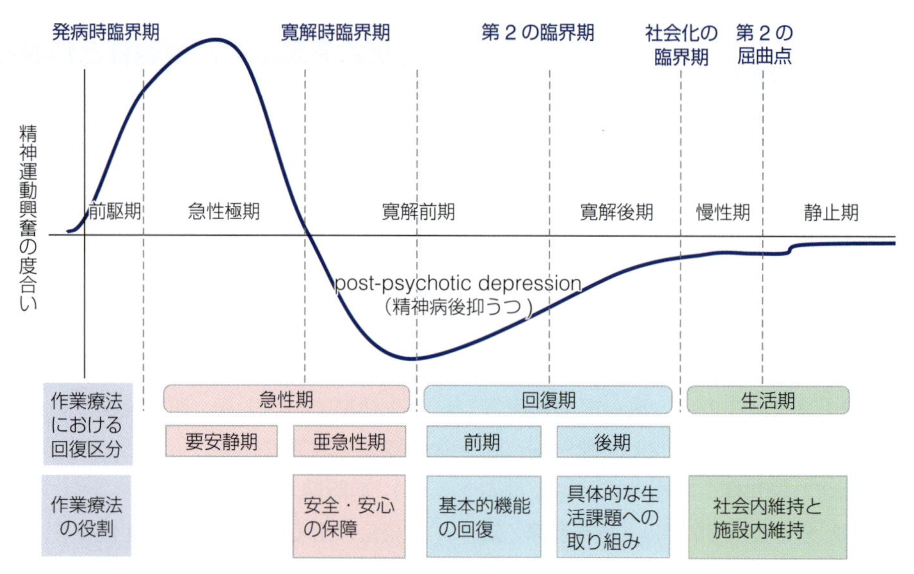


▶図 1　統合失調症の回復過程と作業療法の役割
〔野中　猛：分裂病からの回復支援. p9, 岩崎学術出版社, 2000 より改変〕

▶表 1　回復過程に沿った作業療法の概要

| | 急性期 | | 回復期 | | 生活期 | |
|---|---|---|---|---|---|---|
| | 要安静期 | 亜急性期 | 回復期前期 | 回復期後期 | 社会内維持期 | 施設内維持期 |
| 症状や状態 | 幻聴，妄想などの陽性症状が活発 | 過敏性が高く刺激に対して混乱しやすい | 少し現実感が回復してくる | 社会生活・参加に向けて指導，訓練が可能 | 日常生活の支援が必要で社会参加がみられない状態 | 社会的入院を継続し，活動性に乏しく現実的なかかわりが少ない状態 |
| 治療や作業療法の主な目的・役割 | ●脳機能に対する安静<br>●十分な睡眠の確保と向精神薬の投与 | ●安全・安心の保障<br>●症状の緩和 | ●生活リズム，身体感覚の回復<br>●入眠を助ける | 具体的な生活課題に取り組む | ●社会参加の促進<br>●再燃・再発の予防 | ●生活の質の維持<br>●社会参加の機会の提供 |
| 作業療法士が行う治療援助 | — | 生活空間の広がり，現実感覚を取り戻すためのゆったりとした対応 | 散歩やストレッチ，簡単な創作活動 | ●対人交流，生活スキルの向上<br>●社会資源の有効利用<br>●困ったときの援助の求め方など | ●仲間づくり<br>●地域との交流<br>●クライシスプランの確認 | ●基礎体力の維持<br>●役割をもつ<br>●楽しむことができる場の提供 |

〔山根　寛：精神障害と作業療法. 新版, pp372–373, 三輪書店, 2017 などを参考に作成〕

程の前期にあたるが，急性期の陽性症状が軽快したころに抑うつ状態となる精神病後抑うつ[3]がみられることが特徴である．作業療法を開始することが可能な時期ではあるが，急な接近は病的状態への後戻りとなるため，病室（もしくは保護室）から病棟ホールへと生活空間の広がりを意識することや，現実感覚を取り戻すための，ゆったりとしたかかわりが中心となる．

### (3) 回復期

#### ①回復期前期（精神病後抑うつ状態から第 2 の臨界期まで）

少し現実感が回復してくるとともに，心身の疲労が意識される時期でもある[4]．余裕のある生活空間，生活行動の枠組み設定が必要であり，特に集団活動などで「人とのかかわりが負担となること」に注意する必要がある[2)].

作業療法では，決まった時間に作業療法室に通うことで1日の生活リズムをつくること，散歩やストレッチで身体感覚の回復を促し，適度な疲労で入眠を助けることなどを目的とする．また，作業活動は工程が単純で繰り返しのある創作活動などを主体とし，思考に過度な負担をかけないようにする．また，人とのかかわりを必要としない場の設定をし，作業活動に集中して刺激を回避するという視点をもつことが必要である．

**②回復期後期（第2の臨界期から社会化の臨界期まで）**

第2臨界期を越える指標として，入眠時間の遅延，対処行動や探索行動の開始，言語の回復，季節感の回復，同世代・同性との交流，引き締まった表情[2)]があげられている．社会生活，社会参加に向けての指導や訓練を行うことが可能になる時期であることから，作業療法では，対人交流，生活スキルの向上，社会資源の有効利用，困ったときの援助の求め方など，具体的な生活課題に取り組むなど，回復期前期と比較して積極的な活動を行う．

**(4)　生活期（維持期）（社会化の臨界期以降）**

精神症状などに大きな変化がなく個人レベルでの回復が落ち着いているが，社会参加には支障が予想される状態．医学的治療やリハビリテーションの割合が小さくなり，生活支援や再発を防ぐ危機介入などが必要となる時期である．社会内維持と施設内維持の2つの視点でとらえる必要がある．

社会内維持とは，退院はしたが，日常生活に支援が必要であったり，社会参加がみられないなど，ホームヘルプや社会福祉制度の活用をサポートする必要のある状態である．再燃・再発の予防が重要となる．

一方，施設内維持とは，**社会的入院**を継続しており，活動性に乏しく，現実的なかかわりが少なくなり，入院が長期化している状態である．基礎体力の維持や施設内で役割をもつこと，楽しむことができる場の提供などを意識する[4)].

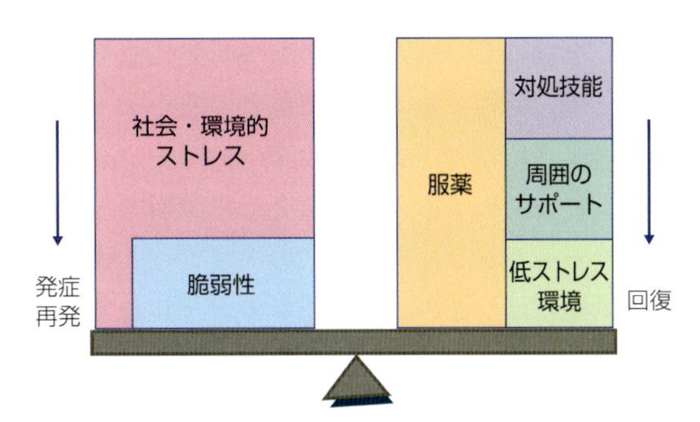


▶図2　ストレス–脆弱性–対処技能モデル
〔坂田三允，他（編）：精神科看護とリハビリテーション．p7，医学書院，2000 より改変〕

## b ストレス–脆弱性–対処技能モデル

「ストレス–脆弱性–対処技能モデル」[5)]は，病気の原因を生物学的な脆弱性におき，この脆弱性に環境のストレスがかかると発症もしくは再発する．それに対して，服薬，低ストレス環境，周囲のサポート，本人の対処技能により回復できるという説明モデルである（▶図2）[5)].

精神生物学的な脆弱性に，学校や職場における葛藤的人間関係による緊張や，転勤・転居・離別などの生活上の出来事（ライフイベント）が社会・環境的ストレスとして重なってくると，発症・再発する可能性がある．一方，家族や友人，専門家などの周囲のサポートを受けながら，ストレスから距離をおき低ストレス環境を整えることで，脆弱性やストレスの作用は緩和される．そして服薬

**Keyword**

**社会的入院**　医学的には入院の必要がないにもかかわらず，家族の受け入れ困難や地域の福祉施設などの受け入れ先がないため，長期入院を継続している状態．2002 年に厚生労働省は，受け入れ条件が整えば退院可能な者（社会的入院者）が約 7 万 2,000 人いると試算し，精神保健医療福祉の改革ビジョン（2004 年）で 10 年後の解消をはかる指針を示した．2017 年には「これからの精神保健医療福祉のあり方に関する検討会」より報告書がとりまとめられ「精神障害にも対応した地域包括ケアシステムの構築」を目指すことが示された．

の遵守を継続し，本人自身のもつ対処技能を高めることで，回復することが可能となる．

このように精神障害は，生物学的因子，心理的因子，社会的因子の相互関係として説明でき，リハビリテーションや作業療法のアプローチ戦略を考える際には，このモデルを対象者と共有することも可能である．

### C 国際生活機能分類(ICF)と精神機能作業療法

国際生活機能分類(ICF)は，人間の生活機能と障害の分類法として，2001年5月，世界保健機関(World Health Organization; WHO)総会において採択された．ICFは「生活機能と障害(第1部)」と「背景因子(第2部)」という2つの構成要素からなり，各要素の相互作用・定義は**図3**[6]のとおりである．障害分類というマイナス面だけでなく，生活機能というプラス面からみるように視点を転換し，環境因子と個人因子の観点を加えていることに特徴がある[7]．

障害された精神機能(心身機能と身体構造)が，日常生活(活動と参加)にどのような形で影響を与えているのか，残存している機能はどの程度であるか，背景となる環境因子と個人因子を視野に入れながら構造的に理解できる．構成要素間の相互作用は障害特性によって異なり，精神機能障害では，精神症状，心理・認知機能，疲労・睡眠状態などの「心身機能・身体構造」が，対人関係や勤務時間などの「環境因子」や生活経験や性格などの「個人因子」の影響を受け，改善したり悪化したりすることがある[6]．作業療法では，この関係性を念頭におき，弱み(weakness)と強み(strength)を明確化し，強みにより弱みをカバーする視点をもってかかわることが重要である．なお，ICFにおいて精神機能(mental functions)は，意識機能や見当識機能などの「全般的精神機能(global mental functions)」と，注意機能や思考機能などの「個別的精神機能(specific mental functions)」として示されている．

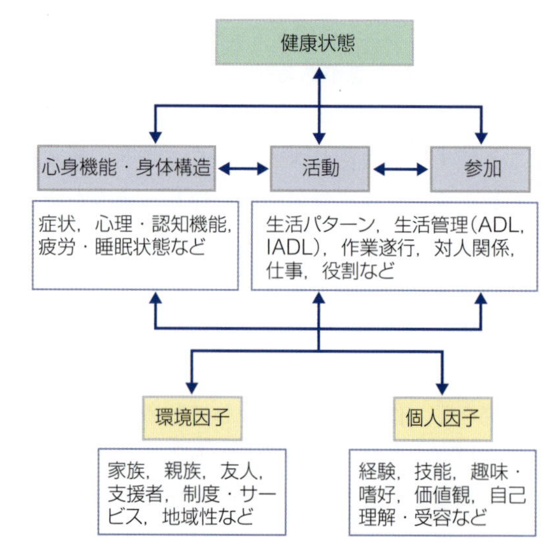


- 心身機能(body functions)：身体系の生理的機能(心理的機能を含む)
- 身体構造(body structures)：器官・肢体とその構成部分などの，身体の解剖学的部分
- 活動(activity)：課題や行為の個人による遂行
- 参加(participation)：生活・人生場面へのかかわり
- 環境因子(environmental factors)：人々が生活し，人生を送っている物的な環境や社会的環境，人々の社会的な態度による環境を構成する因子
- 個人因子(personal factors)：個人の人生や生活の特別な背景であり，健康状態や健康状況以外のその人の特徴

▶**図3 ICFの各因子における精神機能障害の例**
〔新宮尚人：コラム　国際生活機能分類(ICF)．新宮尚人(編)：精神機能作業療法学．第3版，p22，医学書院，2020より〕

## 3 精神機能作業療法の評価と治療・支援

精神認知機能に支障がある人に対しては，治療・支援の関係の成立がのちの治療・支援の進展や効果に大きく影響するため，身体機能障害のように一通りの評価を終えてから治療を開始するという方法が適切でないことが多い．初回の面接時から支援のかかわりが始まっているといってもよい[8]．

### a 精神機能作業療法の基本的プロセス

精神機能作業療法は，**図4**[4]に示すように，試し参加・導入面接を経て導入判定をし，導入後から初期評価，焦点化，目標設定・計画立案を行う．

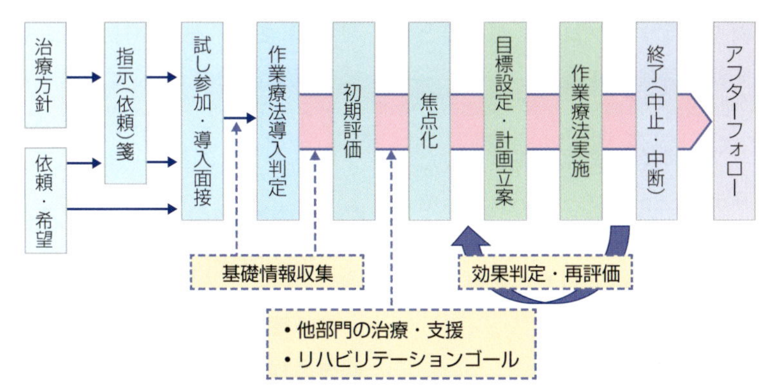


▶図 4　精神機能作業療法の基本的プロセス
〔山根　寛：精神障害と作業療法. 新版, p157, 三輪書店, 2017 より〕

計画に基づき作業療法を開始後には適度なタイミングで効果判定・再評価を行い，必要に応じてこのプロセスを繰り返したのち，作業療法の終了とアフターフォローという流れが基本となる．このうち，初期評価から計画立案まではアプローチの設計図にあたるもので，作業療法の成否を決める重要なプロセスである．この設計図がしっかり作成できれば，作業療法実施を通して計画の修正をする必要性が生じた場合でも，目標を見失うことがなく，双方が納得できる妥当なアプローチとなる．

## b 精神機能作業療法における評価

精神機能に関する障害は，これまでの経過と密接な結びつきがあることが多い．現在の状態を評価する横断的見方と，これまでの生育歴，学歴，職歴，趣味・嗜好，特技などの縦断的見方をもつことが重要である．現在の状態についての情報(横断的見方)は，先に述べた ICF でまとめることが基本となる．一方，これまでについての情報(縦断的見方)は，生育歴，性格傾向，自己認識の変遷などの情報をもとに，これまでどのような人生を送ってきたか，発症前はどのような人だったのか，趣味や特技はあったか，それは今の状態とどのような関係にあるのかを，その人の立場に立って追体験しストーリーとして理解することが大切である[8]．この 2 つの視点を総合的に吟味して，精神症状の影響，環境因子の影響，自身の心理機制(葛藤，ストレスの処理)による生活の不自由さの関係性を整理する．

▶表 2　初期評価の基本的プロセス

| 初期評価の基本的プロセス |
|---|
| **情報収集(面接，観察，検査，調査など)** |
| ↓ |
| **国際生活機能分類(ICF)の構成要素で整理**<br>現在の生活機能(心身機能と身体構造，活動，参加)の整理<br>背景因子(環境因子，個人因子)の整理 |
| ↓ |
| **相互関係の検討，標的問題の絞り込み**<br>ICF の構成要素の相互関係を検討し，標的問題の絞り込みを行う |
| ↓ |
| **治療・援助の基本方針と手段の決定**<br>標的問題を解決する基本方針と手段を決定する |
| ↓ |
| **治療・援助計画の立案**<br>何のために(方針，目的)，どのような状態に(対象)，どのような形態で(個別，集団)，どのような負荷で(頻度)，何をするか(活動やプログラム内容)，いつまでに達成するのか(期間，終了の基準)を明記する |

〔新宮尚人：臨床家のための実践と報告のすすめ　入門編　第 4 回　精神障害編. 作業療法 32:404–410, 2013 より〕

### (1) 初期評価

初期評価の基本的プロセスを**表 2**[8] に示す．まずは情報収集(面接，観察，検査，調査など)をし，その結果を ICF の構成要素にて整理し，相互関係を検討しながら標的問題の絞り込みを行う．現在の状態像を明らかにするという目的に対しては，ここまでを評価ととらえることもできるが，実務上は，作業療法の実施に向けての基本方針と手段を決定し，計画を立案するプロセスが必要となり，これを含めて初期評価とする[8]．

**(2) 焦点化**

リハビリテーションは多くの職種が関連するため，まずはリハビリテーションゴールがチームでどのように決められているかを確認し，作業療法で支援することが適切でより効果があると思われる項目に絞り込む[4]．

**(3) 目標設定・計画立案のポイント**

作業療法における目標は，リハビリテーションゴールをふまえて，おおむね3〜6か月程度で達成可能な長期目標と，おおむね1〜2か月程度で達成可能な短期目標を設定する[4]．

これまでに対象者がどのような経験を有し，現在の状態をどのようにとらえ，これからの生活に対してどのような希望をもっているかに耳を傾け，対象者とともに目標を設定することが重要である．そのなかには，本人が実現したい生活や生き方が反映されていることが理想ではあるが，現実的には，その後のかかわりのなかで修正を重ねることとなる．

## 4 治療のポイント

作業療法の構成要素は，対象者，作業，作業療法士，集団，場所と場，時間とされる[4]．対象者は作業療法士に直接かかわることもあれば，作業や集団の構成メンバーを介してかかわることもあるが，それらは作業療法の場や時間の要素の影響を受けている．さらに，他の専門職，ボランティアなどの非専門職，家族や対象者と関係のある人たちとの連携のなかに含まれるという構造をもっている[4]．

先述したとおり，作業療法は，病気や障害により阻害された心身機能や社会との関係性（役割など）を回復し，再構築することで，新たな生き直し（リカバリー）をはかる支援である．精神機能分野における作業療法では，精神疾患により阻害されている心身機能の状態（精神症状や睡眠状態など）をふまえ，それが日常生活や社会生活（対人関係や職業活動など）にどのような影響を及ぼしているかを検討し，医学的な治療と相補しながらアプローチすることが基本となる．

### a 精神機能分野における作業療法は回復過程に沿って進められる

精神機能分野における作業療法は，精神疾患の回復過程をふまえ，作業療法における役割を考慮した回復区分に沿って進められる．たとえば統合失調症においては，「統合失調症の回復過程と作業療法」（➡ 183 ページ）で示したとおり，亜急性期，回復期前期，回復期後期，生活期の4つの区分でアプローチがなされる．各期における作業療法の役割や進め方は，本文および**図1**，**表1**を参照いただきたい．

### b ストレス−脆弱性−対処技能モデルをふまえる

「ストレス−脆弱性−対処技能モデル」（▶**図2**）は，精神疾患の特性をふまえリハビリテーション戦略を立てる際に基盤となる考え方であり，作業療法士に限らず精神保健医療福祉にかかわるすべての職種が理解する必要がある．特に，再発のきっかけとなる出来事（服薬の中断，対人ストレス，ライフイベントなど）を知り，その人固有の再発パターンを見つけることが重要であり，生活歴や現病歴から情報を得る縦断的視点（➡ 187 ページ）を意識することが有用となる．

### c 評価結果をICFで整理し，強みを活かす視点をもつ

評価結果はICFで整理する．精神機能分野における作業療法では，日常生活や社会生活の状況を示す「活動因子」と「参加因子」に注意をはらうが，それとともに，本人の経験や趣味嗜好など「個人因子」における強みを活かす視点が重要となる．これまで好んで行ってきた作業活動は何か，いつ，どのくらいの期間取り組んでいたのか，現

在も継続しているのか，それに対する本人の思い入れはどうか，などについて吟味する．アルバイトを含む職業経験，趣味などで身につけたスキルは，本人のなかで「密かな誇り」として位置づけられていることも多い．これを共有し，自然な形でスポットを当てることができると，自尊心を取り戻すきっかけとなる．

# B 精神機能分野における作業療法の実際

## 1 人づき合いが苦手な統合失調症の例

### 症例提示

**■一般的情報**

①**症例**：F さん，男性，30 歳代前半．
②**診断名**：統合失調症．
③**家族状況**：両親と同居，弟と 2 人兄弟．
④**生活歴**：幼少期から学童期は親の言うことをよく聞き，1 人で過ごすことが好きだった．中学までは成績上位だったが高校に入ると成績が低下，部活動を途中で退部するなど，特に何かに打ち込んだ経験はない．頑固な面があり，しばしば同級生と口論になり孤立することがあった．
⑤**既往歴**：高校 2 年生のころから夜遅くまでゲームをし，朝は起きることができず，昼夜逆転の生活が始まるようになった．「誰かに狙われている」，「部屋が盗聴されている」という訴えや，1 人でいるときに笑ったり，独り言を言っているため，母親に連れられ精神科クリニックを受診した（X 年）．統合失調症と診断され服薬を開始したが，数回の通院で症状が落ち着くと通院をしなくなった．
⑥**現病歴**：高校卒業後，電気工事関係の会社に就職．X ＋ 2 年「同僚がいつも自分の悪口を言っている」，「部屋を監視されている」という訴えにより休みがちになり，6 か月で退職した．その後，同業種の別の会社で勤務するが，シフトによる不規則な勤務と，職場の人間関係のトラブルを機に眠れなくなった．さらに「部屋に盗聴器が仕掛けられている」などの訴えが出現し，無断欠勤が続き離職した．X ＋ 8 年に再び母親に連れられ E 病院を受診し，入院となった．

入院直後から薬物療法を開始し，約 2 週間後に精神症状が落ち着いてきたので，主治医より作業療法の開始指示がなされた．

## 2 作業療法評価および問題点の整理

先述したとおり，精神機能障害においては，一通りの評価を終えてから治療を開始するという方法が適切でないことが多い．本症例においても，作業療法開始後，2 週間程度を評価期間ととらえ，主なもののみ記載する．

### a 試し参加・導入面接

最初に，作業療法室（以下，OT 室）の見学と作業療法の簡単な説明を行った．そこで参加の意思確認をし，開始日を伝えた．

### b 初期評価

**(1) 情報収集**

**①面接**

- **初回面接**：言葉遣いはていねいだが，小声で口数は少なく，質問には「はい」，「いいえ」で答えることが多かった．視線は伏し目がちであるが，作業療法士を観察しているようにも感じられた．漠然と「働きたい」という気持ちをもっており，両親もそれを望んでいる様子であった．プラモデルに興味を示したので，まずはそれに取り組みながらOT室で過ごすことにした．

- **2回目の面接：ストレングス**アセスメントシートを聞き取りと併せて実施した．会社勤めの経験があり，パソコンが得意であること，働いて自立したいという気持ちがあることが語られた．

②他部門からの情報

- **医師**：急性状態を脱するため，抗精神病薬，睡眠導入薬などを投与し，まずは症状による生活への影響を最小限にする方針が示された．これまで精神症状に左右され，衝動的な行動をとってしまい，対人関係上のトラブルを機に調子を崩すことがパターンとなっている．
- **看護師**：自室で過ごすことが多く，ホールには食事以外はほとんど出てこない．
- **精神保健福祉士**：障害年金受給手続きを進めている．障害者手帳の取得については相談中．
- **臨床心理士**：入院1週間目でのバウムテストでは，紙面の左側に細い幹が描かれ輪郭線も薄かった．疲れている様子と，内向的で引っ込み思案な性格傾向がうかがえた．

③作業活動の観察評価

- **プラモデルづくり(2回参加の様子)**：他患者のいるテーブルから少し離れた位置で，1人黙々と取り組む．説明書を読みながらていねいに進めており，工程に関しては特に助言の必要はないが，ニッパーなどの必要な道具が手元にないときは，自分からスタッフに尋ねることはなく，じっとしている．他の患者には無関心で交流はほとんどみられない．

④評価尺度

精神障害者社会生活評価尺度(Life Assessment Scale for the Mentally Ill; LASMI)では，対人関係機能の「自主的なつき合い」，「援助者とのつき合い」の項目がともに2点であり，助言を必要とする状態と評価された．

**Keyword**

**ストレングス**　「ストレングスモデル」は，チャールズ・A・ラップ(米国)らが，ケアマネジメントの1つとして1980年代に提唱した理論である．強みに焦点を当て，本来の自分を取り戻すリカバリー(回復)に向けて，「こうありたい自分」を自身の言葉で表現し，支援者と共有することを基本としている．

## c 国際生活機能分類(ICF)の構成要素での整理(評価のまとめ)

Fさんの現在の生活機能(心身機能と身体構造，活動，参加)および背景因子(環境因子，個人因子)を整理すると**図5**のようになる．

Fさんは，引っ込み思案な性格とともに頑固な一面もあり，高校時代には同級生とうまくいかず孤立することもあった．発症は高校2年生のころであるが，就職してから6か月ころの再燃(再発)と今回の入院は，対人ストレスや環境変化が影響していると推測された．入院直後は，被害妄想，幻聴などの精神症状や，考えがまとまらない，不安・焦燥感がみられたが，2週間ほどで落ち着いた．しかし，現在も生活リズムが不安定であり，睡眠が十分にとれない，疲れやすいなどの訴えがみられる．

OT室でのプラモデルづくりでは，集中持続は良好である一方，集団からは孤立気味である．また困ったときに援助を求めることが苦手な様子もうかがえた．問題解決は自己完結型で対人交流を回避しているように思われた．作業療法場面でみられる行動特徴は，日常生活でもおこっていると想像できる．

高校卒業後，すぐに就職するも6か月で退職し，その後に別の会社で勤務するが，不規則な勤務体系と職場の対人トラブルにより調子を崩しており職場に定着しない．面接では以前行っていた電気工事関係の仕事か，パソコンを使う仕事に就きたいという希望が述べられた．内向的な性格で頑固な様子もうかがえるが，物事にはコツコツと取り組む点は強みと思われる．

## d 統合と解釈

評価結果から，Fさんの強み(長所)や弱み(課

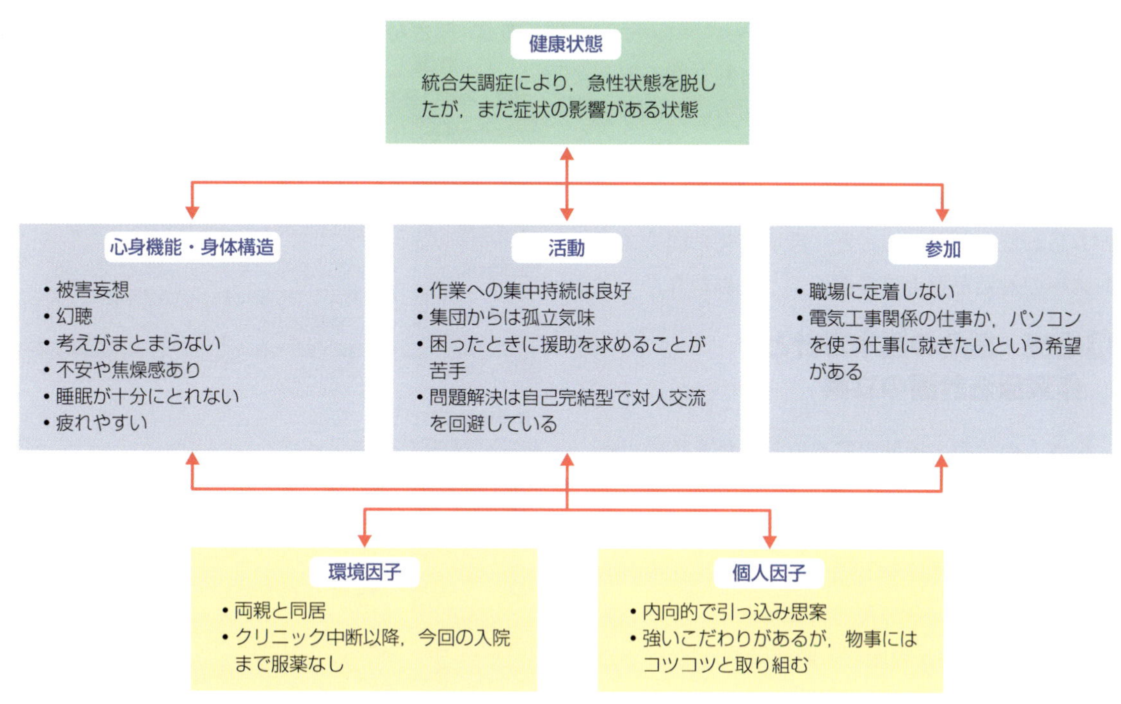


▶図 5　国際生活機能分類(ICF)に基づいた F さんの全体像

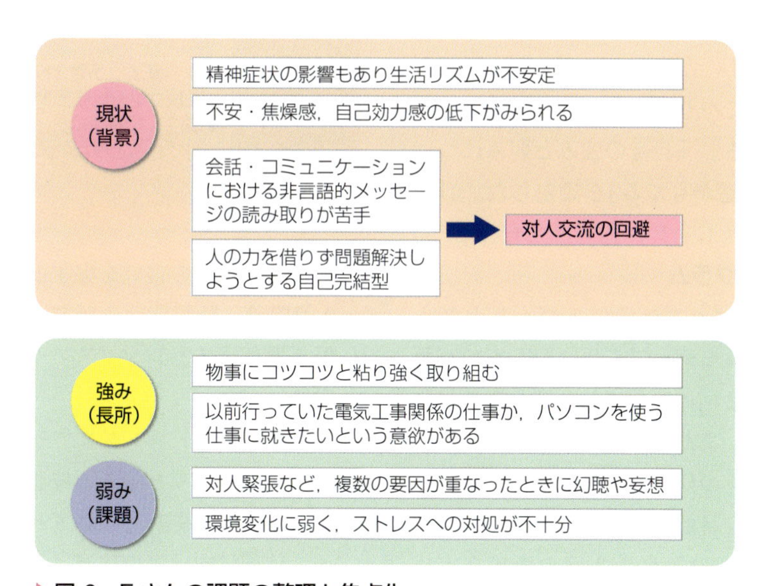


▶図 6　F さんの課題の整理と焦点化

題)を整理すると**図 6** のようになる．

F さんは，急性状態は脱したものの，精神症状の影響もあり生活リズムが不安定であるなど本来の調子には戻っていない．また，不安・焦燥感があり，自己効力感も低下しているように思われた．OT 室での様子からは，会話やコミュニケーションにおける非言語的メッセージの読み取りが苦手と思われることと，人の力を借りず問題解決しようとする自己完結型の対処をとる傾向が感じられ，そのことが対人交流の回避とつながっているように思われた．

強み(長所)は，物事にコツコツと粘り強く取り組むことができること，仕事に就きたいという意欲があることである．一方，弱み(課題)は，対人緊張など複数の要因が重なったときに幻聴や妄想がみられることがあること，環境変化に弱くストレスへの対処が不十分であることと思われた．

## e 治療・援助の基本方針と作業療法計画の立案

Fさんの治療・援助の基本方針と作業療法計画を**表3**に示す．

### (1) 治療・援助の基本方針

チームにおける治療方針は「入院から2か月程度で自宅退院し，その後，精神科デイ・ケアに週5日間通い，4か月程度で一般就労を目指す」とされた．これをふまえ，2週間後から開始された作業療法では，長期目標を「作業療法の開始から6週間程度で自宅退院を達成する」とし，その短期目標として，「昼間に活動し，夜は十分な睡眠がとれる」，「最後までやり遂げたという実感がもてるような経験をする」，「自身の強みと弱みについて，おおよその自覚がもてる」を設定した．目標設定はFさんとともに行い，内容を共有した．

### (2) 作業療法プログラム

活動内容としては，プラモデルづくりとストレッチとした．プラモデルづくりはOT室で**パラレルな場**にて週2回の実施とし，楽しみ，気分転換を目的とした．また，週に1回，ストレッチに参加し，身体感覚の回復と適度な疲労感で良好な睡眠を促すことを目的とした．

これに加え，以下のとおり3回の面接を実施し，自身の強みの自覚を促すこととした．

- 2週間後：睡眠状態の確認，OT室での活動の振り返り，ストレングスアセスメントシートの実施
- 3週間後：ストレングスアセスメントシートの結果の振り返りと強みの確認
- 5週間後：作業療法の終了と精神科デイ・ケアへの移行に向けての確認

実施にあたっては，作業療法士が聞き役となり，Fさんが自身を振り返る機会とすること，退院して精神科デイ・ケアにスムーズに移行できるようなイメージをともにつくることを意識した．

**Keyword**

**パラレルな場**　1999年に山根によって提唱された．作業療法の個人療法の一形態を示す用語である．場を共有しながら他者と同じことをしなくてもよい，集団としての課題や制約を受けず，自分の状態や目的に応じた利用ができ，いつ誰が訪れても，断続的な参加であっても，分け隔てなく受け入れられる，という「ひとの集まりの場」を利用する治療構造をいう．

**表3　Fさんの治療・援助の基本方針と作業療法計画**

治療・援助の基本方針

| | |
|---|---|
| チームの方針 | 2か月程度で自宅退院，その後，精神科デイ・ケアに週5日間通い，退院後4か月程度で一般就労を目指す |
| 長期目標 | 作業療法開始から6週間程度で自宅退院 |
| 短期目標 | ●昼間に活動し，夜は十分な睡眠がとれる<br>●最後までやり遂げたという実感がもてるような経験をする<br>●自身の強みと弱みについて，おおよその自覚がもてる |

作業療法プログラム

| | |
|---|---|
| 活動内容 | ①プラモデルづくり(週2回)：楽しみ，気分転換<br>②ストレッチ(週1回)：身体感覚の回復，適度な疲労感で良好な睡眠<br>③面接<br>●2週間後：睡眠状態，活動の振り返り，ストレングスアセスメントシート<br>●3週間後：ストレングスアセスメントシートの結果の振り返りと強みの確認<br>●5週間後：作業療法の終了と精神科デイ・ケアへの移行に向けての確認 |
| 実施形態・場の構造 | 個人作業療法，パラレルな場(OT室にて) |
| 援助の留意点 | ●作業療法士が聞き役となり，Fさんが自身を振り返る契機とする<br>●退院して精神科デイ・ケアにスムーズに移行できるようなイメージをともにつくる |

▶表 4　F さんの作業療法および精神科デイ・ケアでの経過

| | 入院後 1 か月まで | 1～2 か月まで | 退院後 1～2 か月まで | 2～3 か月まで | 3～4 か月まで |
|---|---|---|---|---|---|
| 治療場面 | 医学的治療 | 作業療法 | 精神科デイ・ケア | 精神科デイ・ケア | 精神科デイ・ケア |
| 目的 | ●服薬調整<br>●十分な休息 | ●不安・焦燥感の軽減<br>●生活リズムの回復<br>●自己効力感の向上 | ●目標設定と求人情報収集 | ●就職活動を行う | ●就職活動を行う |
| アプローチ | 薬物療法が中心 | ●プラモデルづくり：楽しみ，気分転換<br>●面接（3 回）：ストレングスアセスメントシートで強みを確認 | ●求人広告の情報収集：パソコンでインターネット検索<br>●面接（2 週間に 1 回）：求人検索の状況確認，就職面接を受けるための準備 | ●就職面接を受けるが 2 回連続で不採用となる<br>●一時，幻聴や妄想が再燃した．就職活動の振り返り（よかった点，改善点の確認） | ●一般就職はいったん見送ることとし，就労移行支援事業所での就職面接を受け採用となる<br>●職場との調整，就労継続・定着支援 |
| F さんの様子 | | 以前より，よく眠れるようになった | 精神科デイ・ケアに通うことに充実感がある | うまくいかなかったことに困惑している | 前向きに取り組もうとしている |

## f 作業療法および精神科デイ・ケアでの経過

F さんの作業療法および精神科デイ・ケアでの経過を表 4 に示す．

**(1)　作業療法（入院後 1～2 か月まで）**

- **プラモデルづくり**：3 回目から他患者とテーブルを共有した．向かいに座っている初老の男性患者から話しかけられると少し笑顔を見せる．自ら交流をもとうとすることはないが，誘われれば加わるという受身的な参加である．特に助言の必要はなく，説明書を自分で読みながらマイペースで進めていた．
- **ストレッチ**：他患者と会話をするなどの交流はあまりみられず，黙々と参加する．
- **面接**：OT 室でのプラモデルづくり，ストレッチへの参加の感想を聞くとともに，睡眠状態の確認をしたところ，以前よりよく眠れているとのことであった．次に，自身の希望や強みを知るためにストレングスアセスメントシートに基づき，就労への希望について詳細を尋ねる．人とかかわることは苦手意識があり，以前の職場での営業は自分に合っていないと感じていた．自分のペースでコツコツと取り組める仕事に就きたい．パソコンが得意なことは強みと感じている様子であった．

F さんは予定どおり作業療法開始から 6 週間後に退院し，精神科デイ・ケアに通い始めた．

**(2)　精神科デイ・ケア（退院後 4 か月間）**

**①退院後 1～2 か月まで：精神科デイ・ケアの開始と目標設定**

就労を目指すことを改めて確認し，求人情報の収集を主な目的として精神科デイ・ケアを開始した．

- **求人広告の情報収集**：得意のパソコンでインターネット検索した．候補となりそうな求人情報を見つけては，そのページを「お気に入り」に登録した．
- **面接**：2 週間に 1 度の定期面接を実施することとした．まずは目標達成計画シートを作成し，目標を達成するために必要な要素を抽出し，大まかな遂行計画を立てた．シートはスタッフと共有することとした．次の面接では，就職面接を受けるための具体的な準備について確認した．はきはきとした挨拶とともに，視線や表情なども第一印象に重要であることをスタッフと共有した．精神科デイ・ケアに通うことに充実感があるとの感想が聞かれた．

**②退院後 2～3 か月まで：就職面接と不採用**

就職面接を受けるが不採用となった．翌週も別の会社の面接に応募するが同様に不採用であった．一時，幻聴や妄想が再燃した．

振り返り面接では，スタッフとともに就職面接でよかった点と今後に向けての課題を整理した．本人より「当日は緊張して準備したことを十分に発揮できなかった」，「表情がこわばった」などの感想が語られた．うまくいかなかったことに困惑している様子がうかがえた．

**③ 4 か月まで：採用決定と準備**

一般就労はいったん見送ることとし，就労移行支援事業所での就職面接を受け採用となった．スタッフは就労継続・定着に向けて，病院としてサポートする内容について職場と調整し，精神科デイ・ケア終了とした．F さんが目標修正をし，前向きに取り組もうとしている姿勢を感じ取ることができた．

## g 本症例の特徴と作業療法および精神科デイ・ケアでのアプローチの解説

### (1) 本人が実現したい生活や生き方を知り，治療目標を明らかにする

F さんへのアプローチを開始するにあたり，リハビリテーションチームで目標を設定した．カンファレンスには本人と母親が出席し，希望をくみ取りながら「2 か月程度で自宅退院，その後，精神科デイ・ケアに通い，退院後 4 か月程度で一般就労を目指すこと」を共有した．

カンファレンスで出されるアイデアや意見は，達成が困難と思われても否定せず，遠慮なくあげてもらうほうがよい．その後に，本人や家族とともに優先順位をつけ，実現可能性の吟味をする．この過程をていねいにふむと本人の納得とその後の主体性につながる．傾聴は 1 対 1 の場面だけではない．「ただ話を聞くことが，安心の保証となること」を忘れてはならない．

### (2) 入院時から退院後の生活を想定する視点をもつ

リハビリテーションチームで役割分担をし，作業療法では，「作業活動に取り組むことを通じて，生活リズムと睡眠状態の改善をはかること，自身の強みと弱みについておおよその自覚がもてること」を目標とした．これは 6 週間後の退院を目指すとともに，その後，週 5 日間通う精神科デイ・ケアに向けての準備を想定した目標設定であった．目標設定は，「少し困難ではあるが，頑張ればなんとかできそうという感覚のもてるもの」を本人とともに設定するとよい．スモールステップを重ねて結果的に最終目標を達成するという視点が重要である．

楽しみとしてのプラモデルづくりは，F さんをリラックスさせ，本来の姿を取り戻す過程を助けることになったと思われる．一方，職場で同様のトラブルにより退職に至る経験を 2 度もしていることから，自己肯定感の低下が感じられたため，強みを自覚するためのストレングスシートを作業療法士とともに作成した．漠然としたイメージを言語化・視覚化することで，具体的な行動につなげることができる．

### (3) 強み(strength)により，弱み(weakness)をカバーする視点をもつ

F さんの弱みは対人関係や環境変化への対応が苦手であることである．自分の弱みというのは，他人から指摘されなくとも潜在的に自覚しているもので，それを明確に突き付けられると自尊心はさらに傷つくことになる．一方で，強みは客観的に意識することは難しく，過小であったり過大であったりする．強みと判断する根拠とともに本人に伝えることで，そこに意識が向き自己肯定感が向上する．それは弱みをカバーすることにもつながる．

F さんの強みは，物事にコツコツと粘り強く取り組むことと，就職して自立したいという強い希望をもっていることである．精神科デイ・ケアでは，得意とするパソコンの操作も役に立った．いつしかスタッフや利用者にも自然と相談するようになり，就職面接する機会を得ることができた．

### (4) 課題を真正面からとらえすぎないことも時には必要

Fさんは，2社の就職面接を受けたが結果は両社とも不採用となり，精神症状が再燃した．しかし，振り返りを通して目標を修正することができ，就労移行支援事業所で採用となった．Fさんは，人に頼ることが苦手で自分で物事を解決しようとする傾向がある．これは強みではあるが，時には弱みとなることもある．仮に苦手なことを他者に頼ったとしても，頼られたほうは悪い気はしない．むしろ自分の強みを発揮する機会が与えられてFさんに感謝するかもしれない．対人関係はそのような相補的な関係性ができると，おのずと良好になる．

●引用文献

1) 日本作業療法士協会：作業療法白書 2015. p44, 2017
2) 野中　猛：分裂病からの回復支援. pp8–17, 岩崎学術出版社, 2000
3) 鈴木道雄：統合失調症. 尾崎紀夫, 他(編)：標準精神医学. 第8版, pp273–297, 医学書院, 2021
4) 山根　寛：精神障害と作業療法. 新版, pp86, 88, 156, 157, 161, 200–201, 224, 372–373, 469–470, 三輪書店, 2017
5) 坂田三允, 他(編)：精神科看護とリハビリテーション. pp6–7, 医学書院, 2000
6) 新宮尚人：コラム　国際生活機能分類(ICF). 新宮尚人(編)：精神機能作業療法学. 第3版, p22, 医学書院, 2020
7) 厚生労働省：「国際生活機能分類—国際障害分類改訂版—」(日本語版)の厚生労働省ホームページ掲載について. 2002
https://www.mhlw.go.jp/houdou/2002/08/h0805-1.html
8) 新宮尚人：臨床家のための実践と報告のすすめ　入門編　第4回　精神障害編. 作業療法 32:404–410, 2013

# 3 発達過程分野における作業療法の実際

## A 発達過程分野における作業療法の原則

### 1 作業療法の目的

分野により作業療法の目的に違いがあるわけではない．しかし，発達過程分野において強調しなければならないことは，対象となる人が発達過程にあるという点である．身体障害，精神障害にかかわらず対象者が成人である場合，その多くはさまざまな機能が成長，成熟したのちに障害が生じている．一方，発達過程分野の対象となる人は，成長，成熟していく過程，すなわち発達過程で障害が生じる．以下に具体的内容について解説する．

#### a 包括的に発達を考える

たとえば，60 歳で脳梗塞を発症した G さんは右上下肢の運動障害はあったが，認知機能障害はなかった．G さんは，他の疾患や病気にならない限り，認知機能障害が現れることはない．しかし，生まれたときから運動障害がある**脳性麻痺**のHくんは，興味があるものを見つけても，運動障害により移動し，手を伸ばし，触り，操作することが制限される．このことで，運動機能だけでなく感覚機能や認知機能の発達も遅滞する可能性がある．認知機能の発達は見ることや聞くことのみではなく，身体の運動機能と切り離せないものであり，これは，身体化による認知(embodied cognition)といわれる．発達過程分野の作業療法は，運動機能，認知機能といった単一の機能の発達ではなく，包括的に発達を考えなければならない．

#### b 遊びの重要性

子どもの発達において遊びは不可欠である．年齢が低い子どもの場合，生活に占める作業の大部分は遊びであり，遊びを通してさまざまな機能を発達させる．発達過程分野の作業療法において遊びは，対象児にとって主体的な作業であり，包括的な発達を促進することから，主要な治療手段となる．また，年齢が低い乳幼児においては遊び自体が治療目標となることもある．

#### c 生活する環境が多様で変化する

成人の場合，生活する環境は家庭や職場など，ある程度限定される．しかし，2 歳児の場合，今は生活する環境が家庭であったとしても，何年か後には保育所や幼稚園，6 歳になれば小学校，その後も中学校，高校…職場と変化する．この変化は，対象児の障害の種類や程度，家族や本人の意思とは関係なく生活年齢により決まる．作業療法士は現在の環境だけでなく，将来の環境もふまえて作業療法を行う必要がある．

**Keyword**

**脳性麻痺**　受胎から新生児(生後 4 週以内)までの間に生じた脳の非進行性の病変に基づく，姿勢と運動の障害を主症状とする疾患である．そのほかに，感覚障害，認知障害などさまざまな合併症を伴う場合が多い．姿勢と運動の障害の程度や範囲はさまざまである．

### d 子どもを支えるすべての人を対象とする

発達過程にある子どもにとって，親子関係を主とした家族関係は大切である．家族(近隣に住む祖父母や親戚も含め)とともに支援を考え，治療に参加してもらえるような働きかけが重要である．近年は，ひとり親家族や外国籍家族など家族のあり方が多様化しているため，家族の特性を考慮した支援をしなければならない．

子どもの生活する環境が，成長とともに変化するのに伴い，子どもにかかわる人も，保育士，教師，友だちなど多様化する．特に学齢期の子どもでは学校教師とのかかわりが発達に大きな影響を及ぼす．作業療法では，対象児を支えるすべての人と協働し支援を行う必要がある．

## 2 対象となる疾患・障害像

発達過程分野の作業療法の対象は，発達期の障害により日常生活や社会生活のなんらかの場面で困難がある状態，もしくは将来的に困難が予測される人である．主な対象疾患・障害は，脳性麻痺などの脳障害に起因した運動障害，知的能力障害，**自閉スペクトラム症**などの小児精神疾患(神経発達症)に起因した対人関係，感覚統合機能の障害である(▶表 1)．

## 3 目標設定

子どもは成長・発達に伴い生活環境が変化する．そのため，家族や対象児の**主訴**(➡ 145 ページ)も成長・発達に伴い変化する．乳児期の脳性麻痺児の家族の主訴の多くは，座位や歩行などの基本的な運動機能の獲得であるが，幼児期になると，セルフケアや小学校入学に向けて書字や道具の使用などの教科学習に関することなどが主訴となる．作業療法士は，現在の主訴を尊重し受け止めながらも，将来を見越して，対象児と家族のニーズを評価に基づき客観的に判断しなければならない．治療目標はこのこともふまえ，作業療法士と本人，家族との協業により，生活行為に焦点を当て設定する．この際，カナダ作業遂行測定(COPM)[1] を使用するとよい．

また，治療目標は個別的かつ具体的でなければならない．たとえば，8 歳の脳性麻痺児の目標として「手指の巧緻性の向上」は，脳性麻痺児のほとんどに当てはまる目標であるため，個別的ではない．また，生活において何が可能となれば手指の巧緻性の向上といえるのかが不明確であるため具体的ではない．SMART goal〔specific(具体的)，measurable(測定可能)，achievable(達成可能)，realistic/relevant(現実的/妥当)，timed(目標達成までの時間)の 5 つを考慮する〕で治療目標を設定することで，個別的，具体的な治療目標となる[2,3]．

## 4 評価と治療の枠組み

情報収集，評価計画の立案と実施，統合と解釈，目標設定(前述)，作業療法の実施，再評価と最終評価，フォローアップといった作業療法の実践過程の枠組みは他の分野と同じである．ここでは，再評価を含む評価と治療の枠組みについて発達過程分野の作業療法で強調すべき点を解説する．

### a 評価の枠組み

#### (1) 情報収集

①生育歴

発達過程分野の作業療法において，出生前も含め，対象児・者がどのように発達してきたの

**Keyword**

**自閉スペクトラム症(自閉症スペクトラム障害)** 社会的コミュニケーションおよび対人的相互反応における持続的な障害と行動・興味・活動の限定された反復的な行動様式の 2 つを診断基準とする神経発達症(発達障害)である．知的能力障害や言語障害を伴う場合もあれば，知的・言語能力は非常に高い場合もある．

▶表1　発達過程分野の作業療法の主な対象疾患・障害と障害領域

| 障害領域／対象疾患・障害 | | 運動機能 | 感覚−知覚機能<br>感覚統合機能 | 認知機能 | 心理的機能 | 社会的機能 |
|---|---|---|---|---|---|---|
| | | 関節可動域，姿勢筋緊張，筋力，姿勢保持と姿勢バランス，上肢・手指機能，協調運動など | 感覚，感覚調整障害，身体図式，行為機能（運動企画），視知覚，触知覚など | 注意，記憶，言語理解，流動性知能など | 情動，動機づけ，衝動性の制御など | 対人認識，対人関係，愛着行動など |
| 中枢神経疾患 | 脳性麻痺，頭部外傷後遺症 | ◎ | ○ | ○ | ○ | |
| | 重症心身障害 | ◎ | ○ | ◎ | | ○ |
| | 二分脊椎症 | ◎ | ○ | ○ | | |
| 末梢神経疾患 | 分娩麻痺 | ◎ | ○ | | | |
| 整形外科疾患 | 四肢形成不全，切断 | ◎ | | | ○ | |
| 神経・筋疾患 | 筋ジストロフィー | ◎ | | ○ | ○ | |
| 小児精神疾患（神経発達症） | 知的能力障害 | ○ | ○ | ◎ | ○ | ○ |
| | 自閉スペクトラム症 | ○ | ◎ | ○ | | ◎ |
| | 注意欠如・多動症 | | ○ | ○ | ◎ | |
| | 限局性学習症 | | ○ | ◎ | | |
| 感覚器の障害 | 視覚障害，聴覚障害 | ○ | ◎ | ○ | ○ | |
| 内部障害 | 先天性心疾患，腎疾患 | ○ | | ○ | ○ | ○ |
| 小児がん | 小児血液腫瘍，小児脳腫瘍 | ○ | ○ | ○ | ○ | ○ |

◎主要な障害領域，○併存する可能性がある障害領域

か（生育歴）をカルテや家族から情報収集することは重要である．

②主訴

● 家族と対象児の両方から聴く

成人と異なり，対象が乳幼児の場合や知的能力障害が重度な児の場合，ほとんどは家族から主訴が語られる．しかし，家族は困っていたり，心配したりしていても，本人は困っていないことがある．その逆に，家族は知らないが本人が困っていたり，できるようになりたいと思っていたりすることも多い．対象児が表出できる場合は，どのような方法であってもていねいに聴く必要がある．対象児が「何をしたいのか」，「どのようになりたいのか」，「何が困っているのか」を伝えられる力は，将来の自立・自律のために不可欠であり，作業療法士の聴取は，その力を伸ばすことにつながる．

● できるかぎり具体的に確認する

たとえば，地域の小学校に通っている，右上下肢に運動麻痺がある8歳の脳性麻痺児が「服をもう少し早く着られるようになりたい」と言った場合，「どこの場所で」，「どのような服を」，「どのようにして」，「どのくらいの時間で」など，より具体的に確認することが必要である（例：「学校の教室で体操服を立位で休み時間内に着替えられるようになりたい」）．

● 子どもの成長・発達とともに変化する

子どもの生活環境は変化するため，家族や対象児の主訴も変わる．そのため，初期評価時だけでなく，こまめに主訴を聴くことが重要である．

### (2) 評価計画の立案と実施

①評価項目に優先順位をつける

前述したように，発達過程分野の作業療法

は，単一の機能の発達を促進させることを目的とするのではなく，子どもの発達を包括的に考えなければならない．そのため，評価領域は広範囲に及ぶ．しかし，評価にかける時間は限られているため，対象児の疾患・障害と面接や観察などから得られた情報をもとに，優先順位を考え評価領域・項目を選択しなければならない．たとえば，知的能力障害がない5歳の脳性麻痺児で「床でズボンをはけるようになる」が主訴の場合，更衣動作の観察から始め，関節可動域(ROM)や筋緊張，座位バランス，上肢機能といった運動機能の評価を優先して行う．しかし，同じ更衣動作が主訴であっても，知的能力障害児の場合は，運動機能よりも認知機能の障害が原因となっている可能性が高いため，認知機能の評価を優先して行うことを考える．

②客観的な評価方法を使用する

身体機能分野と比較し発達過程分野の評価は，観察が中心となることが多い．しかし，作業療法は分野にかかわらず客観的な指標を用いての効果判定が求められている．そのため，評価において信頼性・妥当性の高い標準化された検査を用い，作業療法の効果を客観的に示さなければならない．日本作業療法士協会の「作業療法ガイドライン」[4]において，脳性麻痺と神経発達症(2021年予定)で使用される評価・検査については，エビデンスレベルと推奨グレードが示されている．

③全体像をまとめる

評価結果は，国際生活機能分類(ICF)に基づき整理するとよい．

### (3) 統合と解釈

ICFに基づき整理された対象児・者の全体像はそのままでは役に立たない．心身機能と生活行為(活動・参加)がどのように関連しているのかを検討しなければならない．さらに，情報収集した環境因子，個人因子を統合することで問題点が明らかとなり，治療目標，治療プログラムの立案が可能となる．この際，心身機能と生活行為との関連だけではなく，心身機能間や同じ機能のなかでの関連も整理しておく必要がある．たとえば，姿勢筋緊張，ROM，姿勢バランスは心身機能のなかでも同じ運動機能に含まれるが，これらを並列的に考えるのではなく，発達的な視点も加味し関連づけることが必要となる．

### (4) 再評価と最終評価

発達過程分野における外来作業療法では，治療回数や期間が決められている施設も多い．そのため，再評価なしに最終評価となることも多い．しかし，実施している治療プログラムが治療目標をどの程度達成しているかについての確認(生活の様子を家族から聴取する，治療での対象児の反応をみるなど)は，常に行う必要がある．

最終評価は，初期評価で使用した評価やCOPMを用いて，作業療法の治療目標を達成しているかを判定する．

## b 治療の枠組み

### (1) 作業療法の実施(治療プログラム)

治療目標は個別的，具体的な生活行為であるが，それを達成するための治療プログラムには3つの対応がある．たとえば，スプーンで食物をすくうことが難しい児の場合，①生活行為そのものに対応(例：スプーンの操作そのものを行うなど)，②生活行為を妨げている原因となっている心身機能(運動機能や認知機能など)に対応(例：上肢の分離運動を促す)，③環境因子・個人因子に対応(例：すくいやすい皿や把持しやすいスプーンを使用する)，が考えられる．治療プログラムは，最も効率よく治療目標を達成できる対応を選択しなければならない(同時に複数の対応を行うことも多い)．

一般に年齢が低い場合は，脳の可塑性が高いため，心身機能の発達・改善が期待できる．心身機能の発達・改善は，複数の生活行為に肯定的な影響を及ぼす可能性が高いため，心身機能に焦点を当てた治療プログラムを立案することが多い．学齢期になると，生活や学校において短期に解決しなければならない課題が出てくるため，環境設定も含めた，課題そのものへの治療プログラムが必要となる．また，他害行為や自傷行為など緊急性が高い問題についても行動そのものや環境因子に対応した支援を考えるが，同時に行動の原因となっている心身機能の障害についても考慮しなければならない．なお，年齢が高い筋ジストロフィーなどの進行性疾患や重症心身障害児は，障害の改善が困難であることが多いため，生活環境の整備(テクニカルエイド)やプラス因子(利点)に着目した治療プログラムが主となる．

### (2) フォローアップ

子どもは，保育所，幼稚園，小学校，クラス替えなど，環境が頻繁に変化する．作業療法が終了し，家庭や保育所では問題なく生活していても，小学校への入学後に新たな課題が生じることもある．そのようなとき，発達経過を知っている作業療法士がいることは家族にとって心強いものである．新たな課題が生じた場合に，作業療法を再開できるシステムや定期的なフォローアップシステムなどがあると家族も安心できる．

# B 発達過程分野における作業療法の実際

発達過程分野の実践過程を，代表的な対象疾患である脳性麻痺と自閉スペクトラム症の2疾患で示す．また，病院(脳性麻痺)と学校(自閉スペクトラム症)の2つの場での実際について解説する．

> **Keyword**
> **痙直型両麻痺**　脳性麻痺の運動障害は筋緊張の性状と障害部位の2つを組み合わせて診断することが多い．痙直型は筋緊張の性状に基づく分類の1つであり，筋緊張が過緊張の状態にあり，自発運動をしにくい，運動範囲や運動の多様性が限定されるなどの特徴がある．両麻痺は障害部位に基づく分類であり，上半身に比較し下半身(下部体幹，下肢)の運動麻痺が強い特徴がある．

## 1 病院での成人脳性麻痺者に対する個別作業療法

### 症例提示

#### ■一般的情報

①**症例**：Iさん，男性，18歳．

②**診断名**：脳性麻痺(**痙直型両麻痺**)．

③**現病歴**：授産所で行っている菓子箱の箱折り作業の作業速度が落ちたこと，仕上がりが悪くなったことを主訴に，T病院を受診．月2回半年間(10回)の外来作業療法が処方された．

④**生育歴**：妊娠32週，出生体重1,850gで誕生．頸の座りが遅いことから，生後3か月にS発達センターを受診．運動発達の促進を目的に外来理学療法が開始された．1歳半でずり這い移動が可能となったが，上肢の力のみで移動し，下肢の動きはほとんどなかった．座位不安定，手を使用した遊びや身辺処理が困難であったため，作業療法が開始された．

3歳から，S発達センターの障害児通園施設(現在の障害児通所支援)にて療育を開始．理学療法，作業療法は週1回の頻度にて継続．4歳で歩行器にて施設内移動が可能．座位保持椅子にて食事動作，床座位にて更衣動作が可能となった．

養護学校(現在の特別支援学校)に入学．9歳で学校内では杖(ロフストランドクラッチ)歩行が可能となるが，下肢の筋緊張が亢進，筋肉の短縮により運動機能が低下したため，11歳で股関節内転筋解離術，腸腰筋解離術，アキレス腱延長術を行った．移動は養護学校卒業までは学校内では杖歩行，屋外は介助で車椅子にて移動．15歳から屋外では電動車椅子での移動となった．

養護学校高等部卒業後，障害者授産所にて，週5日，1日5時間の箱折り作業を行っている．理学療法，作業療法は高等部卒業と同時に終了となった.

⑤**主訴**：I さんは，授産所での箱折り作業について「以前は 1 時間で約 25～30 個可能であり，折りじわや擦り傷が入ることはほとんどなかった．しかし，今は 20 個程度であり，そのうち 3～5 個は折りじわや擦り傷が入ってしまう」と話した．箱折り作業の遂行について，COPM の評価は重要度 10，遂行度 3，満足度 3 であった．

## a 初回評価と全体像

### (1) 運動機能

① ROM 測定

下肢では両股関節外転，伸展，屈曲，足関節背屈に，上肢では右前腕回外に 10°～30° の ROM 制限があった．ROM 制限は下肢でより顕著であった．

②筋緊張

下肢では両股関節内転筋，屈筋，伸筋，膝関節屈筋，伸筋，足関節底屈筋に，上肢では両前腕回内筋，手関節掌屈筋に過緊張（痙性）があった．筋緊張は，上肢よりも下肢が，また左よりも右側が亢進していた．体幹，股関節外転筋の筋緊張は低下しており（右側がより顕著），筋肉が活動しにくい状態であった．

③粗大運動機能

**粗大運動能力尺度**（Gross Motor Function Measure; GMFM）[5] と姿勢動作分析を用いて評価した．粗大運動は短時間であればつかまり立ちまでは可能であったが，杖による歩行は不可能であった．

背もたれのない椅子（ベンチ）座位では，座面を手で支持すれば保持は可能であったが，手の支持がない状態では，体幹を重力に抗して持続的に保持できず，1 分程度で骨盤後傾，腰椎後弯（右 ＞ 左）し，右後方へ姿勢がくずれ，手をついてしまった．座位姿勢のくずれとともに下肢伸筋の筋緊張が亢進し足底接地困難となり，座位はより不安定となった．

④上肢・手指機能

痙直型両麻痺は，上肢や手指の運動障害は，下部体幹や下肢の運動障害と比較し軽度である．しかし，上肢，手指を用いた活動のほとんどは座位，立位で行う．そのため，上肢，手指を使用するには，土台となる座位，立位姿勢が安定しなければならない．I さんの上肢・手指機能も座位の安定性と関係しており，作業療法士が骨盤，下部体幹を支持し，外的に姿勢を安定させたときは両手動作，上肢の空間操作が可能であった．しかし，作業療法士の支持がない状態では，両手動作，上肢の空間操作は困難であった．

手指の巧緻運動は，左は指尖つまみにより机上の爪楊枝をつまむことが可能であった．右上肢は左に比較し劣るものの，指腹つまみにより 5 mm 角の立方体のつまみが可能であった．

### (2) 日常生活活動（ADL）

セルフケアでは更衣と入浴に介助が必要であった．更衣は，上衣の着脱は床座位にて自立していたが，下衣は介助が必要であった．入浴はホームヘルパーを利用していた．

### (3) 全体像

評価結果より，ICF に基づく I さんの全体像を図 1 にまとめた．

## b 統合と解釈（▶図 2）

I さんは，脳性麻痺（痙直型両麻痺）により下肢，下部体幹を中心とした運動麻痺を有していた．痙直型両麻痺は上肢の運動障害は軽度であるが，上肢を使用するための土台となる姿勢の安定を下肢，下部体幹で支えることができないため，二次

**Keyword**

**粗大運動能力尺度（GMFM）** 脳性麻痺児・者に対するリハビリテーションが粗大運動機能に及ぼす治療効果や，粗大運動機能の経時的変化を測定するための評価尺度である．項目は，①臥位と寝返り 17 項目，②座位 20 項目，③四つ這いと膝立ち 14 項目，④立位 13 項目，⑤歩行・走行とジャンプ 24 項目の 5 領域 88 項目から構成されている．

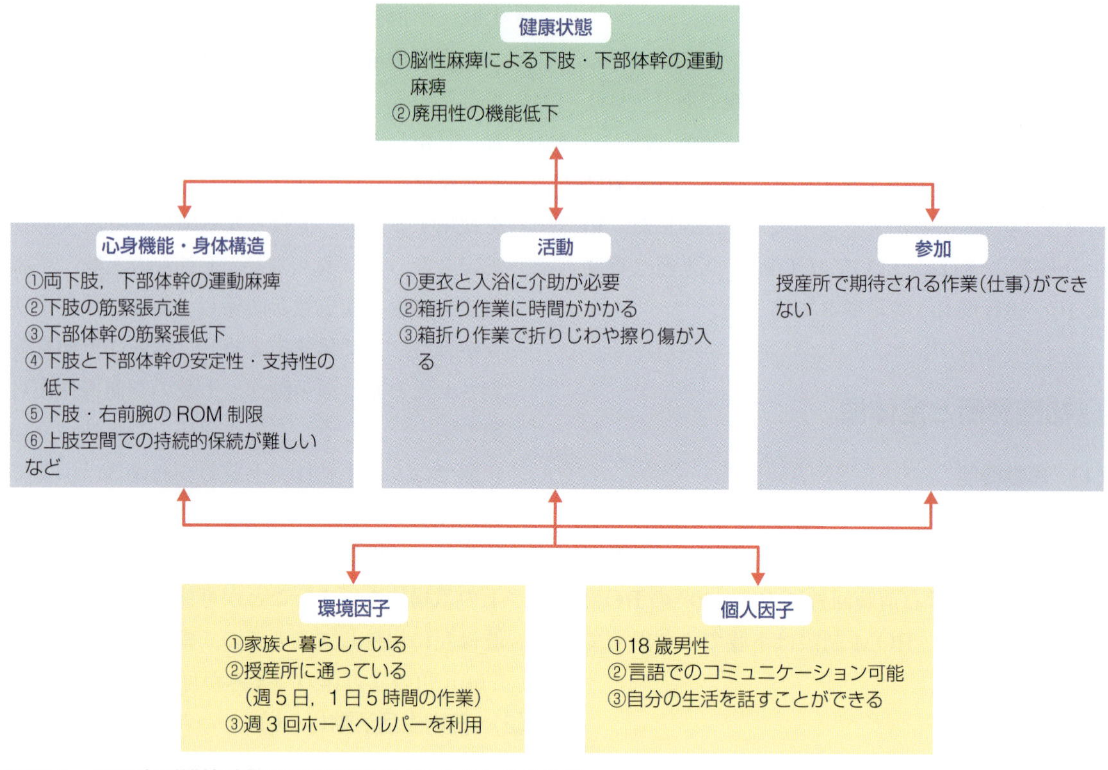


▶図1　国際生活機能分類(ICF)に基づいたⅠさんの全体像

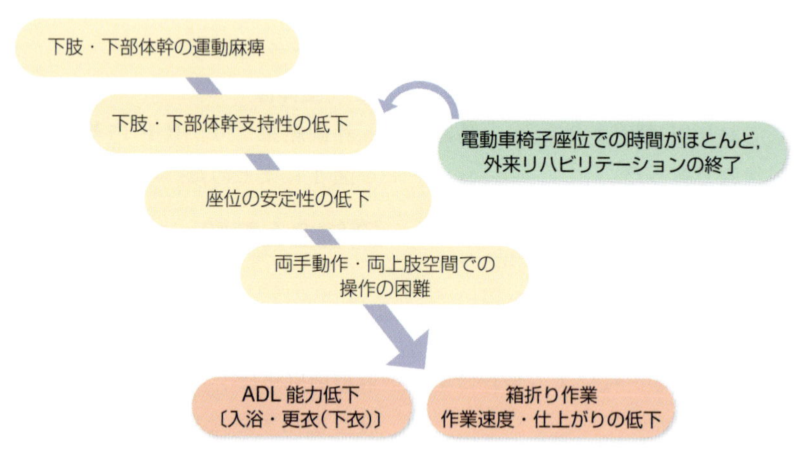


▶図2　Ⅰさんの症状の解釈

的に上肢・手指機能が障害される．特に，空間での両手動作を持続的・連続的に行うには下肢と下部体幹の安定性が不可欠となる．菓子箱を折る作業は両手動作が不可欠であるため，下肢と下部体幹の安定性の低下がⅠさんの作業速度の低下，仕上がりの悪さの原因となったと考えた．

このような機能低下は，学校卒業後の生活の変化も大きな要因となっている．Ⅰさんは，養護学校では杖歩行により校内を移動することや週3回の自立活動の時間での立位，歩行訓練，月1回の

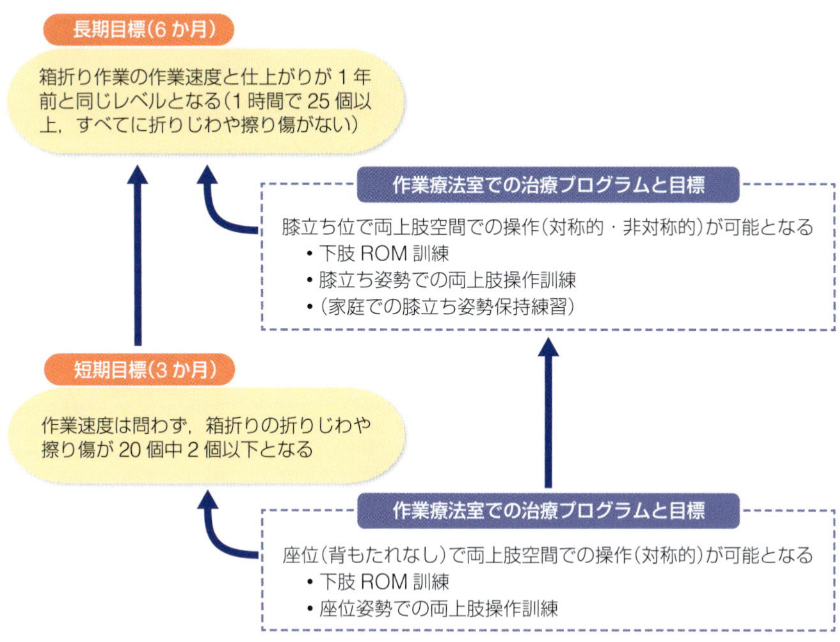


▶図 3 I さんの治療目標とプログラム

外来リハビリテーションにより運動機能を維持してきた．しかし，卒業後，外来リハビリテーションは終了し，移動はすべて電動車椅子となり，1日のほとんどを座位で過ごすようになった．このような生活の変化により下肢と下部体幹を支持に使用する機会が減少したことによる廃用性の運動機能の低下が原因であると考えた．

## c 目標設定と治療プログラムの立案

I さんの治療目標とプログラムを図 3 に示す．長期目標は 6 か月で「箱折り作業の作業速度と仕上がりが 1 年前と同じレベルとなる(1 時間で 25 個以上，すべてに折りじわや擦り傷がない)」，短期目標は 3 か月で「作業速度は問わず，箱折りの折りじわや擦り傷が 20 個中 2 個以下となる」とした．作業療法室で実施する治療プログラムは，原因となっている下肢，下部体幹の安定性を高め，上肢操作の土台となる座位姿勢の安定性を高める(生活行為を妨げている心身機能に対応)プログラムを選択した．

## d 作業療法経過

### (1) 座位での上肢操作(1〜4 回目：0〜2 か月)

座位での活動例を図 4 に示す．活動は，複数のブロックを両手で挟みながら積む，取るを繰り返す活動である．治療開始時は，体幹に近い位置での上肢活動は，肩関節伸展，肘関節屈曲方向の運動に伴い骨盤後傾，腰椎後弯し，体幹が後方(特に右後方)へ傾き，姿勢がくずれやすい状態であった(▶図 4b)．治療開始 3 回目(2 か月目)より，両上肢操作に伴う姿勢のくずれは，ほとんどみられなくなってきた．また，体幹を抗重力姿勢で保持しての活動の持続時間も 10 分程度になってきたため，より股関節，体幹の安定性が要求される膝立ち姿勢へと段階づけした．

I さんからは，箱折り作業の作業速度が以前の速さに近づいていることや，折りじわは最初のうちはつかないが，20 分過ぎから折りじわがつき始めることが報告された．作業療法士からは，折りじわがつき始めたら，少しの時間でも休憩したほうがよいことを助言した．

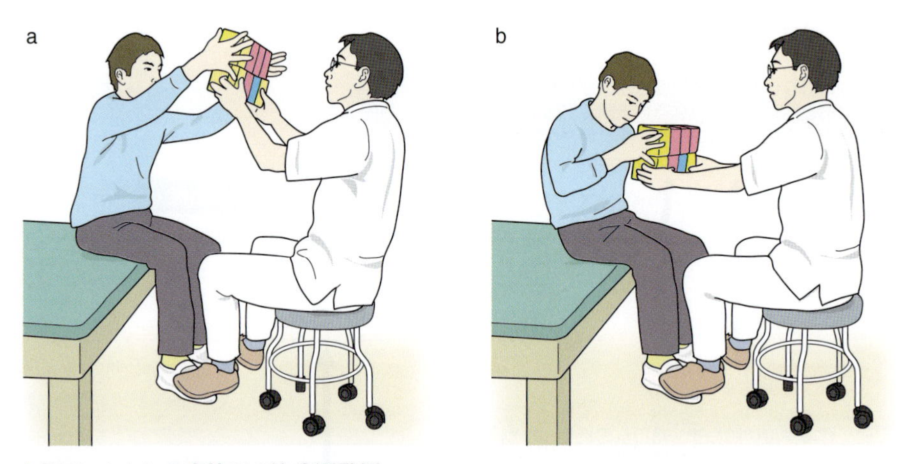


▶図 4　I さんの座位での治療活動例
複数のブロックを両手で挟みながら積む，取るを繰り返す活動．作業療法士は体幹の状態をみながら積む位置を段階づけしている．
a：前上方向への運動は体幹の抗重力活動の維持が可能であった．
b：体幹に近い位置での活動は，骨盤後傾，腰椎後弯し，体幹が後方(特に右後方)へ傾き，姿勢がくずれやすい．

▶図 5　I さんの膝立ち姿勢での治療活動例
a：正中線上にて両手で筒を把持し筒を持ち上げ，下ろす活動．
b：股関節，体幹が屈曲し，後方に膝立ち姿勢がくずれる．

### (2) 膝立ち姿勢での上肢操作（5〜10 回目：3〜6 か月）

プログラム初回の膝立ち姿勢は，右股関節の伸展が困難で非対称性が強かった．正中線上にて両手で筒を把持した安定した姿勢から筒を持ち上げ，下ろす活動を繰り返すことから開始した(▶図 5a)．筒を下ろす動作と同時に股関節，体幹が屈曲し，膝立ち姿勢がくずれることが多かった(▶図 5b)．I さんは姿勢の非対称性やくずれに気づかないこともあったため，鏡を用い視覚により姿勢を修正することを取り入れた．膝立ち姿勢の保持は，家庭でも 1 日 1 回行ってもらうように指導した．徐々に膝立ち姿勢の保持時間，膝立ちでの空間での上肢操作が向上し，作業療法終了時には膝立ちのまま空間でタオルをたたむ両上肢の操作も可能となった．

Ｉさんからは，箱折り作業の作業速度はほぼ以前と同じになったが，折りじわは作業開始 30 分過ぎから出始め，1 時間に 1～2 個は折りじわがついてしまうこと，午後は作業速度が落ち，仕上がりも悪くなることが報告された．

Ｉさんとは，①家庭での膝立ち練習の継続，②作業効率が落ちてきたら，短時間でも休憩をとること，③半年に 1 回，身体機能の確認と家庭プログラムの見直しのための作業療法を受けること，の 3 点を確認し，定期的な外来作業療法は終了した．最終評価時の COPM は遂行度 8，満足度 7 となった．

## e 本症例の特徴と作業療法の治療構造についての解説

脳性麻痺は脳の非進行性病変であるため，脳の病変自体が進行することはない．しかし，脳の病変に起因する脳性麻痺の異常な姿勢筋緊張を伴った姿勢と運動の障害は，リハビリテーションにより改善することもあれば，日々の生活で努力して姿勢保持や運動を行うことで筋緊張が亢進し，姿勢と運動の障害がより進行することもある．つまり，脳性麻痺の姿勢と運動の障害は，対象児・者のライフスタイルとも関連する．

発達過程分野の作業療法は，乳児期から学齢期の児が対象となることが多い．Ｉさんも誕生時より運動障害があり，作業療法を 1 歳半から特別支援（養護）学校高等部卒業まで継続して受けつつ，その障害とともに成長，発達してきた．作業療法は，Ｉさんの現在に至るまでの発達過程や今後の発達過程をイメージしながら治療を組み立てなければならない．

Ｉさんは，9 歳から高等部卒業まで屋内では杖歩行が可能であった．11 歳のときに下肢の手術をしたものの，高等部卒業までは運動機能を発達・維持しながら生活してきた．しかし，卒業後，杖歩行の機会はなくなり，生活のほとんどを車椅子座位で過ごすようになった．その結果，下肢の支持性，運動性は低下した．この影響は，杖歩行の困難さのみでなく，座位姿勢の不安定さ，さらに，座位を土台とする上肢操作にまで及んだ．

「統合と解釈」（➡ 201 ページ）で記述したように，痙直型両麻痺における上肢・手指機能の障害の原因は，基盤となる姿勢の安定を下肢，下部体幹で支えることができないことによる，二次的な障害が主であることが多い．Ｉさんの主訴も，上肢・手指機能の低下によるものととらえがちである．しかし，脳性麻痺（痙直型両麻痺）の臨床像とＩさんの発達過程をふまえて評価・解釈を行うことで，座位姿勢に焦点を当てた治療プログラムを導き出すことができる．

他の分野と同様に発達過程分野においても，対象児・者の活動と参加に対して支援を行うが，その原因，理由を疾病，障害特性のみでなく，それをもちながら成長・発達した発達過程としての評価の視点が重要となる．

# 2 地域の小学校におけるコンサルテーションを主とした作業療法

**特別支援教育**（➡ 40 ページ）に関与する作業療法士は増えてきている．ここでは，市区町村教育委員会の巡回相談員として担当した症例について解説する．

### 症例提示

**■一般的情報**

①**症例**：Ｊくん，男児，8 歳．地域の小学校 3 年生で通常の学級に籍をおいている．
②**診断名**：自閉スペクトラム症．
③**現病歴**：学校から U 市教育委員会にＪくんの学習についてよりよい教育方法を相談したいという依頼があり，巡回相談が実施された．

## a 巡回相談の流れ

巡回相談は，発達障害を含む障害に関する専門的な知識や経験を有する者が都道府県教育委員会などの委嘱を受けて巡回相談員として地域の各学校などを巡回し，学校の教員に，発達障害を含む障害のある児童生徒に対する指導内容・方法に関する助言などを行う．

巡回相談の多くは，病院，施設での個別作業療法と異なり１回で完結する．また，作業療法士が児童・生徒を直接支援するのではなく，作業療法からの評価と支援を担任教諭（以下，担任）や特別支援教育コーディネーターに伝えることが主な役割となる．提案する支援内容は学校，学級内で担任などが実現できなければならない．また，教材や教具などの環境調整や，教授方法の工夫などの助言も重要となる．

Ｊくんの巡回相談は，教育委員会特別支援教育課担当者，医師，教員，作業療法士からなるチームにより実施され，

①Ｊくんの学校での様子について担任，特別支援教育コーディネーターから情報収集（面接）
②国語の授業参観
③作業療法士による個別評価
④担任，特別支援教育コーディネーターと支援内容の検討

の順で行われた．

## b 初回評価

### (1) 面接

生育歴と学校での様子について担任，特別支援教育コーディネーターから情報収集した．

①生育歴

出生前・出生時，乳児期の発達に問題はなかった．１歳より保育所に入所，やや多動傾向はあったが，大きな問題とはならなかった．小学校入学直後より授業中の離席，書くことを嫌がるなどの様子がみられ始め，１年生の２学期からこの傾向は著明となった．３学期は離席はなくなったが，授業中のほとんどの時間は関係のない本を読んでいた．春休みに自閉スペクトラム症と診断された．２年生では授業への参加は増えたが，科目や授業内容により参加の程度は異なっていた．書くことについては，数字（算数の計算）は書くが，計算以外のプリントや宿題（漢字ドリル，日記）は行わなかった．この状況は３年生でも継続していた．

②主訴

担任の主訴は，「授業に取り組めない」，「書くことに抵抗がある」であった．

授業への取り組みは，科目や授業内容（単元）により差がある．算数の計算は得意だが，国語と社会は取り組むことが難しく，図書館から借りてきた本を読んでいることが多い．国語は単元により違いがあり，物語文は取り組めない印象がある．

書くことに関して，絵，数字は書くが，文字はほとんど書かない，書くよう指導しても単語や１行程度である．積極的に発言，参加した授業であっても，ほとんど書くことはない．算数も計算は書くが文章題の板書はしない．連絡帳も書くようにはなったが，国語は「こ」，算数は「さ」など，略して書いている（▶図6）．本を読むことは好きで，音読も他の児童よりもうまくできる．しかし，漢字ドリルの宿題を，１学期はまったくやっていなかったため，読めない漢字がある．漢字が読めないことで，好きな読書も嫌いになってしまうことが心配で，２学期から放課後に漢字ドリルの宿題だけはさせるよう個別に指導しているが，漢字テストは2～3割程度しか書くことができない．

### (2) 授業（国語）の観察

Ｊくんの学級は33人（特別支援教育の対象児はＪくんを含め３人）であった．観察した授業は国語の物語文「三年とうげ」で，Ｊくんは窓際の後ろの席に座っていた．机には教科書，筆記用具は出ており，配布されたプリントも置かれていた．

学級は落ち着いていた．授業は主人公の心情の

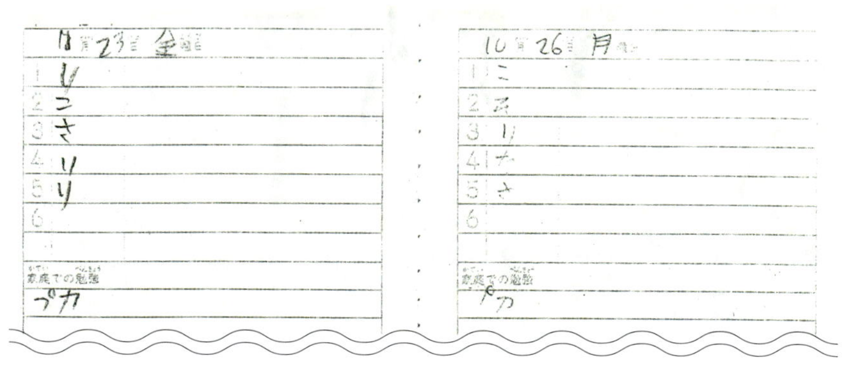


▶図６　Ｊくんの連絡帳

読み取りに関する内容であり，担任は，児童の発言を生かしながらユーモアを交え，テンポよく授業を展開していた．

Ｊくんの授業中の様子は，全員での音読時は教科書を見ているが声は出していなかった．順番に1人ずつ音読した際は，なめらかに読むことができていた．全員に主人公の心情を問う質問を担任がすると，机の中から図書館から借りてきた本(地底に関する科学本)を取り出し読み始めた．授業中，全員に対しプリントに板書を書き写すよう何回か指示があったが，Ｊくんは本を読み続け，書くことはしなかった．授業の最後にプリントを提出するため，氏名を書くよう個別に指示されたときのみ，ひらがなで氏名を書いた．

授業の合間に，担任がＪくんのそばで直接指導することは3回あった．書くことを促すことはせず，授業の内容を個別に口頭で質問していた．最初「わからん」と答えるものの，担任が「教科書に書いてあるよ」と言うと，教科書を見て，すぐに答えを言うことができた．

## C 作業療法士による個別評価

授業中の様子をふまえ，担任の主訴の「授業に取り組めない」，「書くことに抵抗がある」についてＪくんからの聴取を中心に評価を行った．巡回相談において，子ども自身からの情報収集は，担任からの情報収集と同様，もしくはそれ以上に重要である．低学年であっても，自分自身のことについて驚くほど語ってくれることもある．

### (1) 授業の参加について

作業療法士(OT)とＪくんとの会話の一部を以下に示す．

〈OT〉　今日の国語の授業はおもしろかった？
〈Ｊくん〉全然おもしろくない．
〈OT〉　0〜100点だと何点？
〈Ｊくん〉70点．
〈OT〉　意外に高いやん？　何で？
〈Ｊくん〉自分の本を読んでいたから．
〈OT〉　自分の本を読めなかったとすると何点かな？
〈Ｊくん〉40点．
〈OT〉　今日の授業が100点になるには，どうしたらいいかな？
〈Ｊくん〉話がわかりやすければいい．
〈OT〉　今日の授業はわかりにくかった？　だから，書かなかったのかな？
〈Ｊくん〉そう，人の気持ちなんてわからんから書けない．
〈OT〉　じゃあ，1番○○，2番○○みたいにしたらいけるかな？
〈Ｊくん〉いや，それでも人の気持ちはわかんない．

〈OT〉　どんなんやったらいける？
〈J くん〉答えがあるクイズみたいなやつならば書ける.

授業に参加しなかった理由として，主人公の心情を読み取ることが難しいことをあげた．これは，担任の主訴とも一致した．作業療法士は，苦手な心情の読み取りであっても，答えを選択肢で提案すれば，答えることができるかどうかを尋ねたが，選択肢があっても，人の気持ちはわからないと答えている．一方，授業が 100 点になるには，「わかりやすければいい」，「答えがあるクイズみたいなやつであれば書ける」と答えている．J くんにとって，答えが明確な算数の計算は参加ができるが，人の心情を読み取る内容が含まれた授業は理解が難しいために参加しにくいことが推測された．

### (2) 書くことについて

OT と J くんとの会話の一部を以下に示す.

〈OT〉　(J くんの連絡帳を見ながら)「り」は理科，「こ」は国語のこと？
〈J くん〉そう．「プ」はプリントで「カ」は漢字ドリル.
〈OT〉　漢字で書かへんの？
〈J くん〉漢字は面倒くさいし，これでわかるやろ.
〈OT〉　漢字ドリルはやるの？
〈J くん〉あまりやらない．面倒くさい．数字，ひらがな，カタカナ，漢字の順で面倒．書いている最中に違うことが気になる.
〈OT〉　違うことって何？
〈J くん〉読んでいる本の続きとかが気になる.
〈OT〉　なるほど，早く本を読みたいわけだ．1 つの漢字で書く回数，何回なら許す？
〈J くん〉2 回ぐらいかな.
〈OT〉　2 回で覚えられそう？
〈J くん〉少しの時間ならいけるかな.
〈OT〉　漢字覚えられないで困らない？
〈J くん〉読めないのは困るけど，書けないのはいつもは困らない.
〈OT〉　たまには困る？
〈J くん〉テストのときとか，できへん.
〈OT〉　できたほうがいいの？
〈J くん〉当たり前やん.

書かない理由について，「面倒くさい」と答え，画数が多く書く時間がかかる漢字は特に抵抗が強い．また，面倒くさい理由として，本の続きが気になることもあげている．しかし，「読めないのは困る」，「テストのときは困る」，「テストはいい点をとりたい」と，漢字を学ぶことの意義は理解していた．

また，書くことを嫌がる理由として，視覚認知の障害や記憶容量の少なさなども考えられる．作業療法士は未学習の漢字「逸」を紙に書き，J くんに 10 秒間見せたあと，見本を見ない状態で紙に書いてもらった．J くんは，やや乱雑ではあるが，正確に書くことができた．同様に「票」についても可能であった．このことから，文字形態，線の方向の把握(形態・空間認知)，文字を短時間ではあるが記憶しておくことに問題はないことが評価できた．

## d 統合と解釈

地域の小学校，通常の学級に在籍する自閉スペクトラム症の診断がある J くんの担任の主訴は，「授業に取り組めない」，「書くことに抵抗がある」であった．

### (1) 授業の参加について

心情を読み取ることの苦手さが，授業への不参加と関連していると考えた．登場人物の心情は，教科書にそのまま書かれているわけではなく，登場人物の視点に立ち，想像し，共感することが必要である．自閉スペクトラム症の中核障害として「社会的コミュニケーションおよび対人的相互反応」の障害があり，このなかには，興味，情動または感情を共有(共感)することの難しさも含まれている．Ｊくんの心情の読み取りの困難さは，障害特性によるものであり，特に国語の授業内容の理解が難しいため参加が難しくなっている．そのため，興味があり理解しやすい，事実を記載している自然科学の本を読んでいたと考えられる．

Ｊくんは，教科書に書いてあることや解答が明確なもの(事実に関するもの)を読み取り理解する能力はもっている．Ｊくんは「授業はわかりやすければいい」と述べており，これらの内容で進行する授業は，わかりやすく，参加可能な授業であると思われる．

一方，心情を読み取る授業であっても，教科書に書かれている内容をそのまま問われることも多い．しかし，Ｊくんは，いったん授業への参加が途切れると別の本を読み始めてしまう．すると，その続きが気になり，途中でやめることが難しいため，理解できる内容があったとしても，授業に参加できていない可能性がある．

### (2)　書くことについて

書く能力については，未学習の漢字を見て記憶し書くことが可能であり，記憶機能や視覚認知機能が主な原因ではないことがわかる．授業は，板書を写すだけではなく，自分が体験したことや意見・感想を書くことも多いことから，Ｊくんの書くことへの抵抗は，文字を書くことではなく，自分の考えを書くことの苦手さが原因であると考えた．

自閉スペクトラム症児は，興味や関心があることは積極的に取り組むが，興味，関心がないことは行わないことが多い．Ｊくんもこの傾向はあるが，同時に「読めないのは困る」，「テストでいい点をとりたい」という気持ちもあるため，この気持ちを生かす支援が有効であると思われる．

## e 目標設定とプログラムの立案

評価結果から，授業参加の頻度向上と書く機会の増加を目標として，以下の支援プログラムを担任，特別支援教育コーディネーターと検討した．

### (1)　授業の参加について

①授業内容が理解できるかどうかが，Ｊくんの授業参加に大きく影響する．心情についての理解は難しいため，その内容が授業の多くを占めないよう，教科書に記載されている内容を含めながら授業を構成する．

②いったん他の本を読み始めると，授業に戻りにくい傾向がある．Ｊくんが理解できる授業内容であれば，注意を向けるようにすることが必要である．その際，本を取り上げるのではなく，次に読む時間を保障すること(「この質問が終わったら，読んでよい」など)も重要である．

### (2)　書くことについて

①書くことへの抵抗は，自分の考えを文章で書くことの苦手意識が原因となっている．授業中の書く課題は，写せばよいものを中心に行う．

②漢字ドリルの宿題は，放課後，担任がついて行うことを続ける．

③短期記憶には問題はないと思われるので，漢字テストを始める前に５分程度覚える時間を児童全員に与える．

## f 作業療法経過

その後の様子について担任に確認を行った．

### (1)　授業の参加について

授業内容を工夫したことで，授業に参加する頻度は急増した．心情に関する授業への参加は難しいが，教科書に書いてある内容に関する質問は答えることができている．最初は，他の本を読んでいて質問を聞いていないことが多かったが，「この次はＪくんに答えてもらうよ」と予告をすることで聞くようになった．１か月ほどで，他の本を読む回数はほとんどなくなった．担任は「苦手な授業でも，わかる内容があることに気づき，授業に集中できるようになったのでは」と語った．

### (2) 書くことについて

書く機会を増やす目的で，配布するプリントを工夫した．プリントは長い文書や感想を書く量を減らし，記号，単語だけで書く，文に線を引くなどの内容を増やした．促しが必要ではあるが，記号や単語を書くことと，線を引くことは行うようになった．

漢字ドリルの宿題は，放課後は友だちと遊びたいという理由で，休み時間に行うようになった．テスト前に5分の時間を与えたことで，6割程度は点数がとれるようになった．Jくんも自信がついたのか，以前に比べ積極的に漢字学習をするようになってきた．

### (3) その他

以前は，授業に参加しないJくんを非難する友だちも多くいた．最近は，Jくんが授業に参加することや，漢字学習を頑張っていることを認め始めたことで，Jくんへの対応が優しくなっている．学級全体の雰囲気もよくなっている．また，プリントを変えたことは，学習に取り組みにくい他の児童にもよい影響を与え，授業に集中できる児童が増えた．

## 9 本症例の特徴と作業療法の治療構造についての解説

自閉スペクトラム症は，「複数の状況での社会的コミュニケーションおよび対人的相互反応における持続的な欠陥」，「行動，興味または活動の限定された反復的な様式」の2つの中核症状をもつ神経発達症（発達障害）である．Jくんの主訴である，「授業に取り組めない」，「書くことに抵抗がある」は，「社会的コミュニケーションおよび対人的相互反応の欠陥」に起因したものであると考えられる．これらの障害は友人関係のみでなく，心情の読み取りが必要な国語の学習にも影響がある．知的能力障害児は，教科学習が一律に困難となるが，発達障害の場合，教科による違いや同じ教科のなかでも単元（内容）による違いがあることも多い．

自閉スペクトラム症児は国語のなかでも，説明文よりも物語文を苦手とする．説明文は事実について記述され，書かれていることしか問われない．一方，物語文は書かれていないこと（多くが登場人物の心情に関する内容）を推測しなければならず，これには自閉スペクトラム症児が苦手な共感，想像性の能力が必要となる．書くことについても感想や自分の意見を書くことが要求される．自閉スペクトラム症児は，他者の感情の推測のみでなく，自己の感情を認識することの難しさもあるため，感想や意見を書くことは苦手なことが多い．

作業療法は苦手（困難）な能力を伸ばすのみでなく，できる（得意な）能力を活用することも重要である．Jくんは，教科書に書かれている内容は理解できるため，授業のなかにわかる内容を取り入れたことで，授業への参加を促進することができた．書くことについても，プリントに記号や単語などの少ない量かつ事実に関する内容を書くということを増やす工夫で，書く機会が増えた．また，漢字テストもテスト前に5分間の勉強時間をつくることで，点数が上がった．これも，書かれている内容は理解できる，短期記憶に問題がないというJくんの長所を生かした支援方法であり，点数がとれることで，積極的に勉強するという，よい循環が生じたと考える．さらに，Jくんが学習に取り組む姿は，学級内での対人関係にもよい影響を与えた．

今回，担任が行った支援のうち，プリントの工夫や漢字テスト前の勉強は，学級全員を対象としたものであった．学級内にはJくんのほかにも，さまざまな発達上の課題がある児がいる．Jくんの支援は，他の児童にとっても有効な方法であった．

対象児の臨床像を正確にとらえることは，どの疾患，障害においても重要である．しかし，作業療法士による個別支援が難しい学校では，担任が実施可能な支援を考えることが不可欠である．さらに，その際，対象児のみでなく学級の子どもたち全員にとって有効な支援でなければならない．なぜなら，学校は対象児だけでなく，すべての児童・生徒の発達を保障しなければならない場だからである．学校での支援は個の視点のみでなく，学級，学校全体を支援するという視点が大切である．

●引用文献

1) Law M, 他(著)・吉川ひろみ(訳)：COPM—カナダ作業遂行測定. 第4版, 大学教育出版, 2007
2) Bovend'Eerdt TJH, et al: Writing SMART rehabilitation goals and achieving goal attainment scaling: a practical guide. *Clin Rehabil* 23:352–361, 2009
3) Schut HA, et al: Goals in rehabilitation teamwork. *Disabil Rehabil* 16: 223–226, 1994
4) 日本作業療法士協会：学術・研究. https://www.jaot.or.jp/ academic_committee/
5) Russell D, 他(著)・近藤和泉, 他(監訳)：GMFM 粗大運動能力尺度—脳性麻痺児のための評価的尺度. 医学書院, 2000

# 4 高齢期分野における作業療法の実際

「人生 100 年時代」といわれるように，わが国の高齢化は世界最高水準にある．この状況は長寿化だけが原因ではなく，少子化が拍車をかけたものである．75 歳以上の後期高齢者の増加により，家族構成や居住状況の変化が予測されている．実際，高齢者のいる世帯数は 30 年前に比べて 2 倍以上に増加している．高齢者単独世帯は全世帯の 4 分の 1 を占め，「夫婦のみ世帯」と合わせると半数を超える[1)]．

長寿時代にふさわしい個人の生き方を考えるとき，老化は個々の生活の質（quality of life）に大きな影響を及ぼす．本項では，高齢期の人を対象とした作業療法を考える．

## A 高齢期分野における作業療法の原則

### 1 作業療法の目的

2018 年に日本作業療法士協会により新たに示された「作業療法の定義」が**表 1**[2)] である．この定義に合わせて高齢期の作業療法の目的を考えるとき，定義に加えられた 5 つの註釈が意味をもつ．

最初の 2 つの註釈では，作業療法の基本理念と対象が示されている．作業療法は「作業を通して健康や幸福になる」という基本理念に基づき，高齢であっても，障害や病気をもっていても「健康や幸福」の意味を大切にしなければならない．そして，高齢者，老い，人生，とりまく環境，日々の作業を対象とする研究結果から得られた学術的根拠に基づいて作業療法は行われなくてはならない，ということである．続く 2 つの註釈は「作業」の解釈である．作業の範囲と形態，作業の価値や期待などの意味について説明している．最後に，作業に焦点を当てた実践が強調されている．

ここからみえる高齢期における作業療法は，日々の生活における活動性を高め，作業に従事することで家庭や社会への参加を促し，1 人ひとりの生きがいや自己実現を支援し，健康と幸福の促進を目的とすることといえる．

**表 1　日本作業療法士協会による作業療法の定義**

作業療法は，人々の健康と幸福を促進するために，医療，保健，福祉，教育，職業などの領域で行われる，作業に焦点を当てた治療，指導，援助である．作業とは，対象となる人々にとって目的や価値を持つ生活行為を指す

（註釈）
- 作業療法は「人は作業を通して健康や幸福になる」という基本理念と学術的根拠に基づいて行われる
- 作業療法の対象となる人々とは，身体，精神，発達，高齢期の障害や，環境への不適応により，日々の作業に困難が生じている，またはそれが予測される人や集団を指す
- 作業には，日常生活活動，家事，仕事，趣味，遊び，対人交流，休養など，人が営む生活行為と，それを行うのに必要な心身の活動が含まれる
- 作業には，人々ができるようになりたいこと，できる必要があること，できることが期待されていることなど，個別的な目的や価値が含まれる
- 作業に焦点を当てた実践には，心身機能の回復，維持，あるいは低下を予防する手段としての作業の利用と，その作業自体を練習し，できるようにしていくという目的としての作業の利用，およびこれらを達成するための環境への働きかけが含まれる

2018 年 5 月 26 日承認

〔日本作業療法士協会：作業療法の定義（2018 年 5 月 26 日定時社員総会にて承認）．https://www.jaot.or.jp/about/definition/より〕

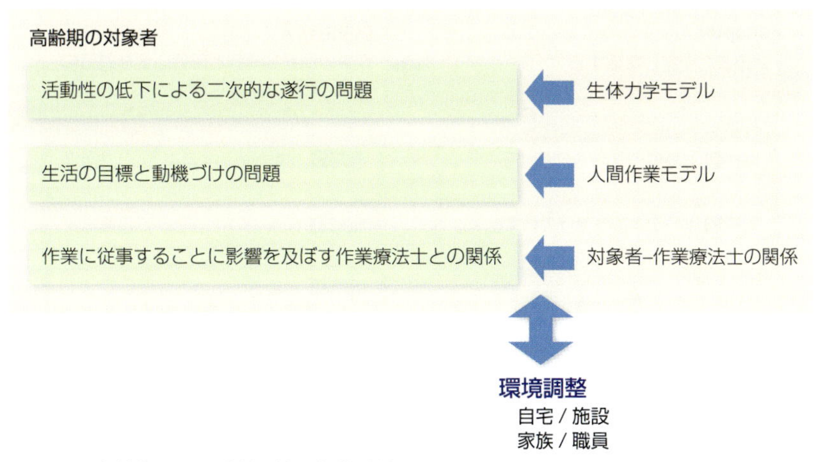


▶図 1 高齢期にある対象者の作業療法

## 2 作業療法の枠組み

作業療法の定義に合わせた実践を行うには，高齢期を人生のまとめの時期としてとらえる基本的観点が重要になる．高齢者は長い時間を費やしてつくり上げた習慣をもっていることが多い．しかし，老化や病気，障害による能力の変化と環境の変化が，これらの習慣を困難にさせてしまう．同時に仕事からの引退や配偶者を失うといった状況の変化は，時に高齢者に新たな習慣の獲得を強要する．こうした状況の変化にとまどう高齢の対象者は多い．そのために，対象者がどう感じ，どう考えているか対象者自身の語り（ナラティブ）[3]を手がかりに探り，対象者の家族とともにチームでの支援が必要となる．

### a 作業療法実践モデルの利用

高齢者の作業療法を展開するためには，複数の実践モデル[4]が用いられている．**図 1** に高齢期にある対象者の作業療法に共通する実践モデルを示す．

まず，加齢と障害による運動機能の変化に対して，生体力学モデルが使われる．**廃用症候群**（➡42 ページ）の予防にも重要な実践モデルであり，関節可動域（ROM），筋力，持久力に働きかけるために作業をどのように用いるかが作業療法士の視点となる．次の人間作業モデル[5]は，高齢者にとって生活目標や動機づけとなる作業の意味や，機能の状態に，疾患や障害がどのように影響しているのかを知り，その人にとって大切な作業を続けるためにどのような支援を必要とするのかを確認する．

このほか，作業療法過程のなかで展開される対象者–作業療法士の関係が，高齢者の作業従事に影響を及ぼすこともある．作業療法士との交流や治療的雰囲気は，高齢者が活動に参加することを支援し，心身機能を強化することが期待できるのである．

このように複数の実践モデルが用いられており，組み合わせることにより，広い視野で対象者をとらえることが可能となる．

### b 対象者中心

人生をまとめ上げる段階にある高齢者自身のもつ問題を整理し，作業に焦点を当てるということは，対象者中心の実践[6]になる．高齢者自身が感じているニーズや問題に対してサービスを提供するのであるから，そのニーズや問題の把握は対象者である高齢者が行うべきこととなる．しかし，高齢者の不安は漠然としていることが多く，高齢者だけでは明確にすることは難しい．問題を定め

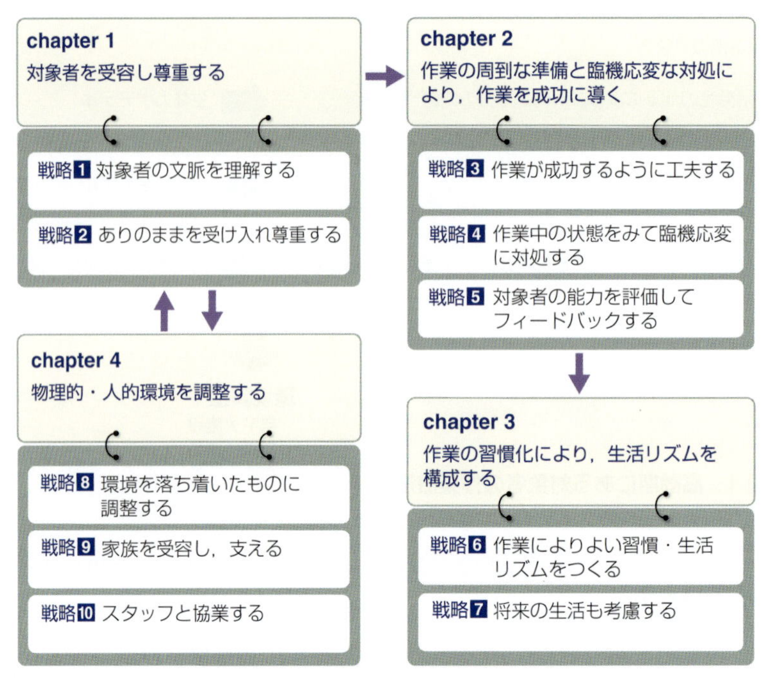


▶図 2　高齢者を対象とした作業療法士の実践的 10 の戦略
〔村田和香：“私らしさ” を支えるための高齢期作業療法　10 の戦略．医学書院，pp1–5，2017 より〕

るために，サポートするスタッフ，家族とともに整理することも必要である．

このほか，身体機能改善を集中的に取り組む個別のアプローチ，認知症高齢者に対する認知症の特徴に合わせたアプローチ，歩行・排泄などの日常生活活動(ADL)や調理などの手段的日常生活活動(IADL)，社会参加などの生活行為の向上に焦点を当てたアプローチなど，対象の高齢者の状態に応じた多様な機能をもつアプローチが行われる．

## 3 評価と治療の方法

### a 高齢者の評価

高齢者個人の日常生活の遂行能力と文脈のなかで，適切な治療・援助プログラムを実施しようとすると，多くの疑問が生じる．たとえば，対象者は日常のどんなことが思うようにできないでいるのだろうか，それは何が原因となっているのだろうか，本当にやりたいことを我慢してはいないだろうか，楽しく笑うことができる時間はあるのだろうか，感じている不便さは何だろうか，家族や友人との関係はどうであろうか，などの個々の生活環境のほか，社会参加や社会貢献への意欲など，知りたいことはたくさんある．これらの疑問は，老化，個別性，環境の影響などのさまざまな状況のなかで，高齢者自身が何をしたいのか，どのようにするのか，これからどうするのか，として整理するものであり，これが高齢者の評価となる．

### b 作業療法の 10 の戦略

高齢者を対象とした作業療法の戦略を図 2[7] に示す．作業療法の実践は，高齢者個人を受け止め尊重し，作業を成功するよう準備し，作業の習慣化により生活リズムをつくり出すことが重要であり，そしてそのために環境を調整する戦略を用いている．

### (1) 対象者を受容し尊重するための戦略

高齢期に必要とされる心身機能は，生活環境によって大きく異なるため，次の2つの戦略が核となる．なお，老化の速度やパターンは個人差が大きいため，年齢はそれほど意味をもたない．

**戦略1：対象者の文脈を理解する**

高齢期の対象者を受容するために，まず，個々人の文脈を理解する必要がある．文脈とは，一連の大きな流れ，道筋，脈絡，あるいは事柄の背景や周辺の状況を含む．作業療法士は高齢者の生きている社会や文化のシステムを含めた環境を理解する必要がある．それぞれの高齢者の文脈によっては，同じ出来事でも異なる解釈となる．高齢者の文脈を理解するためには，語りを重視する(ナラティブリーズニング)，それぞれの文脈での事象を理解する，人生のテーマをネーミングするなどの方法が役立つ．

**戦略2：ありのままを受け入れ尊重する**

この戦略は高齢者に安心感をもたらし，また高齢者との関係をつくり出そうとするときに必要な行動である．人生の先輩である高齢者の経験や考え方に敬意をはらうことは，信頼関係を築くことにつながる．たとえば，味方だと伝える，拒否されたときには引き下がる，対象者のニーズを尊重する，アイデアや工夫を大切にする，作業選択の機会を提供する，大切なことや物を整理する，話を傾聴する，そばで見守る，わかりやすく説明するなどがその方法である．

### (2) 作業の周到な準備と臨機応変な対処により，作業を成功に導く戦略

失敗は対象者に自信を喪失させ，「老い」や「衰え」に結びつきやすいものである．そのため，高齢者を対象とする作業療法では，失敗させないこと，成功につなげることが大切であり，次の3つの戦略をもっている．

**戦略3：作業が成功するように工夫する**

提供した作業が成功し，さらにその成功の体験を積み重ねるためには工夫が必要である．たとえば作業の導入を工夫する，なじみの作業を用いる，失敗の不安を取り除く，道具の使い方のコツを伝える，作業に習熟するために段階づけをする，成功を次の作業につなげる，高齢者自身が自分の作品と思うことができるようにする，問題を予知し先の見通しを立てる，ストレス発散の場にするなどである．

**戦略4：作業中の状態をみて臨機応変に対処する**

高齢期であることを考慮し，慢性疾患や障害の症状を管理する行動である．臨機応変に対処するためには，観察する視点と柔軟に対応するための心構えが必要である．高齢者の行動や反応を注意深く観察することで変化の徴候やパターンを把握し，痛みにはすぐに対応するなど，いつでも対処できるようにする．

**戦略5：対象者の能力を評価してフィードバックする**

高齢者のありのままを評価し，適切に情報をフィードバックする．高齢者の全体的な状況，あるいは作業遂行に関する作業療法士の見解を伝えることが必要である．フィードバックにより，高齢者が自分の能力を正しく認識し，問題を理解できるようになる．また互いの考え方を理解することにより，協同関係も強化される．

### (3) 作業の習慣化により，生活リズムを構成する戦略

高齢期の対象者は退職，病気，大切な人の死などによって，生活が大きく変わる場合がある．そのとき，老化によって，新たな環境や課題への適応が難しくなることが多い．老化していく身体や障害をかかえながら習慣を維持するには，これまでのやり方を工夫する必要も出てくる．次の2つはそのための戦略である．

**戦略6：作業によりよい習慣・生活リズムをつくる**

高齢者のおかれている環境のなかで，安定し，パターン化した作業遂行を可能にするための戦略である．高齢者は，これまでの習慣と新しい日課や役割とのバランスを保つことの難しさ，新たな役割を選択し上手に統合させることの問題，そして，これまでの人生で定着してきた行動を変える

うえでの困難さなどを多く経験することが多い．高齢者は役割喪失や習慣の変化を，外からの圧力によって引き起こされたものと感じ，個人の好みとは異なるものとみなすことがある．役割をもつ，社会的役割を果たせるようにする，作業により日課をコントロールする，作業の習慣により生活のなかに余裕をつくる，作業バランス[8]を整えるなどの方法で対応する．

**戦略 7：将来の生活も考慮する**

将来を考え，それに備える能力は，状況の変化に適応することを助けてくれる．高齢者は昔話を多くするので，過去を生きていると思われることが多いかもしれない．しかし，どのような年齢であっても今を生きている．将来を予測し準備すること，疾病・障害をもちながらこれからどう生きるかを考えることが大切である．

**(4) 物理的・人的環境を調整する戦略**

老化による機能や能力の低下を理由とした喪失体験は，対象者がこれまでもち続けてきた拠り所や生きる意味を失うことにつながりやすい．そのため，環境調整は重要であり，次の 3 つの戦略をもっている．

**戦略 8：環境を落ち着いたものに調整する**

作業に専念するために，安心できる物理的環境および人的環境を調整する．まずは，環境からの感覚刺激をコントロールすること，なじみの環境をつくること，そして，長くかかわることである．高齢者を対象とした環境調整にあたっては，高齢者が自分の環境をどのように認識しているかを把握しておくことが重要である．

**戦略 9：家族を受容し，支える**

高齢者は，人生の大切なことを自分 1 人で決める機会が少なくなる．たとえば，施設に入るか家で生活するか，家を改修するかなど，重要であればあるほど，家族の意向が影響する．また，高齢者とともに生きるために，家族もクライエントという考え方が必要である．そのため，家族のストレスを発散させる，家族に教育的にかかわる，変化をフィードバックし家族の変化を促す，高齢者の文脈を理解し家族に通訳するという方法が期待される．

**戦略 10：スタッフと協業する**

リハビリテーションにかかわる多職種との協業である．高齢者の支援のために，情報交換を行うことと，スタッフ全体で高齢者やその家族もチームのメンバーと意識することが必要である．

## B 高齢期分野における作業療法の実際

これまで述べてきたような高齢者に対する作業療法の役割を学ぶために，具体例を通して検討しよう．地域生活を支えるリハビリテーションには，通院通所と訪問とがある．その 2 事例を示し，高齢期の作業療法過程を考えてみたい．

### 1 通所リハビリテーション

老人ホーム入所者に通院で実施した作業療法（通所リハ）の事例[9]を紹介する．

#### 症例提示

**■一般的情報**

①**症例**：K さん，女性，70 歳代後半．**養護老人ホーム**に入所している．

②**診断名**：脳出血による右片麻痺，廃用症候群．

③**家族状況**：養護老人ホームに入所前は，自宅で夫と 2 人暮らし．

④**既往歴**：14 年前の脳出血により，右上下肢に軽

**Keyword**

**養護老人ホーム**　65 歳以上のものであって，身体上もしくは精神上または環境上の理由および経済的理由により居宅において養護を受けることが困難な人を入所させ養護することを目的とする施設．

度の麻痺，手指のしびれ感が残っている．

⑤**入所の経緯**：3か月間の入院治療後に自宅へ退院し，夫と協力して家事をする生活を12年間続けていた．1年前に，夫が階段から転落し骨折治療のために入院となった．夫は自宅への退院が困難で，自宅に近い**介護療養型医療施設**に入所した．夫の入院先が近くであるため，Kさんはそのまま自宅で生活することを望んでいた．しかし，遠方にいる子どもはKさんが1人になることを心配し，またKさんも1人で生活する自信がもてず，自宅から離れた養護老人ホームに入所した．

老人ホームでは，おしゃべりとテレビで時間をつぶし，ベッドで横になる時間が多かった．本来できる身のまわりの活動も，介護職員からの「手伝わせて」を断ることができず，介助を受けるようにしていた．

介助を受ける毎日は，活動性の低下から身体機能に影響を与えた．Kさん自身は，できないことが増えてしまうと不安を感じていた．そのようなとき，他の入所者が病院でリハビリテーションを受けていることを知り，自ら希望して週に1回の通院リハビリテーションを受けることになった．

初回時にKさんが語ったリハビリテーションへの期待は，「エプロンの紐結び」，「箸の使用」，そして「食器の片付け」ができるようになりたいという生活に密着したものであった．

## a 評価および問題点の抽出

リハビリテーションの開始は，Kさんが老人ホームに入所した6か月後であった．老人ホームでは，できていた身のまわりのことも介助されるのが当たり前の環境におかれていた．そのため，生活者の役割を失い，活動の制限により廃用性の機能低下が予測された．

以上より，Kさんには生活機能からのアプローチが必要と判断し，理学療法と同時に作業療法が処方された．作業療法では，希望した活動の生活場面における可能性を評価した．

### (1) 生活の場である老人ホームにおける作業の状態

#### ① ADL

階段以外の移動は可能で，杖をついて自由に老人ホーム内を歩いていた．食事は麻痺の残る右手で箸を操作していたが，つまみ損ないがあるため先割れスプーンを併用していた．更衣はボタン留めとエプロンの紐結びに介助が必要であった．入浴は監視下で行い，整容とトイレは問題なかった．

#### ②家事活動

食器の後片付けとして，皿を乗せたお盆を運び，返却台の上に置くことができなかった．また洗濯やシーツ交換など，生活全般で介助を必要としていた．

#### ③趣味的活動

他の入所者とのおしゃべりは楽しみであったが，テレビは暇つぶしであった．かつて夫と一緒に何かをすることを楽しみとしていたが，その機会はまったくなかった．

### (2) 遂行能力

#### ①運動技能

片麻痺の影響から，右肩甲骨周囲および上腕の緊張の高まりと疼痛，しびれが運動を制限していた．また，上肢と手指の筋力低下があった．そのため，巧緻性の低下となり，細かな物品操作に時間を要し，特に箸の操作にはぎこちなさが目立った．

#### ②処理技能

日常生活に影響が出るほどの認知機能の低下はみられなかった．しかし，外出の準備など時間を気にしなければならなかったり，持ち物が複数になるなど，判断が複雑になると混乱し，用意した荷物を忘れたりすることがあった．また，自分の前側で見ながらのエプロンの紐結びは可能であっ

**Keyword**

**介護療養型医療施設**　長期にわたって療養が必要な高齢者を受け入れ，可能なかぎり自宅で自立した日常生活を送ることができるよう，機能訓練や必要な医療，介護を提供する施設．2024年までに廃止されることになっている．

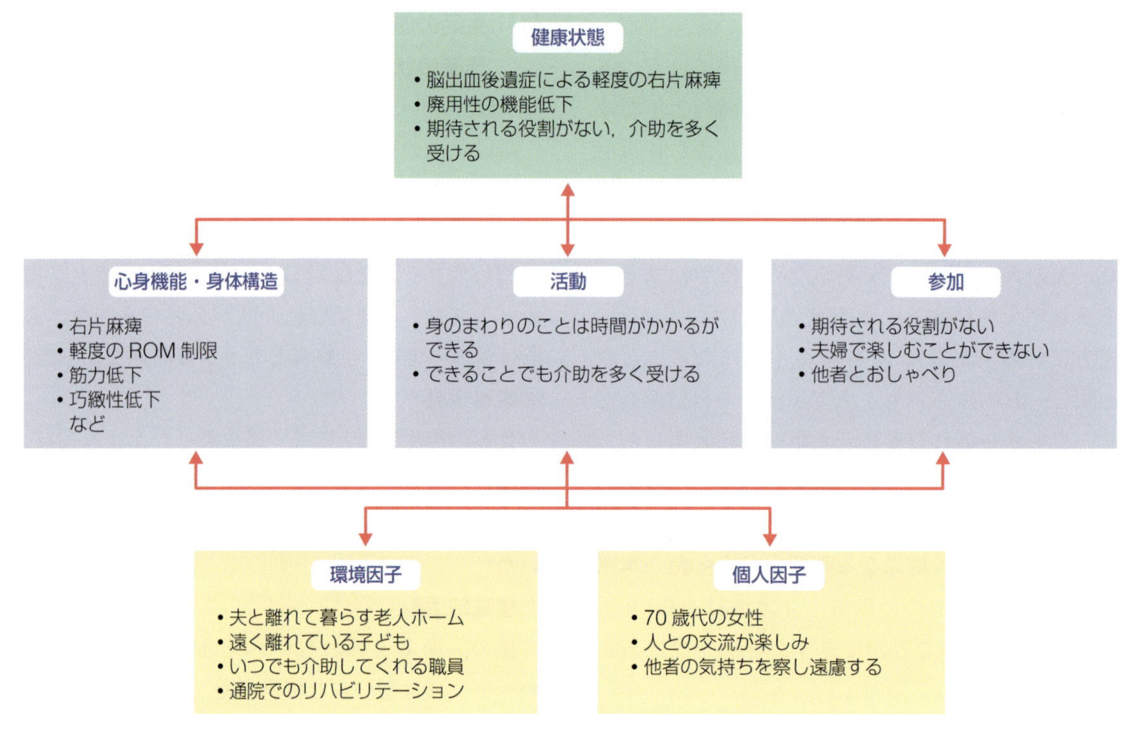


▶図 3　国際生活機能分類(ICF)に基づいた K さんの全体像

たが，背後で結ぶことはできなかった．

**③コミュニケーションと対人交流技能**

コミュニケーションは問題なく，施設スタッフや他の入所者に意思を伝えることができていた．しかし，相手への気遣いや遠慮から，家族やスタッフに対して本心を伝えられない様子があった．生活の場にはいない病院スタッフには，「ここに来て話すのが楽しいの」と，初対面から積極的に話しかけていた．

**(3) 生活パターン**

老人ホーム内では，食事前後のおしゃべりを楽しむほかは，ベッドの上で過ごすことが多かった．横になっているときは，テレビをつけてはいたが楽しんでいるわけではなかった．K さんは限られた身のまわりのことを行うのみで，期待される役割はなかった．

夫と離れて老人ホームに入所してからは，夫のことは気にかけてはいても見舞うことはなかった．外出機会のない状態であり，週 1 回の通院リハビリテーションが唯一の外出機会であった．

**(4) 環境**

老人ホームの段差や階段などがバリアにはなったが，屋内は自由に移動できていた．少しでも困難なことは介助を受けることができ，スタッフからの介助の申し出も多くあった．

遠方にいる子どもからの訪問はほとんどなかった．夫とも電話で数か月に 1 度連絡をとる程度であり，K さんの不安や孤独をサポートできていなかった．

## b 統合と解釈

国際生活機能分類(ICF)で K さんの状態をまとめる(▶図 3)．脳出血後遺症の右片麻痺の程度は軽く，夫と 2 人で暮らす生活に適応していた．しかし，夫の入院と自らの老人ホームの入所によって，役割の喪失と介護を多く受ける経験をしていた．麻痺，ROM 制限，筋力低下，巧緻性の低下が身体機能の問題としてあった．そのため，いつ

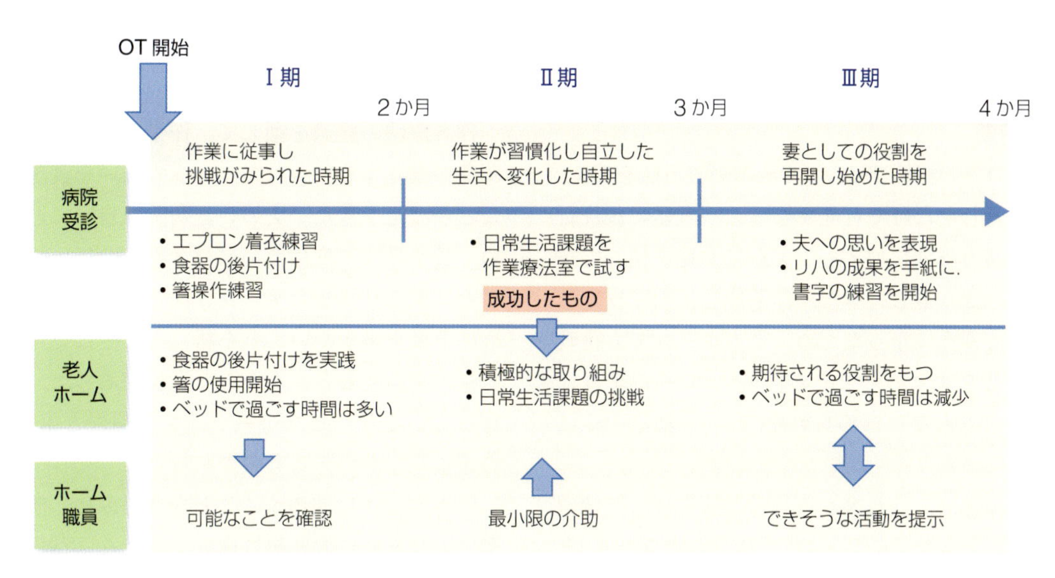


▶図 4　K さんの作業療法経過

でも介助してくれる職員の存在が安心であると同時に，できることでも介助を受ける生活になっていた．

K さんは，片麻痺に加えて，夫と離れたことによる不安が自信喪失の原因となっていた．できることもやらなくてよい状況を受け入れたため，役割や挑戦の機会を失い，自信や，さらなる技能の低下を進ませた．結果，いっそう介助量が増大するという悪循環となっていた．

## c 目標設定と治療プログラムの立案

通院は週に 1 回であり，理学療法も受けるため，作業療法は 20 分の実施であった．

初回時の情報から，K さんの話をよく聞き，意思を尊重するようかかわること(戦略 1・2)に重点をおいた．信頼関係の構築をはかり，一緒に今後の目標を確認していくこと，最終的には K さん自身が目標を掲げることとした．そのため，K さんが日常生活に自信がもてるよう，目指す活動の具体的な説明やできたことへの称賛のフィードバックを行うこととした(戦略 3・4)．同時に，廃用性の機能低下の予防も目的とした．さらに，できることを増やしていく機会を提供できるよう老人ホームの環境調整(戦略 8・10)を検討した．

プログラムを以下に示す．

①右肩甲骨周囲，右上腕の緊張の高まりによる疼痛に対する ROM 訓練とストレッチ：ベッドで行いながら，K さんの話を聞き，作業歴などを整理し確認する．

②エプロンをつけて食器を片付ける：エプロンの紐結びは視覚的情報を使うことはできたため，可能な着衣方法を指導する．食器の後片付けのための筋力訓練に加え，重りを乗せたお盆の挙上練習を行う．

③箸の操作：箸の種類，つまむものの大きさなどで段階づけをする．

④老人ホームの職員に K さんの状況を伝える：詳細な評価を実施したのちに，時期をみて職員に介助方法の説明・導入をしていく．

## d 作業療法過程

K さんの作業療法の経過を 3 期に分けてまとめた(▶図 4)．

#### (1) Ⅰ期(作業療法開始～2 か月)：意味ある作業に従事し，老人ホームでの挑戦がみられた時期

エプロンの紐結びは，前で結ぶ着衣方法を伝え，数回実施しただけで可能となった．食器の後片付けは，筋力訓練に加えて，実際にお盆を使って挙上訓練を繰り返し行った．作業療法室内で安定して行えるようになったため，老人ホームでも挑戦することをすすめた．その結果，「できるようになった．みんなにほめられた」と，うれしそうに報告していた．

箸の操作は，ばね箸から通常の箸を使った練習へ移ったときに，K さんは「これならできそう」と判断した．そのため，老人ホームでも箸の使用を始めるようになった．繰り返し行うことで，ぎこちなさは軽減された．

しかし，ベッドに横になって過ごす時間は変わらず多く，他の入所者とのおしゃべりとリハビリテーションに通うことだけが，生活の楽しみだった．

#### (2) Ⅱ期(作業療法開始 2～3 か月)：意味ある作業が習慣化し，自立生活へと変化した時期

エプロンを身につけて食器の後片付けと箸の操作ができるようになった K さんは，作業療法室で成功したことを，老人ホームでも実践するようになり，自信をつけていった．さらに，新たな挑戦の機会をもつようになっていた．たとえば，老人ホームで洗濯物を干すことやたたむこと，シーツ交換などを「できないと思っていたけれど，いろいろできるようになったから，リハビリになると思ってやっているんだ」，「できたときにみんなほめてくれるからうれしいよ」と，積極的に取り組んだ．

そのため，老人ホーム職員は介助量を必要最小限にとどめるようにした．K さんは「できることは何でもやる」と，積極的な生活を送るようになり，老人ホームの生活者としての役割を獲得していった．

#### (3) Ⅲ期(作業療法開始 3～4 か月)：妻としての役割を再開した時期

作業療法の経過を通して，作業療法士との信頼関係が成立するにつれて，夫への思いを表現することが増えてきた．夫のいる病院は自宅に近いため，数か月に 1 度は会いに行きたいと思っていること，夫にリハビリテーションの成果を伝えるために手紙を書きたいことを語った．そこで，葉書で様子を伝えると，夫からも返事があった．夫の行っているリハビリテーションの報告と K さんの頑張りをたたえるものであった．

K さんは夫に報告することを楽しみに，他の作業にも意欲的に取り組み挑戦するようになった．

### e 結果

作業療法場面では，K さんのニーズに合わせた実践により，エプロンを身につけて食器を片付けたり箸を使ったりと，できることを確認していくことで自信を取り戻し，生活の場での挑戦につながった．

老人ホームでの取り組みは習慣となり，そこでの成功体験から洗濯やシーツ交換にも挑戦した．老人ホームの職員からも活動を提案されるようになり，役割が期待された．そのため，ベッドで過ごす時間は少なくなり，洗濯や掃除などが仕事に加わり，生活者としての役割を果たすようになった．

### f 本症例の特徴と作業療法治療構造についての解説

本症例の 70 歳代後半の K さんは軽度の麻痺があるが，夫と 2 人で支えあって日常生活を送ってきた人である．以下，時系列に沿って本症例の特徴と作業療法治療構造について解説する．

#### (1) 活動性低下の原因

老人ホームの入所により活動性が低下した原因として，次の 3 つが考えられた．

①「できないかもしれない」と自分の能力に自信がもてなかったこと

②夫と離れ，妻や主婦としての役割が失われたこと
③いつでも介助を受けることのできる環境への変化

**(2) 自信につなげ，役割の獲得へ**

具体的な説明を受けて開始し，できたことへの正のフィードバックを得たことで成功の実感を強くもち，自信につながったと考える．

できるという自信をもったKさんは，老人ホームでも積極的になり，生活のなかで継続した参加が得られるようになった．さらに，Kさんは身のまわりの活動から家事をする者としての役割を担うようになり，施設内での生活者の役割を獲得することができた．これには作業療法士との信頼関係も影響していたと思われる．

リハビリテーションの成果を報告し，夫から称賛を受けることが喜びとなり，幸福感を得るようになった．つまり，夫に報告するという作業が妻としての役割を感じることのできる意味ある作業となり，協力して生活を送っていたときのような夫婦関係が再確認されたと考えられる．

**(3) 作業療法士との信頼構築**

Kさんの語った具体的な希望に対して，生活の場である老人ホームでは話せなかった思いや考えを表出できる機会をつくり傾聴を行ったことで，信頼関係が構築され，作業療法士の称賛を素直に受け入れ自信をつけることができたと考える．また，この信頼関係により，夫の存在を意識し，その思いの表出につながり，Kさんにとって夫が大きな存在であることが明らかとなった．

## 2 訪問リハビリテーション

老後のあり方を考える訪問作業療法（訪問型リハビリテーション）の事例を紹介する[10]．

### 症例提示

**■一般的情報**

①**症例**：Lさん，女性，60歳代後半．
②**診断名**：右視床脳出血．
③**家族状況**：70歳代前半の夫，2人の娘と同居．
④**生活歴**：隣家には息子家族が住んでおり，親戚づき合いや友人との交流が多かった．夫の定年退職後は，年に数回の夫婦での旅行が恒例となっていた．孫の成長を楽しみにしているよき祖母でもあった．
⑤**現病歴と経緯**：右視床から内包に至る脳出血のため，重度の左側の運動麻痺と言語障害が出現し入院となった．入院3日目から理学療法，作業療法，および言語療法が開始された．

理学療法は寝返り，起き上がり，座位保持，立ち上がりといった基本動作の再獲得から，車椅子操作，杖歩行へと展開した．

言語療法ではコミュニケーション機能と摂食・嚥下機能の回復を目指した．

作業療法では，認知機能障害のスクリーニングやADLの能力向上を目指し，実際の日課に合わせた時間帯でADLを支援するよう実施した．また，安全に車椅子移乗するための練習を行い，起きている時間を増やす働きかけをした．たとえば，麻痺があり病衣の寝巻でいることを「惨め」と表現していたため，更衣の練習は起床後の実際の着替えの場面で実施した．ベッドサイドで病衣から着替える洋服と靴下を選ぶことところから一緒に行った．さらに，作業遂行中の視覚的刺激に多く反応するなど，注意の問題が目立ち始めてきたため，刺激を調整し提供することも治療計画に加え，興味や発症前の生活の話を聴いた．

入院期間中，Lさんの夫はほぼ毎日見舞いに来た．そこで，退院後の生活について夫も一緒に話し合い，自宅の改修に関する情報を提供し，経過

を確認することができた．6 か月間の入院中に自宅は改修された．

退院後，QOL の向上および機能維持を目的に，週 1 回の訪問リハビリテーションを開始した．

## a 評価および問題点の抽出

初回訪問は発症から 6 か月経った退院後であり，L さんの夫と 2 人の娘が同席した．L さんは障害をもったことにより，これまでの生活を壊され，人生設計が狂ってしまったと感じており，不安を示した．麻痺の回復が自分の生活を改善すると信じ，自由に歩くことができるようになればもとに戻ると考えていた．そこで，L さんが自分の生活と環境をどのように取り戻すことができるかに注目し，意味のある作業遂行が可能かどうか，自宅環境を確認しながら，ADL および家事活動の評価を中心に行った．

### (1) 自宅での作業の状態

**① ADL**

杖をついて移動することは可能であったが，転倒を恐れて車椅子を使うことを望んでいた．屋外へ出ることはまったくなかったが，外出時には車椅子を想定していた．両手動作ができず，身辺処理のほとんどを右手で行っていたため車椅子の操作が困難で，介助が必要だった．食事は右手で可能だったが，食器を支えることができなかった．また，食べこぼしやむせがみられた．入浴は浴槽の出入りと洗体に介助を必要とし，下衣の上げ下げが困難なために，更衣と排泄は時間がかかった．

**②家事活動**

病前担っていた家事はまったくできないものの，する必要がなくなったものと考えていた．代わりに，隣家に住む息子の妻と同居する娘が家事を分担していた．

**③趣味的活動**

外出しないため，かつての社交的な姿はみられなかった．夫と離れることに不安を示し，一緒にいることを望み，2 人で昔話をしていた．発症前に多くの時間を費やしていた趣味は夫婦ともにまったく行えていなかった．

### (2) 遂行能力

**①運動技能**

片手で行うために，両手を用いることや固定の必要なことはできなかった．また，疲れやすく休憩が必要であったが，姿勢のバランスはよかった．

**②処理技能**

1 人になるとボーッとするが，気になったことがあるとそれにとらわれ，落ち着かなかった．集中力が持続できない**持続性注意障害**はあるが，家族が受け入れ可能な程度であった．また，問題が生じる前に，助けを呼ぶ慎重さがある一方で，自ら解決しようとすることはなかった．

**③コミュニケーションと対人交流技能**

コミュニケーションについては，顔を合わせたときの会話には問題はなかった．しかし，電話では聞き取りにくい発音のため，相手に何度も聞き返されることが多かった．もともと社交的な性格であり，コミュニケーション技能も長けていたが，障害のある姿を他者に見せることを嫌い，人と接する機会を少なくしていた．

### (3) 生活パターン

起床後，手伝ってもらい着替えや洗顔などの身支度をし，そのあとは居間で過ごし，疲れるとベッドで休むという日課であった．食事は夫婦に加え，朝食は娘，昼食は息子の妻とともにした．日中は夫婦のみで，夫が片時も離れることはなかった．排泄の失敗を恐れ，人の目を気にして外出をしなかったため，行動範囲は広がらなかった．退院後，主婦の役割をもたず，その代わりを娘と息子の妻が担っていた．

### (4) 環境

夫はがんのため，入院加療の予定であったが，

**Keyword**

**持続性注意障害**　注意障害は症状によって分類することができる．物事に対しての注意，集中できる時間が非常に短くなるものを「持続性注意障害」という．あちこちに注意が散ってしまう，持続して作業が行えない，話に脈絡がなくなるなどといった症状が現れる．

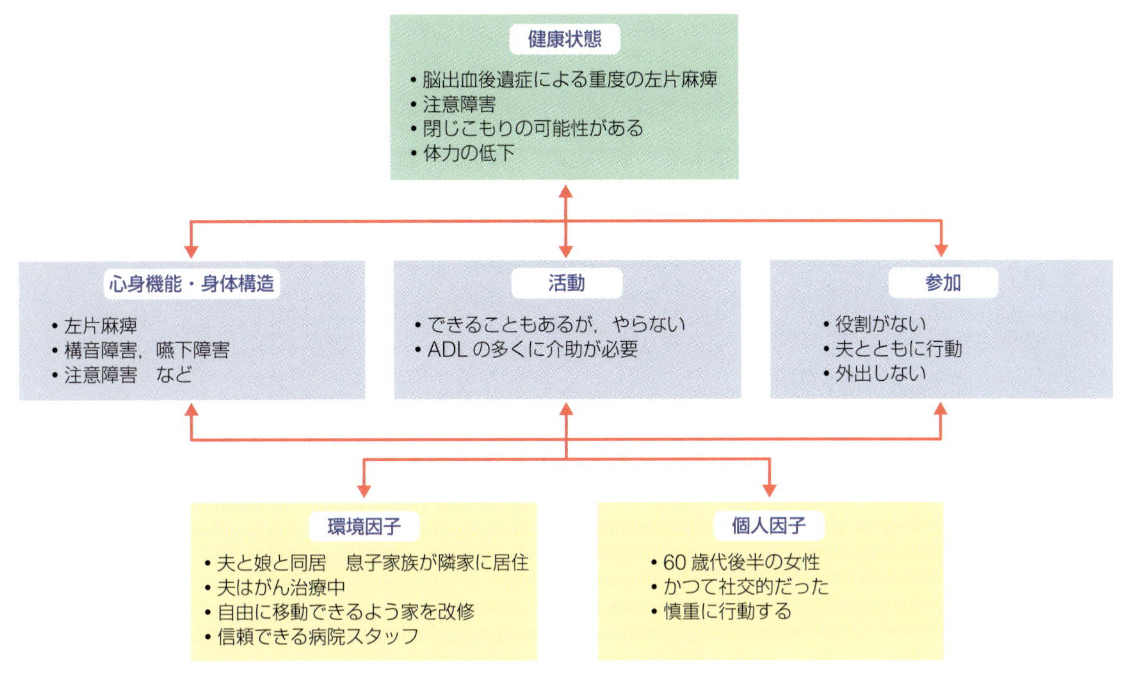


▶図 5　国際生活機能分類(ICF)に基づいた L さんの全体像

L さんのショックを考え，家族は伝えられずにいた．同居の 2 人の娘と隣に住む息子家族は母の障害と父の病気を受け止め，分担して介護と家事を行っていた．しかし，子どもたちは仕事をしているため，都合のつかない場合は近隣の知人や友人が家族を支えていた．

住宅改修により，杖歩行での移動に問題はなかった．しかし，L さんが 1 人で移動することを夫は心配し，安全のための手すりを取り付けるよう希望があった．L さんにとって，住宅改修は家族が自分を受け入れてくれていると信じることのできる意味をもっており，改修後の家は安心できる場となっていた．

作業療法士に望むこととして，娘たちは母である L さんの ADL の介助が減ることを期待していた．ベッドで横になる時間が多いため，寝たきりになってしまうのではないかという不安をもっており，これに対処することも望んでいた．

## b 統合と解釈

国際生活機能分類(ICF)に基づき L さんの状態をまとめた(▶図 5)．脳出血による後遺症の左片麻痺は重度で，注意障害と構音障害，嚥下障害があり，疲れやすかった．そのため，ADL の多くに介助が必要であり，かつて担っていた役割や社交的な生活を失っていた．また，L さんの慎重な性格と人目を気にすることで，家族に依存的になっていた．家族，特に病気をもつ夫の負担が大きくなることが予想され，**閉じこもり**の心配もあった．

L さんの状態は，重度の片麻痺に加え，口のゆがみや食べこぼし，障害をもつ自分の姿を情けなく思い，人の目を気にするなど，失敗に対する恐

**Keyword**

**閉じこもり**　2006 年に改正された介護保険制度で「閉じこもり」は高齢者の寝たきりを引き起こす原因として位置づけられている．閉じこもりとは，生活空間が地域・屋外から自宅内へと狭くなった状態をいう．

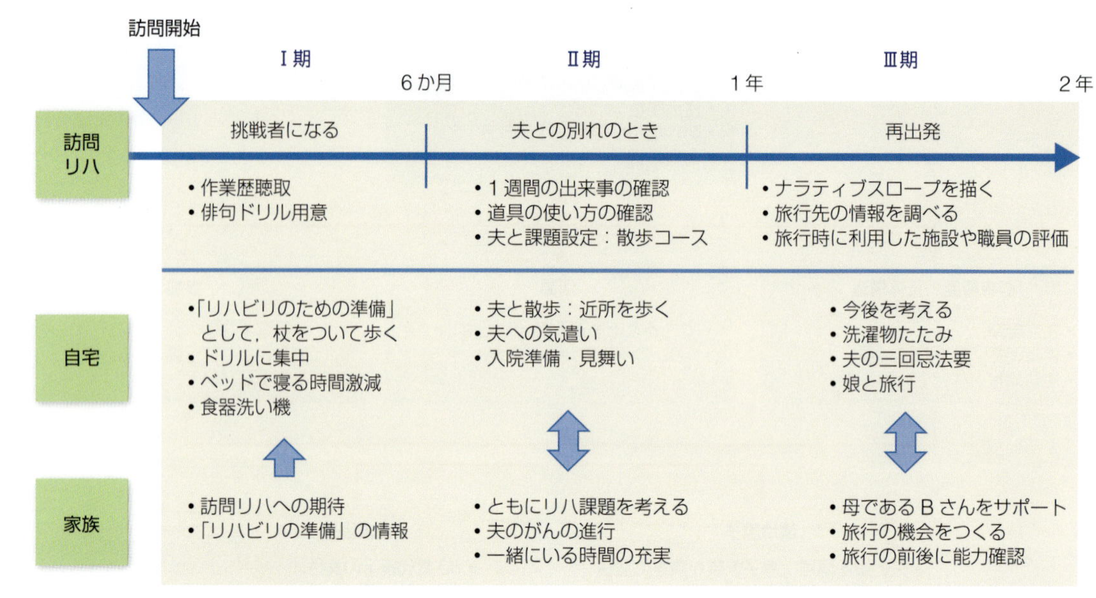


▶図6　Lさんの作業療法経過

れが大きかった．そのため，興味のあることはやればできるけれど，必要のないことはやらないと位置づけ，挑戦する課題を回避し，技能はいっそう低下し，自信も失っていた．また，夫はLさんの不安な思いを受け止め，1人にすることはなく，過保護な状態をつくっていたため，Lさんはいっそう役割のない依存的な生活になっていた．

## c 目標設定と治療プログラムの立案

Lさんの家への訪問リハビリテーションは週に1回，40分の実施とした．

作業療法はLさんの安全と機能性を考え，身体機能の維持向上を目標とし，手すりや入浴用の椅子，トイレの高さなど，生活状況に即して検討することとした(戦略8)．主婦の役割の一部が担えるようキッチンで使用する可能性のある道具を取りやすくすることや，危険な物を取り除くなどの調整を行い，いつでも実践できるよう準備した(戦略3)．安全に外出できるように，その機会を探った(戦略3・9)．また，夫とともに友人との交流が再開できるよう，携帯電話やメールの片手での使用法を確認することとした(戦略3・4)．

Lさんにとっての意味ある作業を探索し，実践する可能性を検討しながら，下記に示すプログラムを実施した．

①作業歴を聴取しながらのリラクセーションストレッチ：二次的合併症の予防としての実施に加え，Lさんの作業に関する語りを引き出す．
②家事や趣味の機会を探る：作業歴から得た情報をもとに環境を調整し，家族とともに実現へ向けて準備する．
③立位・歩行の安定：バランスが向上するように，立ち上がり・立位バランスの訓練，床からの立ち上がり動作の確認，および歩容を整える．

## d 作業療法経過

Lさんの夫は訪問開始の1年後にがんで亡くなった．Lさんが大きなショックを受けながらも，家族と一緒に自身のこれからを考えていくことになった経過を3つの時期に分けて示す(▶図6)．

### (1) Ⅰ期：挑戦者になる(訪問開始〜6か月)

疲労すると食事以外はベッドで過ごす時間が多くなっていた．しかし，訪問リハビリテーションの前日には「リハビリのための準備」と杖をついて歩くことを家族から聞いていた．これは，リハビリテーションスタッフに頑張っていることを認めてほしい思いの表れと判断した．そこで，聴取した作業歴の情報から，学生時代の興味とつながることを期待し，市販の俳句ドリルを用意した．Lさんは机に向かい，鉛筆で俳句を書き写す作業に集中するようになった．また，詠まれた俳句の場所を地図で確認することを始めた．そのため，ベッドで寝ている時間は激減した．訪問リハビリテーションの日には，どこまで進んだかを話すことを楽しみとしていた．

このことをきっかけに，日常の生活のなかでも自分でできそうなことを探し，挑戦するようになった．特に，訪問リハビリテーションの前日は家の中を歩き回り，話題づくりのために挑戦できることを自ら探した．その結果，食器洗い機に食器をセットすることがLさんの日課になった．

**(2)　Ⅱ期：夫との別れのとき(6か月～1年)**

訪問リハビリテーションでは，1週間の出来事を確認し，杖や靴選び，車椅子に代わるシニアカーの安全な乗り方など，実際に使う場所で確認を繰り返した．夫はLさんと一緒にいる時間を大切にしたいと考えていたため，2人での散歩を提案した．Lさんは転倒の心配をしていたため，2人が疲労しない距離やコースなどを，実際に夫と作業療法士が確認した．夫は注意すべきところと，見守るだけで済むところがわかるようになり，転ぶことに対する不安は少なくなった．Lさんも家の近所を歩くことが自信につながった．

夫のがんは進行していた．詳細には説明されていなかったが，食欲がなくやせた夫に栄養をつけたいと，Lさんはおかゆをつくった．鍋を出すこと，お米を量り鍋に入れることなどは，Lさんの指示で夫が行い，Lさん自身は火加減と味つけのみ行った．この体験は，夫を支えたい，支えることができるという思いを強くした．夫の入院に必要なものをリストアップして，娘とともに準備のためにスーパーに出かけた．夫の入院後は，娘とつくった料理を持って見舞いに行った．夫もLさんの見舞いを楽しみとしており，2人でゆっくり話す時間となった．

Lさんの夫は症状が落ち着き，いったん退院したが，数日後に意識障害に陥り，緊急入院後，亡くなった．

**(3)　Ⅲ期：再出発(1～2年後)**

夫の死のショックは大きく，Lさんは横になる時間が多くなった．子どもたちが外出に誘っても拒否的で，週に1度の訪問リハビリテーションが他者と話すために起きてくる唯一の時間になった．Lさんの気持ちを整理するために，訪問時には時間をかけて，作業遂行歴面接第2版(OPHI-Ⅱ)による**ナラティブスロープ**を描いた(▶**図7**)．これまでの人生を振り返り，「今の私の姿を見たら，夫はショックを受けてしまう」と，これからをどう生きるとよいか話すようになった．1つでも具体的に何かをしようと，日常生活では洗濯物をたたむことを始めた．夫の三回忌法要では，案内状の用意，お供え物や引き出物について娘に指示し，仕切ることができた．

日々の生活では，寂しくなると仏壇に向かって夫に報告する姿が認められるが，ベッドで横になる時間はほとんどなくなった．障害があることで迷惑をかけてしまうからと拒否的であった旅行は，身体障害割引などを活用し，夫と旅行した地を娘と一緒に回った．作業療法士には，旅行先で車椅子の使えるトイレ，利用した施設や職員の評価などの情報をまとめて報告してくれた．旅行は毎年恒例の行事となった．

**Keyword**

**ナラティブスロープ**　作業遂行歴面接第2版(Occupational Performance History Interview－second version; OPHI-Ⅱ)は生活史の面接である．活動の選択，重大な人生の出来事，日課や役割などの情報から，作業の適応状態を評価していく．生活史の特徴をとらえるために，生活物語をグラフのように表し，ナラティブの筋書きを示したものをナラティブスロープという．

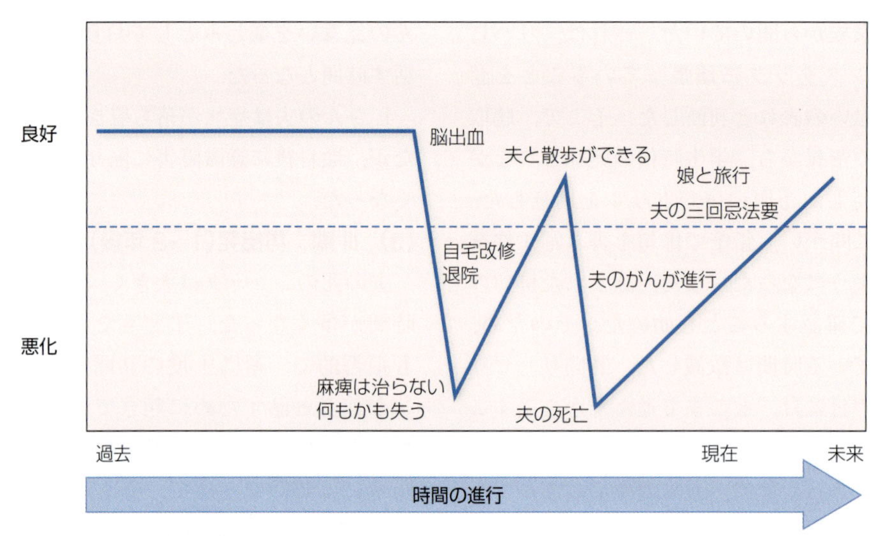


▶図 7　L さんのナラティブスロープ

## e 結果

入浴以外の ADL の自立，食事の準備や援助，監督，以前の楽しみであった旅行に再び取り組んだこと，そして，家のなかや庭，近所を歩き回ることによって L さんの身体機能に改善が示された．塀の修復，庭木の手入れなど，家のことを決めるのに積極的な役割をとり始めた．

L さんは主婦役割から引退したが，頼りになる母の役割を担うことができた．また，近所の住人や友人とのおしゃべりが復活した．障害があることによって自己の能力を低く認識し，迷惑をかければ他者に不快な思いをさせてしまうかもしれないという思いから，自信がもてないでいた．しかし，ナラティブスロープにより自分の生活史を振り返り，将来に目を向け始めた．また，これまでと変わらない人との付き合いが自己のアイデンティティの再確認となり，少しずつではあるが家事に取り組み，環境を探索した．その結果，ADL 遂行のスキルが向上し，体力も維持されている．

## f 本症例の特徴と作業療法治療構造についての解説

### (1) L さんの自己同一性について

作業療法士は，はじめに大きなジレンマに直面した．L さんは自分にとって意味のある作業や課題ができる能力がありながら，L さん自身がその可能性を制限していたからである．

作業療法士が最初に使ったのは，生体力学モデルの見方であった．しかし，実際に功を奏したのは人間作業モデルであり，作業療法士が L さんの生活や人生を取り戻すという作業ナラティブに応じて，俳句ドリルを提供したことは大きな変化をもたらした．これは発症前の自身との自己同一性を引き出し自信をもたらしたように，L さんを作業に動機づけるきっかけとなった．

さらに，L さんは近所を歩くという身体機能面での目標に達したあとも訪問サービスの継続を決定した．

### (2) L さんと家族の交流について

対象者を障害をもっている者としてとらえるだけでなく，家族の一員や他者との交流をもつ者としてとらえ，交流機会を提供することが必要となる．L さんの場合，夫と娘とも協同し，作業療法に取り組むことができた．

また，家族は L さんに夫の病状を伝えるべきか否かのジレンマがあった．L さん夫婦が一緒にいる時間が充実するものになればなるほど，子どもたちは父の亡くなったあとの L さんを考え不安になった．作業療法士は L さんと家族のために，残された時間を大切にすることと，その後のＬさんの落ち込みを予想したサポートを準備した．

Ｌさんにとって，夫の亡くなったあとに利用したナラティブスロープ(▶図7)は過去を振り返り，かつて行動的であった自分の姿を再認識し，将来もそうしたいと望んでいることを認めることができるものであった．

## 3 まとめ

2事例を通して，高齢者にとって自分らしく生きることの大切さを学ぶことができる．人はそれぞれの自分の状況に合った，自分にとって意味のあることを大切にしている．そこに寄り添うべき作業療法が，高齢者にどのように意味づけられているのか，作業療法士はどのように情報を集め判断したかを示すことが重要である．

●引用文献

1) 厚生労働省：令和2年版厚生労働白書─令和時代の社会保障と働き方を考える．https://www.mhlw.go.jp/content/000735866.pdf
2) 日本作業療法士協会：作業療法の定義(2018年5月26日　定時社員総会にて承認)．https://www.jaot.or.jp/about/definition/
3) 斉藤清二：医療におけるナラティブとエビデンス─対立から調和へ．pp73–110, 遠見書房, 2012
4) Kielhofner G(著)・石井良和, 他(訳)・山田　孝(監訳)：作業療法実践の理論．原書第4版, pp263–285, 医学書院, 2014
5) Taylor RR, 他(著)・山田　孝(訳)：人間作業モデルへのいざない．Taylor RR(編著)・山田　孝(監訳)：キールホフナーの人間作業モデル─理論と応用．改訂第5版, pp3–11, 協同医書出版社, 2019
6) Law M(編著)・宮前珠子, 他(監訳)：クライエント中心の作業療法．pp1–20, 協同医書出版社, 2000
7) 村田和香："私らしさ"を支えるための高齢期作業療法10の戦略．医学書院, pp1–5, 2017
8) 小林法一, 他：施設で生活している高齢者の作業と生活満足感の関係．作業療法 21:472–481, 2002
9) 工藤梨沙, 他：意味のある作業への支援が役割獲得をもたらし習慣の変化に至った一症例─養護老人ホーム入所者に対する外来作業療法のあり方．作業療法 34:473–480, 2015
10) 村田和香："私らしさ"を支えるための高齢期作業療法　10の戦略．医学書院, pp130–158, 2017

# 作業療法の管理運営

1．作業療法士として現場で働くために，関連する制度や業務内容について理解する．

1-1）作業療法に関連する社会保障制度を説明できる．

- □ ①わが国の社会保障制度と社会保険制度の違いをクラスメイトに説明できる．
- □ ②医療保険と介護保険の仕組みの違いについて，グループで議論できる．
- □ ③作業療法の診療報酬，介護報酬について，医療保険と介護保険の両面から具体的に列記できる．

1-2）作業療法部門の管理や運営に関する必要項目を具体的に述べることができる．

- □ ④各保険制度における作業療法部門の位置づけを具体的に述べることができる．
- □ ⑤作業療法部門の業務について，具体的に列挙できる．
- □ ⑥組織におけるマネジメントの必要についてグループで議論できる．

1-3）作業療法の記録や報告の重要性に気づくことができる．

- □ ⑦記録の目的を読み手の側に立って説明できる．
- □ ⑧記録と報告の方法と手段について，それぞれ具体的に述べることができる．

# 1 社会保障制度の理解

作業療法士が働く現場は多岐にわたるが，最も多くの作業療法士が勤めているのは病院や介護施設である．病院は医療保険で，介護施設は介護保険で運営されており，そこで行った作業療法に対しても，それぞれの保険制度から報酬を受け取っている．本項では，作業療法士の報酬を支える医療保険と介護保険について解説していく．

## A 社会保障制度のあらまし

### 1 社会保障制度の成り立ち

#### a 社会保障制度の目的と対象

人間は生きていく過程でさまざまな困難(病気や怪我，あるいは加齢や貧困)に遭遇する可能性があり，その場合，一時的に経済的負担が増加したり，継続的な支援が必要になったりする．このようなときに，国民を貧困から守り生活を安定させる仕組みが社会保障制度である．

社会保障の対象は**図 1** のように，大きく医療・福祉・年金の 3 分野からなっている．医療は働く現役世代が加入する医療保険制度と，75 歳以上に適用される後期高齢者医療制度がある．福祉は対象の違いによって介護・障害者・児童などの領域に分けられる．最低限の生活を守るための所得保障である生活保護も福祉に含まれる．そして年金は最低限に必要となる生活費用を保障するもので，国民年金や厚生年金といった各種年金がある．

作業療法に携わる者がその制度の仕組みを理解しておく必要があるのは，医療や介護，障害者福祉などである．

#### b 社会保障制度の歴史

わが国において現在の医療保険制度の原型となる健康保険法が制定されたのは，第一次世界大戦が終結となって間もなくである．その後，第二次世界大戦を経た 1961(昭和 36)年に**国民皆保険**が達成された．

一方，介護保険制度は人口の高齢化の進展に対応して創設された制度であり，2000(平成 12)年に施行された．

### 2 社会保険制度

わが国の社会保障制度は「保険的方法又は直接公の負担」によって国民の生活を保障すると定められている[1]．前者の「保険的方法」は社会保険制度と呼ばれ，被保険者が一定の保険料を納めてリスクを分散し合うものである．医療保険や介護保険，それに公的年金保険などはすべて，この社会保険制度である．一方，後者の「公の負担」とは公的扶助とも呼ばれる生活保護を指し，これは税金によってまかなわれている．

**Keyword**

**国民皆保険**　すべての国民がなんらかの公的な医療保険に加入している状態のことを指す．これによって，いつどこで病気や怪我をしても，少ない費用負担で必要な医療を受けることが保障されている．

▶図 1　社会保障の 3 分野

# B 医療保険制度と診療報酬

## 1 医療保険の仕組み

### a 医療保険の分類

日本の医療保険は**図 2** に示すように被用者保険と国民健康保険に大別される.

被用者保険は職域保険とも呼ばれ，一般の会社員や公務員などが加入するものである．職域に応じて組合管掌健康保険(組合健保)，全国健康保険協会管掌健康保険(協会けんぽ)，共済組合，船員保険などに分類される．一方，国民健康保険は自営業者や退職者などが加入するもので，住んでいる地域ごとに運営されているため地域保険とも呼ばれている.

また，75 歳以上の高齢者と 65 歳以上の障害者は被用者保険と国民健康保険とは別の後期高齢者医療制度に加入する.

### b 被保険者と保険者の役割

日本の被用者保険では被保険者(従業員)と保険者である事業主が毎月の保険料を折半して保険者に納めている．保険料の金額は被保険者の標準報酬月額と標準賞与額に都道府県ごとに異なる保険料率をかけて算出される.

また，世帯主の子どもや一定所得以下の配偶者は扶養家族として，それぞれの被用者保険の対象となる.

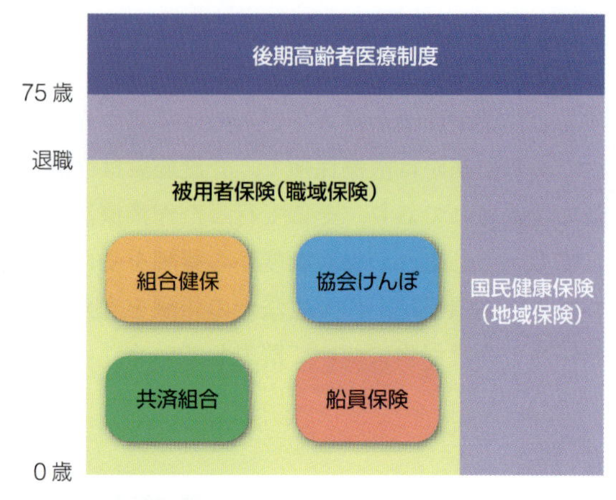


▶図 2　医療保険の分類

## 2 医療提供体制

### a 医療計画と病床の機能分化

国は疾病構造の変化に合わせて医療提供体制を見直している．現在は**表 1**[2] に示すように，病床は「高度急性期機能」，「急性期機能」，「回復期機能」，「慢性期機能」の 4 つに分類され運営されている.

高度急性期機能とは救急救命病棟や集中治療室(intensive care unit; ICU)などが該当し，急性期機能は ICU などを出たのちの急性期の患者を担当する病棟が該当する．これら急性期にも多くの作業療法士が従事している.

また，回復期機能をもつ病床は回復期リハビリテーション病棟とも呼ばれ，急性期を脱した患者に集中的なリハビリテーションを実施する病床である．作業療法士が最も多く勤務している.

慢性期機能をもつ病床は長期にわたり療養が必

▶表 1 病床の機能分化

| 分類 | 内容 |
|---|---|
| 高度急性期機能 | ● 急性期の患者に対し，状態の早期安定化に向けて，診療密度が特に高い医療を提供する機能<br>● 集中治療室(ICU)，ハイケアユニット(HCU)，脳卒中集中治療室(SCU)，冠疾患治療室(CCU)，新生児集中治療室(NICU)など，急性期の患者に対して診療密度が特に高い医療を提供する病棟 |
| 急性期機能 | ● 急性期の患者に対し，状態の早期安定化に向けて，医療を提供する機能 |
| 回復期機能 | ● 急性期を経過した患者への在宅復帰に向けた医療やリハビリテーションを提供する機能<br>● 急性期を経過した脳血管疾患や大腿骨頸部骨折などの患者に対し，ADL の向上や在宅復帰を目的としたリハビリテーションを集中的に提供する機能(回復期リハビリテーション機能，地域包括ケア病床) |
| 慢性期機能 | ● 長期にわたり療養が必要な患者を入院させる機能<br>● 長期にわたり療養が必要な重度の障害者(重度の意識障害者を含む)，筋ジストロフィー患者または難病患者などを入院させる機能 |

〔厚生労働省：第 14 回地域医療構想に関する WG「平成 30 年度病床機能報告の見直しに向けた議論の整理(資料編)」. 平成 30 年 6 月 15 日.
https://www.mhlw.go.jp/file/05-Shingikai-10801000-Iseikyoku-Soumuka/0000212393.pdf より改変〕

要な患者や難病患者が入院しているが，ここにも作業療法士が多く勤めている．

## b 作業療法に関連する施設基準

病院には機能に応じた細かな人員配置や敷地面積，設備などの基準が設けられている．診療報酬がそれら設置基準に沿って細かく規定され，それに沿って請求しなければならないためである．

### (1) リハビリテーションの施設基準

作業療法を含めたリハビリテーションに関する診療報酬は疾患別を基本とした設定になっている．この報酬を請求するためには規定された施設ごとの基準を満たす必要がある[3]．

代表的な脳血管疾患リハビリテーションに関する施設基準を確認してみよう．**表 2** に示すように，脳血管疾患リハビリテーションの施設はⅠからⅢまでの 3 つの施設基準がある．それぞれに医師や理学療法士，作業療法士，言語聴覚士の配置が定められており，最も人員の充実したⅠでは，**専任常勤**の医師が 2 名以上，理学療法士 5 名以上，作業療法士 3 名以上，言語聴覚士 1 名以上，かつ療法士の合計が 10 名以上勤務していることが条件となっている．人員の体制が充実した施設ほど，診療報酬も高く設定されている．

また，心大血管疾患に関しては，常勤理学療法士と専従の看護師の勤務が義務づけられている一方，呼吸器疾患に関しては，専従の理学療法士に加えて作業療法士もしくは言語聴覚士を含めた療法士の勤務が定められている．なお，がんに関しては，勤務する医師や療法士は適切な研修を修了していることが条件となっている．

### (2) 回復期リハビリテーション病棟

回復期リハビリテーション病棟は脳血管疾患や大腿骨頸部骨折などの患者に対して，ADL の向上による寝たきりの防止と家庭復帰を目的としたリハビリテーションを集中的に行う病床である．

この病棟には**表 3** に示すような人員に関する施設基準が定められている．後述する入院料が最も高い入院料 1 を算定する病棟では，理学療法士 3 名以上，作業療法士 2 名以上，言語聴覚士 1 名以上，さらに社会福祉士や管理栄養士の勤務が規定されている．

### (3) 地域包括ケア病棟

急性期を含めた一般病棟に入院している患者が自宅や介護施設へと退院する前に，リハビリテーションを含めた医療的ケアを実施するための病棟が地域包括ケア病棟である．この病棟では，リハビリテーションを含めた投薬や注射，検査などの費用が入院料に含まれている．

**Keyword**

**専任常勤**　専任とはもっぱらその任務に就くことを指すが，他の業務も行える勤務体制のことで，常勤とは週に 40 時間の勤務をする状態をいう．専任と区別が必要な専従とは 100% その業務に従事することを指す．

▶**表 2　脳血管疾患リハビリテーションに関する施設基準**

| | I | II | III |
|---|---|---|---|
| 医師 | 専任常勤 2 名以上 | 専任常勤 1 名以上 | 専任常勤 1 名以上 |
| 理学療法士 | 専従常勤 5 名以上 | 専従常勤 1 名以上 | 専従常勤 1 名以上 |
| **作業療法士** | **専従常勤 3 名以上** | **専従常勤 1 名以上** | |
| 言語聴覚士 | 専従常勤 1 名以上 | （専従常勤 1 名以上） | |
| 療法士の数 | 10 名以上 | 4 名以上 | |
| 機能訓練室の面積 | 160 $m^2$ 以上 | 100 $m^2$ 以上<br>（診療所：45 $m^2$ 以上） | 100 $m^2$ 以上<br>（診療所：45 $m^2$ 以上） |

▶**表 3　回復期リハビリテーション病棟入院料の施設基準**

| | | 入院料 1 | 入院料 2 | 入院料 3 | 入院料 4 | 入院料 5 | 入院料 6 |
|---|---|---|---|---|---|---|---|
| 入院料/日（点数） | | 2,129 | 2,066 | 1,899 | 1,841 | 1,736 | 1,678 |
| 人員 | 医師 | 専任常勤 1 名以上 | | | | | |
| | 看護職員 | 13 対 1 以上 | | 15 対 1 以上 | | | |
| | 療法士 | 専従常勤理学療法士 3 名以上，<br>**作業療法士 2 名以上**，<br>言語聴覚士 1 名以上 | | 専従常勤理学療法士 2 名以上，**作業療法士 1 名以上** | | | |
| | 社会福祉士 | 専任常勤 1 名以上 | | — | | | |
| | 管理栄養士 | 専任常勤 1 名 | 専任常勤 1 名の配置が望ましい | | | | |
| 重症者の割合 | | 3 割以上 | | 2 割以上 | | — | |
| 重症者における退院時の日常生活機能評価（FIM） | | 3 割以上が 4 点（16 点）以上改善 | | 3 割以上が 3 点（12 点）以上改善 | | — | |
| 自宅退院の割合 | | 7 割以上 | | | | — | |
| リハビリテーション実績指数 | | 40 以上 | — | 35 以上 | — | 30 以上 | — |

この病棟の入院日数の上限は 60 日とされており，施設基準には理学療法士，作業療法士，言語聴覚士を 1 名以上配置することが定められている．

**(4)　作業療法士の需要と供給**

回復期リハビリテーション病棟に対する診療報酬が認められたのは 2000 年 4 月である[4]．これを機にリハビリテーションの供給体制が劇的に変化したが，病床の機能分化も一気に進んだ．

回復期リハビリテーション病床の数は現在では約 90,000 床にまで増加し[5]，これとほぼ同じ基調で作業療法士も増加していった（▶図 3）．2021 年現在の有資格者の数は 104,286 人となっている．

## 3 診療報酬

### a 診療報酬とその請求

日本の医療は皆保険制度であり，全国一律の報酬体系となっている．つまり，日本では公的保険を使ったすべての医療行為には 1 つひとつに全国一律の公定価格が定められている．この価格を診療報酬と呼ぶ．

日本の診療報酬制度は一部の包括病棟を除いて，個々の診療行為の実施回数分を請求できる出来高払い制をとっていることも重要な点である．

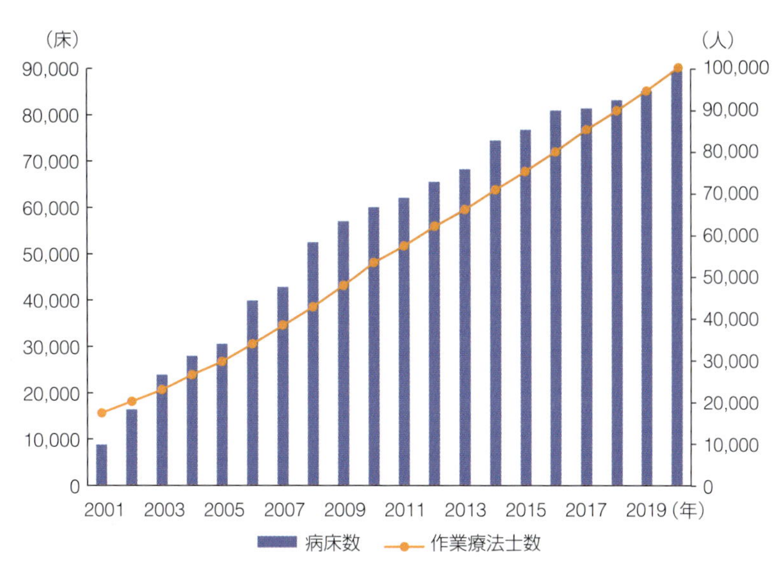


**▶図3　回復期リハビリテーション病床数と作業療法士数の推移**
〔病床数は，回復期リハビリテーション病棟協会：全国病床数・病棟数データ．2019より，作業療法士の数の推移は，日本作業療法士協会 Webサイトより〕

**(1)　診療報酬の仕組み**

診療報酬は厚生労働大臣が定めるもので，その対象は入院料や診察料，手術，薬物，そしてリハビリテーションにまで及ぶ．これらの報酬価格は厚生労働省の中央社会保険医療協議会（中医協）によって2年ごとに改定されている．改定の幅はその時々の内閣が決定し，個々の診療行為の価格改定に反映される．

個々の診療行為の診療報酬は点数として示される．患者や保険者に請求する際には，1点＝10円として計算する．

**(2)　診療報酬の請求とその流れ**

病院や診療所が医療費を請求する際には，**図4**に示すような診療報酬明細書（レセプト）を提出する必要がある．これは病院や診療所が毎月，患者ごとに作成するもので，そこには患者の診断名や入院日数，それに応じた入院料や投薬，処置の内容，各種検査，そしてリハビリテーションの種類や回数などが一覧となって記載される．作業療法の診療報酬であるリハビリテーション料はこのフォーマット上の「80　その他」に記載される．

病院や診療所は毎月，このレセプトを使って診療報酬を請求し，人件費や材料費，減価償却費などの費用に充てている．**図5**には診療報酬を請求する流れを示した．患者が病院を受診し治療を受けると，窓口では自己負担分だけを支払うが，残りの料金は病院や診療所が保険者に請求することとなる．被用者保険の場合，患者の負担割合は3割であるため，保険者に請求するのは残りの7割である．

病院や診療所がレセプトを提出する先は社会保険診療報酬支払基金や国民健康保険団体連合会という機関であり，そこがレセプトを審査し支払いを行う．そしてこれらの機関が保険者に医療費の請求を行い，最終的には保険者が支払いを完了させる流れになっている．

なお，後期高齢者医療制度の対象である75歳以上の高齢者は所得に応じて2割もしくは1割負担である．また，医療費は一定級数以上の障害者や生活保護受給者に対しては助成制度がある．さらに，その月の医療費が高額になった場合には，一定の金額を支払えば患者は残りの金額を支払わなくてよい，高額療養費制度というものもある．

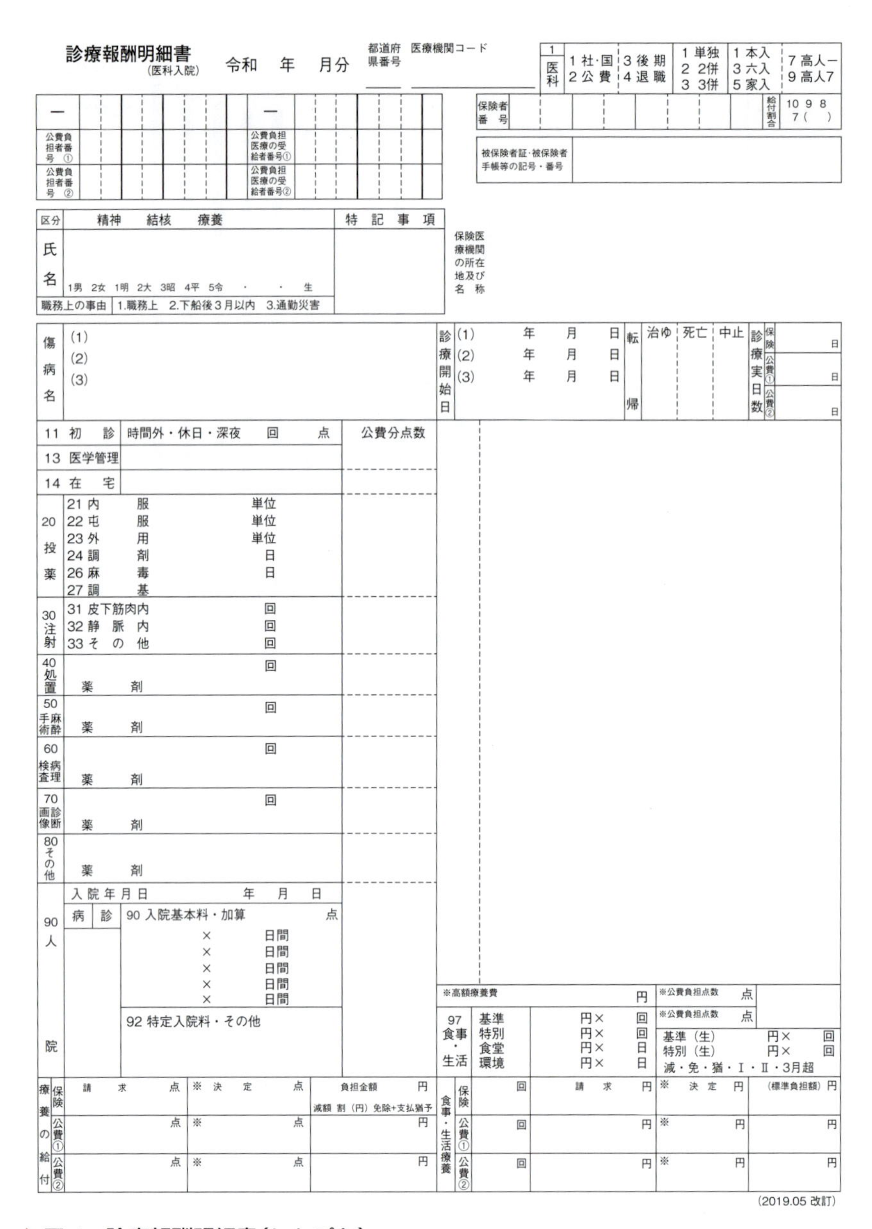

診療報酬明細書（医科入院）　令和　年　月分　都道府県番号　医療機関コード

1 医科　1 社・国　2 公費　3 後期　4 退職　1 単独　2 2併　3 3併　1 本入　3 六入　5 家入　7 高入一　9 高入7

保険者番号　給付割合 10 9 8 7（　）

公費負担者番号①　公費負担医療の受給者番号①

公費負担者番号②　公費負担医療の受給者番号②

被保険者証・被保険者手帳等の記号・番号

区分　精神　結核　療養　特記事項

氏名　1男 2女 1明 2大 3昭 4平 5令　・　・　生

職務上の事由　1.職務上　2.下船後3月以内　3.通勤災害

保険医療機関の所在地及び名称

傷病名 (1) (2) (3)

診療開始日 (1) 年 月 日　(2) 年 月 日　(3) 年 月 日

転帰　治ゆ　死亡　中止

診療実日数　保険 日　公費① 日　公費② 日

11 初診　時間外・休日・深夜　回　点　公費分点数

13 医学管理

14 在宅

20 投薬　21 内服 単位　22 屯服 単位　23 外用 単位　24 調剤 日　26 麻毒 日　27 調基

30 注射　31 皮下筋肉内 回　32 静脈内 回　33 その他 回

40 処置　回　薬剤

50 手術麻酔　回　薬剤

60 検査病理　回　薬剤

70 画像診断　回　薬剤

80 その他　薬剤

90 入院　入院年月日　年　月　日

病　診　90 入院基本料・加算　点

× 日間

× 日間

× 日間

× 日間

× 日間

92 特定入院料・その他

※高額療養費　円　※公費負担点数　点　※公費負担点数　点

97 食事・生活　基準　特別　食堂　環境　円× 回　円× 回　円× 日　円× 日

基準（生）円× 回　特別（生）円× 回　減・免・猶・Ⅰ・Ⅱ・3月超

療養の給付　保険　請求 点　※決定 点　負担金額 円　減額 割（円）免除・支払猶予

公費①　点　※ 点　円

公費②　点　※ 点　円

食事・生活療養　保険　回　請求 円　※決定 円　（標準負担額）円

公費①　回　円　※ 円　円

公費②　回　円　※ 円　円

（2019.05 改訂）

▶図 4　診療報酬明細書（レセプト）

## b 作業療法の診療報酬

作業療法の診療報酬は精神科を除いて，疾患別に分類したうえで理学療法や言語聴覚療法とともにリハビリテーション料として包括されている．その報酬体系には単位時間あたりの診療報酬を定める単位制という制度が採用されている．

### (1) 単位制

単位制とはほとんどのリハビリテーション料に関して，治療時間 20 分を 1 単位として，診療報酬を請求する仕組みのことである．この単位制は 2002(平成 14)年 4 月に導入されたが，それまでは作業療法や理学療法がそれぞれ「**簡単・複雑**」制という報酬制度で請求を行っていた．

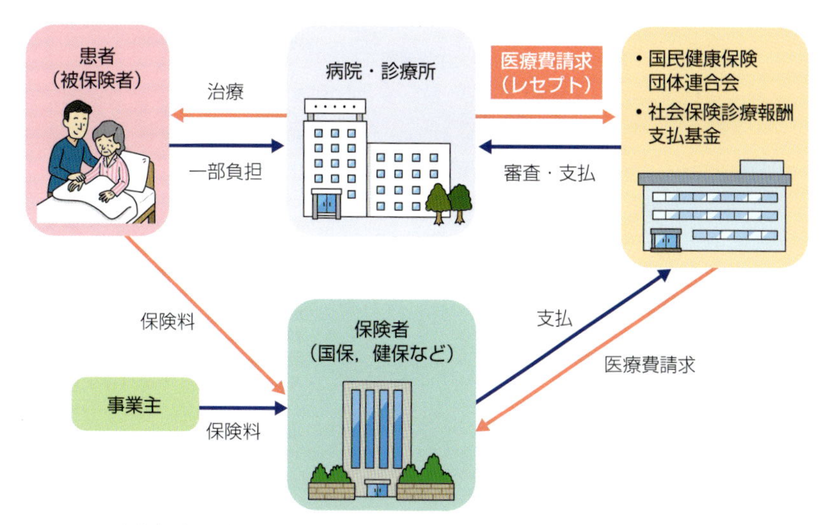


▶図 5　診療報酬請求の流れ

単位制のもとでは請求できる単位に上限があり，患者ごとには 1 日 6 単位(急性期には 9 単位)までとなっている．またセラピストごとにも規定があり，1 日に算定できるのは 18 単位を標準とし，週 108 単位まで(上限は 1 日 24 単位)と規定されている．

一方，後述する難病や認知症に対するリハビリテーション料の場合は 1 日を 1 単位に，また精神科作業療法の場合には 25 人を 1 単位と定めている．

### (2) 疾患別リハビリテーション料

疾患の大きな分類は**図 6** に示すとおり，心大血管疾患，脳血管疾患等，運動器，呼吸器，そして**廃用症候群**(➡ 42 ページ)の 5 つである[3]．適用できる疾患の具体例が示されているが，いずれも発症，手術および急性増悪した疾患に対して，最も適当な区分 1 つに限り算定することとなっている．

このうち，心大血管疾患と呼吸器疾患については，施設基準に理学療法士の勤務が義務づけられている．

疾患別リハビリテーション料は，その疾患区分ごとに施設基準に応じた診療報酬点数が定められている(▶**表 4**)．たとえば，施設基準 I の病院で脳卒中患者に理学療法，作業療法，言語聴覚療法をそれぞれ 2 単位(40 分)ずつの治療をした場合には，

> 245 点 × 2 単位 × 3(PT，OT，ST)
> 　＝ 1,470 点(14,700 円)

の請求ができることになる．

さらに，急性発症の疾患に該当しない疾患区分として，難病や障害児，がん，認知症が独立して取り上げられており，それぞれのリハビリテーション料が設定されている．これらを算定する際には，**表 5** に示すような要件や施設基準が別途定められている．

### (3) 精神医療における作業療法

精神疾患に対する作業療法に対しては精神科作業療法という診療報酬が定められている(▶**表 6**)．これは 1 日あたり 2 時間を標準とし 220 点として定められているものであるが，1 人の作業療法

**Keyword**

**「簡単・複雑」制**　リハビリテーションの診療報酬が初めて定められたのは 1974(昭和 49)年であるが，当時は理学療法士や作業療法士が 1 対 1 で 40 分以上治療すると「複雑」，理学療法士や作業療法士の監視のもとで行える 15 分以上の治療を「簡単」として請求していた．

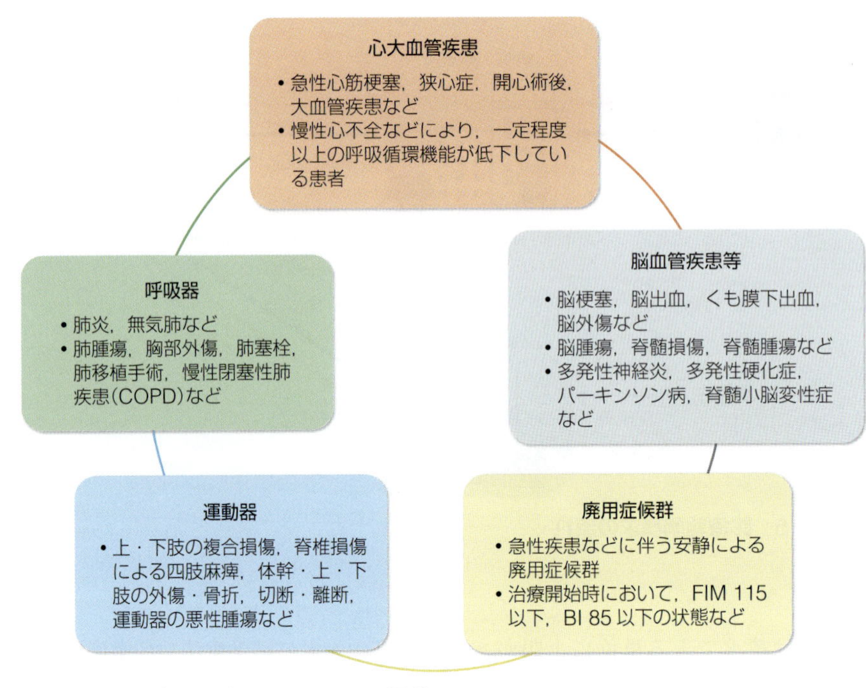


▶図 6　疾患別リハビリテーションの区分
FIM：機能的自立度評価法（Functional Independence Measure），BI：バーセルインデックス（Barthel Index）

▶表 4　疾患別リハビリテーション料の一覧

| | | 心大血管疾患 | 脳血管疾患等 | 廃用症候群 | 運動器 | 呼吸器 |
|---|---|---|---|---|---|---|
| 点数（1 単位） | 施設基準 I | 205 | 245 | 180 | 185 | 175 |
| | 施設基準 II | 125 | 200 | 146 | 170 | 85 |
| | 施設基準 III | — | 100 | 77 | 85 | — |
| 標準算定日数 | | 治療開始日から150 日以内 | 発症，手術などから 180 日以内 | 診断または急性増悪から 120 日以内 | 発症，手術などから 150 日以内 | 治療開始日から90 日以内 |
| 算定日数超過の場合 | | 13 単位/月まで | | | | |
| 早期リハビリテーション加算 | | ＋30 点（1 単位につき，30 日を限度，入院患者のみ） | | | | |
| 初期加算 | | ＋45 点（1 単位につき，14 日を限度，入院患者のみ，早期加算に併算可） | | | | |

士は 25 人を 1 単位として 1 日に 2 単位 50 人以内を標準として請求できる．

病院を退院した対象者が利用するショート・ケア，デイ・ケア，ナイト・ケアという場にも作業療法士がかかわっている．また精神科訪問看護・指導料として作業療法士が訪問する場合の診療報酬も別途定められている．

2020（令和 2）年の診療報酬改定からは，精神療養病棟に入院する患者に対しても，疾患別リハビリテーション料が算定できるようになっている．

### (4) 各種加算

疾患別リハビリテーション料では発症早期からかかわった場合に診療報酬の加算が請求できる仕組みがある．

▶表 5　急性発症以外の疾患リハビリテーション料

| | 難病患者リハビリテーション料 | 障害児(者)リハビリテーション料 | がん患者リハビリテーション料 | 認知症患者リハビリテーション料 |
|---|---|---|---|---|
| 対象 | 入院中の患者以外の患者であって別に厚生労働大臣が定める疾患を主病とするもの | 脳性麻痺，脳または脊髄の奇形および障害の患者，顎・口腔の先天異常の患者，先天性の体幹四肢の奇形または変形の患者，先天性神経代謝異常症，先天性または進行性の神経筋疾患の患者など | ●がんの治療のための手術や化学療法，放射線治療などの実施前後の患者<br>●在宅で緩和ケア主体で治療を行っている進行がんまたは末期がんの患者 | 重度認知症の患者(認知症治療病棟入院料を算定する患者または認知症疾患医療センターに入院している患者) |
| **点数** | **640(1 日)** | 6 歳未満：**225(1 単位)**<br>6 歳以上 18 歳未満：**195(〃)**<br>18 歳以上：**155(〃)** | **205(1 単位)** | **240(1 日)** |
| 上限 | 退院後 3 か月 | 6 単位/日 | 6 単位/日 | 入院から 1 年，3 回/週 |
| 算定要件 | 実施時間は患者 1 人あたり 1 日につき 6 時間を標準とする | 指定の研修を修了した理学療法士，作業療法士または言語聴覚士に限る | 指定の研修を修了した理学療法士，作業療法士または言語聴覚士に限る | 別途，施設基準あり |
| 施設基準 | あり | あり | あり | あり |

▶表 6　精神科作業療法に関連する診療報酬

| | 診療報酬 |
|---|---|
| 精神科作業療法 | 220 点/1 日(25 人を 1 単位として 1 日に 2 単位 50 人以内) |
| 精神科ショート・ケア | 275 点(小規模)<br>330 点(大規模) |
| 精神科デイ・ケア | 590 点(小規模)<br>700 点(大規模) |
| 精神科ナイト・ケア | 540 点 |
| 精神科デイ・ナイト・ケア | 1,000 点 |
| 精神科訪問看護・指導料 | ●週 3 日目まで 30 分以上の場合：580 点<br>●週 3 日目まで 30 分未満の場合：445 点<br>●週 4 日目以降 30 分以上の場合：680 点<br>●週 4 日目以降 30 分未満の場合：530 点 |

**表 4** に示したように，早期リハビリテーション加算として 1 単位につき 30 点(30 日を限度)，さらに 14 日を限度として初期加算が 45 点設定されている．

### (5)　各種計画評価料，計画提供料

リハビリテーションは医師や看護師，そして理学療法士，作業療法士，言語聴覚士などの多職種が共同して目標を立てて実施するものであるため，定期的にカンファレンスを開催する必要がある．リハビリテーション総合計画評価料はこのカンファレンスを通してリハビリテーション計画を立て，効果の評価を行った場合に算定できるものである．またリハビリテーション計画提供料は，病院から介護保険事業者向けにリハビリテーション計画を提供した場合に請求できる診療報酬である．

### (6)　回復期リハビリテーション病棟入院料

回復期リハビリテーション病棟ではその病棟の機能に応じて，1 日ごとの入院料が定められている．

改めて**表 3** をみてほしい．病棟の基準は人員配置や重症者の割合などに応じて 6 段階に分けられている．特に注目しなければならない点は，リハビリテーションの実績に応じた診療報酬の設定がなされている点である．たとえば，入院料 1 を請求できる条件は，重症者の割合が 3 割以上で，その 3 割が退院時に機能的自立度評価法(Functional Independence Measure; FIM)で 16 点以上の改善を示し，**リハビリテーションの実績指数**が 40 以上となることが条件とされている．

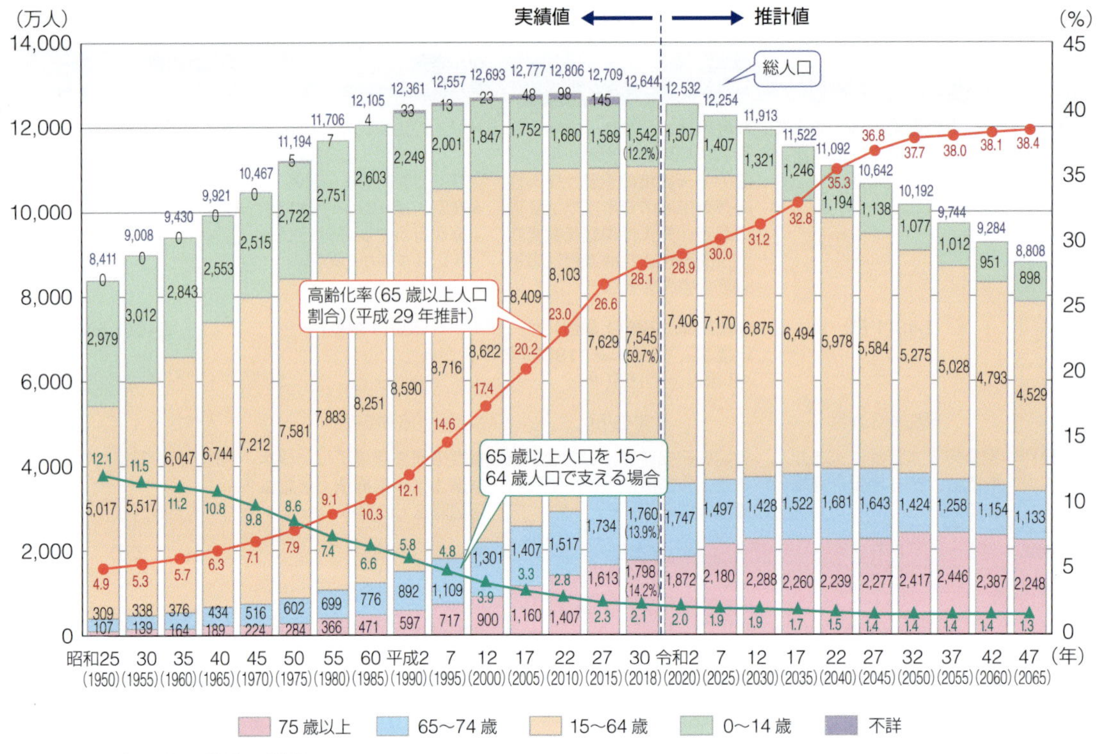


▶図 7　日本の人口構造の推移
〔内閣府（編）：令和元年版 高齢社会白書より〕

# C 介護保険制度と介護報酬

## 1 介護保険の仕組み

### a 介護保険創設の背景と目的

日本では 1990 年代以降，急激な高齢化が進んだ．**図 7**[6] に示すように，65 歳以上の人口の割合を示す高齢化率が 1990 年に 12.1％ であったものが 2000 年には 17.4％，2010 年には 23.0％ まで上昇した．

高齢者が増えると，病気にかかったり，介護が必要となったりする割合も高くなるため，高齢者医療費の抑制と介護の仕組みを整備することが急務であった．一方，社会では核家族と共働き世帯が増え，高齢化に伴う介護を地域および社会全体で支える仕組みが必要であった．

このような背景のもと，2000 年 4 月に創設されたのが介護保険制度である．そこでは，介護が必要になった高齢者の尊厳を保ち，可能なかぎり自立した生活ができるようにすることが目的とされた．

> **Keyword**
> **リハビリテーションの実績指数**　「各患者の在棟中の ADL スコアの伸びの総和」を「各患者の（入棟から退棟までの日数）/（疾患ごとの回復期リハビリテーション病棟入院料の算定上限日数）の総和」で割ったもの．ここでいう ADL スコアには FIM の運動項目を用いる．リハビリテーションを提供したことによる改善を示す数値であり，実績指数が 27 点以上で，「効果に係る相当程度の実績が認められる」と判断される．

### b 被保険者と保険者の役割

介護保険の保険者は市町村と特別区（市区町村）である．保険料の徴収や報酬の支払いなど制度の運営を行っている．そのため，介護保険料は市区町村ごとに異なる．

被保険者は65歳以上の第1号被保険者と，40歳以上の第2号保険者に分かれている．第2号保険者の場合，サービスを利用できるのは**特定疾病**と呼ばれる一部の疾患が原因で介護が必要になったものに限られている．

## 2 介護提供体制

### a 要介護認定

被保険者がなんらかの理由によって介護状態となり，介護保険サービスを受給しようとする際には，要介護認定を受ける必要がある．被保険者または家族は市区町村の窓口で申請する．その後，調査員が訪問し，身体機能や生活機能，認知機能など74項目を調査し，コンピュータによる一次判定を行う．これに主治医の意見書などを資料として加え，最終的に介護認定審査会で要介護度が認定される．

### b 要介護度

要介護度は介護の必要度に応じて，「非該当」，「要支援1～2」，「要介護1～5」の8段階で判定される．**表7**に示すとおり，要支援状態の被保険者には介護状態になることを予防するための給付が，要介護状態の被保険者には介護給付がそれぞれ支給される．

ひと月に受給できるサービスの上限もこの要介護度に応じて定められており，2021年4月現在，要介護度5の限度額は362,170円となっている．

**表7 要支援・要介護区分と状態像**

| 給付名称 | 区分 | 状態像 |
|---|---|---|
| 予防給付 | 要支援1 | 社会的支援を要する状態で，入浴などに一部介助が必要 |
| | 要支援2 | 社会的支援を要する状態で，移動，排泄，入浴などで一部介助が必要 |
| 介護給付 | 要介護1 | 部分的な介護を要する状態で，排泄，入浴などで一部介助が必要 |
| | 要介護2 | 軽度の介護を要する状態で，排泄，入浴などで一部または全介助が必要 |
| | 要介護3 | 中等度の介護を要する状態で，排泄，入浴，衣服の着脱などで全介助が必要 |
| | 要介護4 | 重度の介護を要する状態で，排泄，入浴，衣服の着脱など多くの行為で全面的介助が必要 |
| | 要介護5 | 最重度の介護を要する状態で，生活全般について全面的介助が必要 |

### c 介護保険給付サービスの種類

介護保険の給付サービスは，施設に入所して受ける施設サービスと，自宅に住みながら受ける居宅サービスに分けられる．

**(1) 施設サービス**

長期に入所もしくは入院して介護サービスを受ける．施設は以下の4種類がある．

①**介護老人福祉施設**（特別養護老人ホーム）：在宅での介護が困難な人が対象であり，原則として要介護3以上の人が入所する．終の棲家となる場合が多い．

②**介護老人保健施設**：入院の必要はないものの，在宅での医学的管理が難しい人が対象となる．在宅復帰を目指すため，作業療法士など療法士の配置が義務づけられている．

③**介護療養型医療施設**：医学的な管理が必要な人が入院する．一般病院の病棟として広く普及していたが，2024年までに廃止されることになっている（➡ 217ページ）．

④**介護医療院**：介護療養型医療施設に代わって設置された施設で，医療と生活の場を提供している．

**Keyword**

**特定疾病**　心身の病的加齢現象との医学的関係があると考えられる疾病であり，65歳以上の高齢者に多く発生しているが，40歳以上の年齢層においても発生が認められ，3～6か月以上継続して要介護状態となる割合が高いと考えられる疾病．がん，関節リウマチ，筋萎縮性側索硬化症（ALS），パーキンソン病などが該当する．

#### (2) 居宅サービス

居宅サービスは自宅で生活しながら受けるサービスで，**表 8** に示すように，訪問サービス，通所サービス，短期入所などに分けられる．

訪問サービスには，訪問介護，訪問看護，訪問リハビリテーションなどがある．作業療法士は訪問看護と訪問リハビリテーションでサービスを提供する．

通所サービスは，通所介護（デイサービス）と通所リハビリテーション（デイケア）の 2 種類がある．作業療法士は老人保健施設や病院の施設で通所リハビリテーションを提供する．

短期入所はショートステイと呼ばれるもので，特別養護老人ホームや老人保健施設などに短期間だけ入所し，生活機能の改善や家族の介護負担を軽減する．

### d サービス利用の流れ

要介護認定を受けた被保険者が介護サービスを受けたい場合には，居宅介護支援事業者にケアプランの作成を依頼する．そこに所属する**介護支援専門員（ケアマネジャー）**が各種サービスを提案し，介護サービス事業者に依頼する．

▶表 8　居宅サービス

| 分類 | サービス名 | 療法士の配置 |
|---|---|---|
| 訪問 | 訪問介護 | |
| | 訪問看護 | ○ |
| | 訪問リハビリテーション | ◎ |
| 通所 | 通所介護（デイサービス） | |
| | 通所リハビリテーション（デイケア） | ◎ |
| 短期入所 | 短期入所生活介護（ショートステイ） | |
| | 短期入所療養介護（ショートステイ） | ◎ |
| その他 | 福祉用具貸与 | |
| | 住宅改修費 | |

◎：作業療法士の配置が必須，○：状況に応じて作業療法士を配置

## 3 介護報酬

### a 介護報酬とその請求

#### (1) 介護報酬

医療保険と同様，介護保険でも提供するサービスごとに全国一律の公定価格が定められている．これを介護報酬と呼ぶが，医療保険と同じく単位制となっており，1 点＝10 円として計算する．介護報酬は 3 年ごとに改定される．

**Keyword**
**介護支援専門員（ケアマネジャー）**　要介護者や要支援者の相談や心身の状況に応じ，介護サービスを受けられるように介護サービスなどの提供についての計画（ケアプラン）の作成や，市区町村・サービス事業者・施設，家族などとの連絡調整を行う．この資格を取得した作業療法士も多数いる．

#### (2) 介護報酬の負担割合

介護サービスを受ける利用者は原則として報酬の 1 割を負担する．残りの 9 割は保険者が負担する．

#### (3) 介護報酬の請求とその流れ

介護サービスを提供した事業者は利用者から自己負担分を受け取り，残りの報酬を国民健康保険団体連合会（国保連）に請求する（▶図 8）．国保連は保険者である市区町村に介護給付費を請求する．

### b 作業療法の介護報酬

作業療法に関する介護報酬を**表 9** に示す[7]．ほとんどの介護報酬は基本部分と加算部分に分けられている．また，その単価は要介護度と提供する時間ごとに詳細に分けられている．要介護度 3 の例では，通所リハビリテーション 5〜6 時間の利用で 846 単位である．訪問リハビリテーションは 1 回（20 分以上）の利用につき，292 単位となっている．加算部分については，リハビリテーションマネジメント加算や生活行為向上リハビリテーション実施加算などがある．作業療法士などが訪問看護として介護予防のためにサービスを行うこともある．

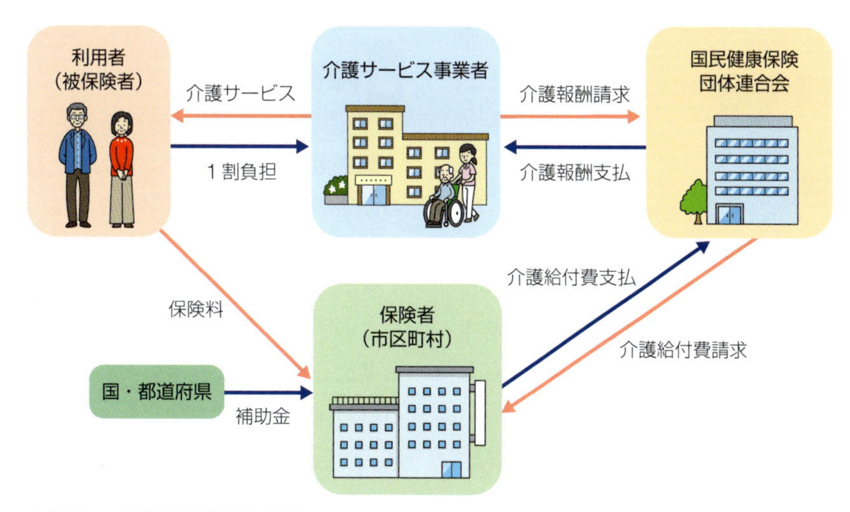


▶図8　介護報酬請求の流れ

▶表9　作業療法に関する介護報酬

| | 基本部分 | 加算部分 |
|---|---|---|
| 介護老人保健施設<br>（多床，基本，要介護3） | 898単位/日 | ●240単位/日（短期集中リハビリテーション実施加算）<br>●240単位/日（認知症短期集中リハビリテーション実施加算） |
| 通所リハビリテーション<br>（病院，5〜6時間，要介護3） | 846単位/日 | ●240〜863単位/月（リハビリテーションマネジメント加算）<br>●1,250単位/月（生活行為向上リハビリテーション実施加算） |
| 訪問リハビリテーション | 292単位/1回<br>（20分につき） | ●200単位/日（短期集中リハビリテーション実施加算）<br>●180〜483単位/月（リハビリテーションマネジメント加算） |
| 訪問看護<br>（作業療法士の場合） | 293単位/1回<br>（20分につき） | 1日3回以上の場合は50%で算定 |

# D 障害児・者サービス

医療保険と介護保険以外にも作業療法士が知っておくべき社会保障制度がある．それは福祉の分野における障害者に対する制度である．医療の必要がなくなったとしても，障害をもったまま生活することが困難であったり，介護が必要な状態であっても介護保険の対象とはならなかったりする疾病や障害があるためである．ここでは障害者総合支援法を中心にその制度を説明する．

## 1 障害者総合支援法

### a 制度創設の背景と理念

国の福祉制度は措置制度という，行政を運営する地方自治体がサービスの内容を決める制度で運営されていた．2003（平成15）年に支援費制度という，利用者がサービスの内容を主体的に決められるようにする制度に変更され，2005（平成17）年に障害者自立支援法が制定された．そして，2013（平成25）年にはその障害者の範囲を難病などに広げた障害者総合支援法に変更された[8]．

この法の理念は，障害の有無にかかわらず，すべての国民が基本的人権をもつ個人として尊厳を尊重され，ともに生きる社会を実現することであり，そのために，障害のある人が地域社会で日常生活や社会生活を営むための支援を受けることができるようにすることである．

### b 制度の概要

対象は 18 歳以上の身体障害者，知的障害者，精神障害者と難病をかかえた人である．サービスは介護給付や自立訓練などの自立支援給付と日常生活用具の給付などの地域生活支援事業に分けられている．

### c 各種サービスと作業療法士の役割

身体機能や生活能力の維持・向上のために作業療法士などが必要なリハビリテーションを提供する自立訓練がある．障害者支援施設で実施したり，障害者の居宅に訪問して実施したりする場合がある．

## 2 障害児サービス

障害児に対するサービスは，児童福祉法によって定められているが，障害者総合支援法の施行に合わせて改定され施行されている．

この法のもとでのサービスは障害児入所支援と障害児通所支援に分けられ，医療型児童発達支援などで作業療法士が日常生活における基本的な動作の指導や集団生活への適応訓練などを行っている．

## 3 障害者手帳

障害者手帳は障害者の生活を支援するためにその障害の程度に応じて交付されるもので，身体障害者手帳，療育手帳，精神障害者保健福祉手帳の 3 種がある．

この手帳の交付によって，医療費の助成や減税，公共交通機関などの割引といったサービスが受けられるようになる．ただし，障害の等級や自治体によって提供されるサービスは異なっている．

●引用文献

1) 総理府社会保障制度審議会：社会保障制度に関する勧告．pp29–31，総理府社会保障制度審議会事務局，昭和 25 年 10 月 16 日
2) 厚生労働省：第 14 回地域医療構想に関する WG「平成 30 年度病床機能報告の見直しに向けた議論の整理（資料編）」．平成 30 年 6 月 15 日．https://www.mhlw.go.jp/file/05-Shingikai-10801000-Iseikyoku-Soumuka/0000212393.pdf
3) 厚生労働省：令和 2 年度診療報酬改定について．https://www.mhlw.go.jp/stf/seisakunitsuite/bunya/0000188411_00027.html
4) 石川 誠：回復期リハビリテーション病棟成立の背景．理療ジャーナル 35:161–166, 2001
5) 回復期リハビリテーション病棟協会：回復期リハビリテーション病棟の都道府県データ．2020．http://www.rehabili.jp/publications/sourcebook.html
6) 内閣府（編）：令和元年版 高齢社会白書，2019
7) 厚生労働省：令和 3 年度介護報酬改定について．https://www.mhlw.go.jp/stf/seisakunitsuite/bunya/0000188411_00034.html
8) 厚生労働省：障害者総合支援法が施行されました．https://www.mhlw.go.jp/stf/seisakunitsuite/bunya/hukushi_kaigo/shougaishahukushi/sougoushien/index.html

COLUMN

# 作業療法の金銭的価値について

現代社会では生きていくためにたくさんのお金が必要である．日々の食事，生活用品，服や交通費など数えきれないが，病気や怪我をしても医療費というお金がかかる．この医療費は逆の立場，つまり作業療法士の側からみると売上となる．

本文のなかで説明してきたように，作業療法も診療報酬あるいは介護報酬というお金で決済されている．作業療法の診療報酬は対象者の疾患や発症してからの時期によっても異なるが，1単位20分でおおむね200点，つまり2,000円であり，1時間にすると6,000円の報酬が得られることになる．時給6,000円と聞くと高収入な仕事だと思うかもしれないが，このなかには病院の管理費や事務職員の人件費，材料費などさまざまな費用が算定されてくるので，6,000円は時給ではなくあくまで病院の売上である．1人の作業療法士が1日に6時間=18単位分の仕事をすると仮定すると，1日の売り上げは36,000円となり，20日働くと単純計算で720,000円を売り上げることになる．

話を戻そう．医療費を支払う側に立てば，病院の外来で1時間の作業療法を受けた場合は，6,000円の3割にあたる1,800円を病院の窓口で支払うことになる．入院の場合であれば，毎日この金額が積み上がっていく．

果たして，これらの金額は高いのか，あるいは安いのか．月に1回だとすれば理容室・美容室と，月に数回であればトレーニングジムに通う金額と比べてどうであろうか．意見は分かれるかもしれないが，1つだけ確かなことは作業療法の金額はどこの病院でもどの作業療法士に担当されてもその金額は変わらないということである．理容室・美容室やジムであればそもそも単価が異なるし，お気に入りの人を指名したいときには指名料という追加の費用がかかるかもしれない．しかし，作業療法の場合はそうではないのである．その道30年のベテラン作業療法士でも，新人1年目の作業療法士でも，請求できるのは診療報酬に定められた金額となる．

そうであれば，否，そうであるからこそ，対象者やその家族が病院の窓口でその医療費を支払うときに，せめて「治療内容に見合う金額だな」と思ってもらえるようになりたい．でも，そうなるためには努力とともに経験も重要なのだと思う．

「同じ病気の人をまずは100人診なさい．そうすれば，次の101人目は前に担当した人と似ているなと思えるようになるから」と．私が新人のころ，先輩からかけてもらった言葉である．

（能登真一）

# 2 作業療法部門の管理運営

## A 作業療法部門の位置づけ

### 1 施設の概要と作業療法部門の位置づけ

#### a 病院

医療機関には病院と診療所があり，**医療法**（➡ 41 ページ）で病床を 20 床以上もつ医療機関は病院と規定されている．病院の組織は，規模や役割などにより違いはあるが，多くは診療部門（医局），看護部門，医療技術部門（薬剤科，検査科，放射線科，栄養科，リハビリテーション科など），管理部門の 4 つから成り立っている．

作業療法部門は理学療法部門ならびに言語聴覚療法部門とともにリハビリテーション科に所属し，チーム医療を基盤に作業療法部門に課せられた役割を果たしていることが多い．また，職種ごとの所属ではなく，病棟や診療科，組織内の役割ごとの所属となっている場合もみられ，精神科病院での社会復帰部門，地域連携部門など作業療法士の所属部門は多様化している．

病院では，作業療法士は厚生労働省令で定められたリハビリテーション・作業療法施設基準のもとに，各診療科医師から作業療法の処方を受け，医師の指示のもとに作業療法を行い，作業療法にかかる診療報酬を請求している．作業療法実施に際しては診療部門だけでなく，看護部門，医療相談室や地域連携部門，薬剤科や栄養科とも連携し，診療報酬の請求や診療録の管理，診療材料の維持・管理，人事管理などを通じて，医事課や管理部門など多くの部門と密接なかかわりをもちながら作業療法業務を行っている．

#### b 介護保険施設

介護保険施設は，加齢に伴って生じる心身の変化を原因とする疾病により要介護状態となり，日常生活活動（ADL）の介護や機能訓練，看護および医学的管理を要する高齢者が，尊厳を保持し，能力に応じ自立した日常生活を営めるように，在宅および通所，入所による必要な保健医療福祉サービスの給付を行い，国民の保健医療の向上および福祉の増進をはかることを目的としている．65 歳以上，ならびに 40 歳以上の老化に伴う疾患（**特定疾病**）（➡ 241 ページ）により介護や支援が必要な対象者に介護保険を適用して行うことのできる作業療法実施施設は，施設サービスでは介護老人保健施設，特別養護老人ホーム，居宅サービスには通所リハビリテーション（デイケア）事業所，通所介護（デイサービス）事業所，訪問リハビリテーション事業所などがあげられる[1]．

いずれも対象者を担当するケアマネジャー（介護支援専門員）がリハビリテーション，介護予防あるいは在宅生活を充実させるためのケアプランを立て，かかわる全職種の連携のもと，それぞれの職種によるサービスが提供される．ここでは病院とは異なり，医師が作業療法を処方するのではなく，対象者自身，そして家族を交えた専門職の意見交換をもとにケアマネジャーがケアプランを立て，サービス提供者と利用者の契約のもと，生活，介護および社会参加を組み込んだ総合的リハビリテーションサービスを実施する．

### c 障害者総合支援法施設

65 歳以下の障害者（身体障害者，知的障害者，精神障害者，発達障害者）には障害者総合支援法に基づくサービスが提供される．作業療法士は，自立訓練（機能訓練，生活訓練）事業所，就労移行支援事業所，就労継続支援（A 型，B 型）事業所，地域活動支援センター，および障害児・者入所施設に勤務している．これらの施設は障害者および障害児が，基本的人権を享有する個人としての尊厳にふさわしい日常生活または社会生活を営むことを目指し，障害の有無にかかわらず国民が相互に人格と個性を尊重し住み慣れた地域で安心して暮らすことのできる（**ノーマライゼーション**）（➡6 ページ）社会を目的としている．これらの施設において作業療法士はそれぞれの施設の目的に応じた作業療法を他の専門職との連携のもとに行っている．

## 2 作業療法部門の開設と条件

作業療法部門を開設するためには，医療保険あるいは介護保険などの社会保障制度の定める施設基準を満たし，都道府県の監督署に申請，承認を得る必要がある．その施設基準は，職種とその人員，リハビリテーション部門あるいは作業療法部門の専有面積，備品・設備によって規定されている．

適用される施設基準ごとに診療報酬，介護報酬，障害福祉サービス等報酬などの金額が定められている．

## 3 施設基準

### a 医療保険[2–4]

#### ■総合リハビリテーション施設

作業療法，理学療法，言語聴覚療法を総合的に提供することができる施設を総合リハビリテーション施設という．医療保険では，心大血管疾患，脳血管疾患等，運動器，難病患者，障害児（者），がん患者，認知症患者，精神科作業療法など，疾患別の施設基準が設置されている（▶**表 1**）．

### b 介護保険

介護保険領域のサービスには居宅サービスと施設サービスがある．どちらのサービスにも作業療法士が勤務し，その目的に応じた役割を担っている．各サービスの施設基準は**表 1** を参照．

#### ■居宅サービス

**(1)　訪問リハビリテーション/介護予防訪問リハビリテーション**

訪問リハビリテーションとは，作業療法士や理学療法士，言語聴覚士が要介護者の家庭を訪問し，心身機能の維持回復と日常生活の自立に向けた訓練を行うものである．また，介護予防訪問リハビリテーションでは，介護予防を目的として，これらを行う．

**(2)　通所リハビリテーション（デイケア）/通所介護（デイサービス）/介護予防通所介護**

通所リハビリテーションは，居宅要介護者の心身の機能の維持回復をはかり，通所施設に通って日常生活の自立を助けるための理学療法，作業療法その他必要なリハビリテーションを行うものである．通所介護は，居宅要介護者が通所施設に通い，日常生活上の介護を受けたり，機能回復のための訓練，レクリエーションなどを行う．また，介護予防通所介護では，介護予防を目的としてこれらが行われる．

#### ■施設サービス

**(1)　介護老人保健施設**

介護老人保健施設は，介護を必要とする高齢者の自立を支援するため，医師による医学的管理のもと，作業療法士や理学療法士，言語聴覚士によるリハビリテーション，療養上の管理や日常生活上の介護を提供する施設であり，居宅における生

▶**表 1　医療保険および介護保険における施設基準（抜粋）**（2021 年現在）

| | 医療保険 | | 介護保険 | | |
|---|---|---|---|---|---|
| | | | 居宅サービス | | 施設サービス |
| | 脳血管疾患等（I） | 運動器（I） | 訪問リハ/介護予防訪問リハ | 通所リハ（デイケア）/通所介護（デイサービス）/介護予防通所介護 | 介護老人保健施設 |
| 医師 | 2 名以上（専任・常勤） | 1 名以上（専任・常勤） | 1 名以上（専任・常勤） | 1 名以上（専任・常勤） | 1 名以上（常勤） |
| 作業療法士 | 3 名以上（専従・常勤）※ | 合わせて 4 名以上（専従・常勤）※ | 適当数 | 単位ごとに利用者 100 名あたり 1 名以上 | 入所者数を 100 で割った以上の人数（常勤） |
| 理学療法士 | 5 名以上（専従・常勤）※ | | | | |
| 言語聴覚士 | 1 名以上（専従・常勤）※ | — | | | |
| 機能訓練室 | $160\,m^2$ 以上 | $100\,m^2$ 以上 | — | $3\,m^2$ × 利用定員数以上 | $1\,m^2$ × 入所定員数以上 |
| 機械・器具 | 各種測定用器具（角度計，握力計など），血圧計，平行棒，傾斜台，姿勢矯正用鏡，各種車椅子，各種歩行補助具，各種装具，家事用設備，各種 ADL 動作用設備 | 各種測定用器具（角度計，握力計など），血圧計，平行棒，傾斜台，姿勢矯正用鏡，各種車椅子，各種歩行補助具 | 必要な設備および備品など | 必要な設備および備品など | 必要な設備および備品など |
| 標準算定日数 | 180 日 | 150 日 | — | — | — |

〔文献 2)〜4) を参考に作成〕
※専従療法士は回復期リハビリテーション病棟および地域包括ケア病棟との兼任はできない．

活への復帰を目指すものと規定されている．

その施設基準は**表 1** を参照．

## 4 起業

### a 起業する作業療法士

1965（昭和 40）年に制定された理学療法士作業療法士法の第 4 章（業務等）の中に「第 15 条　理学療法士又は作業療法士は，（中略），診療の補助として理学療法又は作業療法を行なうことを業とすることができる」[5] と明記されている．しかし，2000 年の介護保険の制定以降，株式会社や NPO（特定非営利）法人などを設立し，訪問リハビリテーション，デイサービスなどの通所介護，障害者総合支援法に基づく就労系サービスなどの事業を展開する作業療法士が増加している．

また近年，地域で作業療法を通じて障害をもつ人々の幸福に貢献したい，よりよい地域社会をつくりたい，作業療法を広めていきたいという作業療法士の起業も増えている．

### b 起業の理念

作業療法士の起業も，一般の企業と同様にその企業が社会で果たす役割を企業理念として定め，それを関係者すべてに表明する責任がある．そのうえで 10 年後の目標を立て，それに向かって 3 年，5 年，…と具体的な計画を立てていく必要がある．企業の社会的責任（corporate social responsibility; CSR）とは，企業が利益を追求するだけでなく，組織活動が社会へ与える影響に責任をもち，あらゆる関係者（消費者，投資家，従業員，社会全体）からの要求に対して適切な意思決定をすることを指している．

**[起業の例] 株式会社，一般社団法人を起業している作業療法士**

東京都内において株式会社と一般社団法人を起業し，地域作業療法を実践している作業療法士Aさんは，精神障害者のノーマライゼーション(➡ 6ページ)を目指してきた．

経験年数が3年を超えたとき，精神科病院勤務時代の後輩の作業療法士の協力を得て，自宅の一部を改装して事務所を設置し，そこに訪問看護ステーションを立ち上げた．精神障害，小児領域の訪問作業療法を中心に，難病患者や高齢者も対象にしている．訪問作業療法・訪問看護による地域生活支援での実績を重ね，現在は近隣の医療機関やケアマネジャーとのネットワークが構築されている．

さらに，在宅の障害者の多くが在宅生活，疾患の安定だけでなく，仕事を通して社会に参加する希望をもっていることを痛感し，2013年に障害者の仕事を通じた社会参加の場として，一般社団法人を設立し，障害者総合支援法の障害者就労移行支援および障害者就労継続B型事業所を開所した．作業療法士の評価をもとにした就労訓練および就職活動支援，精神保健福祉士を中心とした作業所の仕事を通じた社会参加および地域生活支援を実施している．

その傍ら，近隣の町工場との協働による家庭用医療機器の開発，精神障害者のフットサルチームの運営を行い，地域社会に密着した実践を行っている．

# B 業務管理

## 1 臨床業務

作業療法の実施に先立ち，作業療法士に対する作業療法の処方，あるいはケアプラン作成による対象者の紹介などの連絡がある．作業療法士はその連絡を受け，対象者の一般的情報，医学的情報，生育歴や生活状況，社会環境などの情報を収集し(➡ 151ページ)，作業療法部門の対象者として受け入れる手続き(作業療法部門データベースへの入力，実施記録の作成，スケジュールの確認など)を行ったのちに，作業療法を開始する．

作業療法の実施後は，日時，実施作業療法士名，実施時間，内容などを作業療法実施記録に入力し，作業療法にかかる診療報酬，介護報酬の請求などを事務部門に連絡する．目的を達成したり，あるいは，対象者が転院や退院，次の施設に移るなど，対象者への作業療法を終了する場合は，転帰，効果判定などについて作業療法データベースへ入力し，また実施記録の保管などの退院時の事務的な処理を行う．

対象者が次の施設へ移った場合は，作業療法経過報告書を作成し，その施設の担当者に向けて書面として作成し，報告する．

## 2 管理運営

### a 業務管理

作業療法部門は日本作業療法士協会の倫理綱領(➡ 94ページ)を順守し，就業規則に従い，所属する組織(病院，施設，事業所など)の理念や運営目標に沿って，中長期および短期の事業計画および予算を計画し，それに基づいた事業運営を行う．そしてその目標に向けて一定期間事業を実施したのちに，目標に対してどれほどの成果を残すことができたかを自己評価し，その報告をもって管理者および決定権者の評価を受け，そして次期の計画を修正・立案するというプロセスを繰り返している[6]．

また，職員の組織図および職階や職務分掌の明確化を行う．また業務負荷が特定の職員に集中しているといった偏りがないように，一定期間で担当業務をローテーションさせるなど，業務を職員に均等に配分することにも気を配る必要がある．全体の業務の質を向上させるためにも業務のローテーションは必要である．

作業療法士が作業療法を実施することにより，その組織は診療報酬や介護報酬などの報酬を計上することができる．作業療法士がそれらの報酬を請求するためには，施設，人員，実施時間，1 日の実施上限，実施の形態などにかかわる施設基準(➡ 247 ページ)，医科点数表などの規則が定められており，それに適合した作業療法を計画・実施し，対象者の評価所見とともに適切に診療録などの記録に残していることが条件となっている．そのため，すべての作業療法士が 1 日，あるいは 1 か月に行った作業療法が上記の規則に適合しているかどうか厳密に管理する必要がある．

## b 人事管理

上記の業務管理と密接に関係しているが，業務計画に応じた職員の採用，職員の出退勤の状況，年次有給休暇，産前・産後休業，育児・介護休業，病気休職などの各種休暇および休職の取得(休暇・休職者の代替職員の採用や復職への援助も含む)に関する人事管理も職場の運営上なくてはならない業務である．また，公平かつ透明性のある人事考課とそれに伴う昇給や組織の役割に応じた昇進，職場のローテーションも重要な人事管理である．さらには，職員の健康管理やメンタルヘルス不調のリスクを低減させるとともに，必要に応じて職場環境の改善をはかる必要がある．たとえば対象者や職員から職場環境に対する意見を聴取したりハラスメント事案が発生した場合は相談，調査・検討，処分を組織的に行う委員会といったシステムの整備や管理体制を確立したりすることが必要と考えられる．

作業療法士の採用にあたっては，就職試験や面接，履歴書などの審査，小論文など，各職場でさまざまな方式がとられている．

## c 設備・備品・消耗品管理

作業療法で使用する備品は，すぐに使用できるように管理しておく必要がある．また，消耗品も同様に，常に在庫の把握，補充などをしておく．さらには，作業療法室における不用意な転倒・転落や工具・クラフトの道具による外傷などを避けるため，照明，空調管理，室内の動線，備品配置，整理整頓，椅子・車椅子などの身体に使用する備品の整備点検，使用法の明記といった管理が必要である．また，針，工具，包丁などの危険を伴う物品や道具はリストを作成し，種類や個数の定期的な管理を実施するようにシステム化する．キッチンおよび冷蔵庫や調理器具類も定期点検のスケジュールを定めて清潔に保つことを心がける．

作業療法で作製したクラフトなどの作品の取り扱いについては，診療材料として対象者から別途材料費を徴収しない，あるいは徴収するため対象者に持ち帰ってもらうなど，それぞれの作業療法部門で実態に合った運用が行われている．

## d 記録(文書・電子データ)管理

作業療法実施記録(カルテなど)は，評価や情報収集の結果をもとに，リーズニングを明確に示して作業を選択し，作業療法を実施，そして再評価するといった一連の作業療法のプロセスとその効果を記録として残すために重要ではあるが，そればかりではない．記録は作業療法を実施したという法的根拠となる資料であり，時には事故などの係争における裁判所の法的資料にもなる．2005 年の個人情報保護法の施行以降，記録(診療録など)の情報も個人情報として扱われるため，対象者本人からのカルテ開示要求に応える義務が生じている．

業務管理の節で述べたように，記録は診療報酬や介護報酬などの報酬を計上した根拠書類となりうるため，記録を作成し適正に管理することは作業療法士の重要かつ最低限の業務である．多くの病院では診療録などの記録は保険医療機関及び保険医療養担当規則により，5 年間の保管が義務づけられている．

また，臨床現場では問題指向型の診療録(problem oriented medical record; POMR)を各診療部門で統一して採用しているところが多い．POMR は基本データ（対象者の基本情報），問題リスト（問題点の列挙），初期計画（治療計画の立案），プログレスノート（経過記録）で構成されている．経過記録の記載は SOAP 方式で行う〔本章 3「作業療法の記録と報告」（➡ 258 ページ）参照〕．

精神障害以外の医療保険および介護保険領域の作業療法では作業療法士と対象者のマンツーマンの体制による単位制（1 単位 20 分）が基本となっているため，SOAP に加え，年月日，作業療法実施者名，開始時間と終了時間，単位数を明記することが義務づけられている．

### e リスク管理

作業療法では従来 1 人ひとりの対象者の病状や症状に合わせたリスク管理を治療の一環としており，治療に際しては症状，年齢，栄養状態をきめ細やかに考慮してきた．しかし，医療事故に対する社会の関心も高まり，事故の原因分析から，医療事故の多くはシステムの改善によってリスクを軽減できることが明らかになってきた．また，医療の進展や，高齢化，世界のグローバル化などの影響を受けて，毎年のように新たな感染症が出現し，その治療対策と感染予防対応に追われている．そのような社会の情勢を受けて，作業療法部門でも 2002 年の厚生労働省による医療機関の医療安全体制の整備の義務化以降，リスクマネジメントに対する関心が年々高まってきている．現在はリスクマネジメントは治療の一環ではなく作業療法部門の管理運営の一部と考えられるようになっている．

ひとたび事故がおこると，対象者の心と体に重大な影響を与えてしまう．また，その作業療法士が所属する組織が損害賠償を請求される可能性もある．たとえ避けられない事故であったとしても当事者の作業療法士は人道的責任を感じ，深く傷つくことになる．

日本作業療法士協会『作業療法ガイドライン 2018』では，「臨床作業療法部門自己評価表（第 2 版）」のなかに安全管理項目として，①緊急時対応器具類の配備，②施設内感染防止対策の実施，③治療器具類の点検・管理，④緊急時対策マニュアルの有無，⑤リスクマネジャーの配置，⑥緊急時対策の明示，⑦防災訓練の実施の 7 項目があげられており，「はい」，「いいえ」，「どちらともいえない」の 3 段階でチェックするように示されている[6]．さらに，作業療法の業務は多岐にわたっており，調理やクラフト，工具の使用などにも対応するため，他職種の部署にはない作業療法部門独自のリスクマネジメント項目が存在する（▶表 2）[7]．

## 3 その他の業務

### a 臨床実習

理学療法士作業療法士学校養成施設指定規則（以下，指定規則）[8] では，臨床実習指導者は臨床実習免許を受けたのち 5 年以上業務に従事した者であり，かつ厚生労働省指定の臨床実習指導者講習会を受講した者とされている．臨床実習は実習時間 22 単位（1 単位 40 時間相当），その 3 分の 2 以上は医療提供施設において行うこと，訪問リハビリテーションまたは通所リハビリテーションに関する実習を 1 単位以上行うことと規定されている．

わが国の作業療法は医療機関での作業療法から，生活の場での作業療法〔**特別支援学校**（➡ 40 ページ），訪問リハビリテーション，デイケア，デイサービス，就労移行・継続支援など〕，環境面の支援など地域での幅広い作業療法へのシフトが求められている[9]．医学と住民の生活の両側面で活躍できる作業療法士を輩出していくために，臨床実習は重要な役割をもっている．

臨床現場の作業療法士は後輩を育成するという重要な目的があるほか，教育指導することを通じて作業療法に関する知識を深める，臨床教育者自らの臨床業務を見つめ直し，整理をする重要な機会となる．

臨床実習生の受け入れは作業療法部門の年間計

▶表 2　作業療法部門のリスクマネジメント項目

| No. | 項目 |
|---|---|
| **I. 施設・備品** | |
| 1 | 快適な空調管理を行っている |
| 2 | 患者，セラピストの動線がシンプルである |
| 3 | 入り口付近，通路に十分な広さを確保している |
| 4 | 非常口付近に物を置いていない |
| 5 | 室内を整理整頓している |
| 6 | 作業療法訓練中に患者が使用する椅子・車椅子は患者の身体状況や訓練目的に合わせて適合している |
| 7 | 熱を発する機器や電動のこぎりなど稼働することで危険を伴う機器は通常は電源を落とし，コンセントを抜いている |
| 8 | 針・工具などの危険を伴う物品や道具の使用状況はリストを作成し，定期的に管理している |
| 9 | 電動工具，福祉機器，車椅子など直接身体に作用を及ぼす作業療法使用機器の安全な取り扱い法が明示されている |
| **II. 患者の確認** | |
| 10 | 初診，および初対面の場合は，患者をフルネームで確認している |
| 11 | 意識障害，認知障害，高次脳機能障害などにより本人からの確認が困難な場合は，付き添いの医療スタッフ・家族および，診察録，ID カードなどにて患者を確認している |
| **III. 情報の共有** | |
| 12 | 定期的なカンファレンス，ミーティングで患者の状態，リスクの確認を行っている |
| 13 | 診療録（電子カルテ）にて患者の状態を随時把握している |
| 14 | 患者の送迎や他部門への受け渡し時に他部門間で患者情報の伝達を行っている |
| 15 | 転倒の危険のある患者の情報を OT スタッフ内で共有している |
| 16 | インシデント・アクシデント情報，検討内容を作業療法部門内で共有している |
| **IV. 緊急時の対応** | |
| 17 | 訓練時の患者の症状変化を注意深く観察している |
| 18 | 全身状態の変動する可能性がある患者，急性期の患者については随時バイタルチェックを行っている |
| 19 | バイタルチェックのための機器（体温計，血圧計，心電図モニター，酸素飽和度モニターなど）がすぐに使用できる状態である |
| 20 | 一般的な OT 中止基準を策定している |
| 21 | 必要な患者には，医師からのカルテおよび処方・指示書に OT 実施時のバイタルの明確な目安や訓練中止の症状などを明記している |
| 22 | 緊急時の対応マニュアルを策定している |
| 23 | 緊急時対応の手順や連絡先を目につくところに掲示している |
| **V. 感染症対策** | |
| 24 | 感染症（MRSA など）患者の OT 室での実施基準を策定している |
| 25 | 手指，機器，備品，マスク・ガウンの着用，ユニホームの消毒は，院内の感染症マニュアルにのっとっている |
| 26 | 手洗いを励行し，ペーパータオルを使用している |
| 27 | 感染症患者，易感染性患者の情報を OT スタッフ内で共有している |
| **VI. 医療安全教育** | |
| 28 | 緊急時の対応訓練，感染症予防対策研修などの医療安全研修に作業療法部門も定期的に参加している |
| 29 | 作業療法部門（あるいはリハビリテーション部門）でもリスクマネジャーを配置し，医療安全対策の情報を集約，共有している |
| 30 | 心肺蘇生訓練などの救急救命措置技術の研修会に作業療法部門も参加している |
| 31 | インシデント・アクシデントの報告・検討のシステムが明確になっている |
| 32 | 新職員に対し，医療安全教育を行っている |
| **VII. 個人情報保護** | |
| 33 | プライバシーの権利保護のための相談室や診察室が配置されている |
| 34 | 個人情報を含んだ情報は情報漏洩の防止のために所定の場所から持ち出さない，パスワードによる閲覧制限，入力制限を設けている |
| **VIII. 顧客満足度・苦情への対応** | |
| 35 | 対象者や職員の意見をモニタリングして業務改善・組織改善に役立てている |
| 36 | 苦情に対応するためのシステム，流れが作業療法部門内で周知されている |

〔會田玉美，他：作業療法部門のリスクマネジメント評価—適用可能性の検討. 作業療法 27:158–167, 2008 より一部改変〕

画に基づき，受け入れ人数と臨床教育者が決定され，所属長と養成校の契約に従って実施される．養成校は臨床教育者とともに到達目標および臨床教育方法，学生の養成校での生活や学習状況を連絡相談のうえ，実習を開始する．臨床教育者は関連部署との調整を行い，所属する臨床現場に学生の学ぶ場所と機会を確保し，臨床実習スケジュールを作成する．臨床実習を開始したのちも養成校と臨床教育者は逐次連絡をとりながら，学生が貴重な臨床経験を円滑に積むことができるよう調整を行う．

わが国の作業療法士教育は米国の作業療法教育をモデルに導入されたため，臨床教育においては，1人の対象者の情報収集，評価，治療，効果判定といった一連の作業療法プロセスを経験し，その経過を症例報告書にまとめることを中心においた“症例報告型”臨床教育であった．しかし近年，無資格である学生が対象者の作業療法を行うことに対する批判や，臨床現場で学ぶことは知識やレポートの作成ではないという反省から，助手として臨床チームの一員に入り，業務の一部を担当させてもらいながら，臨床教育者が行っている臨床的推論（クリニカル・リーズニング）を学び，臨床で行われている技術を中心に習得する“クリニカルクラークシップ（clinical clerkship; CCS）型”臨床教育（診療参加型実習）の導入が進んでおり，指定規則では評価実習，総合臨床実習については，**診療参加型臨床実習**（➡ 105 ページ）が望ましいことが示されている．

## b 新人教育

作業療法士の有資格者数は 104,286 人（2021 年 4 月現在）[10] であり，1 年間に約 5,000 人の作業療法士が新たに誕生する．回復期リハビリテーション病棟を有する医療機関などでは，作業療法士の配置人数が 30 人を超える職場も珍しくない．作業療法士の臨床現場では新人作業療法士を，意欲のある質の高い作業療法士へと効率的に育てることが喫緊の課題となっている．したがって，近年は新人教育体制を整備している職場が増加している．その手法の多くは OJT（on the job training）という，実際の仕事を通して必要な知識・技術，技能，態度などを教育指導し，また修得させる教育方法を採用している．

指導体制は，看護師新人教育では広く行われているプリセプター制度が採用されている．つまり，新人作業療法士は経験年数が 2〜3 年上の作業療法士に一定期間付いて作業療法の仕事を学ぶ．

新人教育は新人の教育だけを行うという狭い意味ではなく，その職場における専門職としてのキャリア形成を促すことである．その組織が求める作業療法士像，あるいはその組織が求めるコンピテンシー（有能者の行動特性），あるいはキャリア開発のプランを，新人，中堅，プロフェッショナルなどの経験年数に応じた段階ごとに設定し，各々のプログラムを作成する必要がある．そして，先輩作業療法士やリーダーは仕事を教えるだけでなく，作業療法士としてのキャリア形成の相談役としての役割を担う必要がある．

## c 研修活動

日本作業療法士協会が実施している生涯教育制度は，作業療法士としての自己研鑽を継続するための「生涯教育基礎研修」，作業療法の臨床実践，教育，および管理運営に関する能力を習得するための「認定作業療法士取得研修」，高度かつ専門的な作業療法実践能力を習得するための「専門作業療法士取得研修」が設置されている[11]（➡ 106 ページ）．専門作業療法士の分野は「福祉用具」，「認知症」，「手外科」，「特別支援教育」，「高次脳機能障害」，「精神科急性期」，「摂食嚥下」，「訪問作業療法」，「がん」，「就労支援」の全 10 分野であり，10 分野の専門作業療法士数は，2021 年 10 月現在合計 114 名である[12]．

## d 研究

「作業療法における研究とは，臨床家である作業療法士が自分の臨床実践を確かなものにするために行う活動」[13] とされている．作業療法士は臨床上の疑問に答えるために研究を行う必要がある．ある症例に効果のある作業療法を行うためには，同じ問題をもつ症例に対して過去にどのような研究や実践がなされてきたかを調べることにより作業を決定する．あるいは，自分が行った作業療法の効果は他の研究と比べてどのようであったかという比較を行うなど，これらは日常的に行う研究である．したがって，よりよい臨床を行うために研究は必須である．作業療法は数量的な処理や，判定が可能な側面と，対象者の気持ちや個別の経験に基づくナラティブな側面がある．どちらも作業療法の研究対象となっている．

研究にあたっては，研究対象に対する倫理的配慮が必要である．2008 年に改正された「臨床研究に関する倫理指針」では，臨床研究は疾病の予防，診断，治療に関する医学系研究であり，リハビリテーション研究，看護研究，健康科学も含まれるとしている．また，「ヘルシンキ宣言(人間を対象とする医学研究の倫理的原則)」では研究倫理審査委員会の審査，個人情報保護，**インフォームドコンセント**(➡ 93 ページ)の徹底が細かく明記されている[14]．

# C 組織マネジメント

## 1 組織とマネジメント

### a 組織とは

作業療法士が勤務する組織には**ヒューマンサービス**の組織として 3 つの特徴がある．

1 つ目は，多くの企業などにみられる官僚制組織のタテの組織と 1 人の対象者に多くの専門職がかかわるヨコの組織との両方を兼ね備えていることである．官僚制組織では職務上の義務，権限が規則によって定められている．職務には階層があり，それぞれの階層ごとに命令権限が存在する．また，職務に応じた採用や配置が行われる．職務は文書によって規定されており，明確で習得可能な一般規則に従って遂行されている(▶図 1)．この官僚制組織を基盤に作業療法士の働く組織も構成されているが，対象者を中心とした業務の側面から組織をみると，1 人の対象者を中心に多くの専門職がそれぞれの倫理綱領に基づき，専門性に責任をもち，それぞれが対等な立場でかかわっている(▶図 2)．すなわち職制上の組織と，専門職としての業務による組織の 2 つの組織に同時に所属しているといえる．

2 つ目は，比較的狭い地域社会のさまざまな人や業務上関連のある組織と密接な関係を保ちながら，地域に貢献し，常に地域に開かれた組織を形成していることがあげられる．

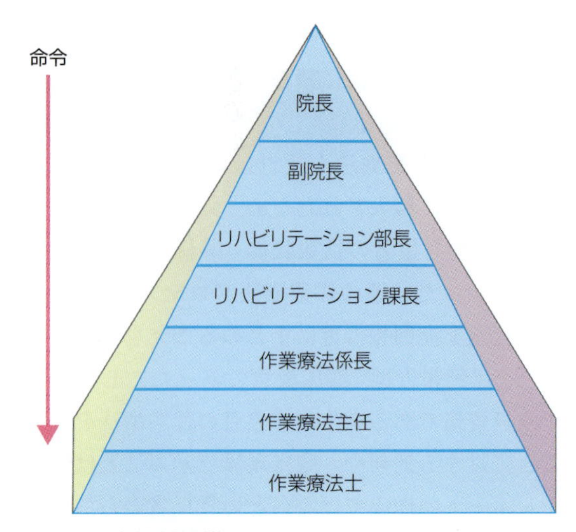


▶図 1　官僚制組織

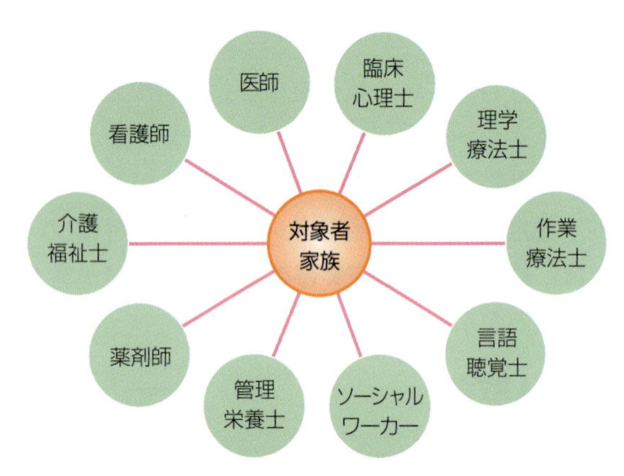


▶図 2　対象者や家族を中心とした支援の組織図

**Keyword**

**ヒューマンサービス**　保健・医療・福祉・教育の分野，広い意味では観光・芸術を含む分野で，1 人の人間のもつ多様な課題やニーズに全人的に対応し，専門職間の連携をはかり，各人がその人らしく生きられるように支援すること，そしてその理念を指す．

3つ目は，医療，保健などのヒューマンサービスの領域では，その組織の設立母体が私立であっても，対象者に行うサービスの公平性，公共性が暗黙の了解であるということである．

## b マネジメントとは

マネジメントとは「組織（会社など）が限りある資源を活用して，組織的に目的を達成する」ことである．マネジメントの対象は「ヒト」，「モノ」，「カネ」，「情報」の4つとされている．ヒトは人的資源管理を指し，モノは在庫管理や資産管理，カネはコスト管理や財務管理，情報は近年の情報化社会において注目される資源である．経営管理論では，企業はこれら4つのリソース（資源）を有効に活用し経営効率を最大化させるとしている．近年は4つに加えて「知識」も資源の1つと考えられ，知識の共有，育成，活用が重要とされている[15]．

## c 作業療法部門の職場マネジメント

作業療法部門の職場マネジメントの重要性は近年ますます高まっている．その背景には高齢化社会に伴い作業療法士の需要が増したこと，医療だけでなく社会のサービス全体が量から質を重んじる**ホスピタリティ**の時代に変化しつつあること，患者中心の医療が進展し，患者の意向が尊重されるようになってきたこと，医療事故や訴訟の人道的・社会的影響の大きさなど，多面的な要因が考えられる．

また，作業療法士という専門職の集団ということから考えると，回復期リハビリテーション病棟の新設に伴う求人数の増加，高齢化社会の進展に伴う高齢者領域での作業療法の需要の拡大，そして近年の若い作業療法士数の増加という背景から作業療法士の質の向上と均質化が求められているという点があげられる．作業療法士の業務を適正に管理し，職場をマネジメントしていくことが次第に求められるようになってきた．

現在は，いずれの作業療法士に対しても，すべての対象者に安全な作業療法を提供するための**リスクマネジメント**，作業療法部門の質を高めるための対象者および他職種における満足度の評価，そして作業療法士の育成および職場内キャリア支援，コンプライアンスや業務量の管理，職場の物品管理や人事労務管理，職員のメンタルヘルスケアに至るまでの職場マネジメントの知識と能力が求められている．作業療法士の質と量をともに高めるには効率性の向上が必須であり，職場のマネジメントは今後ますます必要とされるであろう．

作業療法の職場マネジメントとは対象者への直接のかかわり以外のすべての業務を意味するため，その内容は多岐にわたる．作業療法士は専門的知識および技術を提供する職業であるため，前節にあげた「ヒト」，「モノ」，「カネ」，「情報」の4つのリソースのなかでも，「ヒト」に関するマネジメントが重要と考えられる．作業療法士の採用，新人教育，キャリア教育，リーダーシップといった，専門職のキャリアコンピテンシー（専門職として自発的にキャリアを形成していく能力）にかかわるマネジメントは重要である．これは「知識」という5つ目のリソースとも密接な関係にある．

「モノ」の管理では，備品，物品，消耗品，作品などの管理，また「カネ」の側面では，国家資格である作業療法士免許をもつ作業療法士を職場が監督署に届け出ることに伴い，作業療法の実施の対価として医療保険および介護保険の作業療法料などが適用されるため，作業療法士の在籍数，勤務状況，および対象者に作業療法を実施した時間や

**Keyword**

**ホスピタリティ**　歓待や厚遇といった，いわゆる「おもてなし」のことを指す．リハビリテーションをはじめとした医療や福祉の世界では，患者や対象者の満足度に配慮した接し方やサービス，さらには施設の備品や空間に対する配慮も含まれる．

**リスクマネジメント**　臨床現場で生じる可能性のあるさまざまなリスクに対して，事前に，かつ組織的に管理し，それらの回避をはかる作業のこと．具体的なマネジメント項目には，緊急時の対応，感染防止，治療器具の管理などがある．

内容といった作業療法実施記録の管理が重要となる．

日本作業療法士協会『作業療法ガイドライン2018』の管理運営の項では，臨床作業療法部門自己評価表(第 2 版)を示し，(I)施設全体における作業療法(関連)部門の位置付け，(II)業務管理，(III)対象者への評価に関すること，(IV)対象者への作業療法治療(援助・指導)定義に関すること，(V)対象者の支援に関する役割・機能，(VI)病院内での職種としての役割・機能，(VII)他部門・他機関との連携，(VIII)記録(文書)管理，(IX)安全管理，(X)教育・研修・研究，(XI)福利厚生の 11 項目をあげ，それぞれの自己評価の実施をすすめている[16]．

## 2 リーダーシップ

リーダーとは「部下あるいはメンバーに対して命令・指導・指示し，統合する役割を担う指導者」であり，リーダーシップとは「積極的，自発的に活動に参加・貢献するように誘導し，部下あるいはメンバー相互の連帯性を維持・向上させる機能」とされている[17]．

作業療法士のリーダーシップとは，メンバーが対象者に最善の支援を提供する経験を重ねることにより，その組織に所属していることに誇りをもち，向上心をもって，創造性や自律性を発揮できる作業療法士集団に育成していくことであるといえよう．さらには，作業療法士というキャリアを形成していくうえでの相談役としての役割も求められている．

# D 多職種連携(チーム医療)

多職種連携は作業療法を実施するうえで欠かせないものである．

作業療法の対象者の多くは慢性の疾患や障害をかかえているが，その人らしい生活を送るためにリハビリテーションのさまざまな場面で多職種がかかわっている．また，急性期の疾患や迅速な対応が求められる症例も，多職種が連携しそれぞれの専門性を発揮することにより，診療プロセス全体の効率的な運用が行われている．

作業療法の処方依頼があった場合は，評価に基づき治療を開始する．しかし，作業療法の実施時間を決定するためには，その対象者にかかわる他部門とのスケジュール調整が必要である．次に，多職種によるカンファレンスを経て，チーム全体の方針を確認したうえでそれに沿うように作業療法の目標を決定する．作業療法を実施するにあたり，カンファレンスやミーティング，実施記録，リハビリテーション総合実施計画書などのフォーマルな情報交換はもとより，対象者に関する他職種との情報交換は対面，電話，書面などあらゆる方法でリアルタイムに，かつインフォーマルに行われる．

このような対象者に寄り添った多職種連携が対象者の満足度を向上させるとともにリハビリテーションの円滑な目標達成を推進している．

### ●引用文献

1) 厚生労働省：介護保険法(平成九年十二月十七日)(法律第百二十三号)第一章　総則(第一条―第八条の二)．https://www.mhlw.go.jp/web/t_doc?dataId=82998034
2) 社会保険研究所：医科点数表の解釈 平成 28 年 4 月版．pp1740–1741, 社会保険研究所, 2016
3) 社会保険研究所：医科点数表の解釈 平成 28 年 4 月版．p1744, 社会保険研究所, 2016
4) 厚生労働省：介護老人保健施設の人員，施設及び設備並びに運営に関する基準．第二章 人員に関する基準，第三章 施設及び設備に関する基準(平成十一年三月三十一日)(厚生省令第四十号)．https://www.mhlw.go.jp/web/t_doc?dataId=82999407&dataType=0&pageNo=1
5) 厚生労働省：理学療法士及び作業療法士法(昭和四十年六月二十九日)(法律第百三十七号)．https://www.mhlw.go.jp/web/t_doc?dataId=80038000&dataType=0&pageNo=1
6) 日本作業療法士協会学術部(編著)：作業療法ガイドライン(2018 年度版)．p48, 日本作業療法士協会, 2019．https://www.jaot.or.jp/files/page/wp-content/uploads/2019/02/OTguideline-2018.pdf

7) 會田玉美, 他：作業療法部門のリスクマネジメント評価—適用可能性の検討. 作業療法 27:158–167, 2008
8) 厚生労働省：理学療法士作業療法士学校養成施設指定規則(昭和四十一年三月三十日)(文部省/厚生省/令第三号).
https://www.mhlw.go.jp/web/t_doc?dataId=80041000&dataType=0&pageNo=1
9) 日本作業療法士協会：作業療法臨床実習指針(2018)作業療法臨床実習の手引き(2018).
https://www.jaot.or.jp/files/page/wp-content/uploads/2013/12/shishin-tebiki2018-2.pdf
10) 日本作業療法士協会：2021 年 4 月 1 日現在の作業療法士. 日作療士協会誌 (110):48, 2021.
https://www.jaot.or.jp/files/page/kankobutsu/pdf/ot-news2021/2021-05.pdf
11) 陣内大輔, 他：改定の概要〈解説〉—生涯教育制度は新しい段階へ進みます！. 日作療士協会誌 (9):18–29, 2012
12) 日本作業療法士協会：専門作業療法士一覧.
https://www.jaot.or.jp/member/ninteiList/professional/
13) 山田　孝：研究は誰が何のためにするものなのか. 山田　孝(編)：作業療法研究法. 第 2 版, p12, 医学書院, 2012
14) 世界医師会・日本医師会(訳)：ヘルシンキ宣言.
https://www.med.or.jp/doctor/international/wma/helsinki.html
15) 大串正樹：ナレッジマネジメント—創造的な看護管理のための 12 章. pp166–168, 医学書院, 2007
16) 日本作業療法士協会学術部(編著)：作業療法ガイドライン(2018 年度版), pp47–48, 日本作業療法士協会, 2019.
https://www.jaot.or.jp/files/page/wp-content/uploads/2019/02/OTguideline-2018.pdf
17) 下山節子, 他(編著)：新時代の看護マネジメントとリーダーシップ—人が育つチームを創る！. p32, メディカ出版, 2012

# 3 作業療法の記録と報告

## A 記録の目的と種類

広辞苑[1]によれば，記録とは，「のちのちに伝える必要から，事実を書きしるすこと．また，その文書」とされる．では，のちのちに伝える必要のある相手，つまり作業療法記録の“読み手”とは誰のことだろうか．私たちの記録の主な読み手を**表 1**に書き出してみたが，裏を返せば，これは記録が誰のためのものなのかを示すものでもある．Sames(サムス)[2]が指摘するように，記録のあり方は，読み手が誰かによって大きく影響を受けるものである．

以下に，記録の目的と種類について，読み手ごとに解説する．

### 1 保健医療福祉専門職のための記録

医療や介護技術の発展に伴って，多くの専門職種が生まれた．それらの専門職が，問題点を共有し，それぞれの役割を効率よく果たすためには，各職種間の情報交換は必須であり，記録の共有や申し送りはその基本をなす．**図 1**[3]に示したのは，日本作業療法士協会が作成した「生活行為向上マネジメントシート」であるが，特に生活行為向上プラン部分は，本人や家族も含めた各職種の動きを把握しなければ十分な書き込みができない形式となっていて，多職種連携を念頭に，それを促進するツールとなっている．

また，**図 2**[3]に「生活行為申し送り表」を示した．本申し送り表には，これまでの支援の内容，対象者の希望する生活行為，現在の生活状況〔ADL(日常生活活動)やIADL(手段的日常生活活動)〕，アセスメントのまとめと解決すべき課題，継続するとよいプログラムなどの情報が含まれ，サービス提供施設が変わっても途切れのないサービスが提供できるように意図されている．これは，作業療法士から作業療法士への，または，作業療法士から他の職種への連携シートとして活用できる．

この種の記録には，ほかにケースカンファレンス記録，他部門への報告書，他施設への申し送り書などが含まれる．

### 2 対象者や家族/行政(指導・監査)のための記録

「個人情報の保護に関する法律」の第 28 条第 1 項・2 項(▶**表 2**)は，本人からの求めによる保有個人情報データの開示に関する規則を示したものである．それに基づく厚生労働省の「医療・介護関係事業者における個人情報の適切な取扱いのためのガイダンス」[4]によれば，「医療・介護関係事業者は，本人から，当該本人が識別される保有個

▶**表 1　作業療法記録の読み手**

| | |
|---|---|
| 1 | 保健医療福祉専門職 |
| 2 | 対象者や家族/行政(指導・監査) |
| 3 | 自分/学生や後輩 |
| 4 | 部門運営者 |
| 5 | 検察や弁護士 |

## 生活行為向上マネジメントシート

利用者：＿＿＿＿＿＿＿＿　担当者：＿＿＿＿＿＿＿＿　記入日：　　年　　月　　日

<table>
<tr><td rowspan="9">生活行為アセスメント</td><td rowspan="2">生活行為の目標</td><td>本人</td><td colspan="5"></td></tr>
<tr><td>キーパーソン</td><td colspan="5"></td></tr>
<tr><td>アセスメント<br>項目</td><td colspan="2">心身機能・構造の分析<br>（精神機能，感覚，神経筋骨格，運動）</td><td colspan="2">活動と参加の分析<br>（移動能力，セルフケア能力）</td><td colspan="2">環境因子の分析<br>（用具，環境変化，支援と関係）</td></tr>
<tr><td>生活行為を<br>妨げている要因</td><td colspan="2"></td><td colspan="2"></td><td colspan="2"></td></tr>
<tr><td>現状能力<br>（強み）</td><td colspan="2"></td><td colspan="2"></td><td colspan="2"></td></tr>
<tr><td>予後予測<br>（いつまでに，どこまで<br>達成できるか）</td><td colspan="2"></td><td colspan="2"></td><td colspan="2"></td></tr>
<tr><td>合意した目標<br>（具体的な生活行為）</td><td colspan="2"></td><td colspan="2"></td><td colspan="2"></td></tr>
<tr><td>自己評価＊</td><td>初期</td><td>実行度　/10</td><td>満足度　/10</td><td>最終</td><td>実行度　/10</td><td>満足度　/10</td></tr>
</table>

＊自己評価では，本人の実行度（頻度などの量的評価）と満足度（質的な評価）を 1 から 10 の数字で答えてもらう

<table>
<tr><td rowspan="6">生活行為向上プラン</td><td colspan="2">実施・支援内容</td><td>基本的プログラム</td><td>応用的プログラム</td><td>社会適応プログラム</td></tr>
<tr><td colspan="2">達成のための<br>プログラム</td><td></td><td></td><td></td></tr>
<tr><td rowspan="2">いつ・どこで・誰が実施</td><td>本人</td><td></td><td></td><td></td></tr>
<tr><td>家族や<br>支援者</td><td></td><td></td><td></td></tr>
<tr><td colspan="2">実施・支援期間</td><td colspan="3">年　　月　　日 ～　　年　　月　　日</td></tr>
<tr><td colspan="2">達成</td><td colspan="3">□ 達成　□ 変更達成　□ 未達成（理由：　　　　　）　□ 中止</td></tr>
</table>



▶**図 1　生活行為向上マネジメントシート**
〔日本作業療法士協会：生活行為向上マネジメント．改訂第 3 版，日本作業療法士協会，2018 より〕

## 生活行為申し送り表

氏名＿＿＿＿＿＿＿＿＿　年齢＿＿＿＿＿　性別＿＿＿＿＿　作成日＿＿＿＿＿＿＿＿＿＿

今後も健康や生活行為を維持するため，下記のとおり指導いたしました.
引き続き継続できるよう日常生活のなかでの支援をお願いいたします.

| 【元気なときの生活状態】 | 【今回入院きっかけ】<br>□ 徐々に生活機能が低下<br>□ 発症（脳梗塞など）<br>□ その他（　　　　　） | 【ご本人の困っている・できるようになりたいこと】 |
|---|---|---|

【現在の生活状況】（本人の能力を記載する）　該当箇所にチェックをつける

| ADL 項目 | している | していないができる | 改善見込み有り | 支援が必要 | 特記事項 |
|---|---|---|---|---|---|
| 食べる・飲む | □ | □ | □ | □ | |
| 移乗 | □ | □ | □ | □ | |
| 整容 | □ | □ | □ | □ | |
| トイレ行為 | □ | □ | □ | □ | |
| 入浴 | □ | □ | □ | □ | |
| 平地歩行 | □ | □ | □ | □ | |
| 階段昇降 | □ | □ | □ | □ | |
| 更衣 | □ | □ | □ | □ | |
| 屋内移動 | □ | □ | □ | □ | |
| 屋外移動 | □ | □ | □ | □ | |
| 交通機関利用 | □ | □ | □ | □ | |
| 買い物 | □ | □ | □ | □ | |
| 食事の準備 | □ | □ | □ | □ | |
| 掃除 | □ | □ | □ | □ | |
| 洗濯 | □ | □ | □ | □ | |
| 整理・ゴミだし | □ | □ | □ | □ | |
| お金の管理 | □ | □ | □ | □ | |
| 電話をかける | □ | □ | □ | □ | |
| 服薬管理 | □ | □ | □ | □ | |

【リハビリテーション治療における作業療法の目的と内容】

【日常生活の主な過ごし方】

【アセスメントまとめと解決すべき課題】

【継続するとよい支援内容またはプログラム】

生活行為向上マネジメント　© 一般社団法人日本作業療法士協会


▶**図 2　生活行為申し送り表**
〔日本作業療法士協会：生活行為向上マネジメント. 改訂第 3 版, 日本作業療法士協会, 2018 より〕

▶表 2 個人情報の保護に関する法律 第 28 条第 1 項・2 項

1 本人は，個人情報取扱事業者に対し，当該本人が識別される保有個人データの開示を請求することができる．
2 個人情報取扱事業者は，前項の規定による請求を受けたときは，本人に対し，政令で定める方法により，遅滞なく，当該保有個人データを開示しなければならない．ただし，開示することにより次の各号のいずれかに該当する場合は，その全部又は一部を開示しないことができる．
一 本人又は第三者の生命，身体，財産その他の権利利益を害するおそれがある場合
二 当該個人情報取扱事業者の業務の適正な実施に著しい支障を及ぼすおそれがある場合
三 他の法令に違反することとなる場合

▶表 3 開示に耐える診療記録の要件

| | |
|---|---|
| 1 | 正確性(事実に沿う) |
| 2 | 判読可能(見読性) |
| 3 | 理解可能<br>●経時的記載<br>●論理的<br>●標準化され，統一性がある |
| 4 | 法令に適合している |
| 5 | 保険の規則に適合している |
| 6 | 真正性 |
| 7 | 保存性 |

〔全日本病院協会 医療の質向上委員会(編著)：標準的診療記録作成・管理の手引き．p6, じほう, 2004 より〕

人データの開示の請求を受けたときは，本人に対し，書面の交付による方法等により，遅滞なく，当該保有データを開示しなければならない」，ただし，「開示することで，法第 28 条第 2 項の各号のいずれかに該当する場合は，その全部又は一部を開示しないことができる」とされている．

つまり，カルテなどの診療情報に関しては，例外はあるものの開示が原則ということである．これは対象者の知る権利を擁護したものであり，診療情報が，それを記録した者の保有個人データでもあるという二面性を理由には，開示を拒否できないことになっている．

また，開示等において，対象者等の自由な求めを阻害しないために，開示等の理由を尋ねたり，法外な手数料を徴収したりすることは不適切とされている．

診療情報などを開示する場合には，対象者や家族に理解できる記録であることが必要である．全日本病院協会医療の質向上委員会の示した「開示に耐える診療記録の要件」を**表 3** に記載した[5]．このうち正確性とは，事実が記載され虚偽がないことである．判読可能とは，読みやすい文字で書き，特殊な略号や暗号を多用しないことである．理解可能とは，誤字脱字がなく，簡潔かつ必要な情報が網羅されていることである．真正性とは，不正な改ざんや修正がないことである．

これらのように，開示に耐える記録とは，事実がわかりやすく記載され，かつ保険点数などの経費の妥当性も示されたものといえる．つまり，対象者や家族のために配慮された記録は，同時に行政の指導・監査に対しても問題のない記録になりうると考えられる．

## 3 自分/学生や後輩のための記録

作業療法における実施内容と対象者の改善の程度を記録から振り返り，自分が実施した作業療法の効果を検証することは，対象者に対して最良の作業療法を提供するという意味でも，自己研鑽の機会としても重要である．このように，自己の作業療法技術の質を継続的に高めていくには，「**PDCA (plan-do-check-act) サイクル**」を回していくことが重要といわれる．

リハビリテーションマネジメントの場合は「S-PDCA サイクル」[6] (▶**図 3**) とも表現される．本サイクルのプロセス 1 つひとつに十分な記録が必要である．

**Keyword**
**PDCA サイクル** ある組織が行う活動を計画的に管理するためのフレームワークのことで，① Plan(計画)，② Do(行動)，③ Check(評価)，④ Act(修正)からなる．これらを繰り返すことで，その活動を継続的に改善していく．

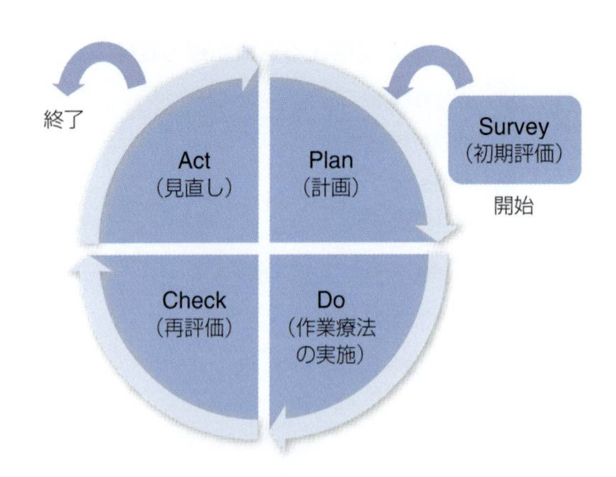


▶図 3　S-PDCA サイクル
〔森山雅志：リハビリテーションマネジメント論. 全国デイ・ケア協会(監)：生活行為向上リハビリテーション実践マニュアル. pp15–36, 中央法規出版, 2015 をもとに作成〕

**(1)　S：初期評価**

まず，評価の記録や要約などが必要である．初期評価なくして治療に入り，対象者に十分な改善がみられても，もはや作業療法の効果を証明するための証拠がないということは往々にしておこる．数値化できる評価法の使用が難しい場合は，非構成的評価結果(➡ 265 ページ)を残しておくことが重要になってくる．

**(2)　P：計画**

次に，リハビリテーション総合実施計画書やリハビリテーションマネジメントにおけるリハビリテーション計画書，生活行為向上リハビリテーション実施計画書などといった書式への記録と計画への対象者の同意が必要である．

**(3)　D：作業療法の実施**

作業療法の実施にあたっては，経過記録やプログレスノートなどが必要である．これらは作業療法士の日々の臨床思考過程を表現したものである．この書き方については後述する(➡ 264 ページ)．

**(4)　C：再評価**

再評価の記録や要約などが必要である．

**(5)　A：見直し**

見直しは，再評価結果から作業療法実施の効果検証を行い，作業療法実施方針の修正を行うものである．再評価の要約や経過記録中に記載されることが多い．

なお，このS-PDCA サイクルは，対象者1人ひとりの作業療法の経過に伴って回していくものであるが，自分自身を対象にすれば作業療法士としての成長に伴って回していくことも可能である．上記のような記録がそろっていれば，そこから事例報告をまとめる作業は少なからず容易になるだろう．事例報告を施設内や学会などで行うことで，作業療法の効果的な方法に関する知識が蓄積される．そのような知識の集積は，作業療法の有効性の根拠となり，作業療法が多くの人に選ばれるという形で自らに帰ってくるかもしれない．つまり記録は，作業療法の質を高めるとともに，その認知度と対象者の**ロイヤリティ**を高めることにも寄与するのである．

前に少し触れたが，記録には作業療法士の臨床思考過程が表現されている．学生や新人作業療法士は先輩の記録に触れることによって，経験者の臨床思考過程を学習することができる．このことは，自分のために作成した記録が，学生や新人の教育に役立つ記録となることを示唆している．

## 4 部門運営者のための記録

作業療法士の所属する部門を運営していくために必要な記録の類は，日程管理，業務管理，物品管理などに分類される．

### a 日程管理

部門のスケジュール管理を容易にするものとして，部門の予定表，担当者別の時間割表，対象者に渡す時間割表，外来予約表などがある．

**Keyword**

**ロイヤリティ**　一般には，ある企業の製品やサービスに対する信頼度や愛着度のことを指す．本書では，作業療法に対する信頼度や満足度のことを指している．

### b 業務管理

部門の業績を管理するものとして，日報，月報，作業療法日誌，対象者台帳，事故報告書，インシデントレポートなどがある．日報は，部門の1日の対象者数や単位数などをまとめたものである．さらに月報は，日報を月まとめにしたものである．作業療法日誌は，部門構成員の出勤状況，出来事，診療状況などを記載したものである．対象者台帳は，対象者の氏名や性別，年齢，診断名，処方日，作業療法開始日，担当者名，カルテ番号などが書かれたものである．事故報告書（アクシデントレポート）には，事故への適切な対処を終えたあとに，事故の発生日時，場所，内容，対象者の状態，対応状況，現在の対象者の容態，事故の原因，防止策などを記載する．インシデントレポートは，医療ミスが患者に実施される前に発見されたとき，もしくは医療ミスが実施されたものの結果として患者に影響を及ぼすに至らなかった場合に，その発生日時，場所，内容，今後の対策などを記載するものである．

### c 物品管理

機器・備品や消耗品の管理を行うものである．備品台帳，消耗品購入記録，物品請求書，修理請求書，貸し出し記録などがある．特に，作業療法室では事故につながるような物品（刃物や針など）については，その数量をたえずチェックすべきである．また，手工芸などの材料費や調理実習などの食材費は，正確な記録が必要になる．

### d その他

上記のほか，研修や学会参加に伴う旅費の請求書や報告書，各種会議記録，院内研修会記録，臨床実習に伴う各種記録などがある．

**▶表4　作業療法士の職業倫理指針**（抜粋）

**第9項 記録の整備・保守**
報告と記録の義務，治療経過の報告義務，記録の保存義務

**1. 報告と記録の義務**
治療・援助・支援の実態に基づいた正確な記録が，適正な診療報酬や利用料請求等の条件である．作業療法士は，対象者に対して治療・援助・支援を行った場合，担当者名，実施時間，その内容等々を正確に記録しなければならない．また，対象者に対する評価の内容や結果，作業療法経過等について，医師，その他関係者へ定期的に，変化があった場合には速やかに，口頭あるいは文書で報告をしなければならない．適切な内容の報告・記録は，専門職としての責任ある仕事の証である．また，正確な記録は作業療法の効果を検証する根拠として重要である．同時に，インフォームド・コンセントを受ける際の資料として欠かせない．

**2. 記録の保存義務**
診療録は診療完結の日から5年間（医師法第24条等），診療に関する諸記録（病院日誌・各科診療日誌・処方箋・検査所見記録等々）は2年間（医療法施行規則第20条第10項）等々，個人情報が盛り込まれた書類の保存期間がその種類に応じて規定されている．作業療法に関するものもそれらの規定に準ずるものと考えられ，適切な管理・保存を行わなければならない．多くの医療機関では，法定保存期間にかかわらず，診療録および診療関係書類をかなり長期間にわたって管理・保存している．作業療法関係の書類についても，再来の可能性がある対象者のものはもちろんのこと，他の書類も法定保存期間にかかわりなく，長く保存しておく心積もりでいることが望まれる．

〔日本作業療法士協会倫理委員会：一般社団法人 日本作業療法士協会 倫理綱領・倫理綱領解説　作業療法士の職業倫理指針．2005より改変〕

## 5 訴訟（検察や弁護士）のための記録

「理学療法士及び作業療法士法」には，作業療法士に記録の作成や保存を義務づける記載はない．しかし，作業療法士は医師の指示のもとに，診療の一部を担うことが同法に規定されており，医師に記録の作成と保存の義務が課せられている以上，作業療法士にも記録を作成し保存する義務が必然的に生じていると考えられる[7]．また，「日本作業療法士協会倫理綱領」の第5条には，「作業療法士は，必要な報告と記録の義務を守る」とあり，同協会の「作業療法士の職業倫理指針」第9項においては，記録の整備・保守についてさらに詳細な指針が明記されている（▶表4）[8]．

▶表 5　作業療法プロセスに伴う記録内容

**初期評価記録**

**基本情報**
① 対象者番号と氏名
② 性別
③ 病棟(入院の場合)

**医学的情報**
① 診断名と障害名
② 現病歴
③ 既往歴
④ 検査所見
⑤ 投薬内容
⑥ 他部門の情報

**社会的情報**
① 家族歴，家族構成，キーパーソン
② 住環境，家屋構造
③ 職業もしくは経済状況
④ 身体障害者手帳などの有無
⑤ 介護保険の利用状況
⑥ その他の福祉制度利用状況

**作業療法評価結果**
① 実施日
② 対象者の印象，全体像
③ 作業的ニーズ
④ 構成的評価結果
⑤ 非構成的評価結果
⑥ 問題点
⑦ 目標
⑧ 作業療法プログラム

**作業療法実施記録(プログレスノート)**
① 治療実施日
② 実施時間(開始時間と終了時間)
③ 実施内容
④ 記載者の氏名
⑤ 診療報酬点数請求区分

**カンファレンス記録**
① 対象者の障害像
② 問題点
③ 目標
④ プログラム実施方針
⑤ 目標達成に要する期間
⑥ 記載者の氏名

**再評価記録**
① 実施日
② 前回評価時からの変化点
③ 目標達成度とその考察
④ プログラム実施方針の再検討結果
⑤ 作業療法プログラム
⑥ 記載者の氏名

**終了時サマリー**
① 基本情報
② 医学的情報
③ 作業療法の実施期間・頻度
④ 初回評価時からの変化点
⑤ 作業療法実施の目的と経過
⑥ 目標達成度とその考察
⑦ 終了時指導の内容
⑧ 今後の予定(フォローアップ)
⑨ 記載者の氏名

**施設間連絡表**
① 終了時の作業療法実施内容
② 今後予想される問題
③ 転院などの理由
④ 続けるとよいプログラム
⑤ 日常生活で注意すべきリスク
⑥ 記載者の氏名

〔小野敏子, 他：診療に関する記録・報告. 岩﨑テル子(編)：作業療法学概論. 第 2 版, pp207–216, 医学書院, 2011 より〕

作業療法の実施記録は，医療(介護)における実施過程を証明する証拠の 1 つであり，その記載内容はまず真実とされる．そのため，記載と異なる症状を呈していたとか，記載と異なる評価・治療を行ったという主張は訴訟では認められないと考えられる．また，何も書いていない場合は，主張する事実すらなかったと判断される．そのため，作業療法記録には，できるだけ詳細に，実施内容と対象者の様子とその時間を記載しておくべきである．そして，後日の改ざんは，診療記録全体の信憑性が問われることにもなるので避けるべきで，やむをえず訂正・加筆する場合は，訂正・加筆の日時，記録者，理由を明記する必要がある．

## B 記録の書き方

作業療法プロセスに伴って必要となる記録内容を，小野ら[7]を参考に**表 5** にまとめた．そのなかから特に，非構成的評価結果，作業療法実施記録について解説する．また，電子カルテについても解説を加える．

## 1 非構成的評価結果の書き方

作業療法では，数値で結果の示せるような評価以外に，観察や面接などの非構成的な評価が用いられる場合がある．非構成的評価の結果は，自由記述形式で記録されるので，いかに精度の高い評価を行ったとしても，その書き方によって信憑性が左右される．

そのような非構成的評価の記述上の問題を回避し，確かに対象者が変化したと多くの作業療法士が認めるような諸条件を示したものが，京極[9]の「4条件メソッド」である．4条件メソッドには，吟味法と記述法があるが，ここでは記録に直接関係する4条件の記述法を概説する．

### (1) 条件1：評価結果を書き下ろす視点を明確に定める

評価者は，目の前でおこる事象を，特定の観点・視点というフィルターを通して理解している．このような評価における暗黙の前提には，評価者個人の知識や経験，クリニカル・リーズニング(➡162ページ)，**パラダイム**，実践モデル，**エビデンス**(➡109ページ)などが含まれる．評価者が自身の暗黙の前提を自覚し，他者と共有しやすく記述するのが本条件である．

具体的には，①評価者の立場を明示したり，②評価者の観点・視点を首尾一貫させて評価結果を記述したりするとよい．

### (2) 条件2：観察と面接によって経験された事実(作業遂行の変化)を書く

評価者が直接経験していない，他者からの伝聞や未確認の事項からの評価は，信頼できるものとは判断されにくい．評価者が実際に見聞きし，感じることができた作業遂行上の変化を中心に記述することが重要である．

### (3) 条件3：事実は第三者が評価結果の内容に同意できるよう明確な概念を使って端的に示す

まず，判断の根拠となる事実があまりにも省略されると，判断の妥当性が疑われることとなる．冗長にならない程度に具体的に書くことや，事実と事実の間が飛躍しないように書くことが重要となる．そのうえで，混乱を生ずるような概念の使用をなるべく避けて記述することが重要となる．

### (4) 条件4：判断は作業有能性に焦点を当てつつも飛躍したり，過剰にならないようにしながら示す

評価において示される判断の信頼性を上げるには以下の2点が重要である．

①対象者が従事する作業の程度や，そのことによって対象者に生じる感情や思考，行動上の変化について判断を示す．

②判断は，示された事実に対して飛躍したり過剰であったりしない．

上記のポイントをふまえて，非構成的評価の記述を修正した1例を**図4**に示す．詳細は成書を参照していただきたい．

## 2 作業療法実施記録(プログレスノート)の書き方

○年○月○日　○○時○○分～○○時○○分
訓練 ①～③ do
小○　隆○

上記のような実施記録を見たことはないだろうか．確かに法的側面からみると，機能訓練内容の

**Keyword**
**パラダイム**　ある時代やある分野において支配的となっているものの見方やとらえ方のこと．本書では，現代において一般的に使用されている評価方法やその結果の解釈のしかたなどが該当する．

条件 1：視点は首尾一貫しているか？
条件 2：評価者が直接確認した作業遂行上の変化か？
条件 3：省略のしすぎや概念の混乱はないか？

修正前の記述

対象者は，肩の可動域が拡大してきたことについて，「こんなに挙がるようになりました」と笑顔で報告してきた。また，家族の言葉によると，作業に対する動機づけも高まっていると考えられた。
これにより，退院直後と比べて，自宅での適応性が高まっていると判断した。

条件 4：判断の飛躍や過剰はないか？

修正後の記述

作業行動的視点で評価した。肩が挙がるようになったと笑顔で報告してきた対象者に，自宅でできるようになったことを聞くと，洗濯物を干したり取り込んだりができるようになって，受傷前と同じように，毎日の役割として行っていると答えた。作業療法室の模擬的な場面で実際確かめたが，問題なく行えた。その他の IADL も今は特に支障なく行えているという。そして，セッション中に対象者から，「今後は畑仕事がしたい」とか「ゲートボールのクラブに戻りたい」との発言があった。
対象者が家庭維持者としての役割を取り戻し，仕事や地域での作業参加への意欲を取り戻しはじめたと判断した。

▶図 4　非構成的評価の記述例（4 条件メソッドを用いて）

要点，実施時刻，担当者名が書かれているので，別に診療報酬点数請求区分が明記さえされていれば最低限の要件を満たしていることになる．しかしながらこれでは，前節で述べたような，対象者や自分，後輩のためになるような記録としてはまったく不十分である．ちなみに，“do” というのは，「同じ」を意味する “ditto” の略であり，これを多用することは，漫然と毎日同じことをしているととられかねない．

作業療法実施記録の質の向上に資する記載方法に SOAP 方式がある．SOAP 方式は問題指向型の診療録（problem oriented medical record; POMR）で採用されているカルテ記載法であり，作業療法士の思考過程を整理して記載するには有意義な方法であると考える．SOAP それぞれに記載する内容を**表 6** に示した．

▶表 6　SOAP における記載内容

| 項目 | 記載内容 |
|---|---|
| S（主観的データ；Subjective data） | ●対象者の主観的な自覚症状や訴え（非言語的な情報も含まれる）<br>●家族などからの訴えや情報 |
| O（客観的データ；Objective data） | ●検査結果<br>●作業療法実施内容やそのときの反応<br>●作業療法士自身が直接観察した情報 |
| A（評価；Assessment） | ●作業療法実施内容が有効であったかの判断と根拠<br>●問題点と強み<br>●予後予測や目標<br>●作業療法の実施方針 |
| P（計画；Plan） | ●具体的な作業療法計画 |

〇〇年〇〇月〇〇日　〇〇時〇〇分～〇〇時〇〇分

〈更衣練習〉
S）「肩がいつもうまく入らないです」
O）BP：120/70、P：60、$SPO_2$：99%
　患側からの前開きの着衣練習をする。肘あたりまではうまく入るが、患側肩が残ったまま健側の手を通そうとして失敗する。△△さんは、イライラした様子で「もうやらない」という。
A）感覚障害や注意障害のため確認ができない。無力感を増長したか？方法を変える必要あり。
P）後方連鎖を使ってエラーレスにやってみる。
O）まず肩を入れた状態で健側の袖通しをやってみる。
　できたら思い切り称賛を加えた。「これならできるね」とよい表情。
A）なるべく失敗を重ねない方法が効果的と思われる。
P）次回は肩を入れるところからやってみる。
小〇隆〇

▶図 5　SOAP による実施記録例

ただし，SOAP では，セッション中に修正したプランの実施結果が時系列を追って記載できないために，筆者は，実施記録の記載に SOAP を重ねて書くようにしている．**図 5** に実際の記載例を示した．このような記載法は，作業療法士の臨床思考過程をオープンにするものである．後輩や学生の指導に実施記録を利用することは，長大なレポートをつくるよりも効率的で実践的であると考える．

なお，問題点リストに #，強みのリストに♭記号をつける人がいるが，そもそも問題点番号#は，横棒が斜めになっている記号「♯」(シャープ)ではない．#1とは「ナンバー1」と読む．それゆえ，シャープの対ということでつけられたと推察される♭(フラット)マークまでいくと意味不明となってしまう．

## 3 電子カルテについて

電子カルテとは，診療情報を電子化して記録したものである．厚生労働省(当時は厚生省)は，1999(平成11)年の各都道府県知事宛の通知「診療録等の電子媒体による保存について」で，保存義務のある情報についての電子媒体による保存を以下の3原則のもとに認めた．

**(1) 真正性の確保**

故意または過失による虚偽入力，書き換え，消去および混同を防止することや，作成の責任の所在を明確にすることが技術的に担保されなければならない．

**(2) 見読性の確保**

情報の内容を必要に応じて肉眼で見読可能な状態に容易にできることや，直ちに書面に表示できることが技術的に担保されなければならない．

**(3) 保存性の確保**

法令の定める期間内，復元可能な状態で保存することが技術的に担保されなければならない．

電子カルテのメリットとデメリットを**表7**にまとめた．リハビリテーション関連の診療情報は病院全体の電子カルテシステム内で取り扱う場合と，専用のソフトウェアを用いて病院のシステムと連携して取り扱う場合とがある．電子カルテ入力の特徴として，確定入力を行う前は，記録を何度でも修正できるようになっているが，確定後に修正する場合は，修正時刻や修正者が記録されるようになっている(▶図6)．また，削除は原則的にできないようになっており，どうしても必要な場合は，削除報告書などに削除理由を明記しなければならない．それゆえ，日時や内容を指差し・呼称確認するなどしてから，“確定”を押すのがコツである．

▶**表7 電子カルテのメリットとデメリット**

| メリット | デメリット |
|---|---|
| ●真正性の確保<br>●記述の短縮化(コピー機能など)<br>●会計などの時間短縮<br>●カルテ収納スペースの削減<br>●チームの共有化が容易<br>●字が読みやすい<br>●スケジュール管理が容易<br>●算定漏れの軽減<br>●統計・集計が容易 | ●入力に融通性がない<br>●多大な初期および保守費用が必要<br>●スタッフへのトレーニングが必要<br>●コンピュータの設置場所が必要<br>●セキュリティの強化が必要<br>●コンピュータに向かう時間の増大 |

また，電子カルテでは，各種評価結果を入出力できるようになっていて，作業療法の実施効果の判定に役立てることが容易にできる(▶図7)．

# C 報告のしかた

報告とは，「ある任務を与えられたものが，その遂行の情況・結果について述べること．また，その内容」[1]である．特に，**ヒューマンエラー**による医療事故の多くは，医療者間の不十分なコミュニケーションに起因するとされる．そのため，報告を確実に行うための方法はとても重要である．

ここでは，コミュニケーションエラーが全員の生死を左右する潜水艦内でのコミュニケーションツールとして考案されたSBARを紹介する[10]．SBARのそれぞれの内容は以下のとおりである．

**Keyword**

**ヒューマンエラー** 人間が判断したり，過信したりする際に生じるミスのこと．医療現場では，患者の取り違えや投与すべき薬物の間違いや過剰投与といった重大な事故がおこりうる．作業療法をはじめとしたリハビリテーションにおいても，治療中におこる器械操作の誤りや患者の監視不足による転倒など，さまざまな事例が報告されている．

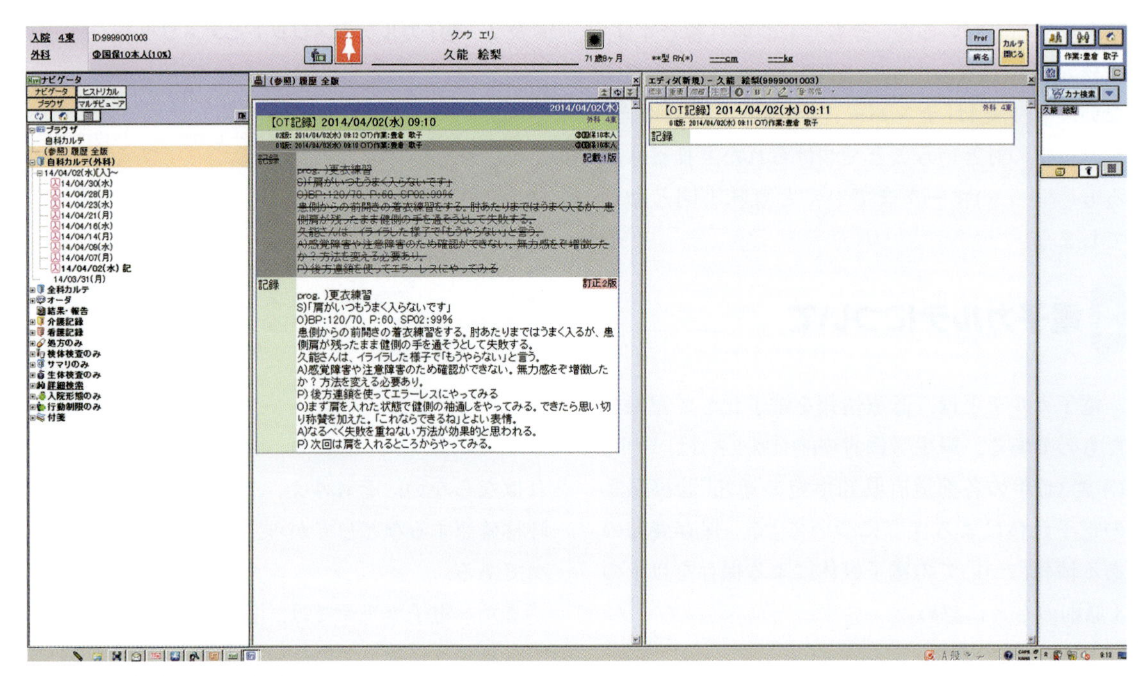


▶図 6　電子カルテ入力例（資料提供：富士通 Japan 株式会社）
内容は実在の患者のものではない.

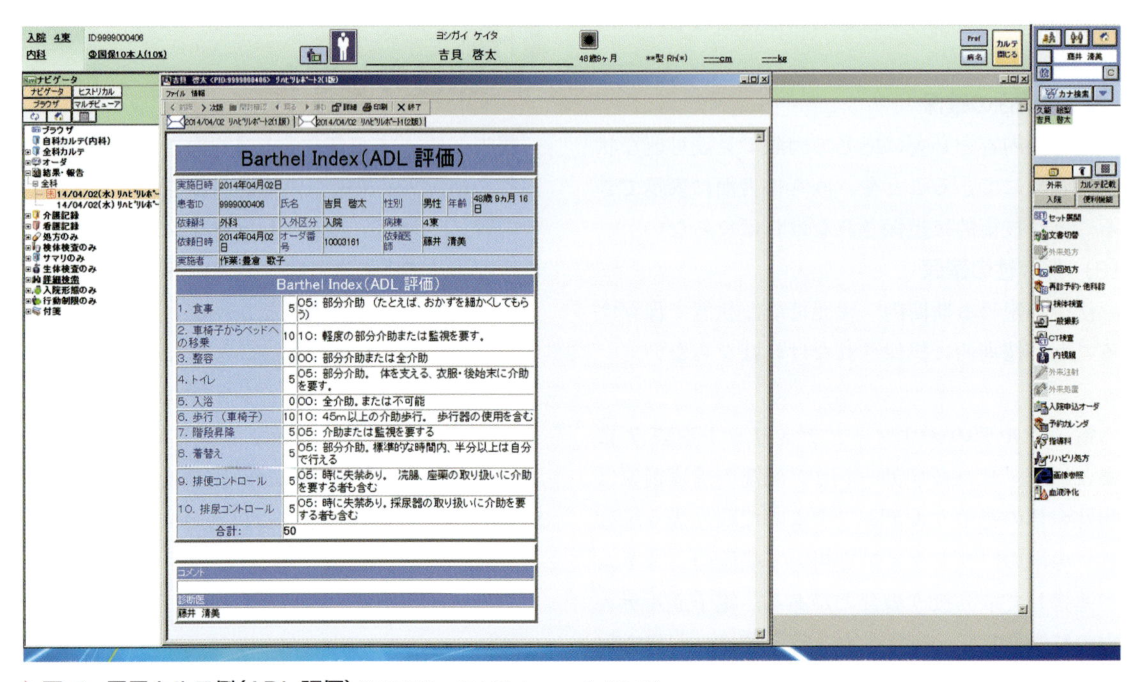

Barthel Index（ADL 評価）

| 実施日時 | 2014年04月02日 | | | | | | |
|---|---|---|---|---|---|---|---|
| 患者ID | 9999000406 | 氏名 | 吉貝 啓太 | 性別 | 男性 | 年齢 | 48歳 9ヵ月 16日 |
| 依頼科 | 外科 | 入外区分 | 入院 | 病棟 | 4東 | | |
| 依頼日時 | 2014年04月02日 | オーダ番号 | 10003161 | 依頼医師 | 藤井 清美 | | |
| 実施者 | 作業:豊倉 歌子 | | | | | | |

| Barthel Index（ADL 評価） | | |
|---|---|---|
| 1. 食事 | 5 | 05：部分介助（たとえば、おかずを細かくしてもらう） |
| 2. 車椅子からベッドへの移乗 | 10 | 10：軽度の部分介助または監視を要す。 |
| 3. 整容 | 0 | 00：部分介助または全介助 |
| 4. トイレ | 5 | 05：部分介助。体を支える、衣服・後始末に介助を要す。 |
| 5. 入浴 | 0 | 00：全介助、または不可能 |
| 6. 歩行（車椅子） | 10 | 10：45m以上の介助歩行。歩行器の使用を含む |
| 7. 階段昇降 | 5 | 05：介助または監視を要する |
| 8. 着替え | 5 | 05：部分介助。標準的な時間内、半分以上は自分で行える |
| 9. 排便コントロール | 5 | 05：時に失禁あり。浣腸、座薬の取り扱いに介助を要する者も含む |
| 10. 排尿コントロール | 5 | 05：時に失禁あり。採尿器の取り扱いに介助を要する者も含む |
| 合計： | 50 | |

コメント

診断医
藤井 清美

▶図 7　電子カルテ例（ADL 評価）（資料提供：富士通 Japan 株式会社）
内容は実在の患者のものではない.

**作業療法士**

S) 作業療法室のKです。脳梗塞で○○病棟入院中の○○さんのことですが、作業療法室で、車椅子からベッドに乗り移るときに、膝の急激な痛みを訴えました。すぐに安静にて休ませました。バイタルをすぐに確認しましたが、BP 120/60、P70、呼吸数 20 で落ち着いています。痛みも今はないようです。

B) もともと変形性膝関節症の既往があり、外来受診されていました。

A) 少しの安静で治まるようでしたらいいのですが、膝の痛みが今後強くなるようでしたら、ADL の応用練習にもさしつかえると思います。

R) 念のため整形外科でみていただいてはと思います。

**看護師**

復唱) ○○さんが、作業療法中に車椅子からベッドに乗り移ろうとして膝の痛みを訴えたのですね。すぐに休ませ、バイタルは安定している、今後膝の痛みが増悪する可能性もあり、整形外科受診について主治医と相談したほうがいいとのことですね。

**作業療法士**

確認) そうです。

▶図 8 報告の事例

**(1) S(状況；Situation)**

対象者に何がおきているのか，状況や症状を伝える．具体的には，報告者の所属・名前，対象者の氏名，年齢，病名，日時，場所，訴え，バイタルサイン，痛み，意識レベル，作業療法実施内容など

**(2) B(背景；Background)**

対象者の臨床的背景を伝える．具体的には，受傷，手術，治療などの経緯，既往，既存の検査結果，アレルギー情報など

**(3) A(評価；Assessment)**

問題に対する自分の考えを伝える．

**(4) R(提案；Recommendation)**

問題に対する自分の提案を伝える．

SBAR に復唱と確認を加えると，さらに確実なコミュニケーションがはかられると考えられるので，そのような例を**図 8** に示す．さまざまな状況を想定して，適切なコミュニケーションの練習を欠かさないことが，医療事故の予防に寄与すると考えられる．

なお，1 件の医療事故の背後には，300 件の軽微なミスが隠れているといわれ，そのような体験を共有し事故を未然に防ぐためには，インシデントレポート(➡ 263 ページ)の記載が重要となる．

**●引用文献**

1) 新村 出(編)：広辞苑. 第 6 版, 岩波書店, 2008
2) Sames KM: Documentation in practice. *In* Schell BA, et al (eds): Willard & Spackman's occupational therapy, 13th ed, pp572–581, Lippincott Williams & Wilkins, Philadelphia, 2019
3) 日本作業療法士協会：生活行為向上マネジメント. 改訂第 3 版, 日本作業療法士協会, 2018
4) 厚生労働省：医療・介護関係事業者における個人情報の適切な取扱いのためのガイダンス. 平成 29 年 4 月 14 日(令和 2 年 10 月一部改正). https://www.mhlw.go.jp/content/000681800.pdf
5) 全日本病院協会 医療の質向上委員会(編著)：標準的診療記録作成・管理の手引き. じほう, 2004
6) 森山雅志：リハビリテーションマネジメント論. 全国デイ・ケア協会(監)：生活行為向上リハビリテーション実践マニュアル. pp15–36, 中央法規出版, 2015
7) 小野敏子, 他：診療に関する記録・報告. 岩﨑テル子(編)：作業療法学概論. 第 2 版, pp207–216, 医学書院, 2011
8) 日本作業療法士協会倫理委員会：一般社団法人 日本作業療法士協会 倫理綱領・倫理綱領解説 作業療法士の職業倫理指針. 2005 https://www.jaot.or.jp/files/page/kyoukainituite/rinrisisin.pdf
9) 京極 真：作業療法士のための非構成的評価トレーニングブック—4 条件メソッド. 誠信書房, 2010
10) 東京慈恵会医科大学附属病院看護部・医療安全管理部(編著)：TeamSTEPPS® を活用したヒューマンエラー防止策—SBAR を中心とした医療安全のコミュニケーションツール. 日本看護協会出版会, 2017

# 作業療法教育の発展に向けて

## A 作業療法教育の両義性

作業療法士は医師や看護師などと同様，医療関係の国家資格である．国家資格を得るためには年に1度しかない国家試験に合格する必要がある．そのため，作業療法教育の一番わかりやすい目標は，その国家試験に合格できるための知識を修得することとなる．

作業療法士の国家試験はマークシート方式の200問で構成されており，実地問題のうちの40問が事例問題などで，残りの160問が用語についての知識を問う問題である．それらのほとんどは5者択一方式であるため，受験に際しては過去問をベースにした対策を十分に行えば，合格を勝ち取るのはそれほど難しくないであろう．しかしながら，作業療法士は国家試験に合格さえすればすぐに勤まるというような生易しい職業ではない．コラム(➡ 48ページ)でもふれたが，その仕事内容はITやAIの技術がいくら進歩しても代替が難しいとされている．つまり，量的なデータだけをいくら積み重ねたとしても，新しい対象者には十分な治療や援助ができないことを暗示している．

これは量的なデータを測ったり，そこから物事を論理的に考えたりすることが不要だと言っているわけではない．本書ではクリニカル・リーズニング(➡ 162ページ)について説明したが，そこでふれたように，作業療法士には量的で論理的な解釈をする能力に加えて，質的で心情的に物事を解釈する能力を身につけることが求められている．それでは，この量的で論理的に解釈し，かつ質的で心情的に解釈する両義的な能力をどのように修得していけばよいのであろうか．

### (1) 量的で論理的な解釈の修得

医学において最も量的で論理的な解釈が可能なものは血液に関する白血球数や血糖値といったラボデータであろう．これらは基準範囲が示されており，それと照合することで正常か異常かを判断できる．作業療法でも握力や関節可動域(ROM)といった評価は量的に測定でき，標準値や基準範囲と照らし合わせることで解釈が可能な尺度である．ただ，ここに1つの問題がある．ラボデータのもととなる血液は医師や看護師が採血するが，その成分を測定するのは機器である．一方，握力やROMは握力計やゴニオメータといった用具を使用するものの，測定する肢位や励ましによって容易に結果が変わる尺度である．そのため，正確に測定するためには正しい知識と技術を修得する必要がある．そこには，詳しく記述されたテキストと現場での基本に忠実な指導が欠かせないのだが，作業療法教育の発展が期待されるとすれば，ここに動画やバーチャルテクノロジーといったITを活用した教材が導入されることであろう．また，治療メカニズムの解明や効果判定という論理的に解釈する方法の確立が今よりもさらに広まることにより，理学療法に比べて少ないとされる作業療法のエビデンス(➡ 109ページ)の構築や活用が進んでいくものと期待したい．

### (2) 質的で心情的な解釈の修得

質的なデータは数値で表すことのできない，人間の心や感情といった内面を表したデータである．人間の心や感情には，血液の成分とは異なり基準範囲や標準値というものがない．それはそのはずで，血のつながった家族でさえ，互いの心は推測こそできるが，それが正しいかどうかの判断はつかない．さらに，人間の心は移り気でちょっとしたことで変化するし，それをごまかすこともできる．そのため，このような百人百様の質的なデータを測定したり解釈したりする能力は，単に教科書を学習するだけでは身につかないと思っていたほうがよい．しかしながら，この能力を修得しないと，国家試験に合格はできたとしても優れた作業療法士にはなれないのである．この修得にこそ作業療法教育の真髄がある．つまり作業療法の対象である人間の心を読み取り，その人の未来を描くという尊い技術を教え学ぶのである．私立の養成校の新設ラッシュに伴い，ともすれば国家試験の合格率が最重要視されるなかにあって，作業療法教育はまさに今，発展とは逆の危機に瀕しているのかもしれない．この質的で心情的な解釈の修得にこそ，作業療法教育の発展をうながすべきであろう．

## B 優れた作業療法士になるための人間教育

人間の心や感情を正確にとらえ理解できるようになるためにはどのような知識や態度が必要なのであろうか．しかも作業療法が対象とする人間は病気や怪我によって障害をかかえた人たちである．身体的，精神的，そして社会的な弱者といえるであろう．そのような弱者を前にして，その人の心や感情を理解するにはどのような準備をしたらよいのか．必要となる条件を 2 つあげてみたい．

### (1) 必要条件 1：対象者から信頼を得ること

多くの人間は自分にとって利益や価値のない相手に心を開くことはない．家族や友人といったとても近しい人間に対しても，心の内のすべてを打ち明けるわけではない．国家資格をもった作業療法士が近寄っていったとしても，対象者はすぐに心を開いてくれるわけではないのである．そこで絶対に必要なのは対象者からの信頼である．まずは親身になって理解しようとする姿勢が，聞き役としての信頼を勝ち取るきっかけになるであろう．

ただし，作業療法の対象者の利益や価値は今よりも健康になることなので，ただ単によく話を聞いてくれるよい人，つまりステキな聞き役であったとしてもそこから大きな利益は得られない．その先の健康になるための提案を真面目に考えてくれる相談役としての信頼も同時に得なければならないのである．

### (2) 必要条件 2：他人に対する興味をもち続けること

作業療法の対象者はさまざまな環境で生き，困難な状況下にある人たちである．そしてそのほとんどは 20 歳前後の皆さんにとってより経験が豊富な人生の先輩たちでもある．そのような先輩たちを前に何を準備しておけばよいのであろうか．

本書を手にしている皆さんの多くは，中学生や高校生の間は自分のことで精一杯で，他人が何に重きをおき，時間を割いていたのかということに関心をはらうことがあまりなかったはずである．運動部に所属していた人は文化部の活動内容やそこで繰り広げられていたドラマに気づくことはなかっただろうし，逆に，文化部に所属していた人は運動部の勝ち負けに対するこだわりのすべては理解できなかったであろう．しかし，これからは自分の興味ではなく，むしろ他人の興味にこそ関心を向けていく必要がある．

臨床現場では対象者の職業や立場に応じて必要となる心身機能は異なり，対象者の価値観によって治療のゴールも異なったものとなる．さらに，対象者の家庭での役割によって必要となる環境もさまざまである．このように他人とその環境を理解するためには，人のもつ価値観や信条の多様性に気づき，将来を展望できるようになることが必要となる．そのためには学生の間にできるだけ多くの人たちに出会い，そこからできるだけ多くの世界を垣間見ることが重要となるであろう．アルバイト，ボランティア，クラブ活動などを通じて，心情的に相手を解釈する機会を増やすことである．とにかく必要なことは自分だけの価値観にとどまらずに，自分とは異なる価値観をもった他人に対する興味をもち続けることである．

## C 今こそ教養教育

文部科学省の中央教育審議会は，「我が国の高等教育の将来像(2005 年)」[1] という答申のなかで，大学における教育の目的について，「精神的文化的側面と物質的経済的側面の調和のとれた社会を実現し，他者の文化を理解・尊重して他者とコミュニケーションをとることのできる力を持った個人を創造すること」と述べている．さらに，その内容について「従来型の縦割りの学問分野による知識伝達型の教育や単なる入門教育ではなく，専門分野の枠を超えて共通に求められる知識や思考法等の知的な技法の獲得や，人間としての在り方や生き方に関する深い洞察，現実を正しく理解する力の涵養(かんよう)に努めることが期待される」と提言している．

そもそも教養は何のために身につけるのか，誰のために学ぶのであろうか．英国の経済学者であり，のちに大学の学長にもなったミル[2] は大学の目的について，「熟練した法律家，医師，または技術者を養成することではなく，有能で教養のある人間を育成することである」として教養教育の重要性にふれている．哲学者として名高いフルキエ[3] も職業教育について，「人間を完成する教養を持つことが職業自体にとっても，一層重要である」と述べ，さらに「一般教育は，どんな職業であれ，より人間的に生き，仕事を果たさせる，精神，心の人間特有の性質を発達させる」とその重要性を説いている．作業療法士である山口ら[4] も作業療法士を含めた対人援助職について，「人を尊び，理解し，思いやる心を内在していること」と，「専門職間で連携を図り，対象者の幸福を実現していくためには，専門職間の相互信頼や意思疎通といった基本的な素養が必要である」ことに言及している．そのうえで，必要とされる「心」や「素養」を育成するためには，個々の専門教育を超えた教養教育が必要であると述べている．

このような教育者からの提言なり忠告は，現代の国家試験合格を旗印にした作業療法の専門教育に警鐘を鳴らすものである．養成校のカリキュラムはすぐに改善されることはないであろうが，今後はこのような教養教育の発展にこそ，優れた作業療法士の育成が託されていくものと願ってやまない．

### ●引用文献

1) 文部科学省中央教育審議会：「我が国の高等教育の将来像(2005 年)」
https://www.mext.go.jp/b_menu/shingi/chukyo/chukyo0/toushin/05013101.htm
2) ミル JS(著), 竹内一誠(訳)：大学教育について. pp12–19, 岩波書店, 2011
3) フルキエ P(著), 久重忠夫(訳)：公民の倫理. pp116–127, 筑摩書房, 1997
4) 山口　昇, 他：これからの作業療法教育を考える—教育原理と作業療法専門教育. 作療ジャーナル 41:70–79, 2007

# さらに深く学ぶために

本書は作業療法をおおまかに学ぶための教科書であると述べた．専門的な内容も多く，すべてを修得できたわけではないと思うが，全体を通して作業療法士という職業を身近に感じてもらえたなら望外の喜びである．そしてこれは密かな期待を込めて書くのだが，いや，おそらく，このページにたどり着いた皆さんはそうであるに違いないはずだが，もう少し作業療法の深みを感じてみたいと思った方がいるかもしれない．ここに記すのは，その方々に向けたメッセージである．

改めて，作業療法は医学に属していながら，最も多様な学問的側面をもっているように思う．人体や病気の勉強も必要であるし，作業療法の評価方法や人々の生活様式のこともたくさん学ぶ必要がある．何より大変なのは，対象者である人間の心や価値観をどのように把握したうえで，治療に反映させていくかということであろう．

まず病気や作業療法に対する理解を深めるには，臨床医学や作業療法の専門書にあたることである．医師が勉強するように作業療法士も勉強する必要があるのである．わからない用語が出てきたら，それも調べる．発症のメカニズムや薬物の効能がわからなければ納得がいくまで勉強する．おそらく，皆さんの通っている学校には図書館があり，数多くの臨床医学や作業療法の専門書が本棚に並んでいるはずである．妥協せずに，とことん疑問を解き明かしていってほしいと思う．

その一方で，そのような専門書をめくるだけでは学ぶことのできないことがある．それは，病気や障害をかかえて生活している人たちの苦しみや価値観を理解したり，そこに寄り添う家族の覚悟や生きがいを学んだりすることである．これらを修得するためには，病気にかかった人たちの体験や，介護や治療に向き合った人たちの経験にふれることが一番である．骨折や捻挫などの怪我をしたことがない人にその痛みや不便さは実感できないし，介護をしたことがない人にその苦労ややりがいは理解できないであろう．臨床現場に出る前の比較的時間にゆとりのある学生の間に，病気を患った本人や家族の闘病記をめくって，彼らの症状と苦悩，そして愛にふれておくとよいように思う．まずは書籍を何点か紹介しよう．

## ■当事者の闘病記

**(1) クリストファー・リーブ(著)，布施由紀子(訳)：車椅子のヒーロー．徳間書店，1998**

映画「スーパーマン」の主人公だった著者が落馬によって頸髄損傷となったのちの闘病記．再びヒーローになるまでの記録である．

**(2) 川口有美子：逝かない身体．医学書院，2009**

ALS になった母親に寄り添った家族の闘病記．娘なのに母親の介護をどこか客観的に冷静に描いている．

**(3) ジル・ボルト・テイラー(著)，竹内　薫(訳)：奇跡の脳．新潮文庫，2012**

37 歳で脳卒中になった脳科学者の闘病記．脳科学者だけに脳の機能もわかりやすく紹介している．

**(4) 長谷川和夫，他：ボクはやっと認知症のことがわかった．KADOKAWA，2019**

認知症になった“認知症の権威”の先生の闘病記．私が作業療法士として初めて入職した大学病院の学長でした.「ボクは…」で始まる文章が印象的.

さらに，これら当事者に加えて，病気や障害をかかえて生きる対象者に寄り添った専門家たちの慈愛に満ちた悟りやプロフェッショナリズムにふれておくことも作業療法士を目指す糧(かて)となりうるであろう.

### ■専門家の深淵なる言葉

(1) **V.E. フランクル(著)・山田邦男, 他(訳)：それでも人生にイエスと言う. 春秋社, 1993**
ナチスの収容所を生き抜き，のちに精神科医となった著者が生きることの意味や価値を説いた書.

(2) **上田　敏：リハビリテーションの思想. 第2版増補版, 医学書院, 2004**
リハビリテーションを職業として目指す人にとってのバイブル的存在. あなたがなぜリハビリテーションを目指そうとしているのかを再認識できるかもしれない.

(3) **神谷美恵子：生きがいについて. みすず書房, 2004**
ハンセン病とともに生きた精神科医の思想の集大成. 人それぞれの「生きがい」について，それを失うことや新しい発見のしかたのヒントが書かれている.

以上，ここに紹介した書籍のなかにはすでに絶版になったものが含まれている. 学校や地域の図書館で探してみるのもよいし，そこになければインターネットで探してみるのも趣があってよいかもしれないと思い，あえて掲載した.

また，ここではあえて作業療法士の先輩たちが執筆した専門書にはふれなかった. それらは数多あるのだが，まずは広く医学に携わった先輩たちがどのように生き，そこで何を考えてきたかを知ってほしいと思ったからである.

さて，本を読むことは苦手だけれども，映画を観ることは好きという方にも何点か紹介しておこう. 作業療法そのものを扱った作品ではないが，作業療法士を目指す皆さんに大事な何かをプレゼントしてくれるかもしれない.

### ■著者が勝手におすすめする映画

(1) **ハリソン・フォード(主演)：心の旅. 1991**
冷徹な敏腕弁護士が，事件に巻き込まれて…というありがちなハリウッド映画であるが，主人公を担当するセラピストにも注目.

(2) **ラッセル・クロウ(主演)：ビューティフル・マインド. 2001**
ゲーム理論の基礎を築いたノーベル賞数学者ジョン・ナッシュの伝記映画. 統合失調症の苦しみが少しだけ理解できるかもしれない.

(3) **樹木希林(主演)：あん. 2015**
ハンセン病療養所に暮らす人と，どら焼き屋の店長との交流を描いた作品.

(4) **スティーブ・グリーソン(主演)：ギフト. 2016**
ALSになった元アメリカンフットボール選手が息子に捧げた闘病記. 病気が進行するありようと主人公の生きざまを撮ったドキュメンタリー映画.

以上，筆者の独断と偏見で珠玉の作品の数々を紹介した. これらのどれかにふれることで対象者や家族の心を理解し寄り添っていこうという，作業療法士を目指す決意につながれば幸いである. そしていつの日か，よりよき社会を創っていく同志になれますようにという願いを込めて.

# 作業療法学概論の授業プラン

| 授業の概要 | 作業療法士の役割を理解し，専門職としての意識を高めるために，作業療法に関する基礎的および実践的な内容を修得する. |
|---|---|
| 授業の目的 | 作業療法という治療技術を理解し，作業療法士を目指す意欲を養う. |
| 学習目標 | 1. 作業療法に関心をもち，作業療法に関する知識を得ようと努力することができる.<br>2. 作業療法とは何かを説明できる.<br>3.「作業」とは何かを議論し合うことができる.<br>4. 作業療法の評価から治療に至る流れを説明できる.<br>5. 4 つの分野ごとの作業療法の役割と内容の概略を述べることができる. |

| 回数 | 授業計画・学習の主題 | 授業形態 | 事前・事後学習の学習課題 | 学習時間前/後(分) |
|---|---|---|---|---|
| 1 | 作業療法とは | 講義 | テキスト pp3–13 を読み，作業療法の定義についてまとめておくこと | 60/30 |
| 2 | 作業療法の歴史と原理 | 講義 | テキスト pp15–25 を読み，作業療法の原理が何かを考えておくこと | 60/30 |
| 3 | 作業療法に関連する予備知識 | 講義 | テキスト pp27–38 を読み，対象者を理解するために必要なことは何かを整理しておくこと | 60/30 |
| 4 | 作業療法の実践現場 | 講義 | テキスト pp40–47 を読み，作業療法が実践されている現場をまとめておくこと | 60/30 |
| 5 | 作業の分析と治療への適用 | 講義 | テキスト pp51–83 を読み，作業の分析のしかたを整理しておくこと | 60/30 |
| 6 | 作業療法士の養成と教育 | 講義 | テキスト pp87–119 を読み，作業療法士の養成制度を理解しておくこと | 60/30 |
| 7 | 日本作業療法士協会と WFOT | 講義 | テキスト pp120–141 を読み，日本作業療法士協会と WFOT の役割をまとめておくこと | 60/30 |
| 8 | 作業療法の実践過程 | 講義 | テキスト pp145–164 を読み，作業療法の評価 → 治療の流れを把握しておくこと | 60/30 |
| 9 | 身体機能分野における作業療法の実際 | 講義 | テキスト pp169–181 を読み，身体機能分野における作業療法の目的をまとめておくこと | 60/30 |
| 10 | 精神機能分野における作業療法の実際 | 講義 | テキスト pp182–195 を読み，精神機能分野における作業療法の目的をまとめておくこと | 60/30 |
| 11 | 発達過程分野における作業療法の実際 | 講義 | テキスト pp196–211 を読み，発達過程分野における作業療法の目的をまとめておくこと | 60/30 |
| 12 | 高齢期分野における作業療法の実際 | 講義 | テキスト pp212–227 を読み，高齢期分野における作業療法の目的をまとめておくこと | 60/30 |
| 13 | 社会保障制度の理解 | 講義 | テキスト pp231–244 を読み，医療保険と介護保険の違いをまとめておくこと | 60/30 |
| 14 | 作業療法部門の管理運営 | 講義 | テキスト pp246–269 を読み，記録と報告の違いを理解しておくこと | 60/30 |
| 15 | まとめ | 講義 | テキスト全体を読み直して，疑問点を明確にしておくこと | 60/30 |

| 使用図書 | 書名 | 著者名 | 発行所 | 発行年・価格 |
|---|---|---|---|---|
| 教科書 | 作業療法学概論 | 能登真一(編) | 医学書院 | 2021 年・4,400 円 |
| 参考書 | 作業療法の話をしよう | 吉川ひろみ(編) | 医学書院 | 2019 年・3,960 円 |

| 評価方法 | オフィスアワー |
|---|---|
| レポート 30%，期末試験 70% の合計 100% で評価する<br>定期試験期間中に試験を実施する | 月，金曜日：10:00～12:00<br>他の曜日：17:00～18:00 |

# 索引

＊用語は五十音方式で配列した．
＊数字で始まる用語は「数字・欧文索引」に掲載した．
＊太字は主要説明箇所を， はキーワードのページを示す．

## 和文

## 数字・欧文

## E



## F・G



## H・I



## L・M



## N・O



## P・Q



## R・S



## T・U



## V・W